UNE PART DE CIEL

DU MÊME AUTEUR CHEZ ACTES SUD
ET ÉDITEURS ASSOCIÉS

L'Office des vivants, Le Rouergue, 2001 ; Babel n° 944.

Mon amour ma vie, Le Rouergue, 2002 ; Babel J, 2008 ; Babel n° 991.

Seule Venise, Le Rouergue, 2004 (prix Folies d'encre et prix du Salon du livre d'Ambronay) ; Babel n° 725.

Les Années cerises, Le Rouergue, 2004 ; Babel n° 1053.

Dans l'or du temps, Le Rouergue, 2006 ; Babel n° 874.

Les Déferlantes, Le Rouergue, 2008 (grand prix des lectrices de *Elle*) ; Babel n° 1085.

L'amour est une île, Actes Sud, 2010.

Une part de ciel, Actes Sud, 2013.

Détails d'Opalka, Actes Sud, 2014.

CLAUDIE GALLAY

UNE PART
DE CIEL

roman

BABEL

Il dépend de celui qui passe,
Que je sois tombe ou trésor,
Que je parle ou me taise.

PAUL VALÉRY

Lundi 3 décembre

On était trois semaines avant Noël. J'étais arrivée au Val par le seul train possible, celui de onze heures. Tous les autres arrêts avaient été supprimés. Pour gagner quelques minutes au bout, m'avait-on dit.

C'était où, le bout ? C'était quoi ?

Le train a passé le pont, a ralenti dans la courbe. Il a longé le chenil. Je me suis plaqué le front à la vitre, j'ai aperçu les grillages, les niches, les chiens. Plus loin, la scierie sombre et la route droite. Le bungalow de Gaby, la boutique à Sam, les boîtes aux lettres sur des piquets, le garage avec les deux pompes et le bar à Francky.

On avait bâti des maisons tristes cent mètres après la petite école. Les stations de ski étaient plus haut, sur d'autres versants.

J'ai pris ma valise. Je l'ai tirée jusqu'à la porte.

Le Val-des-Seuls n'est pas l'endroit le plus beau ni le plus perdu, juste un bourg tranquille sur la route des pistes avec des chalets d'été qui ferment dès septembre.

Le train est entré en gare.

J'ai regardé le quai.

J'avais froid.

J'ai toujours froid quand je reviens au Val. Un instant, j'ai ressenti l'envie terrible de rester dans le train.

Je suis née ici, d'un ventre et de ce lieu. Une naissance par le siège et sans pousser un cri. Ma mère a enterré mon cordon de vie dans la forêt. Elle m'a condamnée à ça, imiter ce que je sais faire, revenir toujours au même lieu et le fuir dès que je le retrouve.

Deux fois par an, avec le père des filles, on faisait la route. Parfois en train, le plus souvent en voiture. Saint-Étienne, Vienne, Lyon, et on tirait à l'est, Chambéry, Saint-Jean-de-Maurienne. On ne restait jamais longtemps, quelques jours à certaines vacances, celles de Pâques et du bel été. Des jours pris sur nos congés, on voulait que les petites connaissent le pays, qu'elles rencontrent Yvon, Gaby et la Môme. Qu'elles aient un aperçu du sol, du sang. Et de la famille.

"Dès que je vois les cimes, j'ai le cœur qui se tend", c'est ce que je disais au père des filles. Je m'arrêtais toujours cinq minutes après le panneau d'entrée, dans le même virage, une courbe d'ombre derrière la chapelle. La main au panneau. Il fallait que je prenne l'air. De grandes goulées de vent froid que j'avalais les yeux dans le ciel et les pieds dans le fossé.

Je m'arrêtais aussi au retour. Même endroit. De l'autre côté.

L'été précédent, j'étais venue seule.

Le train a stoppé le long du quai. Une gare sans guichet. Les fenêtres étaient murées par des parpaings.

Philippe m'attendait. Son badge de garde forestier brillait au revers de sa veste. Il avait pris des rides en vrac, les cheveux en broussaille, une barbe de trois jours et des kilos en trop.

Philippe est mon frère.

À part lui, il n'y avait personne.

Personne non plus en face, sur l'autre quai.

— Ça va ?

— Ça va.

— Pas trop long ?

— Non.

Le train est reparti. Il desservait Modane, après la frontière et Bardonecchia.

Un autre allait passer dans quatre minutes. Direction Chambéry. Celui-là ne s'arrêterait pas.

Philippe a voulu qu'on attende Gaby. On s'est assis sur un banc. L'horloge au-dessus de la porte marquait un temps d'une seule aiguille, celle des minutes s'était décrochée et reposait dans le fond bombé du cadran.

La boule de verre était dans ma poche, je l'ai sortie, je l'ai fait tourner dans ma main. Une boule à touristes pleine d'eau avec de la neige en synthétique et un cheval à bascule à l'intérieur. Pendant le voyage, je l'avais posée sur la tablette, les secousses faisaient danser les flocons.

Philippe lui a jeté un regard.

Cette boule de verre, c'est Curtil qui me l'avait envoyée. Je l'avais reçue huit jours avant, à Saint-Étienne.

Philippe avait reçu la sienne ici, Gaby aussi.

Il m'avait téléphoné : "Tu l'as reçue ? – Oui. Qu'est-ce que tu comptes faire ? – Qu'est-ce que tu veux que je fasse ?"

J'étais venue. Tout de suite. Très vite. À quoi est-ce que je m'attendais ? Que Curtil soit là, les bras grands ouverts ?

Curtil, c'est notre père.

On l'appelle comme ça quand on est ensemble. Quand je pense à lui, je l'appelle comme ça aussi. Il voulait nous voir. On ne savait même plus où il habitait. Un pied-à-terre un peu à gauche de Nantes, il disait. Si ça se trouve, il n'a jamais mis les pieds à Nantes, c'est que du rêve, des histoires.

— Pourquoi il veut nous voir ? j'ai demandé.

— Je ne sais pas.

— Il aurait pu téléphoner.

— Tu sais, lui, le téléphone…

— On dirait qu'il nous convoque.

Philippe a haussé les épaules.

— Il a toujours fait ça.

— Qu'est-ce que tu crois qu'il veut nous dire ?

— J'en sais rien… Peut-être rien. Simplement nous voir.

Une voiture est arrivée, les pneus dans les flaques, des bruits de graviers et le capot de la Volvo.

Gaby s'est avancée, elle portait son éternelle pèlerine, un manteau en grosse laine qu'elle mettait dès novembre et jusqu'à fin avril.

Un peu voûtée, elle a traîné des pieds jusqu'à nous.

Elle m'a frotté la tête en guise de bonjour.

— Ça va, toi ?

— Ça va.

Elle a détaillé ma valise, les étiquettes, la sacoche d'ordinateur posée à côté.

Elle s'est assise entre nous.

— Je pensais pas que tu viendrais.

Sa voix était rauque. C'était comme ça depuis l'incendie, ses poumons sifflaient, sa gorge grattait les sons, leur arrachait la surface, ça faisait un bruit de forge et des intonations rudes, on aurait dit qu'il n'y avait jamais de voyelles dans ses mots.

Elle a posé son cabas entre ses pieds. À l'intérieur, une blouse de travail et des pantoufles. Sa boule de verre, elle me l'a montrée, dans la sienne il y avait Nice avec quelques vagues bleues et un dauphin qui nageait.

Philippe n'a pas dit ce qu'il y avait dans la sienne. Il fixait les rails.

Les quatre minutes se sont écoulées. Le train est arrivé. Il est passé lentement. Des voyageurs sommeillaient derrière les vitres. Certains nous regardaient sans sourire.

— Ça serait moi, a dit Gaby, je les ferais courir derrière pour leur apprendre la gaieté.

Le dernier wagon, on l'a suivi des yeux.

Après le passage du train, des poules ont sauté sur le ballast. Elles grattaient entre les rails, retournaient le gravier avec leurs pattes et piquaient du bec dans les mousses.

Gaby a tiré du pain de son baluchon, elle a lancé des morceaux aux poules. Les volailles se bousculaient pour les attraper. C'étaient des pataudes. Quand Gaby jetait trop loin, elles ne retrouvaient plus les miettes alors elles piquaient du bec dans le vide, l'œil rond tourné au ciel et elles reprenaient leur allant, suivaient les rails. Il y en avait six en tout, plus une maigre à l'écart.

Gaby les observait.

— Je ne sais pas si c'est à cause de l'herbe qui est trop haute… ou alors si c'est la mémoire qui leur manque… mais on dirait qu'elles oublient ce qu'elles cherchent.

Ça chuchotait derrière le mur. Des rires retenus. Je me suis retournée. C'étaient les fils de l'Oncle, trois graines de misère qui poussaient sans éducation. L'aîné n'avait pas onze ans. Cette gare était leur territoire, ils avaient aménagé une épave de wagon sur l'ancienne voie désaffectée.

Philippe a sorti des caramels de sa poche. Des mous, entourés de papier transparent.

— Qu'est-ce qu'on fait ? j'ai demandé.

— Qu'est-ce que tu veux qu'on fasse ?

— On l'attend, a dit Gaby.

Philippe nous a donné des caramels.

— Tu peux rester jusqu'à quand ?

— J'ai du temps… mais je ne compte pas passer Noël.

Il a hoché la tête.

Il comprenait.

Avec la lame de son couteau, il a partagé le caramel restant sur le plat du banc. Il a pris soin de faire des parts égales.

— Ça fait combien de temps qu'on ne l'a pas vu ?

— Trois ans.

— Trois ans et cinq mois…, a précisé Gaby, depuis l'enterrement de maman.

— Il doit être vieux.

— Il y a trois ans, il était déjà vieux.

— On fait tous plus vieux quand on enterre un mort.

Après l'enterrement de notre mère, Curtil nous a dit qu'il allait faire un tour. On avait l'habitude. Dans notre enfance déjà, il nous quittait pour aller ailleurs. On restait des semaines sans nouvelles. Et puis un matin, le facteur apportait à notre mère une boule de verre avec un paysage en plastique à l'intérieur. "Curtil revient", elle disait. Elle ne disait pas votre père, elle disait son nom, Curtil. Des fois, elle ne disait rien, on voyait la boule sur la table, pas besoin de plus, on comprenait.

La boule annonçait son retour. C'était une question de jours. Notre mère se préparait, elle ouvrait ses armoires, sortait ses robes, choisissait la plus belle. Elle recouvrait ses ongles d'une couche laquée, un rouge magnifique qu'elle achetait au supermarché et qu'elle appelait son "Chanel".

Chaque matin, elle préparait un gâteau. Immuablement le même. À base de chocolat.

Elle disait que c'était le préféré de Curtil.

Elle en confectionnait un nouveau chaque matin et nous abandonnait celui de la veille.

Celui-là seulement.

Parfois, Curtil tardait à revenir et on n'en pouvait plus de ces gâteaux répétés, on les donnait aux copains. Aux chiens. Aux mendiants. Et quand eux-mêmes n'en voulaient plus, on les déposait dehors, en pile contre un mur. Je les regardais moisir. Je n'ai jamais rien vu de plus étrange que ces gâteaux sombres qui se recouvraient de pourriture. Avec les jours, ils se transformaient, s'unifiaient, devenaient un unique et vaste gâteau, une pyramide vivante qui se tassait, s'effondrait, finissait par ramper et se confondait avec la terre.

Chaque jour, après avoir enfourné son dernier gâteau, notre mère dissolvait le vernis ancien et recouvrait chaque ongle d'une couche nouvelle. L'odeur du dissolvant imprégnait la maison, se mêlait à celles, plus suaves, des diverses ordures qui traînaient dans la poubelle.

Notre mère attendait. Ne s'occupait plus de nous. Ça durait des jours ou ça ne durait pas, c'était selon. Parfois, c'étaient des semaines.

Et Curtil arrivait.

Il arrivait toujours.

Je ne sais pas s'il goûtait à ce gâteau. Il m'est arrivé de l'épier quand il entrait dans la cuisine. Le jour de son retour et aussi le lendemain. Je ne l'ai jamais vu en manger une seule part. Aujourd'hui, je pense que cette préférence était seulement dans la tête de notre mère, et que le plaisir qu'elle prenait à lui préparer ce gâteau suffisait à la persuader de cette préférence.

Curtil revenu, la vie reprenait. Tant qu'il était à la maison, la dernière boule restait sur la table. Il pouvait s'attarder longtemps au point que je pensais parfois qu'il ne repartirait jamais.

Et un jour, il repartait.

Il repartait toujours.

Notre mère l'excusait, elle disait : "C'est les démons qui l'obligent !"

Elle retirait alors la boule de la table et la reléguait dans sa chambre avec toutes les autres.

Sur la nappe de la cuisine restait un rond de poussière, un cercle un peu collant que nous ne touchions pas. Je n'arrive pas à me souvenir si notre mère nous l'interdisait ou si c'est nous-mêmes qui nous le défendions.

À force de temps, la trace disparaissait.

Philippe m'a déposée au gîte, il avait à faire et Gaby voulait dormir.

Francky avait laissé la clé derrière le volet. Un deux-pièces mitoyen aux ateliers de la scierie, chauffé à l'électrique. J'ai posé ma valise sur le lit. L'ordinateur.

La boule de verre.

Dans mon sac, l'épais livre sur Christo que j'avais à traduire. Une biographie de huit cents pages, un artiste du land art américain. Physiquement, l'ouvrage ressemblait à une bible imprimée sur papier fin.

Le compteur électrique était dans une niche creusée dans le mur. Des fils pendaient, les prises étaient noires. Le lit, un deux places, matelas à ressorts, gros édredon, poussé dans l'angle de la pièce. Au-dessus, une branche de buis bénit dont les feuilles blanchies par la poussière devaient dater de lointains Rameaux.

Il restait un peu de nourriture dans les placards.

Le plancher était recouvert de moquette verte. Les cloisons étaient minces et j'entendais les bruits de l'atelier à côté. J'avais l'impression d'avoir les machines dans la chambre, avec les planches, les scies, les moteurs et les hommes.

Je suis sortie.

Un camion chargé de grumes est passé sur la route en faisant trembler les murs, des guirlandes de Noël clignotaient dans sa cabine. Un autre manœuvrait devant la scierie, ses roues écrasaient les écorces, il est allé vider sa benne de sciure au bout du chemin.

J'ai traversé la route.

Des femmes attendaient devant l'épicerie, elles m'ont dévisagée. L'une d'elles s'est penchée, a murmuré des choses aux deux autres. Celles qui écoutaient ont hoché la tête.

La boutique était accolée à la station-service. Le petit garage à côté. Des voitures sur le parking.

Je me suis avancée jusqu'au zinc à Francky. Un auvent, une enseigne en bois, *La Lanterne.* Il y avait d'autres bars dans la vallée mais celui-là était le plus ancien et, de l'avis de tous, c'était aussi le plus beau. L'enseigne grinçait dès qu'il y avait un peu de vent c'est-à-dire presque tout le temps.

J'ai poussé la porte.

C'était l'heure lente, la mauvaise, celle du milieu d'après-midi. Des gars vidaient leurs verres, les yeux dans le vague, regards inabordables. Ils ont tous tourné la tête quand je suis entrée. Il y avait des vachers qui travaillaient pour Buck, des vieux et quelques autres types. Certains m'ont reconnue. J'ai eu droit à des signes.

La Lanterne, c'est trois grandes salles tout en longueur et une odeur indéfinissable, un mélange de bière et de tabac qui se prend à la laine moite des pulls. La troisième salle sert de cantine aux bûcherons. L'été, quand il est d'humeur, Francky installe des tables sur la terrasse.

Sur le comptoir, l'écriteau *Réception* date du temps où le bar faisait aussi hôtel de passe.

J'ai choisi une place près de la grande baie vitrée.

Diego sommeillait, dos au mur, une main repliée sur un torchon, l'autre sur un puzzle de pièces minuscules qui occupait toute la table devant lui. C'était sa pause. Sa blouse d'aide-cuisinier était suspendue à un clou. Il a entrouvert un œil. Quand il a vu que c'était moi, il a soulevé la main, a remué le torchon.

Francky m'a touché l'épaule.

— Content de te voir, Carole…

C'est lui qui me louait le gîte.

Il m'a demandé si j'avais fait bonne route, si j'étais bien installée et si j'avais besoin de quelque chose, je lui ai dit que tout allait bien, que j'avais faim et il m'a préparé un sandwich.

Il avait installé un ordinateur sur l'étagère près du puzzle à Diego. Un panneau sur la porte, *Connexion WIFI Gratuit*. C'était nouveau. Il m'a dit qu'à cause des montagnes, ça ne marchait pas tous les jours, alors il avait ajouté le mot *irrégulier*, entre *WIFI* et *Gratuit*.

Il y avait un juke-box. Pour quelques cents, on pouvait acheter des jetons et se passer des vieux disques. Je connaissais les codes par cœur, E4 c'était Nino Ferrer, *Le Sud*, la chanson préférée du père des filles.

Un énorme trophée en tête de cerf trônait au-dessus, cloué au mur, l'encolure recouverte de poussière.

Une affiche était scotchée sur la vitre : Défilé de chars le 21 décembre ! Depuis 1884, c'était une tradition, on fêtait le solstice. La nuit d'hiver la plus longue de l'année. Chaque quartier présentait son char et rivalisait avec les autres, il y aurait celui du Val-des-Seuls et ceux des proches communes.

— Tu dînes ici, ce soir ? m'a demandé Francky.

— Non, je suis crevée, je vais me coucher tôt.

Au téléphone, je lui avais dit que je resterais une semaine. Peut-être plus.

Curtil m'avait amenée dans ce bar, j'avais quelques heures, il m'avait posée sur le zinc, pour me présenter au monde. J'étais sa première pisseuse, sa fente, son soleil, son azur ! Il avait offert une tournée à tous. M'avait baptisée au vin, à sa façon, une goutte de rouge qui m'avait lesté l'estomac, pour me donner le goût des fortes choses, il avait dit.

Il avait tellement bu qu'il a sombré à la table. C'est le père à Francky qui m'a ramenée à ma mère.

Philippe était déjà né. Gaby est venue après. J'étais entre les deux.

J'ai toujours aimé les bars.

Je tiens ça de lui.

J'ai mangé mon sandwich en pensant à tout ça. Après, j'ai mis *Le Sud*, trois fois de suite. À la troisième, Diego s'est redressé, on aurait dit l'Indien géant qui jouait avec Nicholson dans *Vol au-dessus d'un nid de coucou*.

Je me suis excusée.

Je suis revenue à ma table.

Francky m'a apporté une airelle fraîche dans un grand verre à limonade : "Offert par la maison !"

— Alors c'est vrai ce qu'on dit ? il a demandé en passant le chiffon sur la table.

— Qu'est-ce qu'on dit ?

— Qu'il revient.

J'ai hoché la tête.

J'ai brassé dans l'airelle avec la paille, aspiré le bon goût frais du lait et des myrtilles.

Je guettais la route.

À la fin de sa vie, quand elle était en résidence, ma mère aussi fixait le bitume. Le facteur la connaissait, il lui donnait un *Gratuit*, elle le gardait sur ses cuisses, lissait machinalement le papier du plat de la main. À force et avec la sueur, sa paume délavait l'encre noire.

Les infirmières disaient que ça lui faisait du bien d'attendre.

Que, parfois, chez certains malades, l'attente est meilleure que tout.

Je suis revenue au gîte. J'ai vidé ma valise. Le jour tombait, le bus du lycée s'est arrêté devant l'abri. Les portes ont chuinté et des ados sont descendus. La jeunesse du Val. Un éparpillement rapide. J'ai reconnu la Môme, avec son bonnet péruvien, elle s'éloignait en direction du bungalow.

J'ai trouvé des couvertures. Des oreillers. Il n'y avait pas de téléviseur. J'ai déniché un vieux transistor au fond d'un placard, un appareil à piles, on changeait d'ondes en tournant une molette qui déplaçait un curseur. L'antenne était tordue. Ça captait Nostalgie et Culture sur le frigo. RTL près de la porte.

Je suis sortie remplir un sac de sciure et je l'ai porté à Gaby.

Son bungalow était une construction bringueba-lante posée entre la route et la rivière. Un habitat de tôles consolidé avec des planches et qui avait résisté à de nombreux hivers. Gaby ne jetait rien. Tout s'entassait dehors, autour, des cartons en piles, un buffet, un vélo, des caisses avec des outils, un vieux poste de télévi-sion. Certaines choses étaient à l'abri sous des grandes bâches brunes. Le reste prenait la pluie. Un passage étroit permettait de rejoindre la porte.

On entrait chez elle par trois marches en parpaings.

Quand je suis arrivée, la Môme était dehors, assise sur un siège du tourniquet. Dix-sept ans, un regard émeraude et les joues plaquées de son, la seule fille blonde du bourg. Elle creusait dans une citrouille, arra-chait la pulpe, une matière gluante qui enrobait des pépins blancs et plats.

La Môme n'était pas la fille de Gaby ni celle de Ludo. La première fois que je l'avais vue, elle marchait à peine. "Je la garde pendant que sa mère travaille", c'est ce que Gaby avait dit.

L'année suivante, la Môme était encore là.

Et l'année d'après.

Une gamine à la carnation si pâle, ce n'était pas commun ici. Plusieurs fois, j'ai voulu savoir, j'avais posé des questions mais Gaby restait vague. Philippe n'en disait pas davantage. Ça m'avait énervée, long-temps. Un été, Gaby m'avait lâché que la mère de la Môme l'avait déposée un matin et n'était jamais reve-nue la chercher. "Ce qui est abandonné appartient à celui qui s'en occupe. Et je m'en occupe."

Elle s'en était tenue à cette conclusion brève, une mère qui dépose son enfant et ne revient pas.

— J'apporte de la sciure, j'ai dit à la Môme en lui montrant le sac.

Elle a relevé la tête.

Gaby a surgi de l'ombre. Derrière le bungalow, il y avait un tas d'ordures qu'elle venait de regrouper avec un râteau. Cinq piquets plantés côte à côte pour un début de barrière. Le marteau encore à côté, avec la boîte de clous.

Gaby s'est avancée, a plongé une main dans le sac.

— De la sciure qu'a pas pris la pluie, elle a murmuré avec un sourire.

Une grande bâche rouge s'était détachée du toit et claquait au vent.

— Faudrait que tu grimpes pour remettre le plastique, elle a dit en se tournant vers la Môme.

La Môme a haussé les épaules.

— Faut demander à Diego.

— On ne peut pas tout demander à Diego.

Gaby s'est avancée jusqu'à la porte. Elle m'a montré l'ouverture sombre.

— Tu entres cinq minutes ?

— Non, je vais à la rivière.

Elle a cogné ses bottes contre les marches pour faire tomber la terre. A glissé le sac à l'intérieur.

Dehors, un divan en faux cuir prenait la pluie malgré l'abri de l'auvent.

— Tu voudrais pas m'aider à le rentrer ?

Ce n'était pas un grand divan mais la porte était étroite.

— Ça passera pas, j'ai dit.

— L'an dernier, c'est passé avec Ludo.

J'ai soulevé d'un côté et elle de l'autre. Les premières tentatives n'ont pas été bonnes. Il a fallu reprendre. Une fois à l'intérieur, on a placé le divan devant la télé. Il touchait le lit. Le chevet était coincé. La table à droite. Les trois chaises. Le frigo, l'évier avec la cafetière, la deuxième fenêtre obstruée. Trop près, elles allaient s'esquinter les yeux.

— L'année prochaine, tu le laisses dehors et tu en achètes un plus petit, j'ai dit en ajustant les coussins.

— Il est presque neuf.

— Presque, oui…

Une bouteille d'oxygène était calée dans l'angle de la pièce. Un masque à côté.

Les cages au fond.

Six cages avec les écureuils dedans. Trois fois par an, Gaby leur rasait la queue. Avec les poils, elle fabriquait des pinceaux qu'elle vendait à l'échoppe du vieux Sam.

La sciure, c'était pour eux. J'ai glissé quelques graines dans les cages.

Gaby s'est approchée. On a regardé les écureuils.

On ne savait pas trop quoi se dire. Je suis ressortie. Dehors, il y avait l'emplacement vide du divan.

Le chenil de la Baronne n'était pas loin, coincé entre la ligne de chemin de fer et la route. Le vent qui soufflait d'ouest apportait les aboiements des chiens.

J'ai regardé ma montre. Trop tard pour la rivière. La Môme avait fini sa citrouille, elle découpait les dernières dents, bourrait l'intérieur avec du papier journal.

De l'autre côté de la route, les fils de l'Oncle nous observaient. Les liens du sang leur avaient dessiné les mêmes visages. Les deux plus grands avaient la chemise ouverte, des allures à la James Dean, cheveux en bataille et le front rebelle. Le petit s'appelait Marius. Celui-là semblait différent. Plus frêle. Il avait un torse de jeune enfant, des bras comme des ailes et des grands yeux sous un crâne presque nu.

Ils vivaient en face, une maison simple avec une cour sans pelouse. Leur mère était une femme étrange.

Quand elle parlait, ses paupières se baissaient, les relever lui demandait un effort, une crispation de tout le visage, malgré cela les paupières se refermaient toujours. Parfois, elle devait s'aider de ses doigts.

Elle était la seconde femme de l'Oncle. Bien plus jeune que lui. On racontait qu'elle avait découpé et cousu les rideaux de ses fenêtres dans le voile de mariée de la première épouse.

Les trois garçons étaient les fils de ces deuxièmes noces.

On s'est regardés. De loin. On ne se parlait pas. Des cousins pourtant puisque l'Oncle est le frère de Curtil.

J'ai remonté la route. Je sentais leurs regards dans mon dos. Les néons rouges se reflétaient sur le bitume huileux de la station-service. Arrivée à l'enseigne, je me suis retournée. La Môme avait mis le feu à l'intérieur de sa citrouille. Dans la pénombre, j'ai vu le bungalow, le rire flamboyant du diable et les garçons de l'Oncle plantés comme trois arbres secs de l'autre côté de la route.

De retour au gîte, j'ai voulu téléphoner à Kathia mais le réseau était faible. Kathia est la secrétaire du CAT où je travaille, elle est aussi ma meilleure amie. J'ai tenté un texto.

J'ai secoué la boule de verre et j'ai regardé tomber la neige.

La route à travers la boule.

Les arbres.

Les lampadaires.

Je suis professeur de cuisine à Saint-Étienne, spécialité pâtisserie. Pas titulaire. Mon prochain remplacement était prévu du 7 au 15 janvier, après j'avais un longue durée à partir du 24 jusqu'à fin mai.

Rien avant. C'est pour ça, en attendant, je traduisais Christo. Tous les matins, je m'attelais à ce travail, chapitre après chapitre, encore un mois et j'en aurais fini, c'est ce que je pensais, poursuivre en attendant Curtil et rentrer à Saint-Étienne.

Cette traduction, c'est Pierre Doxel qui me l'avait proposée, un ami du père des filles, il est éditeur à Clermont-Ferrand. Il m'avait téléphoné un soir, tard, son traducteur venait de le lâcher pour partir à Varanasi… Varanasi, tu te rends compte, rien que des morts et des lépreux là-bas ! Il m'avait expliqué, Christo, le land art, les voiles, les tissus, un type qui emballe des monuments et devient célèbre dans le monde entier. Tu ne voudrais pas t'y coller, toi ? Me coller à quoi ? Si tu dis oui, tu me sauves la vie !

Je n'avais jamais sauvé la vie de personne. Je lui ai traduit les premiers chapitres, il m'a versé une confortable avance et m'a demandé de continuer.

Quand je n'ai pas de remplacements, je trouve des petits boulots et j'attends qu'on m'appelle. Je parle parfaitement anglais, ma mère avait voulu cela, que je sois bilingue, elle disait qu'un jour ou l'autre ça me servirait, que ça élargirait le champ de mes mondes. Grâce à elle, j'avais traduit des centaines de notices techniques pour aspirateurs, robots, perceuses, des explications imprimées sur du papier fragile et que l'on trouve pliées en accordéon dans le fond des boîtes. J'avais traduit le montage de quelques meubles IKEA et la posologie des produits cosmétiques, Sanoflore, les trois lignes derrière le flacon bleu, c'est moi, *Organic ancient rose floral water. Clarifying toner for the face. Revitalized and radiant skin. Suitable for sensitive skin.*

J'avais travaillé à la chaîne, dans une usine pharmaceutique, huit heures à décoller les vignettes sur les boîtes de médicaments. J'avais aussi été petite main dans un élevage de grenouilles. Trop sensible, je récupérais les batraciens dans mes poches pour les rendre à la mare.

Ma mère, à la fin, sa mémoire aussi c'était du land art. Des pans entiers de vie qui se recouvraient d'oubli. Elle déambulait dans les couloirs, murs blancs, sols blancs, faïences immaculées et blouses d'infirmières, je lui ai acheté une robe de chambre pétard pour pas qu'on la perde. Du tissu soyeux, un vrai feu d'artifice ! On l'a perdue quand même. Couchée, endormie à tout jamais en périphérie de Grenoble, à l'ombre d'un arbre dans la douzième droite de l'allée centrale d'un cimetière dont j'oublie toujours le nom.

Mardi 4 décembre

Un temps de chien au petit matin. Les yeux pas encore ouverts, je me suis tiré les jambes du lit. J'ai monté le thermostat des radiateurs. Il me restait des biscuits du voyage, un fond de café dans le placard.

J'ai poussé la table pour être face à la fenêtre. Je voulais pouvoir travailler et voir la route sans avoir à bouger, juste en levant la tête.

J'ai traduit le début d'un chapitre.

J'ai vu passer Gaby, son profil penché dans la Volvo. Elle travaillait à *L'Edelweiss*, un hôtel de montagne à trois kilomètres en pleine côte. Confortable. Fonctionnel. Une clientèle de vacanciers et de représentants de commerce qui circulent entre Grenoble et Turin.

Gaby est femme de ménage. Elle travaille le matin. La direction lui prête une blouse, elle doit tenir ses cheveux propres, on ne l'oblige pas à les couper, seulement à les attacher.

Jean est arrivé quelques minutes après sept heures, il a traversé le terre-plein en direction des ateliers. Il portait un jean sombre et une surchemise épaisse à carreaux. Je l'avais à peine vu l'été dernier. Et l'été d'avant non plus. J'ai attendu un moment, j'ai pensé qu'il ressortirait.

À dix heures, j'ai fait une pause. J'ai pressé une orange au-dessus d'un verre.

J'ai bu le jus.

Sur le buffet, il y avait des journaux datés du printemps avec des articles qui parlaient du tracé de l'avalanche comme d'une cicatrice que le maire voulait transformer en piste. La première du Val. Une descente qui partirait du cairn de Maldavie et viendrait se finir à la ferme de Buck. On parlait de remontées mécaniques, d'un magasin de location de skis et de plusieurs hôtels modernes. Le Val pourrait rivaliser avec les autres villages, grandir et devenir un jour une vraie station. Il avait suffi d'un été pour que tous finissent par admettre que cette chose stupéfiante pouvait devenir possible.

Du pas de la porte, je voyais le couloir laissé par l'avalanche, une balafre de deux cents mètres de large et quatre mille de long qui avait couché des centaines d'arbres et s'était terminée dans la rivière. Un glissement que l'on disait dû à des écarts de température les jours d'avant, l'eau s'était infiltrée sous le manteau de neige, des plaques s'étaient détachées et avaient dévalé à la verticale en charriant la terre et le goudron.

La serveuse à Francky vivait dans un appartement au-dessus de *La Lanterne*, des volets gris et une rambarde en fer.

À onze heures, elle est sortie sur son balcon et elle a secoué ses draps.

Je suis allée faire quelques provisions à la petite épicerie, café, biscottes, confitures… Pour le reste, j'étais décidée à prendre mes repas à *La Lanterne*.

L'épicier a mis mes achats dans un carton.

— Ça fait plaisir de vous voir chez nous… Vous restez jusqu'à Noël ?

Les clientes qui étaient dans les travées ont levé la tête, elles ont épié mes achats, attendu que je m'explique.

J'ai répondu que j'étais là seulement pour quelques jours.

J'ai rapporté mes achats au gîte.

Il faisait beau.

J'ai pris le livre. Il était lourd. Je voulais lire dehors, au soleil. J'ai pensé en arracher des pages. Ne partir qu'avec celles du chapitre à traduire.

C'était jour de pêche sur la Feule. J'ai marché jusqu'à l'endroit où les pêcheurs avaient lancé leurs lignes. La rivière faisait une courbe et s'engouffrait sous le pont. Les bouchons flottaient. Les fils de nylon se perdaient dans les reflets. On me dévisageait parce que j'étais dehors, avec un livre. Et aussi parce que j'étais la fille à Curtil.

La Feule est une belle rivière mais ce n'est pas une facile. Elle peut rouler des colères et être ennuyeuse comme la mort. Au dégel d'une année, je l'ai vue charrier une carcasse de vache, une bête lourde à la panse gonflée et que la neige avait rendue. Je l'ai vue à sec, l'été suivant, avec les truites clouées à la vase et des poissons sur le ventre qui gobaient le vide.

J'ai lu, le dos au soleil. Quelques lignes narraient le chagrin infini qui avait submergé Christo à la mort de sa mère. Le peintre avait pleuré des jours, sans pouvoir se calmer. Devant tout ce chagrin qui semblait inconsolable, sa femme était désorientée. Elle avait téléphoné au père de Christo. Le vieil homme avait confié : "Ce n'est pas sur la vieille dame qui est morte, ce n'est pas pour ça que Christo pleure. Christo pleure pour la jeune femme, sa maman, quand il était un petit garçon."

J'ai relu la phrase. À mi-voix. Plusieurs fois. Sur quelle mère avais-je tant pleuré quand maman est morte ? Était-ce sur la maman conteuse d'histoires d'avant mes six ans ? Sur celle-là seulement ? Ou bien était-ce sur la vieille dame ? Ou sur l'autre, celle du jour de l'incendie ? Ou bien sur celle qui faisait de l'attente de Curtil une composante essentielle de son amour ? Sur quelle mère ? Était-ce sur la mère joyeuse qui était cachée dans la vieille dame ?

La ligne de chemin de fer longeait la rivière sur une centaine de mètres. J'ai glissé une herbe comme marque-page.

Je me suis avancée jusqu'au pont. Dessous, dans les remous, c'était une passe de truites brunes.

Diego pêchait au milieu, les jambes dans des cuissardes. Quand il avait du temps, il venait plonger ses fils dans la Feule. Les courants entraînaient ses lignes et ses flottaisons.

Les piliers qui appuyaient sur le rivage étaient envahis par les ronces, des clôtures barraient le passage, un obstacle de béton, une dalle taguée. Les lattes du tablier étaient pourries, certaines, effondrées. Pour passer sur l'autre rive, il fallait oser franchir ce pont ou faire le tour par un autre plus au sud.

Une crue avait emporté la première passerelle, construite dans les années 1880. On en avait bâti une seconde, plus moderne. En acier. Emportée elle aussi. Ce dernier pont était recouvert de rouille, on l'appelait le Pont-Rouge, il pelait comme un lépreux. J'ai gratté le pilier, j'ai ramené sous mes ongles un peu de la couleur gris argent des origines.

De retour de la rivière, je suis passée chez Gaby mais elle n'était pas là. Je suis allée à *La Lanterne*.

J'ai poussé la porte. Les conversations se sont inter-rompues, les têtes se sont tournées.

Francky m'a fait signe. Il organisait une tombola, il s'agissait de parier sur le jour où la neige allait tomber. Le gagnant emporterait un tonneau de vin. Le tonneau était en vue sur une table, le règlement au-dessus : "On peut dire qu'il neige si la couche est supérieure à deux centimètres et qu'elle recouvre le sol d'une façon régulière."

J'ai misé mon nom à côté du 31 décembre.

Et puis les conversations ont repris.

Philippe est arrivé, il a garé son pick-up à gauche de l'enseigne, l'avant contre le bac à fleurs. Un véhicule de fonction, couleur kaki, des pneus énormes, cabossé sur une aile et aussi aux deux pare-chocs.

Quand il a vu où j'avais misé, il s'est fiché de moi, m'a assuré que la neige tomberait bien plus tôt. Sans doute autour du 20, il suffisait de regarder le poil des bêtes.

— Pour le grand défilé des chars, je te le dis, tout sera blanc !

Il est allé s'asseoir à sa table.

Avant, il avait son bureau dans la maison des forestiers mais l'avalanche avait tout couché, la jolie bicoque et sa petite barrière. Ils avaient pu sauver les archives et les animaux empaillés. Ils avaient aussi récupéré un herbier, des centaines de dossiers remplis de plantes et de fleurs sèches. Philippe avait tout entreposé chez lui dans une pièce en sous-sol qui servait autrefois à l'élevage des vers à soie.

En attendant la reconstruction, il s'octroyait une table à *La Lanterne*, toujours la même, près de la grande vitre, avec la vue sur les trois salles et le parking.

Il laissait dans le tiroir des stylos et des carnets. Par un accord tacite, c'était sa place réservée. Quand il n'était pas là, la table restait inoccupée.

Il a retiré son badge. Il s'est passé les mains sur le visage, plusieurs fois. Appuyés au bar, des types attendaient pour lui parler. C'était une affaire de patience. Tant que le badge était sur la table, personne ne s'approchait.

— Qu'est-ce que je te sers? lui a demandé Francky.

— Un café… Une tartelette au citron, une tranche de cake… Non, deux… deux tranches… et une boule de glace.

— Des soucis?

— Pas plus que d'habitude.

La serveuse débarrassait les tables et chantait avec la musique. Francky lui a fait un signe pour qu'elle se taise. C'était une fille particulière. Une peau de rouquine. Des cheveux orange. Elle avait une jambe en plastique, ça lui faisait une démarche de boiteuse.

Partout ailleurs, une fille pareille aurait poussé au vice. Ici, elle faisait rêver.

— Salut, beau ténébreux…, elle a dit en posant le plateau devant Philippe.

Il a levé les yeux, lui a souri sans répondre. Malgré cette jambe, ou à cause de ça, tous les hommes étaient amoureux d'elle, de ses corsages à froufrous, de ses colliers en faux diamants et de cette cuisse étrange accrochée haut à sa hanche et qui lui donnait un charme très personnel.

Il a englouti une tranche de cake et puis l'autre. La tarte, la boule de glace, le café. Après la dernière bouchée, il est resté immobile. Il avait les traits tirés. De la fatigue sur les paupières comme en ont les gens qui dorment mal.

Avec les années, il prenait le regard tombant des vieux cockers.

Philippe gérait la Vanoise, il semblait tout connaître de ce qui vit dans ce parc, de ce qui crève, les traces, les sentiers, les abris, les bêtes. Être né là lui donnait une légitimité organique que j'avais perdue en quittant le Val.

Il a fini par reprendre son badge, l'a gardé quelques instants dans sa main avant de le raccrocher au revers côté droit de sa veste. C'était le signe. Un premier type s'est approché, un trapu avec des yeux ronds, il venait râler contre des opposants à la piste qui avaient déroulé leur banderole devant chez lui.

Pour tous, il n'était question que de ça. La piste. Des réunions avaient eu lieu avec des partenaires en cols blancs, le Val les avait vus arriver en septembre, des gens de la ville, des promoteurs avaient causé à Buck pour qu'il vende ses prés.

Ils allaient monter les bulls au Val avant la tombée de la première neige. Ils feraient sauter les rochers, construiraient un premier refuge à proximité des Sablons et apporteraient du divertissement dans ce royaume qui n'en avait pas.

D'autres gars sont venus parler à Philippe. Quand il le pouvait, il donnait un avis calme. Parfois, il n'en donnait pas. Il opinait de la tête. Prenait des notes, griffonnait dans les marges.

J'ai attendu qu'il ait fini pour m'asseoir à sa table. Il restait des miettes de la tarte, la tasse, un sucre.

— Ça braconne dur du côté de la Croue, il a dit.

La Croue, c'est une combe magnifique juste au-dessus de notre maison d'avant. Il avait trouvé des traces de roues, des restes de carcasses. Les braconniers massacraient les petits comme les mères, certains étaient de mauvais tireurs et faisaient des morts lentes.

Il a refermé son carnet.

— Je suis patient, ça prendra peut-être l'hiver mais j'attraperai ceux qui font ça.

Une femme est entrée, elle voulait la clé de chez lui pour accéder aux herbiers. Il a fouillé dans ses poches, a sorti un trousseau avec un porte-clés en verre, une fleur de bleuet prise à l'intérieur.

— T'as des nouvelles ? je lui ai demandé quand j'ai pu croiser ses yeux.

Il a fait non avec la tête.

— Tu crois qu'il sera là quand ?

— Je sais pas.

Il a promené une miette au bout de son doigt en lui faisant faire des spirales lentes. Il a dessiné un rond en entraînant l'eau qui avait coulé sur la table. J'ai dessiné un losange à côté. On faisait ça quand on était gosses. Celui qui perd est celui qui ne peut plus rien dessiner.

— J'espère qu'il viendra bientôt.

— J'espère aussi.

— Il a quel âge maintenant ?

— Soixante-douze.

On a arrêté notre jeu. Philippe a rangé son carnet.

— Te bile pas, il a fini par dire.

Il s'est calé dans le fond de sa chaise. M'a regardée un long moment.

— Tu devrais aller voir Gaby.

— Je la vois, Gaby.

— Tu devrais aller chez elle, prendre le temps.

— J'y étais hier. On a rentré le divan.

— Mais tu n'es pas restée. Tu as regardé ta montre. Tu fais toujours ça…

— Elle te l'a dit?

Il a hoché la tête.

Un soupir.

On s'est perdus les yeux dehors, le parking, les voitures, et la route avec les fils noirs qui traçaient droit.

Diego est revenu de la pêche avec tout son barda.

Le téléphone de Philippe a sonné. C'était un vieux modèle avec la musique des *Quatre Saisons* de Vivaldi. Il s'est levé pour répondre.

Philippe avait la passion des chemins. À vingt ans, il avait aménagé un passage pour les animaux avec accès le long de la rivière et interdiction aux chasseurs d'approcher. Il avait ensuite débroussaillé des kilomètres d'un sentier en altitude, une ligne censée être celle du partage des eaux.

Il voulait maintenant retracer l'itinéraire exact pris par Hannibal quand il a traversé les Alpes avec ses éléphants. Baliser ce sentier était devenu une obsession, il jurait de parvenir à le faire accréditer par les plus grands guides.

— On dirait que tu es passé sous un train…, j'ai dit quand il a raccroché.

— C'est Emma… Elle reste à Dijon, sa mère est malade.

— Tu devrais pouvoir survivre quelques jours?

— C'est ça, marre-toi…

— Je me marre pas…

Il a sorti une cigarette, a craqué une allumette. J'ai soufflé sur la flamme.

— On ne fume plus dans les bars.

Il a recommencé.

J'ai soufflé. Plusieurs fois. Ça a fini par l'énerver.

— Arrête, t'es pas drôle!

J'ai arrêté.

On s'est tendus. C'était toujours comme ça quand on se retrouvait, il fallait qu'on se réhabitue.

— Et Jean, il devient quoi? j'ai demandé.

— Jean? Qu'est-ce que tu veux qu'il devienne?

— Je ne sais pas… Je l'ai aperçu ce matin.

— Il devient ce qu'on devient tous…

Il n'a pas eu le temps de continuer. La porte s'était ouverte. Le courant d'air m'a glacé les reins.

— Ton fils…, j'ai dit.

Yvon est entré, une caméra à la main. Dix-neuf ans. Grand, un échalas à l'allure dégingandée. Il est venu m'embrasser.

— Tu es arrivée? Je savais pas… Tu restes jusqu'à quand? Jeudi, tu seras encore là? Je cherche quelqu'un pour me monter sur le bois de coupe.

— Jeudi, t'as pas cours? a demandé Philippe.

— Y a grève.

— Je suis venue en train, je n'ai pas de voiture.

— Tu peux prendre celle d'Emma, a proposé Philippe. C'est une Coccinelle un peu pourrie mais elle est encore fiable sur les petits trajets.

On s'est mis d'accord avec Yvon pour dix heures le matin. Il est passé dans la salle d'à côté, celle du flipper et du baby-foot.

— Il fait quoi, avec cette caméra? j'ai demandé.

— C'est l'année du bac, il a pris option cinéma… Il a décidé de faire du tracé de la piste le sujet de son reportage. Après, il veut partir au Bangladesh. Entre les deux, il va essayer de décrocher son diplôme.

— Il l'aura…

— Il devait déjà l'avoir l'année dernière. Résultat, recalé, même pas l'oral de rattrapage.

Je n'ai pas insisté.

Des odeurs de viande suintaient de la cuisine, j'ai

fait signe à Diego pour qu'il me réserve une place pour le dîner.

Le soir, j'étais fatiguée, j'ai pris un dîner rapide chez Francky et je me suis couchée tôt.

J'ai pensé aux autres corps qui s'étaient étendus dans ce lit. Aux inconnus des chambres. Il me semblait sentir la proximité de leurs odeurs, de leurs moiteurs.

Je me suis levée et j'ai enveloppé le matelas d'une deuxième épaisseur de drap.

Dès que j'ai éteint la lumière, une bête s'est mise à courir dans le grenier. Des petits pas rapides qui m'ont tenue éveillée.

Mercredi 5 décembre

Le matin, devant la porte, il y avait des flaques. Autour, partout, c'était ton sur ton, toutes les nuances de gris, la montagne, les falaises, la forêt et la route.

J'ai allumé la radio.

J'ai bu mon premier café derrière la vitre.

Les bûcherons étaient tous en face, dans le réfectoire chez Francky. Je voyais les lumières vives et les silhouettes penchées. Le bus attendait dehors. Le chauffeur à l'intérieur. Diego a chargé les bidons d'eau et les casse-croûte de midi.

J'ai ouvert le livre, branché l'ordinateur et je me suis mise au travail. 1963, Christo est à Paris. J'ai commencé à traduire cette période, quand il trouve son concept et emballe ses premiers objets.

Les bûcherons sont sortis. Certains sont montés dans le bus, ils étaient abatteurs, élingueurs, conducteurs de grues, manieurs de treuil. Les autres ont traversé la route. Ils ont fait démarrer les machines. J'ai entendu les bruits des scies de l'autre côté de la cloison.

Jean est arrivé. Il a garé sa jeep. Il portait la même surchemise rouge que la veille. Il m'a semblé qu'en sortant de la voiture, il regardait du côté de ma fenêtre.

Avec le lever du jour, la montagne était rose. Pour travailler plus vite, il me faudrait des murs épais, pas de vue sur le dehors, et personne à regarder.

J'ai relu le chapitre 1, l'enfance de Christo, la Bulgarie, Vienne.

1970. L'artiste tend un tissu couleur safran qui obstrue toute une vallée dans l'État du Colorado. Du tissu sensible comme de la peau. Des milliers de gens font le déplacement pour voir cela.

Un jour, il emballe un arbre.

J'ai traduit une interview dans laquelle Christo explique qu'on montre aussi les choses en les dissimulant.

À onze heures, la serveuse à Francky est apparue sur son balcon. Comme la veille, elle a secoué ses draps, a tapé les taies.

Pierre a téléphoné. Il m'a demandé où j'en étais. J'ai répondu que ça avançait. J'ai tiré le rideau. Le livreur d'essence remplissait les cuves de la station. Un camion déchargeait des troncs devant la scierie, des douglas par dizaines, nus, ébranchés et sans écorce.

L'après-midi, ils ont amené les bulldozers, deux engins énormes qu'ils ont garés au bout du terrain. Ils les ont placés l'un à côté de l'autre. Les lames face à la route. C'est avec ça qu'au printemps, ils allaient lisser la piste.

Je suis sortie. J'ai marché bien après le pont. En revenant, j'ai vu la Volvo devant chez Gaby. J'ai frappé. Doucement. J'ai poussé la porte. Elle sommeillait sur le divan. Ses mains étaient posées sur son ventre, croisées l'une dans l'autre, elles montaient et descendaient au rythme de sa respiration.

Gaby a entrouvert les yeux.

— Me suis endormie, elle a dit.

Elle était revenue du travail, avait mangé, dormi, suivi un épisode des *Feux de l'amour*, préparé un flan. Dormi encore.

Il y avait des pommes dans un cageot. Des photos contre la porte du frigidaire. Le moteur faisait vibrer la tôle. Le mur côté nord était tapissé de cartons épaissis au bitume.

Un sac en cuir par terre, à côté de l'évier, la fermeture éclair était ouverte, des vêtements froissés à l'intérieur.

— C'est les affaires à Ludo, elle a dit.

Ludo, c'était son homme. Pas un bavard mais un casier judiciaire long comme une bible. Il avait pris son premier tampon à quinze ans, en chapardant une mobylette. Un p'tit loubard mais pas un mauvais bougre. Il y avait un portrait de lui dans un cadre en couleurs.

Gaby a sorti du placard un paquet de biscuits fourrés à la figue. Elle a posé le paquet sur la table.

— Je suis allée le voir hier…

Les horaires de la prison étaient précis. Elle avait droit à une visite par mois. Elle prenait un jour de congé, lui parlait dix minutes et elle revenait avec du linge sale qui puait les barreaux. Si elle ratait son jour, ça passait au mois suivant.

— Il sort quand?

— Dans six mois.

Ludo, je l'avais croisé ici quelques fois. Un maigre avec une moustache noire et des yeux sombres.

Elle a vidé le sac. Sur tous les vêtements, elle avait dû coudre une étiquette avec son nom.

Je suis restée debout, dans l'encoignure près de la fenêtre. L'eau qui suintait du toit laissait des rigoles de rouille. Ça traînait contre les parois, des longues mouillures qui séchaient en dessinant des paysages rouges.

— Je me demande comment tu fais pour t'habituer à vivre là-dedans.

— Je m'habitue pas.

— Ça fait bientôt vingt ans…

— C'est pas les ans qui font l'habitude.

Elle a mangé un biscuit. Entre les pieds de la table, le vieux linoléum se déchirait par plaques.

— Et c'est quoi qui fait l'habitude?

— C'est le renoncement.

Elle n'en a pas dit plus. Elle a repris un biscuit.

— Ludo, il dit que, quand il sortira, on aura une maison en dur, avec deux chambres, une pour nous et une pour la Môme.

Une maison en dur, c'était son rêve. Avec un toit en tuiles et une barrière blanche. Elle avait toujours voulu ça. Et aussi loin que je me souvienne, Ludo lui avait toujours promis.

— Il se fout de ta gueule, Ludo.

— Pense ce que tu veux.

Elle s'est levée, est allée jusqu'à l'évier. Elle a bu de l'eau. Elle avait les doigts potelés et les bourrelets de chair se refermaient sur son alliance.

— Tu vas le dire à Curtil qu'il est encore enfermé à Varces?

— On verra.

Elle a tourné la tête. Diego arrivait avec son Solex.

— Une argentée! il a dit en tirant une truite de sa sacoche.

Il l'avait pêchée le matin, vidée du ventre, lui avait laissé la tête et la grande arête. Il l'a brandie, l'index replié dans une ouïe comme un crochet.

Gaby a tourné la truite entre ses mains, elle a reniflé l'odeur. Ses yeux brillaient. Elle ne savait pas quoi faire pour remercier Diego alors elle lui a donné les biscuits figués, tous ceux qui restaient dans le paquet. Comme il ne voulait pas les prendre, elle les a glissés de force dans sa poche.

— J'essaierai de t'en pêcher d'autres! il a promis en retournant à son Solex.

Il a dû pédaler fort pour enclencher le moteur. Il portait des grandes bottes, ça nous a fait rire.

On l'a regardé partir.

Gaby a posé la truite dans un plat. Elle a écarté les doigts, des écailles brillantes étaient collées à ses paumes. Dans le frigo, il y avait des carottes, de la mortadelle et cette grande truite argentée qui brillait comme une lune.

La Môme est arrivée cinq minutes après Diego.

— J'ai croisé l'Indien sur son vélomoteur…, elle a dit en dénouant sa grande écharpe.

Gaby a voulu lui montrer la truite, tout de suite, elle lui a pris le bras, l'a entraînée.

Elle s'est figée, la main sur la poignée.

— Tu es encore allée au lac!?

Elle lui a arraché le bonnet. Sous la laine, les cheveux tombaient, filasse, trempés.

— Mais qu'est-ce que tu as dans le crâne?

Le bas du pantalon aussi était mouillé.

— Qui c'est qui t'a emmenée là-haut, hein, dis-moi?

— Personne.

— C'est la Baronne, elle t'a prêté le cheval?

La Môme n'a pas répondu.

Gaby l'a assise de force sur une chaise. Elle lui a retiré ses chaussures. Sous les chaussettes, les pieds étaient bleus.

— Quand ils seront gelés, ils tomberont comme du bois sec !

— Crie pas…

— Je crie pas.

Elle a décroché une serviette, lui a frictionné les cheveux. Je n'avais pas envie de rester et d'entendre leur dispute. Gaby râlait qu'il y avait des grands principes d'humanité et que le premier, c'était de ne pas faire chier les autres.

— Mais y en a qui n'ont toujours pas compris ça !

Elle frottait fort. Le visage de la Môme disparaissait sous la serviette.

— Je devrais te laisser attraper la crève, que tu comprennes une bonne fois…

Elle a branché son chauffage d'appoint, un petit Zibro qui fonctionnait au pétrole et qui puait fort au démarrage.

— C'est pas en te noyant que tu comprendras la vie, elle a dit.

— Je ne veux pas me noyer.

— Tu veux quoi alors ?

Les cheveux étaient pleins de nœuds. Gaby les a démêlés avec une brosse dont les dents en acier râpaient.

La Môme grimaçait.

— Tu me fais mal !

— Tout le monde a mal, a répliqué Gaby, les doux, les méchants, les riches, les beaux, les rois… même les cons !

Sa voix rauque râpait autant que la brosse. Ça a duré un moment et puis elle s'est calmée.

— La douleur, c'est la seule justice, elle a soufflé.

Elle a étendu la serviette sur la corde.

— Tu vas à l'école, tu apprends, c'est tout ce qu'on te demande.

— Et le reste ? a interrogé la Môme.

— Quel reste ?

Gaby lui a pris la tête entre ses mains et l'a regardée dans le fond des yeux comme si elle voulait lui loger une pensée à l'intérieur.

— Y a pas de reste, elle a dit.

Elle a détaché la poignée de cheveux qui s'étaient pris entre les pics de la brosse.

— Tes pieds doivent toujours rester propres et secs, n'oublie jamais ça, sinon…

— Sinon quoi ?

— Sinon, tu finiras avec la lèpre.

C'était dit.

Ça a fait sourire la Môme.

— La lèpre…, elle a murmuré.

Le rire lui bombait les joues. Ses dents étaient alignées, blanches, éclatantes. Elle a remis ses chaussettes en tirant sur les talons.

Gaby a haussé les épaules. Elle a jeté les cheveux dans la poubelle. Elle est revenue vers l'évier.

— Les lacs, c'est pas fait pour les vivants.

Elle a ronchonné ça et la Môme a baissé les yeux. Il y a eu un silence de plomb après, bien épais, pendant lequel aucune des deux n'a dit un mot.

Gaby a reposé la brosse sur l'étagère. La dispute l'avait essoufflée.

— Ça sert à rien que je m'énerve, on ne fait pas boire un âne qui a pas soif.

Elle s'est tournée vers moi, la tête penchée, les cheveux en rideau.

— Elles vont bien, tes filles, toi ?

— Elles vont bien. Elles sont en Australie.

— L'Australie, c'est là où il y a les kangourous?
— C'est là.
— Ça fait loin…
— Ça fait loin, oui.

Elles étaient parties toutes les deux, à quelques semaines d'écart, Julie avait trouvé un emploi dans un restaurant, rencontré un garçon et Zoé était allée la rejoindre. Elle disait que sa sœur lui manquait trop, que Sydney était une ville extraordinaire, qu'on pouvait y vivre des choses formidables.

Elles avaient prévu de rester un an et de voir après.

J'ai raconté tout ça.

La Môme a profité que ça se détendait pour se glisser sur le divan.

Gaby a ramassé les vêtements de Ludo qui traînaient en tas devant l'évier, elle les a bourrés dans le tambour de la machine.

Elle s'est relevée en se tenant les reins.

— Je te défends d'aller au lac, c'est fini, pour cette année et pour toutes les autres… Pour toutes les autres années de ta vie! Tu m'entends?

— J'entends.

— Promets…

La Môme a tiré une couverture sur ses jambes. Elle a allumé la télé.

Gaby est revenue lui prendre la tête. Elle lui a fait jurer comme s'il ne pouvait pas y avoir de réconciliation possible sans cette promesse.

— Je promets, elle a fini par lâcher, la Môme.

Mon téléphone a vibré, c'était Philippe, il m'attendait devant le gîte pour me laisser la voiture d'Emma.

J'ai fait le retour d'un bon pas.

La Coccinelle orange était garée devant la porte.

Philippe m'a tout expliqué, le démarreur, le frein,

45

les vitesses et comment ouvrir le réservoir d'essence. Il a laissé les clés sur le contact et il est reparti à pied.

Pas de télé, pas de cinéma, pas de vrais bars.

J'attendais Curtil. Quand j'aurais fini la traduction, je rentrerais. Je l'avais dit à Pierre, je travaille, je termine, je rentre.

J'ai pensé aux filles.

J'avais aimé leur père. Il m'avait aimée aussi. On avait eu des projets, on en avait réalisé certains, mais on n'avait pas su continuer. Un jour, on s'était arrêtés dans un restaurant au bord du Léman, une table en terrasse, avec le soleil sur le lac. Il avait voulu qu'on s'assoie côte à côte, "pour avoir tous les deux la vue sur les bateaux". Le serveur nous avait regardés bizarrement.

Pendant tout le temps du repas, je me suis demandé ce qui nous était arrivé.

Au dessert, on était encore ensemble mais plus vraiment, on était plutôt avec le lac. Au café, il m'a dit qu'il avait envie d'acheter un voilier. Je lui ai répondu que la voile était le moyen le plus inconfortable pour aller d'un endroit à un autre. Il était resté un moment avec ses beaux yeux dans la vue, et il m'avait avoué que, le temps d'une traversée, ça ne lui déplairait pas d'être inconfortable.

Il était allé fumer au bout du ponton et le serveur m'avait apporté l'addition.

La fin avait commencé comme ça, avec des désirs de voile, ensuite, c'est tout le reste qui s'était mis à lâcher. Par pans.

Plus envie des mêmes choses.

Plus envie de nous.

Lassés des dimanches.

Même la tendresse n'avait plus sa part. On avait trop vécu ensemble, on était fatigués.

Le soir, je n'ai pas eu envie de ressortir. J'ai dîné d'une soupe aux lentilles vidée d'une brique Knorr.

J'ai éteint la lumière et la bête du grenier est venue gratter le plancher. Un chat ou une fouine, un rat peut-être. J'ai allumé à nouveau et le bruit s'est arrêté. Il a repris dès que j'ai éteint.

Jeudi 6 décembre

Yvon est arrivé à l'heure convenue, sa caméra à l'é-
paule.

— T'as une sale tête…, il a constaté après un bref
regard.

— J'ai une fouine dans mon grenier, elle m'a empêchée de dormir.

— Les fouines, ça va ça vient.

Il s'est avancé vers la scierie.

— Tu m'accompagnes? Il me faut l'autorisation
pour filmer.

— C'est obligatoire?

— Non, mais c'est mieux si je l'ai. Et l'autorisation, c'est Jean qui la donne… Si tu es avec moi, il ne
me la refusera pas.

Je l'ai suivi. La scierie était un labyrinthe avec des
machines, des hommes et du bruit. Autrefois, on fabriquait des cercueils qui avaient la réputation de résis-
ter au temps, comme neufs après des siècles au fond
des tombes, paraît-il. Il en restait quelques-uns, derrière, sous un appentis. On avait usiné aussi des gros
crayons de couleur et des quilles pour enfants.

Jean était tout au fond d'un atelier. Il surveillait la

découpe d'une scie à ruban qui débitait un tronc dans le sens de la longueur, neuf planches tranchées dans la même grume, ça faisait hurler la lame.

On s'est avancés. Le bruit était assourdissant. La poussière volait.

Il nous a vus, nous a fait signe. Il avait un corps aux mouvements tranquilles, des cuisses solides comme des poteaux. Au milieu de toutes ces planches, il ressemblait au charpentier de la Bible.

Yvon lui a parlé de son projet, un reportage sur la piste, filmer la nature après l'avalanche et le travail des hommes. À cause du bruit, ils ne se comprenaient pas, Jean nous a fait entrer dans son bureau. Une pièce vitrée avec une table. Des armoires. Des cartes postales sur les portes en fer, la mer, le soleil et la plage des Baléares.

Yvon a expliqué qu'il voulait suivre les bûcherons sur le couloir de coupe. Jean, ça ne lui plaisait pas trop la présence de ce gamin parmi ses hommes.

— C'est pas des stars, mes gars.

— Ce serait juste des images et quelques questions.

— Justement, les questions, ils n'aiment pas ça. Et puis c'est dangereux, il y a des lames partout.

— Je ferai gaffe.

— Faire gaffe, des fois, ça ne suffit pas. On peut se faire entamer le crâne, il suffit d'une branche. Il y a des exemples au Val de types qui se sont fait faucher les reins. Et des plus malins que toi.

Yvon savait.

Jean hésitait.

— Les tramps n'aiment pas qu'on soit en travers de leur route.

— J'y serai pas. J'ai un bon zoom qui permet de filmer de loin.

Jean s'est tourné vers moi.

— Tu vas bien, toi?

— Ça va.

— En vacances?

— Pas vraiment…

Il a parlé à nouveau avec Yvon. La fenêtre derrière lui donnait sur le parking. Éclairait son profil. Je voyais les tas de planches, les piquets, les troncs et les deux grands bulls immobiles.

Jean a tapoté plusieurs fois avec le bout d'un crayon sur le coin de la table.

— Tu filmes tout ce que tu veux mais tu leur demandes. Et s'ils ne veulent pas, tu n'insistes pas.

— D'accord.

— Et s'ils te disent de dégager, tu ne fais pas répéter.

— OK. Je peux filmer les machines?

— Tu peux.

Yvon est ressorti avec sa caméra. Il m'a fait un clin d'œil en passant.

Avec Jean, on est restés. Il y avait longtemps qu'on ne s'était pas parlé. Des saluts de loin, quelques mots quand je venais avec le père des filles. Aujourd'hui, j'étais seule, ça changeait ma façon de m'attarder.

— Ça me fait plaisir que tu sois là, il a dit.

J'ai rougi. Il a tourné la tête parce qu'un type était entré, des courroies attendues n'avaient pas été livrées, Jean a dû vérifier dans un carnet de commandes.

— Tu vas traîner avec Yvon sur le bois de coupe?

— Je ne sais pas… oui, peut-être…

Le téléphone a sonné. Il a répondu. Il m'observait tout en parlant. Il a griffonné quelques notes avant de raccrocher.

— Tu l'avais déjà, la dernière fois, ce pull… La patte d'ours…

— Je l'avais, oui…

— Mon père m'a dit que vous attendiez Curtil ?

Un bûcheron a passé la tête, il s'est excusé, a laissé du courrier sur la table, un gros catalogue de machines. Un autre a suivi, il y avait un problème de réglage sur la scie centrale, une poulie qui lâchait, il fallait que Jean vienne voir.

Le téléphone a encore sonné.

Contre le mur, une énorme horloge marquait l'heure par le défilement de grands chiffres noirs. Une mesure du temps qui ne laissait pas de trace, donnait le sentiment que cela n'avait pas tant d'importance, qu'il s'agissait seulement d'un éternel recommencement.

Le téléphone a sonné pour la troisième fois. Ça devenait compliqué de rester. Jean a décroché, il a obstrué le téléphone avec sa main. Il était désolé, m'a dit qu'il était dans un tunnel, qu'il n'avait plus le temps de rien.

— Tu repars quand ?

— Je ne sais pas…

— Faudra qu'on dîne ensemble un soir.

— Faudra, oui…

J'ai retrouvé Yvon dehors, sous le hangar de stockage, il filmait les entrepôts ouverts au vent. Des planches soulevées par une grue tournoyaient au bout d'une chaîne. Partout, il y avait des camions, des flaques et des hommes.

On a pris la route qui monte en lacets après le lavoir. On est passé devant l'hôtel où travaillait Gaby. Un vieux tracteur cahotait devant nous, une carlingue rouge, le moteur à nu. À cause des virages, il était impossible de doubler, on a dû le suivre en regardant la tête du grand type qui balançait. Après, la route s'est rétrécie.

Des pans entiers de forêt étaient vrillés. La voiture était basse de plancher, Philippe m'avait prévenue, il fallait faire gaffe aux trous.

La ligne de chemin de fer filait en contrebas et la rivière serpentait entre les sapins, une brillance de faux diamants, on aurait dit une carte postale. Yvon a voulu filmer un train qui passait au loin.

J'ai garé la voiture sur la dernière plateforme de croisement. De là, on avait une vue parfaite sur ce que serait la piste. Une descente vertigineuse. Le bruit courait qu'elle aurait la difficulté des noires, qu'on l'appellerait la Grande Valeuse, un nom qui lui ferait une réputation capable de rivaliser avec les pistes voisines, celles des communes fières.

On disait qu'après celle-là, il y en aurait d'autres. Des plus faciles, pour débutants. Des pistes pour luges. Que c'est la première qui comptait. Le bruit s'était répandu. Certains voyaient les avantages, un bourg trop tranquille enfin transformé en station, d'autres avaient monté une association pour sauver la quiétude du Val.

J'ai marché sur le sentier. Le moteur du treuil ronflait, les câbles se tendaient comme les haubans d'une frégate, ils arrachaient les troncs de la boue, les tiraient jusqu'à la cime de la colline.

Des bûcherons déracinaient les souches avec des chaînes reliées à des tracteurs. Ils portaient tous les mêmes blousons orange à bandes fluorescentes. Des casques blancs. Cette saignée était une faiseuse de veuves. Des mois qu'ils travaillaient dessus et il restait encore des centaines d'arbres décapités tout le long du couloir. Certains troncs déchiquetés semblaient des échardes géantes. Les arbres encore debout prenaient l'allure de mâts de cocagne.

J'ai longtemps cru que les paysages qui m'avaient vue grandir ne changeraient jamais et il avait suffi de quelques minutes pour que cette forêt magnifique soit transformée en une terre de désolation.

Yvon a fait un plan du treuil sur la plateforme. Je lui ai dit que plaquer sa main contre un tronc le mettrait sous la protection d'Atar. Il m'a lancé un sourire narquois, il n'y croyait pas aux légendes et celle-ci était druidique, plus archaïque encore que toutes les autres. Il a quand même plaqué sa main, les cinq doigts écartés. Après, il a filmé l'écorce rouge dans les flaques.

Midi. Les hommes se sont regroupés, ils ont sorti le bidon d'eau et les casse-croûte préparés par Diego. On s'est approchés. L'un d'eux a dit qu'après le passage des tronçonneuses, il resterait une colline sans rien, des culs de pucelle ! Ça les a tous fait marrer.

J'ai remonté le sentier. Je suis née ici, sur ces hauteurs, un lieu-dit qui s'appelle la Malfondière, la région est celle des Terres-Sombres. Ma maison d'enfance, deux cents mètres plus haut. Une bâtisse étroite en béton gris. Deux pièces en rez-de-chaussée. Trois chambres à l'étage. Quatre fenêtres, deux lucarnes. Une construction sobre et solide. Un escalier qui avait brûlé. On entrait chez nous par un portail blanc, tout le devant était en herbe, il y avait un perron en pierres, un jardin clos. La forêt autour.

Quand Curtil n'était pas là, on poussait les meubles et on jouait au golf dans le salon, avec des bâtons, le plancher était rayé par nos coups, on tirait le tapis dessus pour qu'il ne les voie pas.

De notre maison, il ne reste que des murs, une cheminée énorme au milieu des gravats, et tout ce que j'ai dans la mémoire. Des années particulières, jusqu'à mes six ans et que le feu ravage tout.

J'ai poussé la grille.

Des petits buis bordaient l'allée centrale. La terre avait remonté des éclats de faïence, assiettes ou bols. Des coquilles vides d'escargots minuscules. Mon bel épicéa, une pousse offerte dans le numéro 347 d'un *Pif Gadget* daté de 1975. Je l'avais plantée dans un pot. Aux premières feuilles, la mise en terre. La brindille avait pris vingt mètres et ses aiguilles brunes tapissaient le sol. Je me suis collée au tronc. J'ai noué mes bras. Les arbres sont vivants, celui qui les plante choisit une place pour eux et à tout jamais les racines les retiennent.

Cet arbre a été la première chose vivante dont je me sois préoccupée.

À chacun de mes passages au Val, je monte voir la maison. J'en fais le tour. Je m'assois.

Plus haut, il y a la ferme des Boson et une autre famille aux enfants nombreux. Plus haut encore, la maison de la Veuve, ma tante parce que sœur de Curtil, elle règne sur quelques hectares de bois et quatre filles toutes plus laides les unes que les autres. Ses filles sont mes cousines. Et si on remonte encore dans les générations, on trouve une ancêtre qui lisait l'avenir dans les boyaux des bêtes.

Trois grands chênes se dressaient en contrebas, dans un plat de forêt où poussaient seulement des sapins et des bouleaux. Ils avaient résisté à l'avalanche mais leurs troncs étaient marqués d'une croix.

Je suis revenue sur mes pas. Le ciel était devenu noir. J'ai senti quelques gouttes. Je suis redescendue en coupant par le bois. J'ai glissé, mon bras a heurté un rocher, je suis arrivée à la voiture avec une douleur au coude et dix centimètres de terre grasse sous mes semelles.

J'ai déposé Yvon chez lui et je suis passée à *La Lanterne*. Francky était en train d'accrocher des guirlandes au-dessus du bar. Il avait mis des pères Noël en velours rouge sur toutes les tables et des rennes phosphorescents.

Un type buvait tout seul au zinc.

Philippe était là. J'ai récupéré le journal, acheté trois cartes postales avec enveloppes et timbres. Deux pour les filles. La troisième, pour la concierge, pendant mon absence, c'est elle qui ramassait le courrier, arrosait les plantes et nourrissait le hérisson.

J'ai commandé un Campari avec des cacahuètes. Je suis venue écrire mes cartes en face de Philippe.

Cinq randonneurs étaient regroupés, ils avaient remonté la vallée, voulaient dépasser les Bardeaux, le gouffre de la Joule et poursuivre jusqu'au grand lac. Ils avaient déplié une carte, repéraient l'itinéraire.

Francky les écoutait en lavant ses tasses. Philippe évaluait son budget pour l'année. Il a fini par relever la tête et leur a conseillé de ne pas y aller, que le temps était nerveux.

— Ça va tomber, il a précisé en montrant l'épaisseur noire du ciel.

— On nous a dit que ça allait tenir.

— Faut pas croire tout c'qu'on vous dit.

Ils avaient des sacs à dos, des capes en plastique, des chapeaux.

Ils ont voulu tenter.

On les a regardés sortir.

Philippe a replongé dans ses dossiers.

— Ça fait quand même un peu peur, tous ces cons…, il a lâché.

J'ai souri.

Pas lui.

J'ai relevé ma manche. Un hématome s'était formé là où mon bras avait cogné, la peau avait pris une tournure sombre, avoisinait avec la couleur de la terre sur laquelle j'avais glissé. Quand il a vu ça, Philippe est allé chercher un tube de pommade dans son pick-up.

— Tu étales épais cinq fois par jour.

Ça sentait le camphre.

— L'odeur, c'est la part pour les anges, il a dit.

J'ai passé la crème. J'ai fini les mots des filles. Mes doigts empestaient le camphre. J'ai pensé que les cartes allaient puer aussi.

Philippe a relevé la tête. Pour lire, il chaussait des demi-lunes. Il m'a regardée par-dessus.

— Tu fêtes Noël avec nous cette année ?

Il a dit que ça ferait plaisir à Emma. Qu'il y aurait sûrement Curtil.

J'ai dit oui, peut-être, qu'on verrait. Il m'a dévisagée un moment comme si j'étais un problème.

— Peut-être, c'est pas une réponse.

Un de ses collègues est arrivé. J'ai pris mon Campari et mes cacahuètes et je suis allée voir le puzzle de Diego. Les bordures étaient terminées, elles délimitaient le périmètre, plus d'un mètre de long sur quatre-vingts centimètres de large, il restait à agencer toutes les autres pièces. Il y en avait un plein sac et d'autres qui étaient triées.

J'ai passé la main sur les surfaces déjà assemblées. Des aplats sombres, presque noirs, côtoyaient d'autres dans les tons bleu-gris. Des fragments épars. Petits détails. Ce qui semblait être des lumières sur fond de nuit. Projecteurs ? Lampadaires ? Des pièces aux nuances orange et jaune étaient isolées dans une coupe.

Diego assemblait sans jamais avoir vu le modèle, il découvrait l'image au fur et à mesure que les pièces s'emboîtaient.

Quand il était allé au magasin, il avait demandé à la vendeuse un trois mille pièces dans la marque Ravensburger. C'est elle qui, sans rien lui dévoiler, avait choisi le puzzle entre les sept existants. Il l'avait également priée de garder, sans le lui montrer, le couvercle de la boîte sur lequel était reproduit le dessin ainsi que la reproduction sur papier qui se trouvait à l'intérieur.

Il était reparti avec le sac, les pièces et le fond de la boîte.

Depuis, il avançait à l'instinct.

J'ai fait le tour des tables. Les hommes avaient gravé des choses obscènes dans le bois, des prénoms de filles, *"J'aime le cul d'Anita"*, *"la chatte d'Isabelle"*, *"Maria"*, *"j't'm Lucie"*, *"Finette est bonne"*… Du désir tracé à la pointe des canifs, en lettres creusées, *"Je te love grave"*…

Quand le père des filles est parti, je le lovais grave aussi. Le jour de son départ, je me suis regardée dans le miroir. Parce qu'il me quittait. La veille encore, il m'avait serrée contre lui, sa main entre mes cuisses, "Tu m'as donné deux filles et tout l'amour de ton ventre". Son visage près du mien, il m'avait murmuré ça dans un souffle, comme pour me couvrir encore, y aller d'un dernier voyage, m'aimer en me disant je m'en vais. Quand il a passé la porte, je n'ai pas fermé les yeux. Je voulais tout voir, jusqu'au bout de son départ, ses valises, ses clés, son regard. Un baiser, le dernier. Je sens encore sa joue rêche sur ma peau fatiguée. Il ne me quittait pas pour une autre mais pour une idée de liberté. Il a laissé des affaires dans l'armoire, ses chaussures d'hiver et ses beaux pulls en cachemire. Je n'ai pas lavé les draps pendant long-temps. Je me suis vautrée dedans, odeur, sueur, sperme, parfum fantôme. J'ai dit aux filles la beauté d'avoir aimé leur père et la chance merveilleuse d'avoir été pleine de lui. Je leur ai souhaité d'aimer comme ça, un jour. Aveuglément. Absurdement.

Et puis l'odeur aussi est partie. La difficulté après, d'être sans lui, dans l'espace de vie qu'il avait mis béant. À cause des chaussures et des beaux cachemires, je me suis dit qu'il allait revenir.

Francky m'a donné la connexion. J'ai nettoyé ma messagerie de tout ce qui l'encombrait. J'ai répondu à quelques mails, des amis de Saint-Étienne qui m'invitaient à passer le Jour de l'an avec eux. J'ai répondu peut-être mais que je ne savais pas. J'exaspérais tout le monde avec mes incertitudes. Terraillon me proposait plusieurs traductions, dont celle de la notice d'utilisation de leur dernier pèse-personne, un spécial famille avec mémoire et calcul de l'indice de masse corporelle. Ils voulaient ça au plus vite. C'est-à-dire tout de suite. Avec les notices, c'est toujours comme ça, en immédiat.

Je suis revenue en page d'accueil. Un pipeline avait lâché dans un bidonville en Guinée, des dauphins s'étaient échoués sur une plage.

J'ai cherché ce qu'on disait sur la mémoire des poules pour pouvoir le raconter à Gaby.

J'ai écrit un message à ma fille Julie parce que c'était son anniversaire. J'ai eu le temps de l'envoyer et puis la connexion s'est coupée. Impossible à rétablir.

Francky a dit qu'en général les pannes duraient un jour et ça revenait.

Les premières gouttes ont cinglé les vitres, tombées à l'oblique. En un rien de temps, les nuages ont crevé et ça a ruisselé sur la route. Les phares brillaient dans la pluie.

Il faisait vraiment un sale temps. Le bus a ramené les bûcherons du bois de coupe.

Il s'est passé de longues minutes encore et on a vu revenir les randonneurs. Ils avançaient courbés, les imperméables sur les têtes, le plastique ruisselait. Quand ils ont poussé la porte, ils étaient tellement trempés, on aurait dit des noyés.

Francky leur a demandé de laisser leurs sacs dehors et aussi leurs imperméables. Après, ils se sont collés aux radiateurs, ils ont commandé des chocolats. Leurs pulls fumaient la vapeur. On n'a pas dit un mot mais ils ont bien vu qu'on se fichait d'eux.

Après, quand ils sont ressortis, on les a entendus gueuler parce que des chiens avaient ouvert les sacs et emporté la nourriture.

— Justice est faite, a dit Francky en frottant le comptoir.

— Reviendront pas, a murmuré Philippe.

Il avait le timbre de voix lent, détaché, agaçant.

— T'es pas un mec normal, j'ai chuchoté, vu que ça s'était passé là, juste sous sa fenêtre, et qu'il avait dû tout voir et rien empêcher.

Il a replié les branches de ses lunettes, les a glissées dans leur étui.

— Parce que t'es une femme normale, toi, peut-être ?

On s'est défiés quelques instants.

Avant de partir, il m'a taxée de trente euros pour la restauration de l'herbier. Un travail colossal. Plus de dix mille plantes qu'il fallait détacher de leurs vieux supports pour les recoller sur d'autres. Il avait besoin de matériel, des Canson, des étiquettes. Le vieux Sam venait aider certains après-midi.

— Ton nom sera inscrit sur l'une des étagères, il a dit en rangeant les billets dans son portefeuille.

Il a enfilé sa veste et il est sorti sous la pluie.

Le jour où maman est morte, il pleuvait aussi. J'étais en classe, un cours de travaux pratiques, le proviseur m'a fait appeler dans le couloir. "Votre maman est morte." Je pouvais partir tout de suite, j'avais droit à quelques jours.

J'ai quand même fini ma leçon. Avec mes élèves, on érigeait une pièce montée avec des choux bourrés de crème, le sucre avait commencé à se caraméliser, il fallait retirer vite avant que ça fige.

L'orage n'a pas duré longtemps. J'ai longé la route. J'ai posté les cartes des filles et celle de la concierge.

Le vieux Sam tenait un bric-à-brac un peu plus loin après la boîte aux lettres, une baraque décrépite dont les murs tremblaient au passage des camions. Il était le gardien particulier de cette boutique. Il était aussi le père de Jean.

J'avais besoin d'une paire de pantoufles, je pensais trouver ça chez lui.

Un panneau *À vendre* était accroché au linteau.

Je me suis rappelé l'étonnement qui m'avait saisie lorsque notre mère nous avait arrêtés tous les trois devant cette échoppe, elle nous avait serrés contre elle : "C'est entre ces murs que votre mère a perdu sa virginité."

Elle avait dit cela : "Votre mère", pour parler d'elle, et elle nous avait obligés à nous tenir bien droits et silencieux pendant un temps qui m'avait semblé être celui d'une éternité.

C'était avant que notre maison brûle, on était encore de jeunes enfants et aucun de nous trois n'aurait pu donner ne serait-ce qu'un vague sens à ce mot "virginité". Notre mère l'avait prononcé avec tellement de solennité que je l'ai murmuré à maintes reprises, plus tard, de retour à la maison. Et après encore, dans les autres logis.

Chaque fois que nous sommes passés devant l'échoppe, notre mère a exigé de nous le même comportement immobile et respectueux.

J'étais arrivée à l'âge adulte et j'en avais gardé l'habitude. Chapeaux, ceintures, sculptures, colliers de pacotille, vêtements en laine… Avec les filles, on venait acheter du miel, on en rapportait des pots qui faisaient notre hiver. On trouvait aussi des terrines, des bocaux, des rillettes. Les filles épuisaient leur argent de poche en gadgets. Avec leur père, on remplissait des cartons de nourriture.

Le lieu enchanté sentait désormais la cave humide.

Le vieux Sam était près de sa caisse. Il m'observait. Les mêmes yeux que Jean. Le même détachement tranquille.

— Ça me fait plaisir de vous voir.

Il portait une veste en grosse laine fermée avec des boutons en corne. Un registre d'inventaire était ouvert sur un carton. Sur les étagères, il restait des choses sans prix, quelques coussins, des attrape rêves, des chalets en bois et des dizaines d'horloges à coucou arrêtées sur des heures différentes et que le vieux Sam ne remontait plus.

Je lui ai dit que j'avais besoin de pantoufles chaudes. Il m'a répondu qu'il en avait eu mais qu'il n'en avait plus. Un camion ambulant devait monter au Val le mardi suivant, il serait garé le matin sur le parking.

Il m'a raccompagnée jusqu'à la porte. Il marchait appuyé du côté droit sur une canne au bois lustré.

— Je savais que vous étiez là… Ça fait trois jours que je vous vois… Vous passez… Je me demandais si vous alliez entrer.

Le ciel était lavé.

Une perdrix a détalé à vingt mètres, elle avait les plumes blanches alors que la neige n'était pas encore tombée. Prévoir l'arrivée des flocons est une question de survie pour les bêtes comme pour les hommes. Certaines se font avoir, se fient aux premiers coups de gel et changent de couleur trop tôt.

On l'a suivie des yeux.

— La tyrosinase…, a dit le vieux Sam. Mais c'est le froid qui arrive, pas encore la neige. Cette perdrix a fait une erreur…

On a marché jusqu'à la barrière. La perdrix s'était posée et elle se découpait, bien trop blanche sur le fond sombre du pré.

— Philippe m'a dit que vous l'aidiez à restaurer l'herbier.

— Un nid à poussière… Mais j'aime faire ça. Savez-vous que la dernière plante répertoriée date de 1892, un sabot de Vénus, je l'ai décollée hier avec les précautions d'usage.

Il faisait froid. On est revenus sur nos pas. Il a entrouvert la porte de sa boutique.

— Vous savez qu'ils vont abattre les trois chênes ?

— Oui. J'ai vu les troncs avec les croix. C'est pour la piste…

— Pour la piste, oui… Il paraît que ces arbres ne sont pas au bon endroit.

Il a ricané. Il a brandi sa canne en direction du ciel. Cette canne levée, on aurait dit la suite de son bras. Du bois devenu ossature sèche, décharnée.

— Le chêne est le plus majestueux des arbres, depuis toujours les hommes le vénèrent. Déjà du temps des druides… Même les philosophes s'accordent à dire que c'est un arbre sacré.

Sans l'appui de sa canne, ses jambes tremblaient.

— Les Étrusques imploraient la pluie en secouant leurs branches et les soldats de César refusaient de les couper.

Il a flanché un peu alors il a repris appui sur son bois. Il m'a tourné le dos, s'est enfoncé dans sa boutique.

— Trois chênes magnifiques ! Et c'est mon fils qui va faire ça.

J'ai entendu frotter ses semelles et le tapotement de son bâton, comme un troisième pas.

Gaby était en train de saupoudrer de la poudre de talc à l'intérieur de ses bottes. Le matin, en partant au travail, elle avait trouvé un store à lamelles au bord de la route. Encore dans son carton. Il avait dû tomber d'un camion. Elle l'avait attaché contre la fenêtre en plantant deux clous dans la tôle.

— Tu sens bizarre, elle a dit quand je suis entrée.

— C'est le camphre… Une pommade.

Le linge de Ludo séchait sur l'étendage en plastique, des chemises d'homme, des pantalons. Il restait encore quelques vêtements de la prison, un tas près du sac, sous l'évier.

J'ai écarté les lamelles du store. L'orage avait creusé des flaques autour du bungalow. L'Oncle était dans sa cour, j'apercevais son crâne nu par-dessus la palissade. Ses trois fils, revenus de l'école, shootaient dans un ballon.

Malgré la route, tout ce qui se passait chez eux, on le voyait, les visites, les repas pris sous la lampe, serrés à cinq comme des mouches, les films, les heures du coucher, Gaby savait tout de leurs disputes, de leur intime, tout des lessives qui séchaient sur les fils, les périodes des menstrues avec les culottes trop larges et aussi ce que faisaient les corps, la nuit, l'été quand les fenêtres étaient ouvertes et que l'Oncle râlait.

Gaby ne se cachait pas pour zieuter. Elle ne se dressait pas non plus. C'était du voisinage hostile pour un passé en commun, imbriqué, une rancœur à l'ancienne, franche, droite et qui prenait ses racines profondes dans les cendres froides de notre maison.

Les trois frères se sont avancés sur la route.

— Ils font quoi ? elle a demandé, Gaby.

— Ils traversent devant les voitures.

— Pourquoi ?

— Pour les obliger à ralentir.

— C'est des crétins, un jour, y en a un qui se fera tuer.

— Tu veux qu'on aille leur dire ?

— On leur dit rien, qu'ils se fassent tous crever.

Elle a rangé ses bottes le long de la plinthe.

— Tu veux du talc dans tes souliers ?

Je n'en voulais pas.

Il y avait deux tasses dans l'évier. Du sucre fondu au fond. Un reste de café.

Elle a plié ses sandales d'été dans des feuilles de journal, les a glissées sous le lit.

— La Baronne est passée en début d'après-midi. Cette année, elle est décidée, elle présente un char pour le défilé. Elle fera aussi griller des guimauves.

Elle est revenue s'asseoir. Elle a feuilleté les pages du programme TV.

Le journal, c'est Philippe qui le lui donnait. Il était abonné. Gaby lisait l'horoscope en premier et puis ce qu'on disait sur le Val-des-Seuls. Après, les pages servaient aux épluchures ou comme serpillière pour la boue des chaussures.

Un écureuil tournait dans sa roue, le nez au vent.

— Tu devrais les relâcher, j'ai dit, c'est pas propre et puis ça pue.

Elle a haussé les épaules. Elle a dit que ça puait moins que le camphre. Et que les odeurs, comme le reste, c'était une question d'habitude.

Elle a sorti trois pinceaux du tiroir.

— Touche plutôt comme c'est doux !

Elle a insisté. J'ai fini par toucher. C'est pas si doux, j'ai pensé.

— Alors ?

— Je sais pas… Je ne suis pas spécialiste.

Elle a mis les pinceaux à la lumière. Il y en avait plusieurs modèles, des longueurs différentes.

— Pour avoir les bons manches, la technique, c'est la patience mais pour les poils, faut les bons écureuils.

Le bois brillait, deux couches de vernis qu'elle passait à douze heures d'intervalles. Elle m'a expliqué ça.

— C'est l'air que le vernis emprisonne qui fait la brillance… Les pétales des boutons-d'or luisent aussi, Philippe dit que c'est à cause de l'air qui est enfermé entre les couches de couleurs.

Elle a plissé les yeux.

— C'est beau les boutons-d'or… L'été, y en a plein sur la décharge.

Elle avait les pupilles qui rêvaient comme si c'était juillet.

— Un bon pinceau, c'est comme la suite de la main…

Sur chaque manche, il y avait l'autocollant d'une fleur. L'identique autocollant aussi sur le couvercle de la boîte en carton dans laquelle les pinceaux étaient rangés.

— Sam me les vend tous. Il a un présentoir exprès dans sa boutique. Il ferme avec une petite clé. Il dit que des pinceaux comme ça sont précieux et mérite-raient le label *naturel extrafin*.

— Tu as déjà vu des tableaux peints avec tes pin-ceaux ?

Elle a secoué la tête. Elle n'en avait jamais vu.

— Mais je crois qu'ils peignent des belles choses comme les sentiments... ou des paysages humides avec du brouillard... ou alors qu'ils collent les feuilles d'or sur les tableaux des églises.

L'émotion lui trempait les yeux.

— Il paraît qu'il y en a de tellement doux qu'on masse les dos des stars avec.

Elle m'a effleuré les pommettes avec le dernier pinceau.

— On croit que c'est rien que des poils et du bois. C'est ça, mais c'est pas que... C'est du vivant. Quand j'en réussis un et qu'il est vraiment beau, bien gonflé, ça me rend heureuse... heureuse comme si j'avais un supplément d'âme.

Elle m'a regardée.

— Ça te fait jamais ça, toi ?

— Quoi ? Le supplément d'âme ?

— Oui.

— Non, ça me le fait pas.

— Même quand tu fais des choses ? Même des petites choses ?

J'ai pensé que je ressentais cela, avant, quand je me blottissais dans les bras du père des filles. Que je me lais-sais bercer par lui et que sa vie passait dans la mienne.

J'ai répondu que ça pouvait arriver.

Sans plus de détails.

La boule de verre de Curtil était sur la table, posée sur le *Closer* de septembre, celui qui avait fait sa cou-verture sur les seins plats de Kate Middleton.

J'ai feuilleté le magazine. J'ai regardé les photos.

— Hier, j'ai capturé un p'tit-gris, elle a dit, Gaby. Un à la fourrure épaisse… m'a mordue, ce salaud !

Elle a soulevé sa manche pour que je voie la blessure.

— T'as désinfecté ?

— Pas la peine…

Elle a râlé parce que les braconniers brisaient ses pièges, ils ne voulaient personne dans leur bois.

Sur la table, il y avait une coupe avec des biscuits salés, des espèces de frites jaunes, elle en a ramenées plusieurs avec ses doigts.

Les écureuils captifs nous fixaient, les dos aux barreaux.

— Après, je les relâche, elle a dit.

— Après, ils crèvent.

— Bien sûr qu'ils crèvent… J'en ai vu un qui traversait la rivière à la nage… Il crèvera aussi un jour.

Elle s'est levée.

— Ça t'embête si je fais des choses pendant que t'es là ?

Ça ne m'embêtait pas.

Elle a lavé les tasses. A nettoyé le rebord de l'évier avec une éponge. Le robinet gouttait, elle a mis une serpillière dessous.

Elle a ouvert son porte-monnaie, a réparti des billets dans trois enveloppes longues. Une pour le loyer, l'autre pour la location du téléviseur, la troisième pour la cantine et l'autobus du lycée.

Le reste, elle l'a remis dans son porte-monnaie.

— La misère finira bien par se lasser, elle a dit.

Elle a glissé les enveloppes dans le rembourrage du matelas.

— Faudrait que je vende la Volvo.

Un camion est arrivé. Un frigorifique, le logo rouge.

— C'est le livreur des surgelés. Il m'avait dit qu'il passerait à six heures. Il est à l'heure… mais c'est pas le même que d'habitude.

Le garçon est entré, il a posé deux pizzas sur la table plus une cuillère en inox en guise de cadeau.

Gaby a rempli un chèque, cinq euros trente les deux.

Elle a détaché le chèque en suivant les pointillés. Le livreur lui a donné un catalogue Spécial Fêtes, il a dit qu'il repasserait le 17 pour voir si elle avait besoin d'autre chose.

— Pourquoi tu fais un chèque pour si peu ?

— C'est pas si peu.

Elle a rangé son carnet dans le tiroir. Les pizzas dans le congélateur.

— Avant, je prenais des petites portions mais ça faisait pas beaucoup, il fallait mettre quelque chose avec, des chips ou de la salade.

Vendredi 7 décembre

Les températures ont chuté pendant la nuit. Quand je me suis levée, il y avait du givre sur les vitres et aussi sur le pare-brise.

J'ai attaqué un chapitre.

Un peu avant huit heures, j'ai vu passer Gaby, contrairement à ses habitudes elle montait à l'hôtel à pied.

À onze heures, la serveuse à Francky a ouvert ses fenêtres. Elle portait une robe rouge. Ses bras étaient nus. Elle a sorti un premier drap, s'est penchée, l'a secoué. Elle l'a retiré et a secoué le second, le ventre au balcon. Ensuite, elle a tapé ses oreillers, du plat de la main et de chaque côté.

Elle avait déjà fait cela la veille. Et la veille encore.

Les mêmes gestes. Dans le même ordre.

Je me suis remise au travail.

À midi, j'ai entendu la sonnerie de la scierie, trois coups brefs qui annonçaient la trêve du repas.

Gaby est redescendue. Elle s'est arrêtée à ma porte avec son baluchon.

— C'est ma bagnole, j'ai presque plus d'essence…

— Tu as besoin d'argent ?

— Les dettes, c'est des chaînes.

— Je peux t'en donner…

— On m'a jamais rien donné sans que je doive le rendre.

Gaby se dandinait d'un pied sur l'autre. Dans son baluchon, il y avait sa blouse en nylon.

— Dans les chambres, les miroirs sont grands, je me vois tout entière, elle a dit brusquement.

Elle a ajouté qu'avec son passe, elle avait accès à toutes les chambres. Elle faisait briller les sols, tendait les draps, il ne devait y avoir aucun pli sur les matelas. Elle ouvrait les fenêtres en grand, glissait l'aspirateur sous les lits, quand elle finissait avant l'heure elle lustrait les rampes, les poignées de portes, les chromes, les plinthes… Magnard venait inspecter, il vérifiait les serviettes, la poussière et les échantillons dans la salle de bains.

— Je mets de l'ordre dans le désordre, c'est ça mon travail. Mais c'est un vicieux, Magnard, même le fond des baignoires, avec un doigt, il vérifie. Il dit qu'un deux-étoiles doit avoir la qualité du trois.

Elle se dandinait toujours.

Sa serpillière faisait briller les carrés noirs alors que les blancs restaient ternes, elle en avait parlé à Magnard sans qu'il puisse fournir une explication à cette différence qu'elle qualifiait d'énigmatique.

De l'autre côté de la route, l'épicier accrochait des décorations de Noël dans sa vitrine.

— Philippe dit que je devrais mettre des gants, qu'un jour on va me trouver des produits chimiques dans le sang à cause de toute cette javel que j'utilise.

— Il n'a pas tort.

— Moi, je dis qu'un jour, c'est lui qu'on retrouvera dans le ventre d'un loup à force d'aller tout seul dans les bois.

Elle a plongé sa main dans le fond du baluchon, a sorti une poignée de petits bonbons ronds entourés de papier brillant.

— Ça, il vérifie pas Magnard. Je dois en mettre deux sur les oreillers des clients mais je ne le fais pas toujours… Je les prends pour la Môme.

Sous la blouse, il y avait aussi un yaourt nature et trois mini-pots de confiture. Une brioche sous plastique.

— C'est pas du vol, c'est ce qui reste sur les plateaux.

La pluie de la veille avait tassé la sciure, le tas était comme un terril avec une ombre en forme de cône. Autour des grands bulls, la terre se creusait de flaques brunes emplies d'écorces qui pourrissaient.

Gaby lorgnait la Coccinelle d'Emma.

— T'as une idée de pourquoi il revient ?

— Curtil ? J'en sais rien. Il est vieux, il doit vouloir raccrocher les crampons.

Elle a dit qu'être debout à repasser lui faisait mal aux reins.

— Je vais faire un tour au chenil… Tu veux que je te dépose ?

— Je veux bien. Tu salueras la Baronne…

Sur le portail d'entrée, un panneau, *Les bénévoles sont les bienvenus*. Derrière, une allée centrale recouverte de graviers, d'autres allées plus étroites, et les cages.

Il faisait beau, un soleil flamboyant dans un ciel glacé.

Je me suis avancée.

Les chiens, on les entendait avant de les voir. Il y en avait plus de cinquante derrière les grilles. Tous en cage, sauf trois qui étaient reliés à une niche par une chaîne. Ceux-là étaient les plus doux et recevaient des caresses plus que les autres.

Le chenil était construit autour d'un châtaignier abattu par la foudre. On l'appelait le refuge des *Ânes affamés*, à cause de deux ânes qui tiraient du bois il y a longtemps et qui se sont perdus dans une tempête. Ils sont restés partis plusieurs semaines. On les a retrouvés ici, dans ce pré, tellement maigres, on les aurait dits morts.

La Baronne était au bout de la grande allée, elle ratissait les feuilles qui obstruaient les caniveaux. Les chiens ont gueulé quand ils m'ont vue. Elle a tourné la tête. C'était une petite femme trapue avec des hanches lourdes. Je ne lui connaissais aucune famille mais Philippe disait que ses parents avaient un château sur les bords de la Loire. Il disait aussi qu'elle avait été mariée et qu'elle avait fichu son mari dehors le jour où elle avait eu envie de le tuer.

Elle m'a serré la main, une poigne franche avec un grand sourire. Un visage rond et des arcades lisses. Plus de sourcils. Adolescente, elle avait dû suivre la mode et s'épiler très fin jusqu'à arracher tous les bulbes. Cette absence de sourcils lui donnait un air de clown étonné.

— Je savais pas que tu étais là ! Ça fait plaisir ! Tu vas bien ?

— Ça va.

— Tu restes un peu ?

— Quelques jours, oui…

Tout de suite, elle m'a entraînée, une halte devant toutes les cages. Il y avait des éclopés, des bêtes qu'elle avait trouvées à la grille, toutes les raisons sont bonnes pour abandonner ce qui gêne, un maître qui entre à l'hôpital, la vieillesse, le manque d'argent, les couples qui divorcent et ceux qui ont un gosse allergique.

— On reconnaît la valeur d'un homme à la façon dont il traite les bêtes, elle a dit.

En plus des chiens, elle avait récupéré un cheval.

— Quand la Môme n'a pas école, elle s'en occupe, elle le brosse et lui fait faire des tours d'enclos.

La Baronne vivait là, sa maison était dans l'enceinte, deux fenêtres à rideaux entourées d'un jardin et quelques pots de fleurs. Elle ne s'éloignait jamais de ses chiens, disait que les vacances ne lui manquaient pas. Elle organisait un loto en février, vendait des autocollants à l'effigie d'un âne maigre, les habitants du Val en avaient presque tous un sur leur pare-brise. Elle recevait aussi des subventions d'entreprises et des dons de particuliers.

— Les visiteurs du vendredi adoptent souvent, elle a murmuré en montrant un homme seul, à genoux devant un setter.

Elle a ajouté que, le week-end, on supporte moins la solitude.

Des bruits de marteau venaient du garage attenant à sa maison, quelqu'un sifflait à l'intérieur.

— Je fais un char cette année, j'ai des gars qui aident…

Une bâche était tendue pour le mettre à l'abri des regards.

— L'idée, c'est de clouer des planches entre elles, de former une grande caisse avec six compartiments, des hublots pour que les chiens puissent passer leur tête, le tout monté sur une charrette à deux roues et on fera tirer ça par un tracteur.

Elle a ri. Elle a marqué un temps de silence et elle a ri encore.

Après, elle a pris sa brouette.

— C'est pas le tout…

Et elle est retournée à ses chiens.

J'ai ramené la voiture au gîte. Après, j'ai longé la rivière, le fond était recouvert de galets que l'onde glacée faisait miroiter. J'ai plongé la main sous la surface, la ligne de mes doigts s'est brisée, j'ai retiré un caillou blanc, luisant, plus brillant que les autres mais une fois sorti de l'eau, il a perdu son éclat. Je l'ai remis dans l'eau et il a scintillé à nouveau.

Le bungalow était tout près, une tache plus claire sous les arbres. Gaby avait fait brûler des ordures et ça fumait.

J'ai dépassé le pont. Quand je suis revenue, j'ai vu les arches en contre-jour, des lignes parfaites, les piliers presque rouges. Philippe disait qu'avec la piste, il serait détruit. Qu'on en construirait un autre.

Les trois garçons de l'Oncle avaient traversé le pont, ils étaient embusqués de l'autre côté, dans les herbes, sournois, presque invisibles. Ils avaient posé des pièges à oiseaux. C'étaient des filets en nylon, à petites mailles, tendus entre deux branches, une nasse impitoyable pour les pattes et les ailes.

Je les ai observés.

Ici, comme ailleurs, c'est l'ennui qui fait devenir salaud.

Le vendredi, les ateliers fermaient plus tôt. Quand je suis revenue au gîte, les tramps étaient sur leur campement, des baraques au bout d'un chemin, les lumières de quelques lampes.

Des vêtements séchaient sur les capots des voitures. On appelait cet endroit le rond-point de l'Échafaud à cause d'un arbre qui aurait fait des pendus autrefois.

Les tramps sont des bûcherons nomades, des grands clochards des bois, bruyants, un peu vantards, il y avait parmi eux des mauvais garçons, quelques passés louches, des poètes, des rêveurs, des qui n'avaient pas eu de chance. Tous des gars au caractère bien trempé, capables de plier le camp pour un mauvais regard. Ils étaient là pour tracer la piste. Arrivés au début de l'été, ils avaient regroupé leurs voitures. On disait que certains repartiraient avec la première neige, d'autres un peu plus tard.

Le soir, la fouine n'est pas venue gratter. J'ai pensé que c'était à cause du camphre, qu'elle n'aimait pas l'odeur.

Samedi 8 décembre

La scierie était fermée. Pas de bruits, pas de machines, pas d'hommes.

J'ai traduit les chapitres lus la veille.

Gaby est remontée à l'hôtel à pied.

À onze heures, la serveuse à Francky est apparue sur le balcon et elle a secoué ses draps. Le premier était à fleurs. Elle portait une robe bleue. La robe était longue, on ne voyait pas sa jambe.

Cette serveuse était belle comme Marilyn. Il m'était impossible de regarder son corps sans penser à cette jambe. J'imaginais cette imperfection et les soins qu'elle devait nécessiter. J'avais comme ça quelques fascinations morbides pour les cicatrices et les manques.

J'ai pris mon appareil photo, un numérique mauve que les filles m'avaient offert. Le deuxième drap secoué était jaune avec des fleurs énormes, on aurait dit un pré entier qui volait au vent du balcon.

J'ai cadré sur la fille.

Avec le zoom, je la voyais comme à côté.

J'ai pris la photo avec le drap qui flottait.

À midi, j'ai déjeuné à *La Lanterne*. J'avais apporté le livre, j'ai lu un chapitre en mangeant.

L'après-midi, je suis allée voir Gaby.

Quand je suis arrivée, elle frottait sa blouse de nylon dans de l'eau savonneuse. L'évier de la cuisine lui servait de lavabo. Deux brosses à dents étaient rangées dans un verre sur l'étagère, un déodorant et le flacon de talc. Il y avait des échantillons de shampooing et une pile de petits savons dans leurs boîtes en carton.

— Je t'ai vue tout à l'heure, sur la route, avec ton livre, t'allais chez Francky. T'es toujours fourrée chez Francky…

— Pas toujours.

Elle a frotté le col avec du savon.

— Moi, j'y vais aussi, l'après-midi. T'as vu la Baronne hier ?

— Oui.

— Qui d'autre ?

— Les fils de l'Oncle, ils tendaient des pièges.

— L'été dernier, ils ont accroché un bout de tôle à la passerelle du pont, ils s'en servaient de planche à surfer. On peut encore voir la corde qui pend et le morceau de tôle qui glisse sur l'eau.

— Ils sont forts, j'ai dit.

— Sont aussi forts qu'ils sont cons, elle a murmuré en retirant la blouse de l'eau.

Elle l'a rincée et l'a étendue sur le bac à douche. Elle avait branché son chauffage d'appoint.

Elle s'est essuyé les mains au torchon.

— Philippe veut qu'on fête Noël chez lui.

— Je sais.

— Tu viendras ?

— Peut-être.

— Emma nous fera ses p'tites mignardises…

— Si elle revient, j'ai dit.

Je me suis excusée, j'ai dit que c'était pour rire. Gaby a rétorqué qu'on ne rigolait pas avec ça.

Elle a tourné la tête, une portière avait claqué. Un moment, j'ai cru que c'était Curtil. Qu'il était là, enfin! J'ai senti mon cœur cogner.

Mais le type qui est descendu n'était pas Curtil. Il portait un grand manteau, un surplus de l'armée.

Gaby a glissé sa main sous le matelas.

— C'est l'Amiral, elle a dit.

Elle a retiré l'enveloppe du loyer. Ils ont échangé quelques mots sur le pas de la porte.

Gaby louait son bungalow sans quittance, de la main à la main. Elle louait aussi la télé. Elle avait eu un emprunt sur le frigo. Seule la Volvo lui appartenait, achetée d'occasion longtemps avant.

La Môme est arrivée juste après avec un gros sac de jute dans les bras. Elle a dit que Francky venait de recevoir un jeu de fléchettes tout neuf, il l'avait cloué au mur, en remplacement de l'ancien.

— Il dit que la piste amènera des foules et qu'il faut bien se moderniser.

Elle a fait sauter ses chaussures et elle a posé le sac sur la table.

Gaby s'est penchée.

— Y a quoi, là-dedans?

— C'est l'Oncle qui l'a donné.

Gaby a grogné.

— L'Oncle ne donne jamais rien.

La Môme a haussé les épaules.

Gaby a ouvert le sac. Sous les plis épais, était tapi un lapin roux.

— Pourquoi il t'a donné ça?

— J'en sais rien. Il a dit qu'il était bon à manger.

— Il t'a demandé quoi en échange ?

— Rien.

— Je ne te crois pas.

— C'est qu'un lapin, ça ne va pas chercher très loin, elle a dit, la Môme.

— Ça va chercher plus loin que tu le penses, a lâché Gaby.

La Môme s'est vautrée devant la télé. Elle a zappé jusqu'à ce qu'elle tombe sur un jeune garçon en tee-shirt flashy qui faisait le beau au bord d'une piscine.

Le lapin a sorti la tête du sac, il a reniflé l'air. Gaby l'a regardé et elle a regardé la Môme.

— Pourquoi tu l'as pris ?

— Ça m'a fait envie.

— C'est pas des manières… Et l'envie doit décider de rien ! L'envie, c'est rien que du poison, une pelle pour creuser ta tombe et te mettre la terre par-dessus. Tu entends ? Des tonnes de terre… Y a pas pire saloperie, n'oublie jamais c'que j'te dis !

Les joues de la Môme avaient gardé leurs rondeurs enfantines.

— On dirait du Proust, elle a murmuré.

— C'est ça, fiche-toi…

— Je me fiche pas…

— C'que t'as fait, ma p'tite, c'est des façons de mendiants, une vraie romanichelle !

La Môme a rougi violemment.

Gaby a zieuté en face, entre deux lames du store, la maison de l'Oncle.

— S'il croit qu'il va se nettoyer la conscience avec trois kilos de viande…

— C'est peut-être de la rédemption, a dit la Môme.

Gaby a laissé retomber les lames.

— De quoi tu parles ?

— Le rachat des péchés, c'est un truc dans la religion… Jésus qui a racheté toutes les conneries des humains en se faisant clouer sur une croix.

— L'Oncle, c'est pas Jésus ! Et je veux rien lui devoir.

Gaby a soulevé le sac. Le lapin s'est retrouvé au fond.

— Tu vas aller le rendre.

La Môme n'a pas bougé.

— Sois pas con, Gaby, j'ai dit.

— C'est avec les cadeaux qu'on fait les esclaves.

— Et avec les cages qu'on fait les fauves, je sais, c'est Curtil qui disait ça.

Elle a hoché la tête.

Curtil, il avait des formules, j'en avais retenu quelques-unes : "Si tu veux être heureux, il ne faut dire du mal de personne, tenir les rênes longues et ne jamais cracher contre le vent."

Dans une autre, il était question d'un poisson dans un puits. Je l'aimais bien celle-là, et pourtant je ne suis pas arrivée à m'en souvenir.

Le lapin grattait dans le fond de toile.

— Tu le tues, tu le manges et tu t'inquiètes pas, j'ai dit.

— Je le fais cuire mais compte pas que j'en mange.

Elle a plaqué son regard sur moi.

— Compte pas non plus que je le tue.

Ça a jeté un froid. La Môme s'est tassée. Gaby a ouvert le tiroir du placard, elle a cherché tout au fond, dans les bruits de lame.

Elle a retiré un torchon dans lequel était plié un petit couteau bien aiguisé. Elle m'a défiée d'un mouvement du menton.

— C'est celui de Ludo, il verra pas si on l'utilise.

80

J'ai essayé de sourire. J'étais incapable de faire ce qu'elle sous-entendait. Depuis toujours, je cultive la lâcheté parfaite de ceux qui mangent les bêtes et mettent à mal ceux qui les saignent.

J'ai détourné les yeux.

Gaby a reposé le couteau.

— On le tue pas, on le rend pas… On en fait quoi, alors?

Le lapin ne bougeait pas.

La Môme semblait ne plus s'intéresser à nous.

J'ai regardé autour, les vêtements rangés dans des cartons, les manteaux suspendus à des clous. Il y avait des DVD en piles à côté du divan.

Gaby a refermé le tiroir. Elle est revenue à la table, elle a posé une main sur l'échine ronde du lapin, l'a empoigné par la peau, j'ai cru qu'elle allait l'assommer, un grand coup contre le mur pour lui briser la nuque par surprise. Mais elle l'a soulevé hors du sac et l'a enfermé dans une cage. Une cage bien trop petite, ça lui a mis les reins aux barreaux.

Gaby a plié le sac de jute en quatre. Elle a pointé un doigt sur la Môme.

— Tant que tu es sous mon toit, je ne veux plus que tu parles à l'Oncle.

Sur l'écran, le beau garçon avait laissé place à une fille en maillot.

La Môme s'est arrachée au divan, elle est venue se blottir contre le dos de Gaby, ses bras d'adolescente noués avec tendresse autour du ventre.

— Tu es fâchée?

— Je sais pas encore.

— Tu vas t'en aller?

— Pourquoi je m'en irais? C'est pas parce qu'on se dispute avec les gens qu'on les quitte, sinon, tu penses bien…

— Sinon, quoi ? elle a demandé, la Môme.

Gaby a serré le sac contre elle.

— Sinon, il n'y aurait plus personne avec personne, et depuis longtemps.

"Ne parle pas de la mer à un poisson qui vit au fond d'un puits, il ne comprendrait pas !" C'était ça, la formule oubliée de Curtil. Elle m'est revenue en mémoire alors que je quittais le bungalow.

À l'intérieur du bistrot, c'était l'effervescence. Tout le monde était venu essayer le nouveau jeu de fléchettes.

— T'installe pas là…, a dit Francky quand je suis entrée, c'est la table de ton frère.

— Il n'est pas là, mon frère.

— Peut-être, mais c'est sa table.

Je n'ai pas insisté, je suis allée me poser plus loin.

Dans le fond de la deuxième salle, des bûcherons faisaient courir des souris entre deux planches.

— L'ennui, c'est jamais bon pour les gars, a dit Francky en les écoutant gueuler.

— C'est bon pour personne, j'ai répondu.

Il était d'accord.

Des filles sont arrivées.

Yvon filmait les flaques dans le crépuscule et les traînées que la pluie avait laissées sur les vitres. Il a fait quelques plans, les brioches sous la cloche en verre, les sucres dans une coupe, le gros poêle planté au milieu de la salle, une mouche sur une vitre.

Au zinc, ça parlait de la Valeuse et des chalets qui seraient construits plein sud. Ça amènera du monde, a dit Francky. Le monde, c'est rien que des emmerdes. Le monde, c'est de l'embauche aussi !

La piste était dans toutes les conversations. L'espoir ou la guerre, pour certains pas question qu'on bétonne leur terre.

— Vos bulls, on les fera sauter, a conclu un homme en bout de zinc.

Il a sorti une rouleuse à cigarettes de sa poche. C'était un grand gaillard qui semblait une ombre. Les verres ont tourné dans les mains.

Derrière la vitre, la nuit tombait. Les jours sont courts, début décembre.

Sur l'écran de la télévision, on passait les images de l'élection de Miss France, une fille de Bourgogne avec une couronne magnifique, on aurait dit des vrais diamants. Les larmes de la belle coulaient sur ses joues lisses. Le rimmel tenait. À côté, les dauphines donnaient le change.

La beauté des filles faisait taire les hommes.

Après la reine, ils ont diffusé un reportage sur une usine qui fermait, Francky a baissé le son.

Diego a glissé sa face rouge dans l'encadrement du passe-plat et il a demandé combien on était à vouloir dîner. Il fallait qu'on écrive notre nom sur l'ardoise.

Ils ont reparlé de la piste.

— Vont faire un charnier de nos souvenirs, a dit le gars à la rouleuse.

Ses mains étaient épaisses.

Il n'a pas tort, j'ai pensé.

Dimanche 9 décembre

Le matin, il y a eu messe, j'ai entendu sonner les cloches de l'église du Val.

J'en avais terminé avec quelques chapitres techniques et j'abordais la rencontre de Christo avec sa femme. 1964, ils ont trente ans, émigrent aux États-Unis. Ils travaillent ensemble. La plupart des travaux sont signés de leurs deux noms. Quand Jeanne-Claude meurt, Christo continue seul. Le chapitre traite de ce moment particulier quand il poursuit sans elle leur projet d'*Over the River* dans le Dakota. Un tissu immense que l'artiste veut déployer sur une rivière. Un projet commencé avec elle et qu'il finira seul.

J'ai traduit un premier jet sur papier.

J'ai vu passer Gaby avec la Volvo, elle avait dû pouvoir remettre de l'essence.

À onze heures, la serveuse à Francky a secoué un premier drap, un imprimé à fleurs. Elle a tapé les oreillers dont les taies étaient du même ton. J'ai pris l'appareil, le doigt sur le déclencheur, si j'appuie je serai tenue de faire cela tous les jours, c'est ce que j'ai pensé. Cet engrenage du geste.

J'ai cadré la serveuse. Avec la branche, le drap, le

balcon. Une première photo ce n'est rien, c'est la deuxième qui importe, celle qui enclenche l'obsession de toutes les autres.

J'avais fait cela déjà, pendant une année entière, une table dans un bistrot à Saint-Étienne. Trois cent soixante-cinq jours. Trois cent soixante-cinq photos, la même petite table ronde, du faux marbre, un seul pied. Un café à côté du lycée, j'y avais mes habitudes, je poussais la porte avant les cours. J'avais fait tirer toutes les photos. On voyait la table, une tasse ou un verre, un journal, un briquet, un stylo. Je m'autorisais les mains, pas les visages. Il arrivait que la table ne soit pas occupée, je prenais alors la photo du plateau sans rien. Une photo par jour. Sans rater un jour. Pour ne pas casser la série, je venais même les matins où je n'avais pas cours. Le lundi, le café était fermé, je prenais la photo de la table à travers la vitre.

Le jour où la série des trois cent soixante-cinq photos a été terminée, j'étais bouleversée, j'en avais parlé au père des filles. J'ai changé de café.

La serveuse a disparu dans sa chambre. Elle est ressortie avec l'autre drap.

Si je prenais cette deuxième photo, il me faudrait continuer. Jusqu'à ce que Curtil revienne. Et les jours suivants. Tant que je serais là.

Et après ?

C'est peut-être pour ça que le père des filles m'a quittée. Pour ces choses que je faisais et qu'il ne comprenait pas.

La serveuse a relevé le drap, l'a roulé en boule contre son ventre. Elle a regardé du côté de la scierie. Au-dessus d'elle, dans les branches, il restait les dernières feuilles rousses d'un automne terminé.

L'intérêt qu'on porte aux êtres est aussi une question de répétition.

J'ai cadré, le doigt figé sur le déclencheur. Il y a des décisions qui sont strictement personnelles, j'ai murmuré. J'avais conscience que tout cela était absurde et n'était une solution à rien.

La serveuse s'est détournée, un mouvement très lent.

J'ai pris la photo d'elle avec le drap emporté.

L'heure suivante, je suis allée faire un tour au lac avec la voiture d'Emma. Un lac d'altitude, entouré de montagnes. À trois kilomètres, c'était la frontière. Trois kilomètres deux cent cinquante exactement.

Les températures basses des nuits avaient formé les premières plaques de glace. L'eau froide était irisée en surface. Il suffisait de quelques autres nuits glaciales et on pourrait bientôt s'aventurer dessus, traverser.

J'ai marché le long de la rive.

Des carpes gobaient le plancton dans les friselis de l'eau, elles avaient des bouches molles.

Curtil allait revenir. Je partirais après. Sans doute que lui s'attarderait un peu. Les pères enlisent-ils leurs filles ? Le mien m'obligeait à un surplace qui me semblait mortifère.

À mon retour au Val, j'ai croisé la Baronne, elle promenait quatre chiens, des pattes courtes, des gueules énormes.

Elle les tenait ferme. Deux laisses par main. Elle en sortait tous les jours, à tour de rôle, même par grands froids.

J'ai klaxonné. Pour me saluer, elle a levé les mains sans lâcher les laisses.

J'ai garé la voiture devant le gîte.

Les garçons de l'Oncle s'amusaient le long de la voie ferrée. L'aîné était couché sur le ballast, la tête sur le rail, quand le train est arrivé, il s'est éjecté. Il a fait ça sous le regard ahuri de ses frères.

Le dimanche, Francky ouvrait à des horaires irréguliers. Parfois, seulement en fin d'après-midi. Parfois aussi, il n'ouvrait pas, il accrochait alors un écriteau sur la porte, *Aujourd'hui, c'est fermé*.

J'ai commandé un café. J'avais pris le livre de Christo. J'ai essayé de lire. Les tramps jouaient aux cartes. Des jeunes se défoulaient au baby-foot. Au comptoir, on parlait du temps. Celui qui passe. Celui qu'il fait. Celui qui reste. On parlait aussi de la *Marine* pour qui certains avaient voté parce qu'il fallait bien que ça change.

Jean était au bout du zinc.

La serveuse finissait son service. Elle est passée entre les tables avec son déhanché un peu spécial. Jean suivait des yeux l'ourlet de sa robe qui était défait sur le côté.

Ils faisaient tous ça. Une serveuse si belle dans un lieu aussi morne.

Le type à la rouleuse de cigarettes s'attardait.

— On dit que vous attendez quelqu'un? il m'a demandé en se retournant sur son tabouret. Je peux attendre avec vous?

— Non, ça va aller…

— Si ça se trouve, c'est moi que vous attendez…

— Si ça se trouve oui.

Il n'a pas insisté.

J'ai croisé le regard de Jean dans le miroir derrière les bouteilles, il m'a souri. La serveuse a salué tout le monde et elle a disparu par la porte de service.

Jean a jeté un coup d'œil à sa montre. Il a vidé son verre.

— Demain, la journée va être rude, il a dit en saluant Francky.

Il s'est arrêté à ma table. Ses doigts ont frôlé la couverture du livre.

— Yvon… son reportage, ça avance?

J'ai balbutié que oui, tout allait bien. Il a hésité, le pan de sa veste a glissé contre le bois.

— Faut que je rentre, il a dit.

Il a fait deux pas en direction de la porte. Il est revenu.

— Tu veux prendre un verre?

C'est comme ça qu'on s'est retrouvés tous les deux au comptoir.

Il a fait un signe et Francky a tiré du rayon une bouteille jaune avec un château d'Écosse sur l'étiquette. Un bouchon en liège. Deux centimètres d'alcool dans nos verres. Une coupe. Des glaçons.

Jean a repoussé la coupe.

— Le vieux whisky, c'est meilleur sec…

J'ai bu.

— Alors?

— C'est doux. Rien d'exceptionnel.

— C'est parce que tu bois trop vite.

Il m'a montré comment rouler le verre dans la main, lui imprimer un mouvement circulaire.

— Tu vois, après quelques tours, l'alcool retombe en laissant des traces sur la paroi intérieure.

Il a levé son verre dans la lumière. L'alcool adhérait, visqueux et s'écoulait comme des vagues lentes.

— Les larmes, il a dit. On appelle ça aussi des jambes. Et l'écart entre deux jambes permet de donner l'âge exact de l'alcool et la qualité du fût qui l'a contenu.

J'ai fait tourner mon verre. Des gars sont partis. Ceux qui s'en allaient saluaient Jean. Il répondait par un nom, Fred, Greg, Jordan, Manu…

— Maintenant, goûte. Doucement… Celui qui sait boire le whisky gagne un morceau d'éternité. Prends seulement quelques gouttes dans ta bouche et tu laisses aller sur ta langue. L'alcool, ça voyage, ça doit imprégner les papilles sans en épargner une.

Le whisky a glissé dans ma gorge. Lentement. Le goût m'a secouée. C'était fort. Surprenant.

— C'est bon.

Il a souri.

— Respire-le maintenant… Tu sens?

— Je sens.

La part des anges, j'ai pensé. Comme pour le camphre.

Toute seule à une table, une fille nous observait. Étonnamment masculine. Enceinte.

J'ai bu mon verre à petites gorgées. Il a fini le sien. Il restait quelques gars, nous deux et cette fille.

— J'ai une fouine, je n'arrive pas à la déloger.

— Pourquoi tu veux la déloger?

— Elle m'empêche de dormir.

— Tu es sûre que c'est une fouine?

— Je ne suis sûre de rien.

J'ai repris une gorgée. Le livre était ouvert sur la table. Jean l'a rapporté sur le zinc.

— Christo, comme le Christ…

Il a tourné les pages, s'est arrêté sur la reproduction de l'emballage du Pont-Neuf à Paris, les arches formidables drapées d'un immense tissu ocre-jaune. Il voulait comprendre. Je lui ai expliqué.

— Tout Paris est venu voir ce pont. Après l'exposition, Christo a découpé le tissu et en a distribué les morceaux à qui voulait.

— Et maintenant, il fait quoi, ton poète?

— Il recouvre la rivière Arkansas.

Il m'a dévisagée par-dessus le livre.

— Pas sûr que ça plaise aux truites ça…

— Non, pas sûr.

Il s'est intéressé à la double page des parasols géants, des ombrelles ouvertes le long d'une autoroute dans les plaines du Japon, et d'autres, en tout point semblables mais plantées de l'autre côté de l'océan, en Californie.

— Son idée, c'était de faire de ces parasols un pont symbolique entre l'Est et l'Ouest, une œuvre qui relierait les deux berges du Pacifique, comme un lien entre un continent et un autre, avec un océan entre.

— Et ça sert à quoi?

— À rien. C'est une œuvre d'art… De l'art nomade.

Il a hoché la tête.

Il a fait un signe et Francky a rempli à nouveau nos verres. Les nomades sont soumis au temps, un jour ils plient leurs tentes et ils s'en vont. Comme les tramps. Christo remballait tout une fois son œuvre terminée, il ne laissait aucune trace derrière lui, pas un trou, rien, la nature intacte après chaque exposition.

Jean s'est penché sur les parasols.

— On dirait des parapluies sans personne dessous. Il est célèbre?

— Oui.

— Il gagne de l'argent.

— Pas mal…

Il a tourné une autre page.

Le portrait de Jeanne-Claude, la femme de Christo. Nés tous les deux le même jour de la même année, le 13 juin 1935, lui en Bulgarie et elle au Maroc.

Il a fait défiler d'autres pages.

— Tu as lu tout ça ?

— Presque.

— Et tu le traduis ?

— Oui.

— Ça te plaît ?

— Au début, non… Mais maintenant, ça va.

Il a refermé le livre. Il a repris son verre.

— Tu habites toujours à Saint-Étienne ?

— Toujours.

Il a eu un regard ironique.

— Et tu veux vivre où quand tu seras grande ?

Ça m'a fait sourire.

J'ai fini mon verre. Je manquais d'habitude, l'alcool m'a plaqué la tête dans le brouillard.

Le livre s'est flouté.

— On va fermer, a dit Francky.

Il avait déjà mis les chaises sur les tables, éteint les lumières du réfectoire et celles de la deuxième salle.

Il restait deux types un peu seuls et cette fille qui ressemblait à un garçon.

Francky nous a laissés cinq minutes et il nous a tous mis dehors.

J'ai vacillé en passant la porte. Ça bourdonnait dans mon crâne. J'ai essayé de me souvenir de ma date de naissance, du nom des Rois mages et du prénom de Dostoïevski. J'ai retrouvé deux Rois mages, Melchior et Balthazar, il me manquait le troisième. Et aussi le prénom de Dostoïevski.

La terre tanguait sous mes semelles.

J'ai aspiré l'air froid.

Jean a froissé son paquet de cigarettes, il était vide. Je lui ai tendu le mien.

— Petite fille sage…, il a ironisé en voyant les filtres.

Il a tranché le filtre avec les dents, l'a craché sur le côté. On s'est éloignés des lampadaires, on voulait voir les étoiles. J'avais le goût du whisky dans la bouche. Je l'avais aussi sur l'ivoire de mes dents.

J'ai pensé que, pour lui, ce devait être pareil.

On a entendu gueuler une chouette pas loin ou alors c'était un tramp sur le campement.

Il y avait des nuages dans le ciel, on n'a pas vu les étoiles.

Lundi 10 décembre

Huit jours que j'étais là et nous n'avions pas de nouvelles de Curtil.

Le réveil sur la table marquait six heures. Je me suis arrachée du matelas, l'oreiller serré contre mon ventre. J'avais la tête lourde. La fouine avait gratté tard. Elle m'avait réveillée plusieurs fois dans la nuit. J'avais trop bu aussi, je me sentais embrumée. J'ai avalé un café fort pour me secouer, il m'a laissé dans la bouche un goût de cendres froides.

Je me suis vue dans le miroir. Ce n'était pas glorieux. J'ai ouvert grands les yeux. Je connais tous les détails de mon visage, parfois je cherche les liens avec ce que je suis dedans. J'ai approché encore, les cils au ras du reflet. J'ai cherché mon âme. Mon âme, ou quelque chose qui devait être là, quelque part.

Je me suis rappelé un faux miroir acheté par les filles dans un magasin de farces et attrapes. Elles l'avaient installé dans la salle de bains. Une glace sans tain, quand on se regarde, il n'y a rien, je détestais ça.

J'ai ramené une couverture sur mes épaules et je suis sortie sur le pas de la porte. La lune brillante éclairait encore le Val. Le froid avait recouvert de cristaux glacés les barres d'attache du volet.

Les lumières se sont allumées chez Francky. Des hommes fumaient de l'autre côté de la route, je ne les voyais pas mais j'entendais leurs voix éraillées. Ils se sont engouffrés dans le réfectoire. Jean est arrivé. Pas sept heures. Il a garé sa jeep devant la scierie.

Fiodor, j'ai murmuré, il s'appelait Fiodor, Dostoïevski.

J'ai pris mon blouson et j'ai traversé la route. Les bûcherons étaient tous dans le réfectoire, des hommes forts courbés sur des bols.

J'ai poussé la porte. Derrière, le brouhaha était confus, on aurait dit des psaumes mêlés aux cliquetis des couverts, aux raclements des chaises, aux sons rauques des voix.

J'ai lancé un bonjour, me suis glissée entre les tables. Personne n'a fait attention à moi. Les casse-croûte étaient prêts, saucisses, côtes de porc entre des tranches de pain, portions de fromage, le tout plié dans des torchons et rangé dans des cageots. Il fallait commander la veille pour en avoir un.

J'ai choisi une place à l'écart. Pour cinq euros, on se servait à volonté, café, pain, beurre, viande, tout ce qu'on voulait.

Ils allaient abattre les trois chênes. Des beaux troncs achetés par un armateur et qui finiraient en coque de bateau. Ceux qui allaient tronçonner étaient en bout de table. Ce n'étaient pas les plus vieux ni les plus costauds mais des hommes qui avaient les arbres dans le sang. De ces gars rares dont on disait qu'ils couchaient les chênes comme on étend une femme, avec douceur et force et sans les blesser.

Jean est entré à son tour, il a rejoint les contre-maîtres, a bu un café avec eux. Après, les hommes se sont tous levés, ils ont ramassé leur barda et ils sont montés dans le bus.

Trois garçons attendaient près de la sortie, à côté du grand radiateur. Jean en a embauché deux pour tirer les branches et faire brûler les souches.

La Môme patientait à l'écart. Elle aussi voulait un job. Jean est allé lui parler.

— Elle est à toi ? il a demandé en montrant sa tronçonneuse.

— Louée.

Il a fait semblant de la croire.

— De toute façon, on ne prend pas de filles sur le chantier.

— Je sais.

— Qu'est-ce que tu fais là alors ?

— Je suis aussi forte qu'eux.

— C'est pas une question de force, tu devrais être au lycée. T'as séché les cours.

Il a montré la ceinture qui nouait son pantalon.

— Les ceintures, sur un bois, c'est comme une corde pour te pendre.

Elle a défait sa ceinture, l'a jetée sur le sol, l'acier de la boucle a buté contre la fonte du radiateur.

Jean a soupiré.

— Pas de godasses à lacets non plus, et pas d'écharpes.

Il a fait deux pas en direction de la porte. Il s'est retourné. Il a hésité.

— Et puis tu es mineure, même pour le feu il faut l'autorisation de ta mère.

La Môme a ramassé sa ceinture.

— J'en ai pas, de mère, elle a répondu.

Je suis revenue au gîte. J'ai repris mon travail.

À onze heures, j'ai guetté le balcon. La serveuse est sortie. J'ai pris la photo. C'était la troisième.

Ensuite, je suis allée voir tomber les chênes. J'ai grimpé à pied, d'un bon pas. Les tronçonneuses ronflaient. Tout en haut de la colline, les jeunes garçons faisaient brûler les souches, ils semblaient des Lilliputiens sur le flanc du monde.

Quand je suis arrivée, les bûcherons avaient commencé à dégager l'espace autour des chênes.

J'ai continué jusqu'à notre maison.

J'ai pensé à toutes celles qu'on avait eues, le logis ouvrier à Modane, l'appartement qui jouxtait l'usine de textile, la caserne à Chambéry. Après, dans la Tarentaise, une turne au rez-de-chaussée, une vallée étroite, on avait un jardin, une autre maison, ensuite, ailleurs, je ne sais plus où, Curtil fabriquait des ressorts pour sécateurs, il trouvait ça beau, nous en rapportait comme des trésors.

Il décrochait des petits boulots sur des chantiers, il vivait avec nous jusqu'au jour où il s'en allait. Il nous embrassait tous, nous serrait fort, je reviens vite, c'était son truc, partir, voir et revenir, il nous laissait sur le palier, on s'accrochait à la rampe, même pas le temps de chialer, il dévalait l'escalier et on entendait claquer la porte.

Avec le temps, je suis devenue nomade de lui et de tous ces endroits.

De lui, surtout.

Les pères font les failles des filles.

Je me suis assise sur le mur. L'été, ce jardin était un coin de marguerites et de pavots dont les pétales collaient aux doigts, il y avait aussi d'étranges fleurs qui ressemblaient à des chrysanthèmes. Toute une part de ma mémoire demeure hors d'atteinte. Je voudrais me souvenir quand j'avais un an et que j'apprenais à marcher. Me souvenir de ce qui m'avait donné mon premier rire, ma première peur, mon premier vrai grand émerveillement.

Un jour, j'ai trouvé ma mère devant une bassine en fer pleine de toutes petites boules rouges. Elle brassait là-dedans, les manches retroussées jusqu'aux coudes. Je m'étais dressée sur la pointe des pieds. J'avais cru à des baies, à des groseilles. Mais nulle confiture ou autres choses douces. Quand ma mère a retiré ses mains, j'ai vu des milliers de coccinelles qui se débattaient dans un liquide épais. Elle avait décidé d'extraire de ce massacre une teinture puissante avec laquelle elle avait coloré de rouge tous nos vêtements d'hiver.

J'ai pensé aux filles.

J'ai pensé à moi quand j'avais l'âge des filles.

J'ai touché la terre.

Cet endroit d'où je viens.

Après l'incendie, il paraît que je suis devenue mélancolique. On me l'a dit. Ça revenait autour des repas, dans les conversations. Carole, elle est comme ça, on disait. Ça m'agaçait. Ça m'intriguait.

Je le trouvais troublant et très étrange, ce doux mot de "mélancolie".

Je le trouvais ombrageux aussi.

J'ai marché dans les gravats.

Gaby avait pleuré quand elle avait senti la fumée. On accédait au grenier par une échelle rustique qui ouvrait sur une trappe. C'était une échelle de meunier, haute de douze barreaux et maintenue au plancher par deux crochets en fer.

On avait l'habitude de monter là-haut en l'absence de notre père.

Ma mère grimpait la première, elle rabattait la trappe qui cognait contre le plancher en soulevant de la poussière. Elle redescendait, nous aidait de ses deux mains plaquées sur nos fesses. Philippe en premier. Je suivais. Ma mère nous rejoignait ensuite en portant Gaby dans ses bras. Elle nous racontait des histoires.

Elle nous faisait promettre de ne jamais dire à Curtil que nous montions dans cet endroit.

L'échelle était raide. Redescendre était plus hasardeux. Il n'y avait pas de lumière, ma mère passait devant, on la suivait, le ventre collé à l'échelle, elle enserrait nos chevilles, nous rassurait par le contact de ses mains fortes, guidait nos pieds, les plaçait prudemment sur les barreaux. Elle aurait pu m'emmener en enfer, je l'aurais suivie, une marche et puis l'autre.

Ma mémoire retient ces choses.

Ces choses lointaines.

Des détails qui m'encombrent, oui, peut-être.

Un frêne déraciné était étendu le long des ruines de la maison, des termites s'activaient sur son tronc. Il y en avait plusieurs centaines, des petits insectes ronds, opaques et identiques.

Je me suis agenouillée. Ça sentait fort, un mélange de terre, de sève et de champignons. Notre mère nous avait enseigné cela, à Philippe, à Gaby et à moi. "Tous les insectes verts se mangent", elle disait.

Il fallait lécher et vite écraser avant que les termites ne piquent.

J'ai râpé l'écorce. J'ai plaqué les bêtes entre ma langue et mon palais.

J'ai avalé.

J'ai recommencé.

Sur le tronc, les survivants étaient affolés. Deux papillons les survolaient avec des ailes comme des pétales.

— Indiana Jones à l'assaut des terribles termites !

J'ai levé la tête. La lumière vive du ciel m'a fait mal aux yeux. Jean avait grimpé jusque-là et m'observait avec un sourire amusé.

— C'est un truc que tu fais souvent ?

— Pas souvent…

— Et c'est bon ?

— Goût de noisette…

J'ai essuyé ma bouche d'un revers de main. Je me suis relevée.

Jean a avancé la main vers mon visage. Je me suis reculée. D'instinct. Avant qu'il me touche. Un mouvement réflexe, presque brutal. Depuis le père des filles, c'était comme ça, je bloquais les approches.

— Un rescapé…

J'ai senti ses doigts sur ma joue. Il a fait glisser le termite dans sa paume.

— C'est pas tous les jours qu'on peut sauver une vie… Ça fait plaisir même si c'est rien qu'une vie de termite.

Il a reposé cette vie avec toutes les autres. À peine libre, elle s'est confondue dans la multitude.

Les bûcherons étaient dessous. Regroupés. L'un d'eux déroulait un câble. Jean est allé jusqu'au fossé pour surveiller si tout allait bien.

Je l'ai rejoint. Les trois chênes étaient juste en dessous, j'en voyais les frondaisons. Onze mètres de bille avec deux mètres de circonférence, c'est ce qu'ils avaient dit le matin, au réfectoire. Dans une heure, ils seront à terre et dans cinq ans, sur l'eau.

Deux grands oiseaux, des buses peut-être, tournoyaient dans le ciel.

— Jean?

— Mmm?

— On a beaucoup bu hier soir?

Il a hésité.

— Pas tant que ça… C'est toi, tu ne supportes pas.

Il s'est retourné vers les ruines.

— Je me souviens quand ça a brûlé, on voyait les flammes d'en bas. Avec la nuit, on avait l'impression que la forêt entière flambait. Tout le Val était dehors.

Il portait des chaussures de sécurité avec les bouts en fer. Du cuir tellement épais que la scie ne pouvait pas l'entamer.

— Mon père était pompier, il était de garde ce soir-là. Il est rentré bouleversé. C'était un court-circuit, c'est ça?

— Une guirlande électrique.

Une première voiture est arrivée, suivie d'une autre, les gens du Val qui montaient voir tomber les chênes et qui se garaient au bord de la route.

Jean a jeté un coup d'œil à ses hommes.

— Je me suis toujours demandé pourquoi tes parents n'avaient pas fait reconstruire… Vous auriez pu continuer à vivre au Val. Au lieu de ça, vous avez quitté le pays.

— Ce n'était pas notre maison.

— Comment ça?

— On était seulement locataires. Sans quittance, sans papiers. Un accord, on se tope dans la main et ça fait le marché.

— Et le propriétaire, il aurait pu la faire reconstruire?

— Il aurait pu… Mais il ne l'avait pas assurée. Quand ça a brûlé, on a tout perdu… et lui aussi.

Nos regards se sont croisés.

Au-dessous, une tronçonneuse a démarré. Le

bûcheron qui avait été choisi pour abattre le premier chêne s'est détaché du groupe.

Le talkie-walkie de Jean a grésillé.

— Je vais devoir y aller…

Il a fait quelques pas et il est revenu.

— Et c'est qui le fils de pute qui vous louait cette maison?

— Tu veux vraiment le savoir?

— J'aimerais bien, oui.

Je lui ai montré, sur le bord de la route, un peu à l'écart, une Kangoo grise, et dehors, tout seul, le dos à la portière, l'Oncle qui scrutait le bois.

— C'est lui.

Le premier coup de lame a glissé sur l'écorce. Les dents ont repris par-dessous. Jean a dévalé la pente en quelques grandes enjambées. Sur le bord de la route, plus personne ne parlait.

Il a fallu du temps avant que la frondaison frémisse et que le premier chêne tombe. Le choc a fait trembler la terre, j'ai senti l'impact de la secousse dans les jambes. Le froissement des branches. Un nuage de sciure est monté du sol, de la poussière dorée que le vent a rabattue sur nous.

Philippe avait stoppé sa voiture à la suite des autres. Il s'est avancé, le jean dans les bottes.

— Sale temps pour les chênes, il a dit.

Les bûcherons étaient autour de la souche. Il y a eu quelques secondes encore d'un temps très silencieux et puis ils se sont ébroués. Le travail a repris.

À deux mètres de nous, un oiseau au bec clair extirpait de la terre un long ver blanc.

Le froid est arrivé. Humide. Glaçant. Philippe m'a proposé de redescendre prendre un café chez lui. Je l'ai suivi vers sa voiture. Sur le chemin, j'ai croisé le regard de l'Oncle. Il a hoché la tête, j'ai à peine répondu.

Il y avait trois marches devant sa porte, le ciment de la dernière était fendu. J'ai pensé que la faille devait se remplir d'eau quand il pleuvait.

Une Simca était garée près du portail.

— C'est Sam, il a l'habitude, il sait où est la clé…

Philippe avait fait des courses, les sacs étaient encore sur la table. Du papier d'Arménie, des brioches Pasquier, des allumettes… J'ai glissé le lait dans le frigo. Les rayons étaient pleins. Il y avait des barquettes en piles dans le bac des surgelés. Réduire les achats, c'est une des premières choses qu'il faut apprendre quand l'autre s'en va. Comme étaler les vêtements sur les étagères. Prévoir des films, mettre de la musique. Renouer avec les vieux copains.

Quand le père des filles est parti, au début, je ne me méfiais pas, j'achetais autant qu'avant.

Philippe a préparé du café.

La cheminée était un foyer ouvert, il restait des braises, j'ai rajouté du bois.

Après l'incendie, on nous avait donné des vêtements parce que les nôtres avaient brûlé. Des assiettes aussi, dépareillées, des couverts, des choses pour un nouveau départ. Qu'est-ce qu'on a dit de nous, après ? Comment est-ce qu'on a parlé ?

Pendant les étés qui ont suivi, Curtil avait voulu qu'on revienne passer les vacances au Val. Il parquait une caravane chez la Veuve. C'étaient des périodes particulières. Philippe a toujours dit qu'il reviendrait vivre dans le parc. A dix-huit ans, il s'était pointé et il avait trouvé un job. Quelques années plus tard, un emploi à l'hôtel pour Gaby.

— À quoi tu penses ?

— Au passé.

— Et alors ?

— Alors rien…

Il a versé de l'eau bouillante sur de la poudre de café.

— Tu vas refaire ta vie ?

Je me suis marrée. La vie, on ne la refait pas. On fait des choix et on laisse des choses. Il m'arrive de penser à celles que je laisse. Les choix qui restent. Tout ce qu'on ne vit pas. Il faudrait des vies de plus pour vivre certaines de ces choses.

Le café filtrait lentement. L'odeur se répandait.

— T'aimes la pluie, toi ? j'ai demandé.

— Pas plus que ça.

— Il pleut souvent à Nantes.

— Pourquoi tu parles de Nantes ?

— Curtil, il a dit qu'il vivait à Nantes.

— Tu sais, Curtil, tout ce qu'il a dit…

J'ai tourné le dos au feu. Les flammes me réchauffaient les reins. C'est peut-être pour ça qu'il revient, j'ai pensé. Il a peut-être besoin d'un endroit. Un endroit pour mourir, comme les éléphants.

— On pourrait l'appeler ?

Philippe a eu un étrange sourire.

— Tu veux l'appeler où ? Il n'a pas de portable.

— J'avais son numéro, au Creusot, avant.

— Je l'avais aussi. Mais il n'habite plus au Creusot. Et le numéro, si tu le fais, personne ne répond.

— Il pourrait nous appeler, lui.

Philippe s'est marré. Ce n'était pas le genre de Curtil d'annoncer son arrivée, il n'avait jamais expliqué aucun de ses retards, ce n'est pas maintenant qu'il allait commencer.

Il a mis trois tasses sur le plateau. Quelques sucres. Une tablette de chocolat noir.

— Il faut que je sois au lycée le 7.

— Et alors ?

— Je ne vais pas l'attendre comme ça éternellement.

Philippe m'a regardée par-dessus les tasses.

— C'est pas éternellement, Carole, c'est juste quelques jours.

Je suis descendue au sous-sol par l'escalier d'usine en fer. Il fallait être prudent et baisser la tête pour ne pas cogner du front à la dernière poutre.

La salle des archives. Un petit vasistas comme unique fenêtre. Deux longs néons éclairaient la pièce.

Le vieux Sam était penché sur les pages ouvertes d'un grand herbier. Il détachait une à une les feuilles d'une plante, les décollait avec d'infinies précautions en glissant dessous la lame fine d'un cutter. Sur la table, des lampes en acier, les bras articulés aux rotules pivotantes.

— Bonjour Sam…

Il m'a considérée quelques secondes en silence et il a repris sa tâche.

J'ai fait le tour de la pièce. Il y avait des herbiers partout, sur les étagères, du sol au plafond, des chemises sanglées, les couvertures épaisses, bombées. Des boîtes d'archives aux couleurs délavées. Sur chaque boîte, des étiquettes avec des noms.

Ça sentait la poussière et le carton sec des vieux musées. Le renfermé aussi des réduits sans aération.

Des animaux empaillés étaient remisés dans une armoire aux portes vitrées, toutes sortes de petits oiseaux. Un raton laveur à la belle attitude trônait en haut d'une étagère. À côté, un renard, deux belettes et une chauve-souris aux ailes écartées.

— Vous n'auriez pas dû…

Je me suis retournée. Le vieux Sam avait décollé la dernière feuille, la plante tout entière était séparée de son ancien support. Il l'a fait glisser sur un Canson neuf, a donné une forme à la tige en l'étalant au mieux.

— Vous n'auriez pas dû…, il a répété.

Il a découpé une courte bande de scotch qu'il a collée en travers de la tige. Une autre bande pour fixer la première feuille.

— Ces voyeurs de mort que vous êtes tous… Comme si voir tomber un chêne était un spectacle.

Il avait grogné cela.

Je suis revenue vers la table.

— C'étaient de vieux arbres, monsieur Sam, il fallait bien les abattre. Leurs troncs vont servir à faire la coque, les côtes et les membrures d'un bateau…

Son regard m'a traversée, bleu, presque transparent.

— Et il faut bien que les hommes naviguent, c'est ça ?!… Vous répétez ce que dit mon fils.

Il a collé une étiquette pour l'identification. Il a reporté les annotations d'une écriture couchée, lente et soignée, trèfle des rochers dit *Trifolium saxatile*, suivait l'année, le lieu de la collecte et le type de terre dans laquelle la plante avait poussé.

Il a reposé son stylo-bille.

— Je vais vous dire… pendant le grand déluge, toutes les bêtes sont mortes… Seul un loup a survécu. Il était monté à la cime de la montagne et quand il a vu que la montagne n'était pas assez haute et que l'eau allait le noyer alors il s'est changé en bûche de chêne et il a flotté. Ça a duré des jours. Quand les eaux se sont retirées, il était vivant alors il a épousé un chêne et c'est de l'union de ce loup avec ce chêne que les hommes sont nés.

— Les loups n'épousent pas les arbres, monsieur Sam…

— Et les grands hommes n'abattent pas les chênes, a rétorqué le vieux.

On s'est regardés. On n'a pas eu le temps de poursuivre, Philippe est apparu avec le plateau et les trois tasses. Il a posé une main amicale sur l'épaule du vieux Sam.

— Tout va bien ?

— Ça va. Il faudrait acheter de la colle et des feuilles.

Philippe a opiné de la tête. Il a pris sa tasse, deux barres de chocolat et il est allé s'installer devant son ordinateur.

Sam a bu son café.

J'ai pris le mien.

J'entendais le bruit du clavier. Les vibrations du néon.

Il y avait là des centaines de volumes. L'herbier avait été commencé en 1886 par un postier passionné de botanique qui récoltait des plantes en faisant sa tournée. La collection avait été poursuivie par son fils, postier aussi, et relayée par les générations suivantes jusqu'aux années 1970, date à laquelle plus personne n'avait voulu s'en occuper.

J'ai sorti un dossier. J'ai tourné les pages. Il fallait tout répertorier, ranger, classer. Sauver ce qui pouvait l'être.

J'ai tourné d'autres feuilles, l'arnica des montagnes, la centaurée du Valais, une saxifrage, la bruyère des neiges, l'ancolie des Alpes dite *Aquilegia alpina*, silène fleur de Jupiter, œillets de Dieu au beau nom mais aux tiges poilues. Les feuilles sèches craquaient. Certaines, mal conservées, tombaient en lambeaux.

— Si tu veux te rendre utile…, a dit Philippe.

Les plantes restaurées étaient protégées par du papier sulfurisé, on les voyait par transparence.

Le vieux Sam en avait terminé avec son *Trifolium saxatile*, il s'est levé, a porté le lourd herbier sur l'une des étagères en bout de salle.

Il a enfilé sa veste.

— Il faudra repasser me voir à la boutique avant qu'elle soit vendue.

Je lui ai promis de lui rendre visite le lendemain, en fin de journée.

De retour au gîte, j'ai fait couler l'eau d'un bain mais elle était tiède. Le chauffe-eau fonctionnait mal. J'ai dû faire bouillir de l'eau dans des casseroles et me laver à la bassine.

Le soir, la concierge m'a téléphoné. Elle m'a dit que le temps était froid à Saint-Étienne et m'a donné des nouvelles des voisins et du clochard qui avait élu domicile sous sa fenêtre.

Elle m'a dit que le hérisson restait en boule et ne mangeait pas.

Elle m'a remerciée pour la carte postale. M'a demandé des nouvelles des filles. Du courrier était arrivé au nom de leur père. Qu'est-ce qu'elle devait en faire ? Je lui ai dit de le laisser avec le mien, je le lui ferais suivre à mon retour.

Mardi 11 décembre

Il faisait encore nuit et ça ouvrait chez Francky. La renverse des vents avait apporté un air chargé d'humidité. J'avais oublié mes bottes dehors, elles étaient trempées.

Les lampadaires étaient éclairés. À Saint-Étienne, mon appartement donnait sur le périphérique et les magasins de la zone industrielle. La nuit, j'avais l'enseigne d'un motel qui se découpait en lettres clignotantes sur mon plafond.

J'ai continué mon travail.

Gaby est passée au volant de sa Volvo, le front au pare-brise, les épaules basses.

À onze heures, la serveuse est apparue. J'ai glissé une carte aux couleurs acides entre les pages du livre. J'ai pris la photo au moment où elle laissait se déplier le drap.

Le vent a tout dégagé et, à midi, on a retrouvé le soleil. Je suis sortie. Le camion ambulant dont m'avait parlé le vieux Sam était garé sur le parking. Il montait au Val tous les deux mois. Quelques jours avant, les gens trouvaient des catalogues de papier léger dans leurs boîtes aux lettres ou bien au comptoir de l'épicerie.

Je me suis approchée.

L'auvent était ouvert, l'intérieur bourré d'outils, des habits de pluie, bottes, échelles, clous, un peu de quincaillerie, "le meilleur à petits prix", m'a assuré l'homme à la barbe épaisse.

Je lui ai demandé du répulsif pour la fouine du grenier, il m'a vendu un appareil à ultrasons, pour éloigner les taupes, c'est ce qui était écrit sur le carton.

— Ce qui marche pour les taupes marche aussi pour les fouines, a dit le barbu.

J'ai acheté une lampe de poche et les piles qui allaient avec. Deux paires de chaussettes épaisses.

J'ai lorgné les charentaises. J'ai opté pour des mules, plus féminines.

Une voiture est arrivée, c'étaient les quatre filles de la Veuve, mes cousines. L'aînée s'est avancée, elle était forte comme un ours mais ce n'était pas la plus violente. On s'est embrassées, deux bises brutales plaquées sur mes joues.

— Ça va ?

— Ça va.

La deuxième m'a serrée contre elle, une accolade sèche et brève. Elle était courte de jambes, une mâchoire de louve, on disait d'elle qu'elle avait la détente d'un serpent et qu'elle était capable d'étrangler à mains nues.

— On nous a dit que t'étais là.

On a échangé quelques mots sur le temps. J'ai demandé des nouvelles de leur mère.

Les deux autres sont restées sur la banquette. Je leur ai fait un signe. Elles m'ont répondu.

Il paraît que la plus jeune dormait sur un tapis au

pied du lit de sa mère et qu'il ne fallait pas la regarder dans les yeux. Qu'elle était une ombre, on l'appelait la Mouillée.

Quatre sœurs sans sourire, qui ressemblaient à des ronces.

J'ai posé mes achats au gîte.

— Tu tombes bien, a dit la Baronne quand elle m'a vue arriver.

On venait de lui abandonner un chien, lié à la grille. Elle était en train de nettoyer les cages quand elle avait entendu la voiture. Elle avait tout lâché, le seau, le balai, elle avait couru, mais le temps de remonter l'allée, les salauds étaient repartis en laissant un griffon tout tremblant. Un papier noué à son collier : *J'ai huit ans et je suis à jour de mes vaccins. Mon maître est mort, plus personne ne peut s'occuper de moi.*

— La mort a bon dos, a pesté la Baronne.

Elle a rentré le griffon dans la maison. Des laisses étaient accrochées dans le couloir, avec des mousquetons, quelques colliers larges et des vêtements de pluie.

Elle a déposé le chien sur un coussin à côté du radiateur. Une gamelle d'eau. Certains sont abandonnés avec une médaille, un couffin, un os en plastique, une couverture. La plupart le sont sans rien, ils arrivent sans nom et sans passé. Des fois, comme celui-là, avec un bout de papier.

Elle en avait une pleine boîte, de ces petits billets d'abandon. Quelques-uns, punaisés au mur. *Je m'appelle Pilou, mes maîtres déménagent, ne peuvent pas m'emmener... Je m'appelle Bouba, Esprit, Rex, je m'appelle Thémis, j'ai peur du bruit... Je suis sourd*

d'une oreille... Je suis doux, malade, borgne, gentil...
je mords les facteurs... fugueur... maladie de peau...

— Un jour, on m'en a laissé un qui s'appelait Esprit… Esprit, tu te rends compte?

Elle a regardé le griffon.

— C'est pas tout, mais il faut lui trouver un nom.

Elle a mordillé son stylo. Le griffon tremblait toujours. Des sursauts courts qui lui secouaient les pattes et lui frissonnaient l'échine.

— Oupouaout…, elle a dit après un long moment.

— Oupouaout?

— C'est le nom d'un dieu à tête de chien noir chez les Égyptiens, il écarte les forces hostiles.

Elle a ajusté ses lunettes.

— Des restes d'éducation, mon père était féru d'Égypte. Mais on l'appellera Poum, ça sera plus court.

Elle a ouvert son registre, a soufflé sur la mine du stylo et elle a inscrit le nom sur la dernière ligne, à la suite de tous les autres. Sa date d'arrivée et le peu d'histoire qu'elle connaissait de lui.

Elle a tracé dessous un grand trait avec une règle en bois. Elle a refermé le registre. A posé son regard pensif sur le chien.

— On va bien s'occuper de toi…

Dehors, elle a retrouvé sa brouette, son seau, sa raclette. Elle s'est avancée de vingt mètres sur l'allée.

Je l'ai rattrapée.

— Tu veux que je t'aide?

Elle m'a regardée quelques longues secondes. Nettoyer les cages, c'est enlever la merde, la mettre dans le seau et gratter le béton.

— Les bottes sont dans le couloir, elle a fini par dire.

Je suis retournée dans la maison, j'ai mis des bottes. L'été, on pouvait laver à grande eau mais avec le gel, ce n'était plus possible. J'ai nettoyé une cage, je suis passée à une autre.

J'ai fait ça une heure. C'est le froid qui était pénible, aux mains et au visage, l'odeur aussi. Certains chiens étaient malins et cherchaient à s'échapper.

Avant de partir, j'ai jeté un coup d'œil derrière la grande bâche. Le char n'était encore qu'une armature en planches, une grande caisse avec les six trous dessinés en forme de hublot.

— C'est la femme de Magnard, une fois par an, elle vide ses armoires et donne ses vieux habits.

Gaby a remonté du sac un sweat Madonna à paillettes, un pantalon en lin, un pull à rayures avec des boutons dorés.

— Des petites tailles… Tout pour la Môme…

Une robe à la mode, un tee-shirt avec des fleurs écarlates, une chemise en liberty. Pas de nippes. Rien que du beau. Un pull dans les tons vert turquoise.

C'est la couleur à la mode cet hiver.

Elle dépliait, repliait. Un tee-shirt en coton, petit col rond. Un foulard.

— La femme de Magnard, elle a tout laissé dans la salle de service. Les autres filles aussi, elles ont trié. T'as fait quoi, hier, je t'ai pas vue ?

— Je suis allée au bois, ils ont coupé trois chênes.

Elle a haussé les épaules.

— J'en ai rien à fiche, moi, des chênes.

Je me suis lavé les mains. Je sentais le chien. Elle a vidé le sac. Au fond, il restait une petite robe blanche. Une coupe courte. Droite. Du tissu mat surpiqué de broderies et de dentelles avec les manches pleines de jour. Une étiquette Chanel.

— C'est beau, hein ?

— C'est beau, oui… Tu te rappelles le vernis rouge de maman ?

Elle ne se rappelait pas. Elle a étendu la robe sur ses cuisses, a lissé le tissu du plat de la main. Je ne comprenais pas pourquoi elle avait pris cette robe, elle ne pourrait jamais la porter et ce n'était pas le style de la Môme.

J'ai empli un verre d'eau.

Il y avait un jeu de dames sur la table. Le damier et les pions. J'ai coincé un pion blanc sous mon doigt, je l'ai traîné sur le damier. J'en ai rangé un autre. Ainsi de suite, jusqu'à ce qu'ils soient tous bien sur leurs cases. J'ai fait pareil avec les noirs. Ceux qui avaient été perdus étaient remplacés par des boutons.

Le bus de l'école est passé, éclairé à l'intérieur. Gaby a replié la robe, l'a bourrée dans le sac, a tout fait disparaître dans l'ombre noire de la penderie.

Elle a fait chauffer du lait. A sorti une boîte de biscuits. Sur le couvercle en fer, un village avec deux paysannes. Les biscuits étaient rangés dans des compartiments en plastique transparent.

Quand la Môme est arrivée, le lait était chaud et servi dans son bol. Elle a enlevé sa parka. Quand elle a vu les vêtements, elle a tout déballé, le pull à la mode, le sweat Madonna, la chemise en liberty…

Elle a bu le lait.

Gaby s'est penchée sur les cages, elle a nourri les écureuils. Un petit-gris capturé en septembre, rasé une fois, ses poils ne repoussaient pas, la queue restait lisse comme de la peau.

— Je vais pas le nourrir longtemps pour rien, elle a marmonné Gaby.

Elle a ouvert le hublot de la machine. Elle a retiré du linge du tambour, ça n'essorait plus, les vêtements étaient lavés mais lourds d'eau.

— C'est le programme qui bat de l'aile… on ne peut plus réparer, Diego dit qu'il faut en acheter une neuve.

Elle a tordu le pyjama rose au-dessus de l'évier, les tricots de peau, les torchons et les deux gants de toilette, un pour le corps, l'autre pour le visage. Elle a tout étendu sur des tringles en plastique au-dessus du bac à douche. Un rideau dissimulait le bac, il était bleu comme un ciel de juillet.

L'eau gouttait des manches et des chaussettes, ça faisait des rivières dans le bac entre les coulures du tartre.

— Je peux emporter ton linge, il y a une machine qui essore bien au gîte.

— Pas la peine.

— Ce serait mieux… au moins, ce serait sec tout de suite.

— Il faudrait juste qu'il y ait un peu plus de soleil, elle a dit, juste ça et ça suffirait pour faire le mieux.

La Môme fixait Gaby, son regard planté dans la nuque. Gaby a fini par se retourner.

— Me regarde pas comme ça. La jeunesse, ça te donne pas tous les droits.

La Môme a détourné la tête. Elle a récupéré les vêtements qu'elle voulait garder, les a portés dans sa chambre de l'autre côté du rideau.

Elle a remis sa parka et elle est sortie.

Les taupes avaient soulevé la terre autour du bungalow, une dizaine de cônes sombres. La Môme est allée s'asseoir sur le tourniquet.

Gaby l'observait.

— On s'est engueulées ce matin. Elle veut un job pour les vacances. Moi, je lui dis, tu vas à l'école et tu apprends. J'ai pas raison?

— Si.

— Pourquoi tu le dis pas ?

— Je te le dis, tu as raison.

Elle a hoché la tête. Le lapin, dans sa cage, respirait sans trop pouvoir bouger. Je n'osais pas le regarder.

Gaby m'a touché le bras.

— Tu veux qu'on fasse une partie ? elle a demandé en montrant le damier et les pions bien alignés.

— Non. J'ai pas le temps…

Le soir, à *La Lanterne*, j'ai dîné de hachis Parmentier. J'ai réglé à Francky la location pour le temps passé au gîte et je lui ai dit que je restais une semaine encore.

Je me suis couchée tard. La fouine est venue gratter. Elle a commencé dès que j'ai éteint. Des petits pas lents, d'infimes mouvements suivis de courses rapides. L'appareil que j'avais acheté fonctionnait avec une batterie qui se rechargeait au soleil. Il fallait attendre le soleil. Je voulais chasser la fouine. J'ai jeté ma pantoufle, elle a cogné au plafond, est retombée sur l'édredon.

Ça s'est calmé.

J'ai attendu, les yeux grands ouverts. Après, je les ai fermés. À pcine assoupie, la cavalcade a repris.

Mercredi 12 décembre

J'ai relu tout ce que j'avais traduit la veille. Le chapitre suivant commençait par la description très pré-
cise d'un arbre à la frondaison ronde que Christo avait
recouvert d'un tissu transparent. Le tissu était resserré
à la base du tronc et voilait l'immense feuillage, laissait deviner les branches et les feuilles.

Une interview accompagnait la photo.

J'ai regardé dehors. Le givre avait irisé la surface
intérieure de la vitre. La lune, dans le carreau supérieur
droit de la fenêtre, ressemblait à un arc fin et lumineux. Le gel montait du sol, traversait le carrelage.
Les mules achetées avaient des semelles trop fines.
J'ai glissé un oreiller sous mes pieds.

Les camions manœuvraient sous ma fenêtre, ils
chargeaient des planches, d'autres redescendaient des
troncs de la forêt pendant que c'était encore possible.
Avec le froid, tout était ralenti, empêché.

Le lit était dans l'angle de la pièce. Je l'ai déplacé
pour qu'il soit dans le prolongement exact de la
fenêtre. Je voulais, le dos aux oreillers, voir la route,
le parking et la taverne. Une vue de face. Un paysage
parfaitement immobile, comme un poster, un décor
de théâtre, un tableau d'artiste.

J'ai posé sur le rebord de la fenêtre l'appareil qui devait chasser la fouine afin qu'il se recharge au soleil.

À onze heures, j'ai pris la photo du balcon et de la serveuse.

Curtil ne revenait pas. Philippe assurait qu'il serait parmi nous avant Noël.

Je suis allée au chenil. Le chien Poum était à l'attache la plus proche de l'entrée. Je l'ai caressé. Il ne tremblait plus.

Quand elle a entendu gueuler les chiens, la Baronne est sortie sur le pas de sa porte. Elle portait un gros blouson qui la boudinait et un pantalon en velours informe. Des bottes à mi-mollets. Elle s'en fichait de son apparence et semblait avoir depuis longtemps cessé de s'intéresser à celle des autres.

— Désolée si je ne t'accueille pas en crinoline…

Elle tenait une lettre à la main. Elle avait fait une demande pour louer le grand pré voisin, avait envoyé des lettres à la mairie du Val avec des doubles au préfet. Ça faisait deux mois. On devait lui donner une réponse avant Noël alors elle relançait.

— Si tout va bien, au printemps, mes chiens pourront courir sans laisse…

Elle avait budgété son grillage, deux mètres de haut en fil solide.

— Faudra que je trouve des gars pour clôturer.

Elle m'a parlé du char en restant sur le pas de la porte.

— Une fois que l'armature sera finie, tout ira vite, a dit la Baronne. Jean doit apporter les dernières planches pour fermer le toit. Il était là hier, on a eu un problème avec le box du cheval.

— Il vient souvent aider ?

— Quand j'ai besoin ou quand il est seul certains dimanches… Sa femme a des horaires compliqués avec son boulot d'infirmière. Elle s'occupe des chiens quand il y a des piqûres à leur faire. C'est elle qui a soigné Gaby l'hiver dernier.

J'ai regardé la Baronne.

— Qu'est-ce qu'elle a eu, Gaby ?

— Une bonne crève, ça lui est descendu sur les poumons… Et les poumons, tu sais chez elle, ça ne pardonne pas.

Je n'aimais pas qu'on parle des poumons de Gaby. Je n'aimais pas qu'on parle des poumons en général, ça me ramenait toujours à l'incendie. Il ne reste plus de trace de fumée dans les miens mais il en reste dans ceux de Gaby. Au centre de radiologie, quand je fais mes bilans, la fille dit toujours ça : "Ne respirez plus !" Quelle que soit la fille. Un jour, je me suis énervée, j'ai renfilé mon pull : "Vous vous rendez compte de ce que vous demandez ?!" J'ai claqué la porte. Après, j'ai dû changer de centre car j'ai eu honte de revoir la fille mais dans l'autre centre, l'année d'après, on m'a demandé la même chose.

On est entrées dans la cuisine. La Baronne a glissé la lettre dans une enveloppe. L'évier était plein de gamelles sales. Elle a fait couler l'eau.

— C'est pas le tout, elle a dit en se frottant les mains.

Elle m'a poussée parce que j'étais sur son passage et que je la gênais.

Elle a commencé à laver les gamelles, une cigarette coincée entre les lèvres, elle tirait dessus par petites bouffées, la fumée lui faisait plisser les yeux et les cendres tombaient dans l'eau.

Elle lavait tout en même temps, ses couverts à elle et les gamelles des chiens.

Il faisait beau, j'ai pris une laisse et j'ai emmené le chien Poum en promenade. Arrivée au bord de la rivière, j'ai détaché son mousqueton. Il a couru jusqu'au pont et il est revenu. Je lui ai lancé un bâton. On a joué un moment. Après, il a abandonné le bâton pour suivre des odeurs.

La rivière nimbait le pont dans une brume grise et les piliers semblaient drapés. Le chien a voulu dépasser les piliers. Je l'ai suivi.

Au retour, la Baronne a râlé parce que je l'avais détaché.

— On perd des bêtes comme ça, à trop de confiance, c'est ce qu'elle a dit en guidant Poum vers son attache.

La Baronne se mêlait peu aux autres. Elle pensait que l'homme n'était pas bon, que c'était pure hypocrisie que de dire qu'il l'était, mais qu'admettre cela conduirait à remettre en question une part importante de notre système de relation aux autres et se solderait forcément, à plus ou moins longue échéance, par la perte de l'humanité. Il était essentiel donc que la société cultive cet angélisme aveugle.

On est revenues vers sa maison.

— Tu pourrais descendre en ville acheter les sacs de croquettes pour les chiens ? Cinq sacs de quinze kilos, ils sont commandés.

Je lui ai dit que je pouvais. D'habitude, c'est elle qui s'en chargeait mais quand quelqu'un pouvait le faire à sa place, elle préférait.

— Il faudrait aussi un collyre, de la Betadine et un produit pour soigner les otites. Je vais t'écrire le nom sur un papier. Tu pourrais y aller demain ? Le jeudi, jusqu'à midi, ils font moins cinq pour cent.

Elle m'a regardée.

— Tu penseras à prendre les factures ?

— J'y penserai.

Elle a cogné des bottes avant d'entrer dans sa maison.

— Lundi prochain, il faudrait emmener une petite épagneule pour la faire stériliser. Elle doit être là-bas avant huit heures… Tu pourrais y aller ?

— Ça m'étonnerait que je sois encore là lundi.

— Mais si tu es là ?

De retour, j'ai voulu prendre un bain. J'ai préparé mes petites affaires, serviette sèche, sels marins, shampooing doux.

Quand j'ai fait couler l'eau, elle était à nouveau tiède.

— Y a un problème avec le chauffe-eau, Francky… L'eau coule froide et ça fait trois jours.

Il était désolé. Ne pouvait rien faire, le plombier du Val était en vacances. Il m'a proposé d'utiliser l'une des douches des chambres au-dessus du bar en attendant que le plombier en termine avec ses loisirs.

Je n'ai pas voulu. Je ferais chauffer de l'eau sur le gaz. Pour se faire pardonner, il m'a offert un chocolat chaud avec un bon centimètre de mousse.

— Tu trouves pas qu'elles collent, mes banquettes ?

J'ai glissé une main sur le faux cuir, du mauvais skaï avec des brûlures de cigarettes.

— Je sais pas… Oui, un peu… Peut-être…

— J'ai envie de les changer, ils veulent pas. Avec du neuf, les filles viendraient. S'ils voulaient, on pourrait faire les travaux au printemps.

Il a sorti un catalogue, a tourné les pages, m'a montré différents modèles.

— On fait des trucs bien maintenant… Et puis, avec la piste, il faudra bien se décider un jour.

— Se décider à quoi ?

— À être dans le vent, pardi !

— Tu devrais rien toucher, Francky.

Il a regardé dans la salle. Il suffirait qu'un seul accepte pour qu'il lance la commande. Je m'en fichais de ses banquettes, je voulais un bain chaud. Il a insisté, à force ça a fait lever les têtes, les regards se sont tournés.

Il m'a prise à témoin.

— Ça vous dirait pas, des banquettes neuves ? Hein, dis-leur, toi, comment c'est moderne en ville !

Je me suis marrée.

— Je m'assois pas sur tes banquettes Francky… et puis je l'aime bien ta déco, elle me rappelle avant. J'ai l'impression que le temps ne passe pas chez toi.

— Il passe quand même…

— Je sais, Francky… Je sais…

Il a tourné d'autres pages.

— Et le juke-box ? il a demandé à voix plus basse.

— Quoi, le juke-box ?

Il a pointé son doigt sur un juke flambant neuf.

— Celui-là, c'est une vraie merveille ! Cent titres ! Tu peux programmer plusieurs disques à la suite et le son est aussi net qu'en concert ! Et avec ça, un design ultramoderne… Ça serait pas génial ici ?

— Faut pas changer le juke, Francky.

— Ça fait vingt ans… Vingt ans que vous passez tous les mêmes chansons.

— Fais pas ça, Francky…

— Vingt ans, Carole !

— Si tu changes, tu laisseras *Le Sud*?

— Si je change, je change tout.

— *Le Sud*…

Il a fait non avec la tête.

— Si je cède pour *Le Sud*, il faudra que je cède pour le reste.

Il a remis le catalogue dans son tiroir sous la caisse. Le juke, ça allait avec la piste, les trois chênes et tout ce qui s'en allait. Ça allait avec Curtil. Avec le Val qui m'avait vue naître et qui changeait.

Le chocolat avait refroidi au fond de ma tasse. Francky a plié son torchon en quatre. J'ai croisé ses yeux et, soudain, j'ai eu un doute.

— Tu l'as déjà acheté?

Il a fait non avec la tête.

— Mais je vais le commander.

— Ils vont te tuer, Francky…

— Me tueront pas…

Il a reposé son torchon sur le zinc. A empilé les sous-bocks.

— J'attendrai le bon moment pour l'installer.

— Y aura pas de bon moment.

— Y a toujours un bon moment.

En sortant, j'ai fait des petites courses à l'épicerie.

— Vous deviez venir me voir hier…

Le vieux Sam m'a regardée approcher derrière ses carreaux de myope.

— Vous avez un jour de retard.

Il avait le corps sec, les joues sillonnées de rides. Sa petite télé était allumée sur un tournoi d'échecs. C'était une fin de partie, il restait peu de pièces sur l'échiquier.

122

Je me suis avancée dans la première travée.

— Vous n'auriez pas des bouillottes ?

Il m'a montré le fond de la boutique. Une direction vague. J'ai cherché dans les rayons. Les allées étaient étroites, les étagères dégarnies.

J'ai déniché les bouillottes au milieu du matériel de pêche, hameçons, petites boîtes, bobines de nylon. Il en restait une dizaine. J'en ai pris une.

J'ai choisi deux colliers pour envoyer aux filles, du pain d'épice et une longue étole verte. Le père des filles m'en avait offert une, pur cachemire, je l'avais lavée à la machine, quand je l'avais ressortie elle avait affreusement rétréci, je l'avais dissimulée dans le fond de l'armoire pour qu'il ne la trouve pas.

Je suis revenue vers le comptoir. Un chat roux dormait, roulé en boule sur un grand fauteuil.

Les pinceaux de Gaby étaient rangés les uns à côté des autres, dans un présentoir, il y en avait douze, alignés sur un tissu de velours. Une vitre les protégeait.

Sam a baissé le son de la télévision. Il continuait de suivre le tournoi. L'écran se reflétait dans les verres épais de ses lunettes. Derrière lui, une fenêtre, des brandons en bois. Un poster qui représentait le vol serré de nombreux papillons tous identiques.

Il a fait le compte de ce que j'avais acheté sur un coin de journal.

— Votre père était un bon joueur d'échecs, je l'ai vu jouer tout seul, sans partenaire. C'était extraordinaire comme il parvenait à scinder sa pensée en deux.

Un fou a été pris. L'un des joueurs a appuyé sur la pendule. Un geste rapide. Tout s'est accéléré. Pour jouer contre soi, il faut qu'une partie du cerveau ignore ce que sait l'autre. Il faut aussi savoir composer avec le temps.

En trois coups, le roi noir s'est couché. La partie était finie. Les joueurs se sont salués.

Sam a éteint la télé.

— C'est un art qui ne laisse pas de trace. Gagnée ou perdue, à la fin d'une partie, tout s'efface et on range les pièces.

Il y avait quelques livres sur un rayon. Il m'a appris que dans l'un d'eux, on pouvait trouver la reproduction d'une photo de notre maison avant qu'elle ne brûle. Il ne savait plus dans quel livre mais il chercherait.

— Vous vendiez du miel, avant?

— Avant, oui. C'est Jean qui le fait maintenant, mais il n'en vend pas. Vous voulez du thé?

Le thé, je n'aimais pas, mais j'avais envie de rester un peu. J'ai dit qu'avec ce froid, oui, du thé chaud…

Il a posé ses lunettes sur la banque. Il est passé dans l'arrière-salle, une petite pièce aménagée en cuisine, un local séparé de l'échoppe par un rideau de lanières en plastique aux couleurs noircies par les doigts.

J'ai feuilleté les livres, le bourg autrefois, le campement d'ouvriers pendant la construction du pont, des scènes de vie ordinaires avec le chemin de fer, les légendes du Val et des femmes au lavoir.

Le vieux Sam est revenu avec le thé.

— Ils sont beaux, ces papillons, j'ai dit en montrant le poster.

— Ces papillons comme vous dites, sont des *Danaus plexippus*, insecte lépidoptère de la famille des Nymphalidae… Des monarques si vous préférez. Et ils sont bien plus que beaux… Ils sont capables de parcourir des milliers de kilomètres pour se reproduire et refaire ensuite le chemin inverse, du sud vers le nord.

Il a posé le plateau sur la table.

— Un monarque tout seul ne peut pas faire ce long voyage, alors il meurt et un jeune le remplace et continue la route… Plusieurs vies sont ainsi nécessaires pour accomplir un cycle complet.

Il a servi le thé. Le breuvage avait une couleur rouille. Je n'aimais pas son odeur.

— Quand les monarques volent, on dirait un froissement d'étoffe. On raconte que le bruit de leurs ailes apporte aux vivants les paroles des morts.

Il a ouvert un paquet de biscuits, des Petit Lu de Nantes.

— Ma femme est morte il y a quelques années et je ne m'habitue pas à son absence.

J'ai bu une gorgée de thé. L'odeur m'a donné des frissons de dégoût. Je me suis forcée à le boire. Il me semblait que l'avaler froid serait pire.

Le vieux Sam trempait les Petit Lu qui s'émiettaient dans sa tasse.

— Je veux aller au Mexique pour entendre le vol des monarques quand ils se regroupent dans les forêts d'asclépiades.

— C'est pour ça que vous vendez votre boutique ?

— Pour ça, oui.

— Vous croyez vraiment que les ailes des papillons vous apporteront les paroles de votre femme ?

— Pourquoi pas ?

— Parce que les morts sont morts, ils ne nous parlent plus.

Il a repris un peu de thé, en a bu lentement deux longues gorgées.

— Vous êtes brutale parfois.

Il a reposé la tasse. Il restait au fond de la mienne un déchet rougeâtre qui faisait penser à du poivre écrasé.

— Il y a les choses visibles et il y a toutes les autres. Et s'il y a une seule chance pour que cette chose soit possible, alors je dois la tenter.

Il a glissé sa main dans le fond du tiroir, en a retiré un disque. Il a poussé le disque devant moi jusqu'à ce qu'il touche ma main.

— C'est l'enregistrement de leur vol. Vous écouterez… Et vous me direz.

La porte s'est ouverte. Jean est entré. Il a marqué un temps d'hésitation, étonné sans doute de me trouver là.

Il s'est avancé jusqu'à nous. A caressé le chat. Le félin roux a ronronné sous le poids doux de la main large.

— Si tu achètes la boutique, je te préviens, le vieux est à vendre avec.

Jean a pioché un Petit Lu dans le paquet. Il venait chercher un bidon d'huile, ne pouvait pas s'attarder, on l'attendait sur le bois de coupe. Il a vu le disque.

— Un écrou avec deux ailes, il a dit en imitant avec ses mains l'envol d'un papillon.

Je suis restée dans la voiture. J'ai inséré le disque dans le lecteur et j'ai entendu un bruissement léger, monotone, ce pouvait être des battements d'ailes mais ce pouvait être aussi du vent dans des feuilles, un tissu de robe que l'on froisse, ou un simple chiffon. Le déroulement du disque aussi pouvait procurer ce bruit.

J'ai pensé à ce que m'avait dit le vieux Sam sur les paroles des morts portées par les ailes des monarques.

J'ai écouté et j'ai oublié le vent, la robe ou les chiffons, j'ai oublié l'envol des monarques, ce que j'entendais pouvait être plus qu'un bruissement, bien plus qu'un formidable battement de milliards d'ailes.

Être ici me faisait admettre que ce pouvait être autre chose, des paroles murmurantes, des souffles, les morts parlant enfin aux vivants.

J'ai écouté jusqu'au bout.

Et j'ai eu envie de croire au rêve du vieux Sam.

Le soir, j'ai glissé l'appareil qui devait chasser la fouine sur la trappe dans le grenier. Ça manquait de soleil, la batterie n'était pas assez chargée.

Jeudi 13 décembre

Ils ont descendu les trois grands chênes coupés, ils les ont couchés dans la boue, à l'écart des autres, encore entourés de leurs câbles.

Je n'ai pas vu passer Gaby, en Volvo, comme elle en avait l'habitude.

J'ai attendu que la serveuse sorte à son balcon. J'ai pris la photo.

Après, je suis descendue en ville avec la voiture d'Emma pour acheter les sacs de nourriture aux chiens. J'ai roulé vite. Il fallait que j'arrive avant midi pour avoir les moins cinq pour cent.

J'ai traversé les villages de Saint-André, Saint-Martin, Saint-Julien. À Saint-Michel, j'ai vu la pancarte direction Valloire, le col du Galibier et tout de suite après, celui du Lautaret, j'avais appris à skier par là-bas, des balades superbes.

Il y avait des guirlandes partout en ville, des grands sapins avec du faux givre.

J'ai acheté la nourriture des chiens.

J'ai fait tirer les six photos que j'avais de la serveuse. J'ai trouvé une boutique qui a pu me les imprimer en quelques minutes. Du format A4 et sur papier mat. Elles étaient parfaites, presque identiques. Toujours le même cadrage, le balcon, la porte-fenêtre et la serveuse, la branche de l'arbre sur le côté droit, un morceau de toit, l'antenne penchée et trois centimètres de ciel. J'aurais pu les faire tirer à l'épicerie du bourg, la chose était possible, mais l'épicier n'aurait pas manqué de reconnaître la serveuse et de raconter à tout le monde que je faisais quelque chose d'étrange.

Je suis remontée au Val. J'ai déposé les sacs au chenil. La Baronne était dans le box, elle enlevait le fumier, étalait de la paille.

Le cheval avait la tête basse.

— Si ça te dit de le monter, ça lui ferait du bien… La seule chose à savoir, c'est qu'il ne passe pas les ponts, pour le reste il est plutôt docile.

— Et je fais comment, s'il y a un pont ?

— Tu contournes.

Elle est partie d'un grand rire.

Le soleil brillait, éclatant. J'ai sellé le cheval. Je l'ai testé en faisant un peu de trot dans l'enclos. Jean est arrivé comme je passais la grille. Il apportait les planches promises pour finir le char.

Il a retenu le cheval par la bride. A glissé une main sous la crinière.

— Tu pars ?

— Oui.

— Dans quelle direction ?

— Jusqu'à la ligne du partage des eaux.

Il a vérifié ma selle, a sorti mon pied de l'étrier, a relevé le battant en cuir.

— Évite de prendre le sentier ouest direction Sourdeval, il y a des éboulis.

Il a tiré fort sur la sangle, le cuir a craqué, il s'est tendu. Jean a remis mon pied dans l'étrier. J'ai senti la pression de sa paume à travers ma botte.

Je me suis rappelé Sourdeval. Un hameau presque désert. On avait quinze ans, on était là-haut quand les chevaux étaient arrivés. Une horde furieuse, menée par l'un d'eux, un étalon superbe à qui on avait pris la femelle. On s'était cachés dans une grange, ils avaient fait éclater des portes, des ruades formidables! C'était tellement violent.

— Tu as une radio?

— Un téléphone.

— Passé le premier virage, tu n'auras plus de réseau.

Il a sorti un talkie-walkie de sa parka.

— En cas de problème, tu tires l'antenne et tu appuies là.

— Il n'y aura pas de problème.

Il a glissé l'émetteur dans ma poche.

— Il peut toujours y en avoir un.

— Si j'appelle, c'est toi qui vas répondre?

— Non.

Il a refermé le rabat de ma poche. A rivé les deux boutons-pression.

— Tu me le rapportes en rentrant. Si je ne suis pas à l'atelier, tu le laisses dans ma voiture, elle est toujours ouverte. Tu n'oublies pas, hein, je vais en avoir besoin très tôt demain.

J'ai dit que je n'oublierais pas.

Des oies sauvages ont traversé le ciel au-dessus de nous, leurs ombres chinoises ont glissé sur le pré. On a suivi leur vol des yeux.

Il a dénoué son écharpe. Me l'a tendue sans rien dire pour que je la noue autour de mon cou.

Il a donné une claque sur la croupe du cheval.

— Sois prudente… Et ne te laisse pas prendre par la nuit.

J'ai suivi le sentier après la chapelle. Une montée en lacets entre des prés. Je respirais dans l'écharpe. Le cheval avançait bien. On a débouché sur un premier lac, il était à sec. On racontait qu'un ogre l'avait vidé, un géant amoureux qui cherchait sa belle, il croyait qu'elle s'était noyée alors il buvait l'eau de tous les lacs et la recrachait plus loin, formant ainsi d'autres lacs qu'il vidait à nouveau, en reformait d'autres. Et ceci sans fin.

Un couple de hippies s'était installé sur ses rives. Ils vivaient dans un break bourré de livres. Je les avais déjà croisés à l'épicerie. Je suis allée leur parler. Ils m'ont dit qu'ils attendaient la fin du monde et m'ont offert une coupe de champagne. L'homme avait été professeur d'université, il avait vendu son diplôme pour acheter leur break. Il était incollable sur la vie de saint Pacôme.

La fille était jeune, avait des ongles recouverts de vernis bleu.

J'ai repris ma route.

Après le lac, le sentier s'est rétréci, est devenu inégal, caillouteux. J'ai marché à côté du cheval. Le ciel était bleu, les crêtes blanches.

Plus haut, c'est devenu lunaire.

Le paysage s'est ouvert, je suis arrivée devant un alignement de pierres longues. À partir de là, le chemin était envahi d'herbes et de rares arbres servaient de bornes.

Très loin, confondus dans ce scintillement, il y avait d'autres lacs et des glaciers. La luminosité vive donnait l'impression d'un paysage éternel.

La ligne de partage des eaux était là, sous mes pieds, quelque part. Selon qu'elles tombent d'un côté ou de l'autre de cette ligne, les gouttes de pluie rejoignent le Pô ou le Rhône.

C'est Venise ou Marseille.

L'île d'Elbe ou Torcello.

Sur certaines cartes géographiques, elle est un tracé en pointillés, sur d'autres, elle n'existe pas.

J'ai marché cent mètres et j'ai trouvé un vieux panneau indicateur en bois, *Ligne de partage des eaux*, une flèche indiquait, à l'est, l'Adriatique. À l'ouest, la Méditerranée.

Le cheval a pissé au pied du poteau, l'urine fumante a serpenté et s'est infiltrée entre les pierres.

La nuit était tombée quand j'ai ramené le cheval. Mis au sec. Bouchonné. Une couverture sur le dos. Je lui ai donné du foin, de la farine, de l'eau.

J'ai toqué contre la vitre de sa cuisine pour dire à la Baronne que tout allait bien.

J'ai repris la voiture d'Emma. Je devais rendre l'émetteur à Jean ainsi que son écharpe. Les ateliers étaient fermés. La scierie plongée dans le noir.

La jeep n'était plus là.

Pour aller chez Jean, il fallait sortir du Val et prendre sur la droite, après l'ancien four à pain. Sa maison était au bout d'un chemin qui finissait en cul-de-sac. La cour était délimitée par une barrière basse faite de planches. Un puits.

Il partageait avec son père les deux ailes de la même maison.

J'ai vu la jeep. Je me suis garée à côté.

Le vieux Sam est sorti.

— Mon fils, c'est l'autre porte…, il a dit, mais je

crois qu'il est allé voir ses abeilles… Vous pouvez l'attendre à l'intérieur.

J'ai pensé laisser l'émetteur sur le siège et repartir.

J'ai poussé la porte de la maison. Une cuisine large, un plafond avec des solives apparentes plâtrées de blanc, tout un pan de baies vitrées donnait sur un pré en pente.

Sur la table, des journaux, une corbeille pleine de noix, des mandarines, quelques pommes à la peau tavelée.

Il faisait chaud. Du bois brûlait dans la cheminée.

J'ai posé l'émetteur.

Un collier traînait sur un guéridon avec un foulard. Des clés. Sur le dossier d'une chaise, une veste claire avec un liseré à fleurs.

Plus loin, un canapé pour deux. Une boîte à ouvrage avec des pelotes de laine couleur rouille et des aiguilles à tricoter.

Un harmonica. J'ai touché le métal froid.

Des photos dans des cadres. Deux adolescents dans une rue à Paris, les mêmes, un peu plus grands. Un portrait de femme dans un cadre en cuir. La même femme dans un cœur en nouilles. Jean, avec elle, dans un jardin. Tout le monde avait l'air heureux.

J'ai entendu parler dehors et puis cogner des bottes. En revenant vers la porte, j'ai heurté le guéridon et le foulard a glissé sur le sol.

Jean est entré avec un sapin. J'ai dû me reculer pour qu'il puisse passer.

— Ton père m'a dit que je pouvais t'attendre à l'intérieur.

— Il a bien fait…

Il a posé le sapin dans un angle de la pièce.

— Je viens de le couper… C'est pour Sandrine… Ça va lui faire une surprise, demain.

Le sapin ne tenait pas, il a dû le caler au mur.

— Il faut que je le cloue sur une croix. Alors, cette ligne ?

— Je l'ai trouvée. Enfin, j'ai trouvé le panneau.

— Et alors ?

— C'est beau.

Il s'est lavé les mains, a ouvert le frigo. Il a sorti une tranche de terrine, du fromage à croûte sombre, une bouteille de vin et un radis noir.

Il a ramassé le foulard, a frotté la poussière, l'a reposé sur le guéridon.

Je me suis avancée vers la porte.

— Tu vas où ? il a demandé.

— Je m'en vais…

Il s'est assis à la table. M'a montré la place en face de lui.

— Mange avec moi.

— Je n'ai pas faim.

Il a pelé le radis, en a coupé plusieurs tranches fines dans une assiette. La peau était noire, l'intérieur blanc. Il a fait glisser l'assiette vers moi.

— Avec du sel, du pain et du beurre… Ma femme est de garde ce soir et je déteste dîner seul.

Il a composé une deuxième assiette.

— C'est un peu pénible, on a des horaires décalés… mais on communique pas mal en post-it.

Il a montré les dizaines de petits papiers jaunes collés sur les battants du placard.

Je suis revenue vers la table.

— C'est toi qui en joues ? j'ai demandé en soufflant dans l'harmonica.

— Oui… C'est pas si difficile, il faut avoir les lèvres solides, maîtriser son souffle et jouer jusqu'au bout avec la même force.

Sur l'étagère, il y avait des 45 tours en vinyle. Des pochettes de Cesaria Evora.

Le jour de la mort de Cesaria, j'étais dans un café à Saint-Étienne. C'était bondé et tout d'un coup quelqu'un a gueulé, Cesaria Evora est morte ! L'homme qui a crié cela était vraiment bouleversé. Il a insulté des jeunes qui riaient à une table. Il leur a dit que le jour de la mort de Cesaria Evora personne ne pouvait être heureux. Une femme à une table voisine a répondu qu'être heureux était une politesse et qu'on devait bien cela à Evora.

L'énorme pendule a sonné. Il y avait un poisson dans un bocal, sur le buffet. Quand j'avais cinq ans, je voulais un poney, mon père m'a offert un poisson rouge dans un aquarium rond, du gravier au fond et des algues en plastique. Il tournait tout le temps. Une nuit, je me suis levée pour voir ce qu'il faisait, et bien sûr, il tournait.

Jean a servi du vin.

— Assieds-toi, s'il te plaît…

Je me suis assise. J'ai mangé avec lui, le radis avec le pain, le beurre et le sel. Il m'a parlé de l'harmonica.

— C'est mon père qui m'a appris à lire les partitions. Je m'entraînais dans la boutique quand il n'y avait personne. Au début, j'ai tiré des sons abominables. Stevie Wonder, tu connais ?

— Non.

— Il faudra que je te fasse écouter. Tu as fait quoi, toi, pendant toutes ces années ?

— Je suis allée à Iakoutsk.

— Iakoutsk ?

— En Sibérie. C'est encore plus froid qu'ici. Un matin, j'étais dans la rue, des larmes ont coulé sur mes joues et ont gelé, des perles énormes, elles ont roulé sous mes doigts, c'était comme du cristal, j'aurais eu du fil, j'en faisais un collier.

Il a entamé la terrine.

— Tu exagères.

— Non. Et toi, parle-moi d'ici…

— L'hiver dernier, un homme est tombé dans la rivière, il est ressorti et il a couru et pendant qu'il courait, il a gelé. Gelé debout… En courant…

— Ces choses-là n'arrivent pas…

— Elles arrivent.

J'ai secoué la tête parce que je ne le croyais pas. On a ri. Il m'a parlé des ruches et des éleveurs qui tuent les reines dès qu'elles ne produisent plus assez de miel. Des reines devenues vieilles et que les ouvrières chassent. Lui, il gardait ses reines quel que soit leur âge.

— Il arrive que la jeune et la vieille se battent et dans ce cas, c'est toujours la jeune qui gagne… Le summum, c'est quand je coupe un essaim sur une branche, les abeilles sont folles. Après, il faut les voir, quand elles montent dans la ruche, toutes les unes derrière les autres, c'est comme si elles revenaient à la maison après un long voyage.

On a fini la terrine et le radis. On a partagé le fromage. Après, le téléphone a sonné.

C'était sa femme. Ils se sont parlé. Il a dit que tout allait bien. Que j'étais là, Carole, la sœur de Philippe… Il a expliqué pour l'émetteur et la promenade à cheval. Ils ont décidé de faire du chevreuil pour le réveillon de Noël. Elle rentrait le lendemain pour trois jours de récupération.

Jean a raccroché.

C'était pleine lune derrière la fenêtre.

On a entendu un cri, un hurlement long et puissant. Il a ouvert la porte.

136

L'humidité du soir collait à la route et gelait par-dessus. Le hurlement s'est arrêté et a repris, ça venait des cimes. Le grand pré était nu.

— C'est un loup… Je le laisse tranquille et il se contente de hurler. C'est convenu comme ça entre nous. Une sorte de pacte…

Le cri a encore retenti. Son chien est venu se coller à sa cuisse. J'ai ramené ma capuche sur ma tête, quand je bougeais, le plastique bruissait, la moitié de mon visage restait cachée dessous.

— Ça ne va pas ? Tu trembles…

— Il fait froid.

— Il fait froid oui… C'est pas pratique, les capuches, il a ajouté.

Vendredi 14 décembre

Il était onze heures passées de quelques minutes quand la serveuse à Francky est sortie sur son balcon. J'ai pris la photo du drap qui volait, les cheveux rouges et la rambarde humide de pluie.

La photo prise, la lumière a brusquement changé, il y a eu un poudroiement, c'était étincelant, j'ai pensé prendre une seconde photo mais cela aurait fait deux clichés sur la même journée et je ne voulais pas de doublon pour la série.

Deux appels en absence. Sans message. C'était Philippe. Je m'en suis rendu compte à midi seulement. J'ai pensé que Curtil était revenu. Je ne voyais aucune raison qu'il appelle pour autre chose.

Il n'était pas chez Francky alors je suis allée chez lui. Je l'ai trouvé dans la salle des archives. Il mesurait le bec d'une buse empaillée à l'aide d'un petit mètre à ruban en métal chromé. Il reportait les mesures dans un cahier de moleskine.

Il n'a pas levé les yeux.

— Ça sert à quoi que t'aies un téléphone si tu ne l'allumes pas ?

— Il était allumé.

— T'as pas répondu.

— Je n'avais pas de réseau. Tu as des nouvelles de Curtil ?

Il a replié le mètre à ruban.

— Non. C'est Gaby.

— Quoi Gaby ?

— Elle s'est fait mettre à pied.

— Gaby ?

— Mercredi, elle a emmené la Môme à l'hôtel pour la faire profiter d'un bain avec de la mousse.

Ça m'a fait rire.

— C'est tout ?

— Elle l'a fait passer par la porte de service... Elle a cru que personne ne l'avait vue... Sauf que Magnard était là. Quand il est entré dans la chambre, la Môme clapotait dans les senteurs. Huit jours de mise à pied. Elle fait chier, Gaby !

— Huit jours, c'est pas la mort.

— Non, mais quand elle perdra son boulot, on fera quoi ?

— Elle n'en est pas là.

— Tu t'en fous ?

— Mais non, je m'en fous pas.

Il a sorti un paquet de M&M's du tiroir, l'a déchiré avec les dents. Il a vidé les pastilles de couleurs dans le creux de sa main.

— Les Treets, c'était meilleur avant.

— Tout était meilleur avant.

Il a réfléchi à ça.

— Peut-être bien, oui, il a fini par murmurer.

La boule de Curtil était à côté de son ordinateur. Bambi à l'intérieur. J'ai pris la boule, je l'ai retournée. La fausse neige est venue se coller contre la paroi et elle est retombée sur le dos du faon.

— Il a de l'humour quand il veut, Curtil…, j'ai dit à cause de Bambi.

— Quand il veut, oui.

J'ai bien vu que ça ne le faisait pas rire.

Il pensait encore à Gaby.

— Magnard, c'est pas un mauvais mais Gaby le prend pour un con… Tu sais qu'elle vole des confitures dans les plateaux ? Des savons, des shampooings, même des rouleaux de papier-toilette…

— C'est pas vraiment du vol.

— Et comment t'appelles ça, toi ? On ne peut pas tout lui laisser faire ! Elle exagère… Je sais pas, moi !…

Il a froissé son paquet vide de M&M's.

— Tu devrais aller lui parler…

— Parler à qui ? À Gaby ?

— Mouais… C'est ta frangine… Entre filles, c'est plus facile.

Je me suis marrée.

— Tu crois ça ?

— Tu vas jamais la voir, comment tu veux que ça l'aide… Hier, t'étais où ?

Je n'ai pas répondu.

Une carte de la région était punaisée au mur, le parc du Mercantour, celui des Écrins, la Vanoise. La frontière avec l'Italie. Des punaises de couleur marquaient l'itinéraire supposé d'Hannibal. À côté, une gravure, une colonne sans fin d'hommes et de bêtes arrivant sur le lieu d'un bivouac au lac des Estaris.

Philippe a rangé deux trois choses dans les tiroirs de son bureau.

— Toi, quand tu parles d'elle, tu dis Gaby. Elle, quand elle parle de toi, elle dit ma sœur. Elle t'appelle toujours comme ça, ma sœur, alors que toi, tu dis seulement Gaby.

140

— Ça prouve quoi ?

— Rien, mais ça fait une différence. Tu devrais aller la voir je te dis.

— Je vais la voir !

— T'y es pas allée hier.

J'ai laissé courir un doigt sur la tranche sombre d'un herbier dont les plantes étaient protégées par des feuilles de papier journal, l'encre avait déteint et noirci les planches.

— C'est bon, j'irai.

— Je ne te demande pas d'y aller comme ça.

— Je te promets… Je sors d'ici et j'y vais.

— De toute façon, tu les tiens jamais, tes promesses…

J'ai tourné quelques-unes des grandes pages. Sur certains journaux, on pouvait lire des titres, des dates.

Philippe a ouvert un deuxième paquet.

— Et les Picorette, tu te rappelles ?

— Je me rappelle oui.

— Les séries de décalcos… on les collait sur un décor, fallait frotter derrière avec un crayon… On en trouvait des mini-planches dans les boîtes de Vache qui rit.

Je l'ai regardé. C'était vite le bordel dans ses pensées quand il n'y avait plus Emma.

— Elle revient quand, Emma ?

— Je sais pas… Dans un jour ou deux.

— Ça fait bizarre qu'elle soit pas là.

— Et alors ? Qu'est-ce que tu veux que je te dise ?

— Tu es seul ?

— Toi aussi, t'es seule…

— Ouais, je suis seule.

— Alors y a pas de différence.

— Si, il y en a une. Moi, j'ai l'habitude… Même quand j'étais avec le père des filles j'étais seule, alors tu vois !

Un herbier était resté ouvert sur la table. Un rouleau de scotch et les petits outils soigneusement alignés à côté. Des crayons et la paire de ciseaux à long manche.

Philippe a attrapé le linteau en fer de la porte et il a fait quelques tractions.

— Ton homme, ça fait combien de temps qu'il est parti ?

— Deux ans.

— C'est la durée de la gestation d'un éléphant.

On s'est marrés.

J'ai tourné les pages de l'herbier.

— On fait quoi du pollen quand il se détache ?

— Ça dépend. Si on est patient, on le récupère et on le colle à côté. Sinon, on souffle dessus. T'étais chez Jean hier soir ?

— Tu me surveilles ?

— Je ne te surveille pas, je passais, j'ai vu la Coccinelle d'Emma.

J'ai refermé l'herbier.

— Je lui ai ramené son émetteur.

— Ça prend une heure ? il a demandé en maintenant sa traction en position hauteur.

— T'es vraiment un con ! j'ai lâché.

— Tiens, te v'là, toi…, elle a dit, Gaby, en levant juste la tête.

Elle était debout, penchée, portait des gants épais qui montaient jusqu'aux coudes. Sous sa main, elle tenait un écureuil plaqué sur la table. Les cinq doigts en travers des reins comme des barreaux.

L'écureuil coincé ne bougeait pas.

— Philippe t'a dit ?

— Quoi ?

— Pour mon boulot ?

— Oui…

— Tu m'engueules pas ?

— Pourquoi je t'engueulerais ? Et puis il a dû t'engueuler pour deux…

Elle a penché la tête de côté. A rigolé doucement. Elle a saisi le coupe-chou.

— Mon rêve, c'est la martre, on fait pas mieux pour les pinceaux mais Philippe dit que les martres sont protégées et que c'est seulement dans mes rêves que je peux en avoir.

Elle a donné un premier coup de lame. Sur deux centimètres, les poils sont tombés.

— S'il me voit avec une martre, il me fera enfermer.

Elle a rasé le reste, vite, net, sans dire un mot. Le rasage fini, l'écureuil est resté figé sous sa main. Elle l'a remis dans sa cage avec des graines et de l'eau.

— Si je rase trop tôt, les poils sont courts et ça ne fait pas de bons pinceaux.

Elle a rassemblé les poils dans un torchon, a glissé le torchon dans le tiroir.

Sur la table, un paquet de gâteaux entamé, des boîtes de médicaments et le jeu de dames avec les pions mélangés.

Gaby a sorti un gâteau du freezer. La couche de crème blanche et épaisse avait collé au couvercle transparent de l'emballage en plastique.

— J'l'avais acheté hier mais vu qu't'es pas venue.

Elle a insisté pour qu'on en mange. Un gâteau pour six. Glace, meringue. Elle l'a posé entre nous, avec deux cuillères. On a pioché directement dedans. Ce n'était pas mauvais. Plutôt inattendu.

Le froid est tombé et la buée sur les vitres s'est transformée en une fine pellicule de glace. J'étais revenue au gîte quand j'ai entendu frapper à la porte. Jean s'est campé sur le seuil, une boîte à outils à la main.

— Francky m'a dit pour ton chauffe-eau…

Il s'est avancé.

— Je peux le voir? Je ne suis pas plombier mais j'ai le même à la maison. Il paraît que ça ne chauffe plus?

— Non… et puis des fois, ça chauffe trop.

Il a décroché le cache, a fouillé dans ce ventre fait de tuyaux. Il a vérifié des petites choses. Ça n'a pas marché alors il a fait d'autres choses.

Il avait remonté les manches de sa chemise, ses avant-bras étaient musclés.

— Quand j'arrive, c'est cassé, et quand je m'en vais, ça marche… Enfin, la plupart du temps. C'est bien parce que les gens retrouvent le sourire.

Après un moment, il s'est redressé, il a dit que c'était réparé. Il a vérifié, l'eau coulait chaude. Il a remis le cache en place, a rangé ses outils.

Il a refermé la boîte.

— J'aurais aimé en faire mon métier… Être le réparateur des petites choses.

— Et le sauveur des termites?

— Le sauveur des termites aussi.

Il a regardé mes jolies mules et l'oreiller sous le bureau.

— Tu as des nouvelles de Curtil?

— Non.

Je lui ai parlé de la fouine.

— Mon frère dit qu'elle a du vice et qu'il faut que je la déloge.

Il a hoché la tête. Il s'est avancé pour voir la trappe. La batterie de l'appareil qui devait en venir à bout était posée sur le rebord extérieur de la fenêtre. Il l'a

considérée avec ce qui m'a semblé être quelques iro-
niques doutes.

Je lui ai tendu son écharpe.

— J'avais oublié…

Il l'a remise autour de son cou.

— Si ça retombe en panne, tu m'appelles hein…
Ça me fera l'occasion de te revoir.

Après, j'ai voulu prendre un bain mais il avait
refermé la bouteille de gaz trop fort, j'ai eu beau forcer, elle était impossible à ouvrir.

Samedi 15 décembre

J'ai été réveillée par des bruits sous ma fenêtre. J'ai regardé par la fente du volet, il y avait des gens, je n'ai pas saisi tout de suite ce qu'ils faisaient mais après, j'ai compris, ils taguaient les bulldozers, *Non à la piste !* et *On ne laissera pas bétonner le Val !* écrit en grandes lettres rouges sur les lames des bulls.

Avec le jour, ça a fait des va-et-vient, tout le monde est venu voir.

J'ai essayé de travailler, Christo, New York. Après le décès de sa femme, il poursuit l'œuvre tout seul selon les plans tracés ensemble.

Difficile de me concentrer.

Les fils de l'Oncle sont venus tourner autour des bulls. Les deux aînés ont grimpé sur les troncs, ils sautaient de l'un à l'autre. Marius les regardait faire. D'autres enfants les ont rejoints. La scierie était fermée, il n'y avait personne pour les engueuler. Des gosses agiles aux bras tendus, je les voyais en contre-jour, avec leurs doigts écartés on aurait dit un vol d'étourneaux.

Ils sont tous partis, Marius est resté. Il a traîné, solitaire le long des troncs, en laissant glisser sa main sur l'écorce.

146

Il a compté les cernes. Il a grimpé sur le plus gros des troncs et il a marché en funambule, s'est assis à l'extrémité, les jambes dans le vide. Il portait un pantalon rouge avec des bretelles sur le pull.

Il fixait loin, immobile, un capitaine frêle à la proue de son bateau.

La serveuse a tardé à secouer ses draps. Je me suis demandé ce que je devrais faire si elle ne sortait pas. Quelle décision prendre ? Je me suis interrogée sur cela et j'ai décidé que rien ne devait interrompre la série et qu'en cas d'absence de la serveuse il me faudrait quand même prendre la photo du balcon.

Il était onze heures trente-sept exactement quand la porte-fenêtre s'est enfin ouverte.

J'ai pris la photo.

J'ai noté l'heure sur mon carnet et j'ai ajouté cette composante à la série. Ainsi, à chaque développement, je reporterais derrière chaque photo l'heure de sa prise ainsi que le jour.

Le soleil illuminait la cime des crêtes mais le Val restait dans l'ombre. Je suis partie marcher. Le ciel était laiteux. L'air puait. Une odeur âcre. Piquante. Impossible de savoir ce que c'était ni d'où cela venait.

J'ai remonté la rivière jusqu'à l'endroit de boucle où elle s'étale, dépose un lit de graviers blancs qu'on appelle *la plage des Demoiselles*. La terre était durcie par le froid. Des loutres avaient pris leurs quartiers d'hiver sur la rive droite de la rivière. D'ici, on avait une vue sur le côté le plus délabré du pont. Des branches mortes charriées par le courant venaient s'entasser contre les piliers. Un homme tirait son canot sur le haut de la rive.

Philippe dit qu'un chemin sans homme n'est rien. Qu'il existe seulement si des hommes l'empruntent. De même, une maison vide. De même encore, les choses ne sont réelles qu'à partir du moment où on les nomme.

Un cerf a traversé dans la boucle du pont, un endroit profond, il avait de l'eau jusqu'au ventre, une bête magnifique, un mètre au garrot, j'ai pris une photo avec mon portable et je l'ai envoyée aux filles, plus de cent kilos au moins avec des bois énormes ! je leur ai écrit.

Entre les arbres, j'ai aperçu le bungalow et Gaby dehors, dans l'un des fauteuils, elle avait remonté une couverture sur ses jambes et dormait au soleil.

J'ai revu les fils de l'Oncle un peu plus haut, de l'autre côté de la rivière, là où je les avais surpris quelques jours plus tôt en train de tendre leurs filets. Des oiseaux étaient prisonniers dans les mailles de nylon. Des têtes rouges qui se débattaient. Il y en avait une dizaine. L'aîné en a décroché un, il le tenait dans la main, le montrait aux deux autres, je l'ai entendu rire quand il lui a fait éclater le crâne.

Il en a décroché un autre et un autre encore.

Marius fixait ses frères, trois mètres derrière, les bras collés aux flancs.

Il restait un seul oiseau dans les mailles quand ils se sont retournés. Ils l'ont appelé. Ils l'ont bousculé du dos pour qu'il s'avance. Cogné de la tête pour qu'il se décide.

Marius a mis ses doigts en tenaille et il a décroché le dernier oiseau. J'ai vu son geste de l'autre côté de la rive. Les arbres autour, le grand ciel et la rivière. Toute cette lumière qui lui tombait dessus. Je lui ai crié de ne pas faire ça. Il m'a regardée. Ses lèvres ont remué. Pas sûr qu'il m'ait entendue.

Il a fermé les yeux et il a serré fort. Sans doute bien au-delà de ce que le crâne fragile exigeait pour se fendre. Après, il n'a plus bougé.

Ses frères sont partis.

Tout seul, il a retraversé le Vieux-Pont. Il avait toujours l'oiseau dans la main. J'étais à quelques mètres. Je l'ai vu passer.

Il marchait lentement.

Je lui ai parlé. Il n'a pas répondu.

La Môme est venue de l'ombre.

Elle s'est avancée.

Il s'est arrêté.

Dans son pantalon rouge, il ressemblait à une statue de glaise avec, tout au bout du bras ballant, un pantin cloué dans la paume.

Elle l'a regardé, les larmes sales qui lui coulaient sur la bouche. Un gosse de cinq ans qui pouvait être un petit frère, un corps frêle avec un peu de chair autour des os. La main était encore refermée sur l'oiseau.

Elle a pris cette main, en a déplié les doigts, l'un après l'autre. La peur avait collé les plumes à la paume. Elle a détaché l'oiseau en le tenant par une patte et l'a jeté loin dans les buissons.

Dans la lumière mourante, le temps d'un très court instant, les ailes rouges se sont déployées, écarlates, on aurait dit que l'oiseau reprenait vie, qu'il volait à nouveau.

La Môme m'a vue.

Elle est repartie sans un mot.

Au bout du bras, la main qui avait tué l'oiseau restait repliée, comme engourdie. Dans le buisson, j'ai vu quelques baies rouge vif et l'oiseau lancé par la Môme, une mésange à tête bleue qui semblait désarticulée.

Le soleil a décliné, il est passé derrière la montagne. Les ombres sont devenues mauves.

Gaby n'était plus dans le fauteuil.

Sa tête, derrière la fenêtre du bungalow.

Elle m'a fait signe d'entrer.

— Je l'ai dépiauté, elle a dit.

Elle a soulevé le couvercle en fer qui recouvrait la casserole. Des morceaux noirs cuisaient dans une sauce sombre. Ça sentait l'oignon. Il y avait des branches de laurier. Sur le devant du crâne, les yeux étaient cuits.

J'ai cru que c'était le lapin. Il n'était plus dans sa cage. Je me suis retournée et je l'ai vu, libre, couché paisible sur un bout de carton.

— C'est le petit-gris, elle a précisé en brassant dans les morceaux. Ses poils poussaient pas.

Je me suis penchée.

— Tu as mis la tête…

— Y a à manger à tout.

— C'est dégoûtant…

Elle m'a souri par-dessus la vapeur.

— Le dégoût, c'est dans l'esprit des gens.

Elle a vidé une boîte de champignons dans la sauce. La cuisson s'est poursuivie à feu doux sous le couvercle en fer.

Je me suis assise à la table.

La lumière de l'ampoule traçait une ligne droite sur le linoléum.

La Môme est revenue du dehors.

— Y a jamais de soleil ici, elle a râlé.

— Y en a eu cet après-midi, a dit Gaby.

La Môme a haussé les épaules.

— Même avec le soleil, il fait froid.

— Y a pire ailleurs, a ajouté Gaby.

J'ai regardé le visage de la Môme. J'ai pensé à ce qu'elle venait de faire et je me suis demandé si elle allait nous parler de Marius et de l'oiseau.

Gaby a mis le torchon à sécher au-dessus du radiateur.

— En ville, il y a des gens qui vivent dans leur voiture.

— Si on allait ailleurs, on aurait chaud.

— Ailleurs, c'est pareil. Ici, au moins, c'est chez nous. Et pas sûr qu'au soleil, on soit plus heureux.

La Môme, c'était une timide, elle parlait d'une voix douce mais elle ne renonçait pas.

— Ailleurs, c'est forcément mieux.

— Ça peut devenir pire aussi, a continué Gaby. Et puis le climat, ça change, c'est pas parce qu'au départ t'as pas de soleil que t'en auras jamais.

Elle a ouvert le réfrigérateur, il était presque vide.

— Faudrait que je descende au Lidl…

Elle a sorti un paquet de semoule du placard. Elle s'est retournée, les reins à l'évier.

— Le seul ailleurs possible, ça serait là où ils ont tourné *Les P'tits Mouchoirs*, à cause que là-bas y a à la fois les arbres et la mer.

— C'est pas la mer, a dit la Môme, c'est l'océan.

— C'est quoi, la différence?

La Môme ne savait pas. Elle a soulevé le couvercle de la marmite, a respiré l'odeur.

Elle a regardé les cages.

— Je vais arrêter l'école.

Gaby a tourné la tête, lentement.

— Si tu fais ça, je te tue, elle a murmuré d'une voix retenue.

J'ai observé la Môme. Son profil d'adolescente n'a pas cillé. Ses joues ont juste un peu rosi.

Elle est allée se blottir sur le divan, ses jambes regroupées sous elle.

— Francky cherche quelqu'un, il veut bien m'embaucher quelques heures pour les vacances.

Gaby, on aurait dit qu'elle n'avait pas entendu. Elle a bourré une serpillière sous la porte en cognant dessus avec son pied. Ça arrêtait le froid mais ça bloquait l'aération.

La Môme a insisté.

— Il a besoin d'une fille pour servir les repas. Diego ne suffit pas. Je pourrais, hein, quelques jours à Noël ?

Gaby est revenue vers l'évier. Elle savait qu'elle devait se taire, que c'était la seule attitude possible. Elle n'avait pas porté la Môme dans son ventre, elle ne l'avait pas fait naître de sa chair, les cuisses écartées, mais pour le reste, pour tout le reste, elle semblait pareille aux mères de sang.

— Je vous tue tous les deux, avec la même balle, tu lui diras ça, à Francky, hein, tu lui diras ?

La Môme a déplié ses jambes. Ses pieds ont frotté le sol.

— Je vous tue tous les deux et je vous mets dans le même trou, a précisé Gaby en fixant la vaisselle qui trempait dans l'évier.

C'était dit. Clair. Sans appel.

La Môme a ramassé son blouson et elle est sortie.

Gaby respirait fort.

— Je suis une ignorante, je vis dans une maison en tôles et je ne comprends pas tout ce qu'on raconte… mais je pense qu'une vraie mère aurait dit ça. Hein, pas vrai ?

J'ai hoché la tête.

Elle fixait toujours l'eau mousseuse. Son ombre recouvrait le petit évier et l'égouttoir à côté.

152

Après un moment, elle a tourné la tête, à demi.

— Tu l'as vu, le film de Canet, toi?

— Oui, je l'ai vu.

— Et là-bas, tu trouves que c'est comment?

— C'est le Cap-Ferret... C'est beau mais c'est cher.

— Ici, c'est cher aussi.

— Là-bas, c'est un peu plus cher qu'ici quand même.

— Mais là-bas, il fait chaud.

— Il fait chaud, oui.

Elle s'est assise à la table.

— Le rêve, faut bien que ça coûte un peu.

Elle a sorti des pinceaux du tiroir. Les poils étaient pris dans un cylindre maintenu serré par un fil en laiton. Trois tours bien ajustés.

Ça sentait la colle. Elle a trempé ses pinceaux dans l'eau. Les poils ont gonflé comme des ventres. Elle a égalisé, des petits coups légers. Plusieurs fois, elle a dû reprendre.

J'entendais claquer les lames des ciseaux.

Elle a tout vérifié dans la lumière. Plus un poil ne dépassait. Les têtes étaient parfaitement lisses. Elle a plié les pinceaux dans une feuille de journal.

— Tu pourrais les déposer chez Sam en partant?

Le vieux Sam a fait glisser les pinceaux sur le côté.

Il a sorti de l'argent de sa caisse, des billets dans une enveloppe, le prix était convenu d'avance entre Gaby et lui.

Il m'a tendu l'enveloppe.

Il portait une longue veste en laine. Une écharpe nouée. Un appareil au gaz Butathermix chauffait l'air derrière lui.

Il s'est levé.

— Un thé, comme d'habitude ?

C'était seulement la deuxième fois que nous prenions le thé ensemble et cela semblait suffire pour parler d'habitude. Je n'aimais toujours pas le thé mais j'aimais la compagnie de Sam. J'ai accepté.

Il est passé dans la petite pièce. Il y a eu des bruits de casserole et d'eau. Le chat roux a entrouvert les yeux, deux fentes de lumière, il a soupiré avant de replonger dans ses rêves.

— J'ai écouté le disque du vol des monarques.

Sam a écarté les lanières.

— Jusqu'au bout ?

— Jusqu'au bout.

— Vous êtes la première.

Il a disparu à nouveau derrière le rideau.

Les pinceaux de Gaby étaient sur leur présentoir de velours. Les hampes lisses, vernies. J'ai demandé à Sam s'il voulait que je range à la suite les derniers confiés.

— Je le ferai plus tard. Vous avez remarqué comme les jours sont courts…

— J'ai remarqué, oui.

— L'été, ils sont interminables… On croit qu'ils ne finiront jamais… et pourtant, ils finissent. Les étés aussi finissent.

Les pinceaux brillaient. Mon visage se reflétait sur la vitre qui les protégeait. À certains endroits, le velours était troué. Des mites d'habits s'étaient installées dans l'épaisseur du velours.

— L'été, les gens se sentent obligés de bouger, a dit le vieux Sam derrière son rideau. Cet afflux de gesticulations… Alors que l'hiver, tout est plus ralenti… mais l'hiver, on s'ennuie.

Il parlait en préparant le thé.

154

— Vous entendez… C'est le train, il a changé ses horaires… C'est les horaires d'hiver, il faut s'habituer.

La petite clé était restée sur la serrure. Je l'ai tournée. J'ai relevé la vitre. Quelques papillons blancs se sont envolés. La trame du velours était rongée en plusieurs endroits, les fibres effilochées. Les larves y avaient fait leur nid et s'en étaient nourries. Il restait un peu de poussière de fil.

J'ai soulevé un coin de tissu. Je pensais trouver d'autres mites dessous. Des larves peut-être. Mais c'étaient d'autres pinceaux. Par dizaines. Relégués dans le sombre de la boîte. J'ai glissé ma main. Des pinceaux neufs, lustrés au chiffon doux. Tout le fond épais du présentoir en était empli.

Je me suis retournée.

Le vieux Sam écartait les lanières, il revenait avec le plateau.

— Le thé est prêt !

Il a vu le présentoir ouvert. A posé le plateau sur la table.

— Venez, ce thé ne se boit pas debout.

Il a soulevé le capuchon de la théière. A versé le thé dans une tasse. Il a empli la seconde tasse, a reposé la théière.

Je n'arrivais pas à m'éloigner du présentoir.

Les derniers pinceaux de Gaby étaient encore sur la banque.

J'ai revu les écureuils. Celui que Gaby avait rasé la veille encore, le soin avec lequel elle avait récolté les poils, soucieuse de ne pas en perdre, et l'attention ensuite mise à les rassembler. Elle installait des pièges dans la forêt. Elle montait les relever tous les jours d'été, se cachait des braconniers, récupérait des graines, de la sciure, supportait l'odeur au point, affirmait-elle, de s'y habituer.

— Je ne comprends pas…

— Il n'y a rien à comprendre.

— Expliquez-moi…

— Vous expliquer quoi ?

— Vous faites croire à Gaby que vous vendez ses pinceaux !

Il est venu près de moi, a remis le tissu en place, a refermé la protection de verre. Il a tourné la petite clé, l'a glissée dans sa poche.

— Votre sœur est une belle personne.

— Et alors ?

— Alors rien. C'est juste que ses pinceaux, que voulez-vous, personne n'en veut.

Il a regagné sa place.

— On n'aide pas les gens en leur mentant, j'ai murmuré.

— Ça, si vous me le permettez, c'est de la petite morale à deux sous.

Il a bu une gorgée de thé. A reposé sa tasse.

— Maintenant, si vous préférez, vous pouvez lui dire.

Ses yeux un peu glauques avaient la couleur grise de certains sels.

Je l'ai laissé là, tout seul, devant ses deux tasses et les biscuits dans la soucoupe.

De retour au gîte, j'ai passé un long moment à regarder par la fenêtre la fin lente de ce samedi au Val.

J'ai choisi une orange dans le filet et je l'ai pelée avec les dents. J'ai toujours aimé faire ça. Arracher la peau à la sauvage et me rendre la bouche amère.

J'ai posé les épluchures sur le dessus brûlant du radiateur électrique. En chauffant, les pelures d'orange sont devenues rousses, presque noires, elles ne brûlaient pas mais diffusaient un doux parfum d'agrume.

J'ai traduit un chapitre dans lequel Christo explique comment, en toute chose, ce n'est pas le résultat final qui compte mais le chemin à parcourir, tout le long processus qui aboutit à l'œuvre finie.

J'ai pensé aux pinceaux de Gaby dissimulés sous le tissu de velours.

J'avais du zeste sous les ongles.

Je n'arrivais pas à reprendre le travail. La vue des pinceaux m'avait perturbée, et ce désordre, dans son mouvement, avait fait bouger d'autres images comme dans un jeu de mah-jong.

Le jour de l'incendie, maman avait pris pour nous des oranges dans un sac en papier, on les avait épluchées avec nos doigts. D'habitude, elle nous donnait des biscuits, des gâteaux ronds et lisses qu'elle appelait *Chamonix*, ils étaient fourrés de marmelade et enrobés d'une pellicule de sucre lisse.

Ce soir-là, elle avait seulement des oranges. Des sanguines bouleversantes, avait-elle dit. Nous, on préférait les mandarines parce que c'était plus doux et plus simple à peler. Elle avait rétorqué que les sanguines n'étaient sans doute pas les meilleures des oranges mais que c'étaient les plus belles, et que pour cette raison nous devions être heureux de les manger.

Elle avait pressé les peaux entre ses doigts pour faire suer le zeste, ça nous avait piqué les yeux, on avait ri.

Il y avait, sur le matelas, une couverture en faux poils que nous appelions la pelisse. On l'avait ramenée sur nos épaules pour nous tenir chaud. On avait écouté les histoires de notre mère, regroupés autour d'elle comme une nichée.

Mais à un moment, elle n'avait plus raconté. De la trappe fermée était montée une odeur obscure. Elle en avait soulevé le battant. L'odeur de la fumée avait envahi le grenier.

Notre mère avait crié des mots, elle voulait que nous descendions avec elle par la trappe sombre, mais nous avions trop peur pour faire un pas.

Alors elle nous a forcés en nous tirant par les bras. Gaby s'est mise à hurler. Philippe a reculé.

Le goût de la sanguine dans ma bouche s'est mêlé à celui de la fumée.

La trappe était une fosse. Elle a crié encore pour qu'on la suive sur l'échelle raide, elle nous a traînés, pris contre elle, enfermés dans ses bras. Elle a essayé de nous emporter tous les trois. J'ai fait l'essai plusieurs fois, plus tard, à l'âge adulte, de soulever trois enfants, les deux filles et une copine, au même âge que celui que nous avions. Des corps semblables. C'est impossible, le poids entraîne.

Notre mère s'est approchée de la lucarne. Le toit était trop pentu. La petite cour, tout en bas. On est revenus se mettre le dos à la cloison. La fumée pénétrait le grenier alors elle a ouvert la lucarne, elle a soulevé Philippe et l'a collé à son flanc.

Elle nous a fixées, tour à tour, ensuite, Gaby et moi. Gaby pleurait. Elle pleurait tellement, les yeux dans le plancher, les larmes ploquaient entre ses pieds.

J'ai le souvenir du regard de ma mère sur nous. Qui passait de l'une à l'autre. Nous étions deux. Elle ne pouvait en prendre qu'une.

Depuis des années, son hésitation me hante. Parfois, je l'oublie. À d'autres moments, quand je ne m'y attends pas, elle surgit. La cloison était faite de planches, j'avais frotté mes paumes contre. Du bois rude, rêche, sans apprêt, les échardes s'étaient enfoncées sous ma peau. Je n'avais pas cillé.

J'ai regardé ma mère.

Elle s'était figée. Je l'ai vue hésiter. Alors je l'ai fixée encore. Elle n'était plus notre mère, elle était seulement la mienne. Mon regard la tenait, il l'obligeait. Empêchait le sien de se détourner.

Un regard qui remplaçait tous les mots, toutes les suppliques, toutes les prières.

Je ne sais pas combien de temps cela a duré, mais à un moment, elle m'a arrachée du mur. Dans le frottement, mes paumes ont râpé la cloison, comme une gifle, l'impression d'aiguilles de verre. Elle m'a plaquée contre son deuxième flanc, j'ai pris son ventre en étau, entre mes cuisses.

Mes bras noués.

Mes mains, en sang.

J'avais forcé son choix. Je l'avais fait sans le vouloir, sans savoir. J'avais six ans.

Philippe était sur l'autre hanche.

Notre mère a eu des mots pour Gaby, des mots qui disaient d'attendre sans bouger, de rester tout près de la lucarne, que l'air était là, des mots pour dire que maman allait revenir.

Elle a ramassé la pelisse et nous en a recouverts. Une partie de sa figure a disparu sous l'étrange cape. Il restait deux sanguines dans le sac. Dans le mouvement, son pied a heurté le sac et les fruits ont roulé. Un bruit rond, lourd, lent, sur le plancher.

Notre mère s'est ruée sur la trappe. Nous a engouffrés. Toute ma vie, je me souviendrai. Pour laisser ses mains libres et ainsi tenir les barreaux, elle a mordu entre ses dents de fauve les deux pans de la longue couverture qui nous protégeait.

Étrange être à trois têtes que nous étions, bombé de trois dos, ma mère, devenue bête transpirante, siamoise d'une partie de sa portée. Une partie seulement qu'elle tentait de sauver.

Laissant l'autre. La petite.

L'abandonnant à la protection de quelques mots et au filet d'air donné par une lucarne.

Je me suis tenue à elle. Elle a rabattu la trappe. Ses mains se sont agrippées aux barreaux. J'avais le visage enfoui dans son cou. De tout le temps qu'il a fallu pour rejoindre le dehors, j'ai gardé les yeux ouverts. J'ai avalé de la fumée. J'ai émis des sons. J'ai entendu Philippe balbutier qu'il ne voulait pas mourir. J'entendais la bête respirer. Je sentais l'odeur forte et brûlante de son souffle.

Elle a retrouvé le couloir et la porte de ce qui avait été notre maison. Elle nous a sortis de là sans un mot. Son corps lesté de nous.

Et puis il y a eu l'air du dehors.

Notre mère s'est élancée, elle a couru loin de la porte, jusqu'à être hors de portée du feu, ses genoux ont plié. Elle est tombée. Nous a gardés contre elle, longtemps encore après sa chute, comme si elle nous avait oubliés. On est restés noués comme des serpents de légende.

Je l'avais serrée tellement fort, j'ai cru que j'étais redevenue son corps, nos peaux avaient dû fondre l'une dans l'autre, j'ai pensé qu'on n'arriverait plus jamais à se détacher.

Que d'avoir traversé le feu nous avait rendus tous les trois immortels.

Et puis lentement, notre mère victorieuse a entrouvert ses dents, a relâché sa mâchoire, la couverture a glissé, nos corps se sont détachés. Nos peaux. Nos bras. J'ai entendu les sirènes. Un camion de pompiers. Des voix d'hommes.

Quand j'ai pu relever la tête, j'ai vu le visage de Gaby là-haut, toute seule derrière la lucarne.

Après, on a tous fait cercle autour d'elle pour la regarder.

Dimanche 16 décembre

Le dimanche, le Val s'animait tard et l'absence de bûcherons rendait l'aube silencieuse.

L'attente devenait rude. Je ne voulais pas penser à Curtil. Penser qu'il pouvait revenir. Aujourd'hui. Ou pas. Un autre jour. Ou jamais.

Je suis sortie.

Il y avait la messe, j'ai croisé des femmes vêtues de noir qui s'acheminaient à petits pas serrés vers l'église. Les garçons de l'Oncle lambinaient sur les marches.

— Je sais changer l'eau en vin, m'a annoncé l'aîné.

— Rien que ça ?

Il a haussé les épaules.

Je suis entrée dans l'église.

Une crèche.

Des bougies allumées.

Odeurs d'encens.

Une grande feuille était punaisée sur la porte : *Pour faire triompher le bien, il faut connaître le mal.* Au-dessus, une reproduction du Christ en majesté.

Des fleurs en plastique dans un vase. De la poussière de plâtre sur les dalles.

Dans la nef, on psalmodiait le *Notre Père* et *le fruit de vos entrailles, prends pitié de nous.* Les plus vieilles mâchaient leur langue en égrenant les chapelets. Agenouillée au premier rang, une fille à la voix de cristal chantait pour l'assemblée sombre.

J'ai écouté les louanges et l'Évangile.

Le sol de l'église était froid.

J'ai tapé sur ma poitrine avec ces femmes. J'ai communié avec elles, me suis mêlée à leurs odeurs, mélange de naphtaline et d'eau de Cologne, peaux rances, cals, cheveux secs. Sous les tissus, les bras semblaient du bois maigre. Trois d'entre elles m'observaient, à genoux sur le prie-Dieu, les figures encadrées de foulards mauves.

Je me suis souvenue de l'enterrement de maman. Quelques prières dans une église, parce qu'elle disait toujours qu'il devait bien y avoir quelque chose après. Que tout ça pour rien, ce n'était vraiment pas possible ! Je crois qu'elle avait peur de la mort à la fin. Dans la corbeille des offrandes, au terminus de sa messe, il y a eu peu de pièces. Quand il a vu le peu, le curé a bâclé son finale, un *Je vous salue Marie* pourtant.

Il m'a abandonné le goupillon pour que je bénisse le voyage.

On a mis maman dans sa fosse. On a tous jeté une poignée de terre. Philippe est parti. Gaby aussi. Le père des filles n'était pas venu. Les filles non plus. J'étais très triste après l'enterrement alors j'étais allée voir un vieux film de Giuseppe Tornatore, *Cinéma Paradiso*.

Après la messe, je suis revenue au gîte.

Quelques minutes après onze heures, la fenêtre s'est ouverte, la serveuse à Francky a secoué un drap, un premier grand et beau tissu couleur vert pomme.

Le deuxième était tellement blanc, on aurait dit qu'elle secouait de la lumière

Et les deux taies.

Une parure différente de celle de la veille.

J'ai pris la photo avec le drap blanc.

Ce n'était pas la serveuse seulement qui m'intéressait, ni cette jambe toujours cachée sous les robes, une jambe qui se devinait, mais la répétition parfaite de ses gestes et l'heure renouvelée.

J'ai reçu un texto d'Yvon, il voulait passer au gîte en fin de journée pour me montrer toutes les images de son reportage.

J'ai traversé la route et je suis allée à *La Lanterne*. Diego avait avancé son puzzle, assemblé les pièces qui dessinaient la rive d'un fleuve. On devinait une ville, des immeubles modernes, un pont. Des collines lointaines sur fond de ciel orange.

Les tramps profitaient du dimanche pour jouer aux cartes.

J'ai rejoint Philippe à sa table. La une du *Dauphiné* montrait les deux bulldozers tagués la veille. Un article suivait. Une cinquantaine de personnes avaient manifesté devant la sous-préfecture pour dénoncer le projet. Sur une autre photo, on voyait des pneus qui brûlaient, une pancarte, *Non à la piste !*

On commentait au zinc. Les opposants dénonçaient les sommes colossales qu'il allait falloir dépenser pour divertir ceux des villes, les *Parigos* et les *British*. Ils disaient que cette vallée était bénie, un éden vertical, comparaient les remontées mécaniques à des banderilles plantées dans les reins d'un taureau.

Les plus violents assuraient qu'ils ne laisseraient pas passer les bulls.

Philippe écoutait ce qui se disait en pliant une feuille de papier en forme d'origami.

— En 69, il y a eu un premier projet et on a fait reculer les bétonneurs, il a dit, on les fera bien reculer une deuxième fois.

Francky a tenu tête.

— La piste fait partie du cours des choses.

— Ça va déraper alors, a rétorqué Philippe.

— Ça ne dérapera pas, a dit Francky.

— Tu vois ça comment ?

— Comme partout, les mauvais coucheurs vont râler et ils se soumettront.

Philippe a rabattu les coins de sa feuille sur d'autres coins. Il a écrasé les plis.

— Tu n'aimes pas le Val.

— Je l'aime autant que toi, mais j'aime aussi le progrès.

— Tu confonds le bétonnage et le progrès, il a conclu en posant un dragon de papier sur la table.

D'autres s'en sont mêlés. Les avis tourbillonnaient.

— Ça serait bien qu'il revienne aujourd'hui, j'ai dit en regardant la route.

— Ça serait bien n'importe quel jour.

Philippe s'est levé. Il est parti.

À qui appartient le Val ? Aux enfants qui vont naître ? À ceux qui se souviennent ? Ou à ceux qui ne l'ont jamais quitté ? Combien de Val ? Pour combien de mémoires ?

Un chauffeur est entré, un gars d'ici, une figure plate avec une croix tatouée sur le bras.

Il a commandé une bière.

Il en a bu lentement plusieurs gorgées.

— Il paraît qu'on a vu Ballutti dans un bistrot à Chambéry.

165

Il a lancé ça d'un ton monocorde.

Ballutti, c'était Ludo. Tout le monde a levé la tête.

— Pas possible, il n'a pas fini sa peine, a dit Francky.

Le tatoué a haussé les épaules.

— C'est ce qui se dit…

— S'il a quitté le Château, on tardera pas à le voir ici, a ajouté le type à la rouleuse.

Francky a passé le chiffon humide sur le zinc. Il me fixait. J'ai croisé ses yeux, j'ai écarté les mains, je ne savais rien.

À un moment, je n'ai plus rien entendu mais j'ai senti des regards dans mon dos. Je n'ai pas bougé. Ils pouvaient dire ce qu'ils voulaient. Que Ludo était peut-être dehors. Libre. Sorti. Hors des murs avant l'heure. Toutes leurs suppositions, je m'en foutais.

Gaby est passée derrière la vitre. Elle venait boire son petit café. Elle s'est avancée, le crâne protégé du froid par un bonnet bleu.

— Fait froid aujourd'hui, elle a dit.

Elle a laissé traîner ses yeux sur les tables, sur les hommes. Elle a dû sentir que quelque chose clochait. Elle s'est appuyée au zinc. Francky lui a préparé son café, une noix de crème, la tasse sur le comptoir. C'est Philippe qui réglait pour elle. Comme il n'était pas là, Francky a ajouté une barre sur un carnet.

Elle a brassé son café.

Le tatoué a fini sa bière. On n'a pas reparlé de Ludo. Il fallait bien qu'elle sache pourtant, même si ce n'était que des bruits. J'ai eu envie de partir, aller au gîte, reprendre le livre, mon travail.

Les bûcherons en avaient fini avec leurs cartes, ils ont remis les jeux dans les boîtes.

Sur l'écran, on passait des sketches idiots. Gaby les suivait des yeux. Elle regardait aussi autour d'elle comme si elle sentait planer la rumeur.

Soudain, elle a éclaté de rire, un éclat puissant, déraisonnable.

— Ah ben ça c'est trop fort !

Elle s'est tournée vers nous. Nous a pris à témoin, tous, Francky, les vieux, les autres. Sur l'écran, un gros chien était recroquevillé sur un tout petit coussin, et, juste en face, dans le même couloir, un chat était étalé sur le grand coussin du chien.

— Ah ben ça ! elle a répété en se tapant sur la cuisse.

Ça montait de sa gorge, ça la secouait. Un rire incontrôlable.

Elle était ma sœur. Qu'est-ce que je pouvais lui dire ? On avait partagé les mêmes seins, bu le même lait. Eu la même enfance. Où est-ce qu'on se ressemblait ? Dans quelle profondeur d'elle pouvais-je me reconnaître ?

Et elle, dans quelle part de moi ?

Sur l'écran, il y a eu d'autres images. Son rire s'est brisé comme il avait jailli. Effacé. Le visage était redevenu violemment inexpressif.

Le silence qui a suivi était tout aussi déconcertant.

Les gars ont haussé les épaules.

J'ai croisé le regard du gars à la rouleuse.

Et puis Diego s'est avancé. Il est venu s'appuyer au zinc, sur la droite de Gaby, épaule contre épaule. Il lui a parlé.

Dans le bar, tout le monde savait ce que contenait la parole de Diego. Cette confidence de la rumeur.

On faisait semblant de rien. La journée continuait. J'ai glissé le dragon en papier dans la poche de ma parka.

Diego est retourné dans sa cuisine.

Gaby est restée encore un peu.

J'ai marché jusqu'à la gare. Le quai était sans personne comme le premier jour.

J'ai continué sur les traverses.

Je pensais à tout ce que ma mémoire retenait, à tout ce qu'elle oubliait. À ce qu'elle enfouissait. À l'Hydre de Lerne décapitée de toutes ses têtes. Pour chaque tête tranchée, une autre repoussait, alors ceux qui voulaient sa mort ont cautérisé les plaies. Pour chaque souvenir que notre mère perdait, aucun ne revenait. Il m'arrive de penser qu'elle est morte comme la Bête. Qu'elle en avait reçu la malédiction.

Un jour, j'ai ouvert la porte blanche de sa dernière chambre, elle était dans son fauteuil près de la fenêtre, quand elle m'a vue sa bouche s'est entrouverte, cette bouche conteuse d'histoires, c'était au plus chaud d'un été, ses joues étaient fraîches et roses, elle portait une robe à bretelles, elle m'a reconnue, son regard a ébauché un sourire, ses lèvres ont formé le premier son de mon nom, "Ca…", il y a eu de la lumière dans ses yeux, du plaisir, elle m'avait reconnue, et d'un coup, ça a basculé. Elle a cherché autour d'elle, hagarde mais la conscience qu'elle avait de moi venait de sombrer avec le reste, dans la fosse de tous ces petits riens qui avaient fait sa mémoire.

"C'est moi, Carole…" j'avais murmuré. Le sourire ébauché s'était effacé. Ma mère vivante ne me connaissait plus. Je l'avais secouée, je voulais revenir, j'avais été brutale et elle m'avait retrouvée, son sourire à nouveau, j'étais là, j'existais encore, une fraction de seconde, pour elle, et puis quelque chose s'est figé et ce fut le dernier regard où elle avait su qui j'étais, et après, à tout jamais, j'ai été emportée.

Je n'ai jamais eu aussi mal. Je ne me suis jamais sentie aussi seule. Même après, quand son corps est mort, je n'ai pas ressenti pareille douleur.

L'infirmière a dit : "Ça reviendra, par éclats, peut-être, des fulgurances."

Mais ce n'est jamais revenu. Tout était cautérisé.

Des petits bruits. J'ai levé les yeux des rails. Marius était à dix mètres, il m'observait. Le long de sa cuisse, tout au bout de son bras, sa main pendait, celle qui avait tué la mésange, une main recroquevillée, impassible, comme en forme de faute et qui semblait encore contenir l'oiseau.

De l'autre main, il lançait des petits cailloux blancs qui ricochaient sur les traverses, devant mes pieds.

— Carole !!!

Diego m'appelait de la porte du réfectoire. Avec des gestes, il me montrait une grande bassine. De la viande pour les chiens. Les tombées de la semaine. Des ailes de poulet, carcasses de lapin.

— Si tu pouvais lui emmener…, il a dit.

Il m'a aidée à charger la bassine sur le siège passager de la voiture d'Emma et j'ai tout porté chez la Baronne.

Quand elle a vu les os, elle a râlé : "Jamais d'os pour les chiens !" Elle a mis la bassine sur la table et elle a commencé à gratter la viande.

C'était gras. Écœurant.

Elle a continué avec un autre morceau. Je me suis assise en face d'elle. J'ai pris un couteau et j'ai gratté aussi. On a fait ça. La viande dans un saladier, les os, on les jetait. On a parlé de choses faciles. Et des autres. De l'enclos. Elle n'avait toujours pas de nouvelles et ça la rendait nerveuse.

Je me suis habituée à l'odeur.

On a parlé du char. Avec la pointe de son couteau, elle l'a dessiné sur la nappe. Ce serait une belle fête, elle ferait griller des cubes de guimauve, ça rapporterait des sous. Les chiens qui allaient défiler étaient déjà choisis.

— Le tracteur, c'est Diego qui va le conduire. On a déjà fait les guirlandes et les fleurs en crépon…

On a gratté un moment sans rien dire. Elle avait les ongles abîmés. Il me semblait qu'elle s'était coupé la frange toute seule.

Sans lâcher son couteau, elle a fait un grand geste avec la main.

— Peindre des chiens, c'est ça qu'il faudrait ! Les chiens !… Avec de la belle peinture, des couleurs vives !

Elle riait soudain.

— En plus des guirlandes, hein, ce serait pas formidable si on pouvait avoir aussi des dessins ! Si notre char est le plus beau, ça aidera peut-être pour l'enclos…

Elle s'est arrêtée de gratter. Son bonnet enfoncé sur le crâne lui faisait une tête de lune.

— Tu serais pas capable de peindre un peu ressemblant, toi ?

— Je ne sais pas…

— Mais, à ton avis ?

— Peut-être, oui…

Le saladier était presque plein. Pendant que je terminais, elle a fait cuire des pâtes dans deux grandes marmites.

Elle continuait de parler du char et de cette idée de dessins.

Je me suis lavé les mains. J'ai aussi lavé les couteaux. Il y avait un livre de Jean-Claude Carrière posé sur le buffet, *Le Mahabharata*. La Baronne croyait aux autres vies après celle-là, assurait qu'elle appartiendrait un jour au règne animal. Du côté sauvage.

— Et toi, qu'est-ce que tu voudrais être si tu devais être une bête ?

— Moi ?… Une salamandre. Elles n'ont pas de prédateurs et sont fidèles à leur habitat.

Elle a froncé les sourcils.

— Il est bon d'avoir des prédateurs, ça renforce l'espèce.

— Mais la vie est plus douce si on n'en a pas.

Elle a éteint le feu sous les marmites.

— Plus douce, oui, mais plus courte. Les salamandres n'ont peur de rien, elles ne sont donc jamais pressées, elles traversent les routes et se font écraser.

J'ai concédé la chose avec un sourire.

Les pâtes étaient cuites, elle a ajouté la viande. Elle a pris soin de mettre de côté quelques tombées pour son repas.

— Il n'y a rien de mauvais, elle a dit.

Elle a sorti les gamelles.

J'ai nettoyé la table avec une éponge mouillée. Il restait le tas d'os que l'air avait rendus secs. Je suis sortie les jeter. Le ciel était pâle. Philippe affirmait que la neige allait tomber sous huit jours et qu'on aurait un Noël blanc.

La Baronne a voulu me montrer l'avancée du char avant que je parte.

— L'entrée des artistes ! elle a dit en tirant la bâche.

Le char trônait, monté sur une charrette à deux roues.

— *La Cour des Miracles !* Ça ferait un beau nom, hein ?… Tu pourrais l'écrire en grand, toi, comme ça, des lettres pleines de couleurs… J'ai vu le maçon, il va donner des fonds de peinture. Tu pourrais, hein ?

J'ai hésité. Elle a pris mes deux mains, les a serrées fort.

— Il faut penser aux chiens des fois…

Un étui à violon était posé sur une étagère au-dessus de l'établi. Couvert de poussière. J'ai ouvert l'étui. J'ai vu le violon.

— C'est le tien ?

— Oui.

— Tu sais en jouer ?

— J'ai su.

C'était bref. Je n'ai pas insisté. J'ai quand même fait grincer l'archet sur les cordes.

La Baronne continuait d'imaginer son char en lui tournant autour.

On était dimanche. Il restait cinq jours pour en venir à bout.

— Tu vas les avoir quand, tes peintures ?

Yvon m'attendait devant le gîte. On était convenus qu'il passerait me montrer toutes ses images. Il a poussé mes affaires, s'est assis au bureau. Le meilleur reportage de sa promotion serait diffusé aux Informations régionales, il fallait que ce soit le sien.

Il a glissé la carte mémoire dans mon ordinateur.

Il devait caler sur six minutes, pas une de plus.

Il avait commencé un premier tri, sélectionné les rushes qu'il voulait absolument utiliser et mis de côté les autres. Il a fait défiler les images, des chaussures, des câbles, des troncs, la boue, des chaînes, une paire de doubles gants sur une caisse, des fonds sonores, toute une série de plans plus larges avec des hommes regroupés, quelques beaux plans de la grue, des camions, la scierie.

Et la route.

172

Beaucoup de plans de la route. Des plans magnifiques mais qui se répétaient.

— J'ai trop de choses… trop d'images… trop de tout !

C'était bien trop long. Décousu. Il y avait de bonnes choses mais elles étaient noyées. Il voulait mon avis.

— Tu penses quoi ?

— Tout y est mais ça manque de rythme, j'ai dit. Il faut couper.

Il s'est énervé.

— Enlever ce qui est bon, comment tu veux que je fasse ?!!!

L'énervement lui plaquait des taches rouges au milieu du front.

Il a fait diversion en accusant ses professeurs d'incompétence, les supports fragiles, les clés USB, même les disques durs, dans dix ans, on n'est même pas sûr que ça survivra !

Il se disait incapable de couper. Il a râlé et puis il s'est calmé.

On a tout repris depuis le début.

Il a noté sur un cahier :

Premier plan, de face, un camion qui avance sur la caméra.

Séries de plans des bûcherons sortant avec leurs tronçonneuses.

Plusieurs plans de la scierie, différents angles.

Filmé du haut du camion.

Extérieur jour.

Intérieur nuit. Pas de son.

Plan rapproché d'un homme qui porte son barda, le mécanicien passe devant la caméra.

Vue d'un rapace qui plane, plans de nuages, la piste, un camion sur la route en contrebas.

Excellent plan d'un renard dans la brume.

Divers plans des hommes qui déchargent le matériel, remontent dans le bus. Regards. En arrière, la
chenillette et les câbles.

La caméra suit un homme qui marche.

Plan de trois gosses qui tirent sur des canettes. Les
mêmes gosses au bord de la route.

Plusieurs séquences de la piste et de la circulation
des camions, différents véhicules.

Son, ambiance de rue, non synchro.

Série du camp des tramps. Plan d'un cheval immobile. Des cabanes en planches.

L'intérieur d'une caravane.

Travelling, les tramps, le soir, autour des feux.
Lumières glauques.

Travelling, camion chargé de planches.

Dans le réfectoire.

La scierie, le soleil se lève entre deux pics de montagne. Des hommes autour des camions. Zoom arrière
jusqu'à ce qu'ils disparaissent dans le brouillard.

Plan d'une main dans la graisse. Une feuille qui
tombe, atterrit sur l'eau, est emportée par le courant,
la caméra suit.

Trois chasseurs avancent vers un sanglier mort. Les
godasses. Plan de la gueule pleine de sang.

Zoom final, la caméra installée sur la banquette
arrière de la voiture, les images tremblent.

Yvon a sorti les plans qui se répétaient. Il a repris
sa montre, a minuté, il fallait encore enlever.

— Tu râles comme ton père.

— Pas autant que lui.

— Pareil, je te dis.

Il a décidé d'arrêter pour aujourd'hui, il finirait plus
tard. Il a éteint l'ordinateur.

— J'ai un devoir à rendre.. Il faut que je parle de moi, mon parcours, mes valeurs… J'ai raconté mes stages, tout ça, mais les valeurs, je ne sais pas… Papa dit que tu saurais, toi…

— Il dit ça ?

— Oui. Que j'avais qu'à te demander.

— Il est gonflé… Comment tu veux que je t'aide ? C'est personnel… Tes valeurs, tes convictions… On n'a pas tous les mêmes.

— Filmer, ça peut être une valeur ?

— Filmer ?… oui… Si tu parles du respect que tu dois avoir pour ceux dont tu prends l'image… Ne pas trahir ce que tu vois… Ne pas voler… Il faut y réfléchir mais il y a plein de choses à dire… oui… c'est même intéressant comme sujet.

Il m'a décoché un beau sourire. Il a ouvert sa sacoche, a déchiré une page blanche d'un cahier à spirale, la couverture lisse des Clairefontaine.

Il m'a tendu la feuille. A mimé le geste d'écrire.

— Tu me fais un petit plan, thèse, antithèse, tout le bazar et les détails qui vont avec… Si tu pouvais rédiger un peu aussi, parce que moi…

— Tu plaisantes, là, Yvon ?

Il a posé un baiser sonore sur mon front. Quelques crénelures de papier se sont détachées et sont tombées comme des confettis sur le plancher.

Lundi 17 décembre

Le lundi, il fallait faire opérer la petite épagneule. J'avais promis à la Baronne de descendre la chienne au bourg. Le rendez-vous était pris. Je devais la déposer le matin très tôt, la Baronne viendrait la rechercher en fin de journée. Je suis sortie à la nuit. Un sale temps. Brutal. Mordant. Pas de vent mais un gel solide.

Autour de la scierie, les nids-de-poule étaient des miroirs.

Les tramps fumaient à l'abri des portes, j'entendais leurs voix rudes, leurs rires lourds.

Le bus les attendait devant le réfectoire pour une dernière montée. Avec le froid, le chantier allait fermer. La veille déjà, ils avaient eu des difficultés à faire démarrer le treuil.

J'ai pris la voiture.

La Baronne m'attendait à la grille. Le verglas plaquait une brillance mauvaise dans les phares.

— Un mélange idéal pour un départ définitif dans un virage qu'on ne connaît pas…, a dit la Baronne.

— Je connais tous les virages.

— Sois prudente quand même.

J'ai pris la petite épagneule dans mes bras. "On va t'ouvrir le ventre pour que t'aies jamais de petits", j'ai murmuré à son oreille.

Pendant tout le trajet, elle est restée assise sur siège. Je la voyais dans le rétroviseur.

Je l'ai déposée chez le vétérinaire à l'heure.

Le ciel était très blanc. Il faisait froid, des températures proches de zéro degré et le vent faisait tournoyer les aiguilles de pin, l'essuie-glace les balayait mais il s'en abattait d'autres.

J'ai eu peur de me faire surprendre par la neige alors je ne me suis pas attardée en ville, j'ai fait tirer les photos 7, 8 et 9 de la série et j'ai repris la route.

J'ai ralenti, au retour, le long du grand pré avant le panneau du Val-des-Seuls. Les chasse-neige étaient sortis des hangars, phares allumés, des engins énormes et des hommes s'affairaient autour. Les moteurs tournaient.

Jean était en équilibre sur la chenille de la dameuse.

Dès qu'il m'a vue, il m'a fait signe. Il a sauté à pieds joints sur la terre. Il portait une polaire avec, par-dessus, une salopette en plastique jaune comme en ont les marins. Des godillots à lacets. Les mois d'hiver, il était d'astreinte quelques nuits par semaine. Il damait la montée par Sourdeval, traçait les pistes de fond sur la commune et il poursuivait ensuite jusqu'au cairn de Maldavie. Arrivé là, il lissait la Face, une piste noire qui descendait raide sur la station voisine des Essiers. Il était un des rares à pouvoir faire ça.

Il s'est avancé. Du cambouis avait taché son vêtement, de grandes traces noires, sur le jaune on aurait dit du goudron.

Il m'a demandé ce que je faisais dehors avec un temps pareil et je lui ai expliqué pour la petite épagneule.

Sa jeep était là, son chien à l'intérieur. La fenêtre, baissée sur deux centimètres.

— Il n'a pas le droit de sortir ?

— Ça me fait de la peine mais je ne peux pas le surveiller.

On s'est approchés.

— Quand ma femme est là, je le laisse à la maison… mais quand elle travaille, ça lui fait des journées entières tout seul, c'est long, alors des fois je l'emmène avec moi. Le soir, je le fais courir.

— On peut le lâcher ?

— Cinq minutes…

Il a ouvert la portière. C'était vraiment un beau chien, avec des poils longs, très épais, un vrai regard. Dès qu'il s'est retrouvé dehors, il s'est élancé comme dans la publicité de Royal Canin.

— Comment il s'appelle ?

— Émilio. C'est un berger, je l'ai récupéré au chenil. Au départ, il était dressé pour les aveugles, il a fait l'école de Versailles. Le jour de l'examen, il a aboyé, va savoir pourquoi, et il a été recalé. Quand je l'ai vu derrière sa grille, je n'ai pas pu le laisser.

Le chien a couru jusqu'au hangar, il en a fait le tour, a remonté la pente du pré.

— Cet été, pour les vacances, on va en Italie, je vais devoir le laisser dix jours. C'est ma fille qui viendra le garder… Il ne mange pas quand je ne suis pas là.

— C'est encore loin, l'été…

— De toute façon, l'Italie, c'est pas encore décidé.

Jean a sorti son paquet de cigarettes de sa poche. Il avait du cambouis sur les doigts et sur le dessus des mains. Il en avait aussi sous les ongles.

— Tu veux que je le fasse ?

— Je veux bien, oui.

Il m'a passé ses allumettes. J'avais les lèvres sèches, le papier s'est un peu collé.

Il a pris une longue bouffée.

Le chien est revenu respirer nos bottes.

— Il dort dans la maison?

— Non, mais j'aimerais bien. C'est lui qui ne veut pas. Des fois, je lui ouvre, je l'appelle, il me regarde l'air de dire, je suis mieux dehors… Alors, pour être avec lui, c'est moi qui sors.

J'avais dû rouler sur un morceau de ferraille en manœuvrant autour des hangars, quand je suis arrivée au gîte le pneu était à plat. J'étais ennuyée parce que c'était la voiture d'Emma. J'avais appris à changer une roue avec le père des filles une année où nous étions partis en vacances dans le Nord-Finistère.

J'ai cherché la roue de secours dans le coffre. Sous la voiture. Marius traînaillait avec ses frères, ils sortaient de l'école, rentraient chez eux pour déjeuner.

L'aîné m'a montré l'avant de l'auto. J'ai soulevé le capot. La roue était dans le moteur.

— Je t'embauche si tu veux?

— Je suis pas un larbin.

— Et toi? j'ai demandé en regardant le deuxième.

Il a fait non avec la tête.

Marius s'est dandiné d'un pied sur l'autre et il s'est détaché de ses frères. Je l'ai regardé venir. Il est plus léger que ma roue, j'ai pensé.

Sa main inerte pendait au bout de son bras. Les doigts repliés semblaient avoir gardé l'empreinte de l'oiseau.

Il a délogé le cric dans le coffre. Les deux autres sont restés en retrait, à ricaner en nous observant.

De sa main vive, Marius a donné les premiers tours de manivelle. J'ai terminé jusqu'à ce que le pneu se décolle de la terre. Pour sortir la roue de secours, Marius a dû grimper sur le pare-chocs.

Il a trouvé le clou dans le pneu crevé. À la fin, ses paumes d'enfant étaient noires, les deux, la vivante et celle qui semblait abandonnée. Une paume qui faisait un creux en forme de caveau.

J'ai glissé cinq euros dans sa poche.

Ses frères se sont avancés, nonchalants.

— T'aurais pas une cigarette ?

L'aîné avait les yeux étroits, se donnait un air caïd. Je le trouvais laid et prétentieux. Je lui ai lancé le paquet de chewing-gums que j'avais dans la poche.

J'ai refermé le capot.

Il a cogné des petits coups dans le pneu.

— Faudra vérifier la pression, c'est pas très équilibré. Et puis ça doit manquer d'air… Faudra prévoir les chaînes aussi, sinon, dans un mauvais tournant, ça fera le grand décor, ça serait dommage.

Le garage était encore ouvert. En vérifiant la pression, le garagiste a confirmé que les pneus manquaient d'air et il les a rechargés.

Pour le pneu crevé, il allait réparer, il fallait que je repasse dans quelques jours.

Il était presque midi quand je suis arrivée au gîte. Tout de suite, je suis allée à la fenêtre. Le balcon était fermé. Impossible de savoir si la serveuse était déjà sortie comme à son habitude, et dans cette hypothèse, il me faudrait convenir que la série aurait un défaut. Ou bien elle n'était pas encore apparue et allait apparaître et dans ce cas, tout serait parfait.

L'horloge de mon téléphone marquait 11 : 53.

J'ai guetté le rideau. Rien ne bougeait.

Aucune trace.

Pas de signe.

Je n'avais aucun moyen de deviner si la serveuse était dans sa chambre, ou bien si elle s'y était trouvée et en était partie, ni si la porte-fenêtre avait été ouverte puis refermée.

Si rien ne se passait, la série serait entachée d'un doute.

Je ne voulais pas courir le risque de faire la photo trop tôt et de voir sortir la serveuse une fois le cliché pris. Une seule photo par jour, entre onze heures et midi, il ne pouvait y en avoir deux. Même une photo floue ne pouvait être doublée.

J'ai attendu.

11 : 57.

11 : 58.

11 : 59.

J'ai pris la photo trois secondes avant midi.

Le temps de reposer l'appareil et 12 : 00 s'est affiché.

Cette photo, la dixième, était particulière et venait de casser la perfection jusque-là parfaite de la série.

Ce n'est pas la neige qui est tombée, mais une pluie épaisse. Une de ces pluies qui ressemblent à de la neige, répandues en averse soudaine et qui confondent, ton sur ton, la montagne et le ciel.

J'ai travaillé tout l'après-midi. Commencé à réfléchir à la dissertation d'Yvon sur les valeurs, thèse et antithèse.

— Une tarte aux myrtilles, comme tu aimes, j'ai dit à Gaby. Avec de la limonade et le journal du jour.

J'ai tout posé sur la table.

Elle était voûtée sur une casserole, le visage sous un torchon. Elle inhalait les vapeurs, ça sentait l'eucalyptus.

Elle a sorti la tête. La chaleur lui faisait les joues rouges.

— C'est pour les bronches…

Elle a lorgné le carton. A soulevé le rabat. Vu l'épaisseur de myrtilles.

— Fourrée comme j'aime, elle a murmuré.

Elle a voulu attendre la Môme pour manger la tarte. Le lundi, elle finissait à dix-sept heures et la mère d'une copine les remontait, ça lui évitait l'attente longue du bus et c'était l'habitude.

J'ai glissé la tarte dans le réfrigérateur.

Je lui ai donné l'enveloppe du vieux Sam qui contenait l'argent des pinceaux. Je n'ai pas osé lui dire que personne n'en voulait de ses *naturels extrafins*, que les poils de ses écureuils ne peindraient jamais rien et qu'elle ferait mieux d'ouvrir les cages.

Je me suis collée à la fenêtre. De l'eau perlait au mur côté nord, comme une transpiration. Quand la rivière déborde, ici, c'est un cauchemar, le terrain devient un lac, à force ça pourrit le plancher et ça déglingue la porte. Au printemps dernier, des graines de lentilles avaient germé entre les lattes.

L'Oncle était sous l'auvent, en face, il zieutait du côté du bungalow.

— Il n'a pas vu sa tronçonneuse depuis plusieurs jours, elle a dit, Gaby, en s'épongeant la vapeur. Il pense que quelqu'un l'a volée. J'en ferais quoi, moi, de sa tronçonneuse?

Le journal, c'était du local, rien que des nouvelles du pays. Elle l'a ouvert en avant-dernière page, a jeté un coup d'œil à la météo. L'horoscope. Elle a lu le sien.

Elle a relevé la tête.

— T'es quoi toi, déjà? Balance, premier décan…

Elle a cherché dans les cases.

— "Amour : Vénus ne va pas vous enflammer ce jour, restez aimable et profitez-en pour vous avancer dans votre travail."

Elle a souri avant de continuer.

— "Famille : vous vous sentirez brimé par les contraintes familiales et cela risque de vous chagriner un peu. Combattez la tendance que vous avez à vous perdre en futilités et vains bavardages."

Elle a glissé son doigt le long de la colonne.

— Mon Ludo, il est Capricorne.

Elle a lu en silence l'avenir promis à son homme.

— Y en a qui disent qu'ils l'ont vu à Chambéry.

— Je sais…

— L'autre jour, au parloir, il m'a pas dit qu'il sortait. Mais il est comme ça, Ludo, il ne dit pas les choses.

Elle a tourné les pages. A passé sans les lire les articles de l'international.

— Il a dû avoir une remise de peine… Il doit régler ses p'tites affaires et il va revenir.

Le sac de Ludo était glissé sous le lit avec les affaires propres à l'intérieur.

— Tu devrais téléphoner à Varces.

Elle a chassé l'idée d'un revers de main.

Elle a souri, doucement.

— C'est bientôt Noël, il va me faire la surprise…

Elle a poursuivi sa lecture, tranquille, confiante, en se penchant sur les pages, ses grands bras croisés. Elle a commenté les faits divers du Val et des villages alentour.

Le lapin était sous la table, il sautait par bonds soudains en frappant le sol de ses pattes arrière. Une serpillière grise pendait sur la corde à linge.

L'Oncle était toujours dans sa cour.

— Tu crois qu'il sait que Curtil revient ?

Elle a levé les yeux de son article.

— L'Oncle ? Il sait tout.

— Je me demande comment tu supportes de le voir tous les jours.

Elle a haussé les épaules. S'est replongée dans son journal.

Un grand peigne un peu crasseux était posé sur l'étagère en verre. Il y avait des photos contre la porte du frigidaire : la Môme sur un petit vélo, la Môme avec son cartable, un portrait d'elle en écolière avec un appareil dentaire qui lui faisait un sourire de métal. Une photo de Ludo au volant d'une voiture. Une autre, lui, dans une rue en ville, avec sa petite moustache. Un cœur fait avec des fleurs. Le dessin au pastel d'un immeuble noir, cinq étages avec des antennes, de nombreuses fenêtres et quelques balcons.

— C'est la Môme qui a fait ce dessin ?

— Oui.

— C'est où ?

— Je sais pas.

— Ça ne ressemble pas à ici.

Le trait était sombre. La rue large, sans personne. Les murs noircis à la craie.

— Tu as vu, elle a fait une croix sur une fenêtre…

Gaby lisait les faits divers en se tenant la tête dans la main.

— C'est pas une croix, c'est un balcon.

Elle s'est redressée.

— Tous des poseurs, elle a râlé en pointant du doigt une photo d'anciens ministres maintenant dans l'opposition. Tu votes pour eux, toi ?

— Non.

— Pour qui tu votes ?

— Je ne vote plus.

L'un des écureuils tournait dans sa roue. Un autre mordait les barreaux.

Je suis revenue vers les photos. Le dessin de cette ville sombre me faisait penser aux quartiers pauvres de Saint-Étienne.

— Viens t'asseoir! elle a dit, Gaby, agacée de me voir tourner dans une si maigre surface.

Elle a poussé la chaise avec son pied, par-dessous la table. La chaise a glissé sur le lino. Je l'ai rattrapée avant qu'elle ne bascule.

Elle a refermé le journal. Elle s'est levée et elle est allée voir les écureuils.

— La nuit, ils ronflent, elle a dit, y en a même un qui ronronne… La forêt leur manque. L'ennui tue les hommes comme les bêtes.

— C'est pour ça, quand tu pars, tu leur mets la télé?

— Pour ça, oui… Ceux qui résistent s'habituent mais ceux-là aussi finissent par crever et faut toujours que j'en capture d'autres.

J'ai pensé aux pinceaux dans le présentoir.

Gaby s'est avancée jusqu'à l'évier. Elle était grande. Vivre dans une si faible place l'obligeait à des gestes lents.

La bouteille d'oxygène était à côté du lit, le masque sur l'oreiller.

— Tu en as eu besoin aujourd'hui? j'ai demandé.

— Le brouillard, c'est bon pour personne.

Elle s'est retournée. Quelqu'un approchait. On a cru que c'était la Môme mais c'était la Baronne, elle revenait de la ville, ramenait la petite épagneule. L'opération s'était bien passée.

Elle ne voulait pas s'attarder, juste me dire que le maçon avait apporté les peintures et que je pouvais venir peindre le char.

— On va quand même boire la limonade, a dit Gaby.

Elle l'a servie dans des petits verres à moutarde ornés de décalcomanies. On a parlé du char et de ce foutu hiver qui allait entasser la neige sur des sols glacés. On a parlé de l'enclos et du défilé.

— Moi, je vais écrire au président, a dit Gaby. Faut qu'il sache comment qu'on vit.

— Il s'en fout, a dit la Baronne.

— Je lui dirai que j'ai voté pour lui et je le remercierai.

— Tu le remercieras ? Et de quoi ?!!!… Il ne la verra même pas, ta lettre.

— Il paraît qu'il lit tout le courrier.

La Baronne a haussé les épaules.

— *Il paraît* n'a jamais sorti une fille de la galère sinon, tu penses bien, ça se saurait !

Gaby n'en démordait pas.

— Il paraît aussi qu'il compatit.

La Baronne a avalé la limonade, elle a reposé le verre.

— La compassion est une vertu. Le sens du partage, ça vient du latin, *cum patior*, je souffre avec… et *patheia*, en grec, sympathie… *Patior, pati, passus sum*, endurer, subir, c'est la même racine. *Passio*, c'est la souffrance. Avec tout ça, on n'est pas loin de la pitié.

Avec Gaby, on s'est regardées.

— Les restes d'une éducation chez les religieuses, a dit la Baronne comme pour s'excuser.

Gaby s'en fichait du latin, elle avait son rêve de vraie maison captif sous son front de butée, alors elle a ouvert le tiroir.

La Môme est arrivée comme elle écrivait l'en-tête sur une feuille de papier. Elle a posé son sac de lycée, a ôté son péruvien et s'est glissée entre nous.

Gaby a laissé la lettre. On a mangé la tarte. Les myrtilles nous ont fait les dents noires. La Baronne s'est tamponné les commissures des lèvres avec son mouchoir.

Gaby m'a poussée du coude.

— C'est une Baronne, t'as vu, elle a les bonnes manières… Elle est née avec des grandes bottes vernies !

La Môme a souri. Elle a récupéré les myrtilles collées au carton.

Gaby m'a fait un clin d'œil.

La Baronne l'a ignorée. Il fallait qu'elle parte.

— T'as des sœurs toi ? je lui ai demandé.

— Non. Rien que des frères.

Elle s'est levée. Gaby a ôté le capuchon de son stylo.

— Tu fais gaffe au lapin en sortant !

Gaby le lui a montré, tapi entre le lit et le divan, il fixait la porte.

— Il est à point, on cherche quelqu'un pour le tuer.

La Baronne nous a toisées, Gaby et moi.

— Celui qui mange la viande doit tuer la bête, elle a dit. Les autres, c'est rien que des lâches.

Je suis allée dîner à *La Lanterne* avec Gaby. Pas de menu au choix, plat unique et couverts rudimentaires. Vin rouge en carafe. Pour l'entrée, hors-d'œuvre à volonté, chacun devait se servir. C'était copieux, pas cher. Imprévisible.

Yvon se servait au buffet. En l'absence d'Emma, le soir, lui aussi dînait là. Il s'est installé à notre table devant une assiette pantagruélique.

Diego s'activait. Son paradis, c'étaient les fours, le jus qui crépite et la viande qui éclate. Il le disait : "Avant d'être du goût, la nourriture, c'est de la musique !'' Il parlait du frémissement des sauces, des viandes qui chantent, du murmure des œufs.

Tout le monde riait. On le traitait de poète.

Il a apporté un Coca à Yvon.

— Tu devrais venir filmer mes gratins, gamin !

— Mon sujet, c'est la piste pas ta cuisine.

— La piste et ma cuisine, ça va ensemble ! Comment tu veux que ces gars travaillent le ventre vide ? Ils mangent ce que je leur prépare et ils aiment ça, et tu sais pourquoi ? On écoute Mozart en épluchant nos légumes. Pas vrai, Francky ?

Francky a tourné la tête.

— Pas vrai quoi ?

— Qu'on écoute Mozart !

Francky a confirmé.

Diego a posé sa main sur l'épaule de Gaby.

— Ça va ? Tu as tout ce qu'il te faut ?

Elle a dit que ça allait.

À deux tables de là, un type bâti comme un semi-remorque racontait des blagues indécentes qui ne faisaient rire personne.

On a mangé l'entrée et le plat.

Gaby ne parlait pas.

— T'aurais pas de l'aspirine ? elle a fini par me demander.

J'en avais pas. Elle s'est cramponnée à la table, s'est redressée. Elle est passée d'un gars à l'autre, a tapé sur les épaules, elle a fait le tour jusqu'à ce qu'un barbu finisse par sortir un tube de sa poche.

Elle est revenue vers nous.

Un rouquin racontait que le fils de Buck avait monté une armoire en kit dans son garage, ça lui avait pris des jours, quand il avait voulu la faire passer dans la cuisine, c'était impossible et il avait dû tout recommencer.

On s'est tous marrés parce qu'on connaissait le fils de Buck.

— Il était absent, celui-là, quand Dieu a mis la cervelle dans le crâne des hommes, a dit Gaby.

— Ou alors c'est lui qui faisait le service…

— Et quand il s'est avancé pour demander sa part, il ne restait plus que des miettes.

— Les miettes, c'est mieux que rien, a dit Diego en rapportant du pain dans des corbeilles.

Tout le monde plaisantait, ça faisait du bien.

— Les miettes, c'est mieux que rien, elle a répété Gaby.

Elle riait tout bas en dodelinant de la tête.

Elle s'est levée, a enfilé son manteau.

Arrivée à la porte, elle riait encore.

Diego est venu ramasser son assiette.

— La reine retourne dans son royaume, c'est ce qu'il a murmuré en la regardant partir.

Mardi 18 décembre

Une matinée comme les autres. J'ai travaillé. Un chapitre encore, la traduction avançait bien mais à ce stade, il m'était encore impossible de savoir si je pourrais rendre le texte fini dans les temps voulus.

À onze heures, la serveuse a ouvert son volet. Elle portait un pantalon sombre et un pull blanc. Les draps étaient les mêmes que ceux de la veille.

Philippe s'était garé devant chez Francky. J'ai traversé la route, je pensais prendre un verre avec lui. Je voulais lui dire aussi pour le pneu crevé.

J'avais pris le livre.

Pour le verre, il n'avait pas le temps.

Pour le pneu, il a répondu que ça arrivait.

J'ai choisi une place à deux tables de la sienne. J'ai lu un chapitre en guettant le camion du boulanger.

Au comptoir, un habitué racontait qu'une femme du hameau des Houches avait téléphoné pour dénoncer sa mère qui sortait à moitié nue de sa maison.

— Et alors ? a demandé Francky.

— Alors rien. C'était pour dire.

Un autre s'est avancé. Depuis quelque temps, son voisin laissait des messages grossiers sur son répondeur alors il avait fait pareil.

— Je vous le dis à tous pour pas que vous pensiez que j'ai commencé le premier.

Francky a hoché la tête, les autres aussi.

Philippe écoutait sans lever le nez de ses papiers.

Une femme était debout, dans l'angle de la pièce, elle attendait pour lui parler.

Derrière la fenêtre, le ciel s'étalait, des pans entiers de lumière qui s'étiraient en lambeaux.

Les vieilles d'ici disent que les enfants ne grandissent pas pendant les mois de froid mais qu'une fois le printemps arrivé, ils rattrapent leurs centimètres. Elles disent aussi que les vieux ne meurent pas davantage mais qu'ils se courbent, s'assèchent, deviennent semblables à des arbres calcinés.

La femme qui attendait tournait ses mains l'une dans l'autre. Son mari devenait fou avec cette histoire de piste, c'est ce qu'elle a confié à Philippe quand elle a pu s'approcher, c'était à cause de sa grange, il paraît qu'on allait la lui prendre pour planter un pylône. Elle a ajouté qu'il y avait nécessité de l'empêcher d'avoir toutes ces cartouches à la maison sinon ça allait se finir en drame.

— J'suis pas flic, a ronchonné Philippe.

Elle a insisté.

Il a dit qu'il passerait.

— Les décisions viennent d'en haut et elles retombent, a dit la femme avant de sortir.

Un vieillard est venu signaler que des balles étaient tirées dans son jardin, il en avait déjà compté huit et ne savait pas qui les envoyait. Il avait apporté les balles pour les montrer. Il a voulu que Philippe les garde.

— Tout ça parce que j'ai des terrains bien placés, ça fait des jaloux.

Il faisait chaud chez Francky.

Au zinc, on commentait tout ce qui se disait, les ragots sordides, les querelles, les haines, on ne perdait aucune bribe, c'était bien mieux que le journal du matin. Ils ont parlé des veaux vivants auxquels les braconniers faisaient passer la frontière. Pour les tuer, il paraît qu'on les aveugle avec une lampe et qu'on leur tire une balle entre les yeux.

Le camion du boulanger s'est garé sur le parking. Il montait au Val deux fois par semaine. Je voulais du pain. Je suis sortie. J'ai attendu mon tour dans la file.

L'après-midi, j'ai pris un moment pour mettre au clair des idées pour la dissertation d'Yvon.

Après, je suis allée au chenil. L'eau des gamelles avait gelé et les chiens avaient soif. La Baronne était en train de briser la glace, elle leur donnait de l'eau. Les chiens buvaient et elle attendait à côté, emmitouflée jusqu'au cou dans une doudoune rose. Le froid lui faisait le visage rouge.

Une chienne jappait derrière sa grille, une bâtarde affectueuse qui avait été adoptée trois fois et s'était toujours échappée.

— Elle est encore revenue ce matin, a dit la Baronne, si elle continue, elle va finir sa vie derrière les barreaux.

Elle était contente que je vienne peindre le char. Elle a tout laissé en plan et m'a accompagnée jusqu'au garage.

En passant, elle a détaché Poum.

L'armature du char avait été recouverte d'une deuxième couche de peinture blanche.

La Baronne a tourné autour, elle traçait des dessins imaginaires. Sous son blouson, elle portait un gilet vert.

— Je t'ai sorti une blouse et des chiffons.

Elle ne pouvait pas s'attarder, elle avait encore des chiens à faire boire.

Elle a entrouvert la bâche.

Elle s'est retournée.

— Des grands chiens, qu'on les voie de loin… Je t'apporterai un café.

Les pots de couleur étaient sur l'établi. J'ai fait sauter les couvercles avec la pointe d'un tournevis. Les peintures étaient recouvertes d'une peau épaisse.

J'ai enfilé la blouse. La seconde couche de blanc avait lissé la surface du bois. J'ai commencé à peindre. Un premier chien et puis un autre. J'ai décoré tout un pan du char.

On avait une chatte dans mon enfance, elle avait un regard étrange, des yeux vairons. L'hiver, quand elle en avait marre du froid, elle grattait contre les portes. Notre mère disait qu'elle devait croire qu'il y avait le soleil derrière, que c'était forcément l'été dans le jardin.

Je l'ai dessinée dans un coin.

J'ai peint d'autres chiens sur l'autre pan, avec des couleurs vives, la peinture séchait vite, il faisait froid, j'ai mis mes gants. J'ai dessiné le cheval et le chien Poum parce qu'il était entré dans le garage et me fixait sans bouger.

La Baronne est revenue avec du café dans deux verres. Tout de suite, elle a reconnu Poum parmi tous les dessins.

J'ai repris la voiture en fin de journée, après dix-huit heures, alors qu'il pleuvait à nouveau. Il faisait nuit. Froid. La lumière des phares faisait briller la route.

Je voulais apporter chez Philippe les notes prises pour la dissertation d'Yvon.

Le car des écoles roulait devant moi, il a stoppé près de l'abribus, des lycéens sont descendus. Dès la porte franchie, la pluie leur tombait dessus.

J'ai reconnu la Môme, elle est partie sans courir, la capuche sur le front et les baskets dans les flaques.

J'ai klaxonné. Quand elle m'a vue, elle a tourné la tête, son visage, elle était magnifique sous la pluie. Elle a sauté sur le siège.

— Dans deux minutes, tu es au chaud, j'ai dit.

Les essuie-glaces battaient l'eau. Les gouttes tremblaient sur les vitres. Même pleins phares, c'était difficile de voir la route.

Je lui ai parlé de la ligne de partage des eaux, là-haut, le destin des gouttes, la Méditerranée d'un côté ou l'Adriatique.

Elle m'écoutait en suivant une goutte avec son doigt, une de ces gouttes curieuses qui remontent les vitres au lieu de glisser.

— Et tes notes, ça va?

— Ça va.

— C'est le bac de français... Tu as beaucoup de devoirs, le soir?

— Assez...

— Et tu lis?

— Un peu.

— Qui tu as, au programme?

— Rimbaud, Voltaire, et les autres...

— Et tu sais ce que tu veux faire plus tard?

Elle ne savait pas. Elle continuait à suivre la remontée tremblante des gouttes.

Je me sentais ridicule avec mes questions. J'en ai quand même tenté une dernière.

— Et pour Noël, tu veux quoi ?

Pour ça non plus, elle ne savait pas.

Je me suis garée devant le bungalow. Sur la vitre, les gouttes qui remontaient sont retombées.

La Môme a repris son sac. Elle m'a regardée.

— Tu as remarqué, dans les films de guerre, sur les champs de bataille, les chevaux ne meurent pas. Les hommes, oui, mais les chevaux, ils se relèvent toujours… Comme si ceux qui filment n'osaient pas les faire mourir.

Avant de descendre, elle m'a dit qu'un jour, elle aurait un cheval à elle.

J'ai roulé jusque chez Philippe. Buck lui avait livré du bois et il fendait des bûches avec la machine. Le moteur faisait du bruit, il ne m'a pas entendue arriver. Il avait un peu vieilli depuis la mort de maman. Il avait pris des cheveux gris et la peau de ses joues était plus sèche. Mais c'était autre chose. C'est la lueur dans ses yeux, la folle jeunesse qui s'était diluée.

Mon corps aussi avait changé, le départ du père des filles l'avait appauvri. Il ne suffit pas de savoir que le temps passe. Philippe tenait de Curtil en plus costaud. Enfants, il nous arrivait de nous battre. J'étais l'enfant du milieu, coincée entre lui et Gaby. Isolée. Les fratries de trois sont-elles plus difficiles que les autres ?

Quand il m'a vue, il m'a demandé d'entrer dans la maison et de lancer le feu.

J'ai traversé la cour sous la pluie.

De part et d'autre de la cheminée, il y avait des bûches et du petit bois. J'ai froissé du papier journal, j'ai glissé les boules sous un fagot. J'ai craqué plusieurs allumettes. La première s'est cassée. Le papier était trop serré, il s'est mal enflammé. Ou c'est moi qui n'aimais pas faire cela.

Quand Philippe est entré, ça ne brûlait toujours pas.
Il a ôté sa parka. Il portait dessous l'un de ces affreux
polos à col rond qu'il mettait seulement quand Emma
n'était pas là.

Il a mis le feu au papier, une seule allumette a suffi,
il a ajouté du petit bois, ça a flambé.

— Tu pourras donner ça à Yvon, j'ai dit en lui remettant la feuille sur laquelle j'avais couché mes
idées.

Il n'a pas demandé ce que c'était. Il devait le savoir.
Il m'a semblé qu'il souriait.

Le journal du jour était sur la table, j'ai feuilleté
les pages.

— Et Emma?

— Quoi, Emma?

— Elle ne revient pas?

Il a poussé un soupir.

— Elle veut des vacances, Emma… Que je la sorte
de là, qu'on parte un peu, elle dit que la vie passe
vite… Tu veux que je l'emmène où, hein?

— J'en sais rien. Le monde est vaste.

Il a mis une bûche dans les flammes, une autre par-
dessus.

— Elle a de ces idées je te jure…

Une escarbille a sauté sur le carrelage, rouge,
brûlante, elle a brillé quelques secondes avant de
s'éteindre.

— Emmène-la à Berlin.

— Qu'est-ce que tu veux qu'on fasse à Berlin?

— Je veux rien… Tout le monde dit que c'est bien.

— Ça ne me dit rien, Berlin.

J'ai ramassé l'escarbille devenue froide.

J'ai fait le tour de la pièce. Le poster du coucher
de soleil, les meubles en pin, la collection d'anciens

moulins à café et la pendule en plastique ronde avec une Bretonne à coiffe peinte au milieu des aiguilles.

— Et Venise, c'est joli Venise, t'as qu'à l'emmener là-bas, y a des gondoles, des gondoliers, et c'est pas loin.

— Il y a trop de monde à Venise.

— Et Barcelone ?

— Barcelone ? Il fait chaud, elle aimera pas.

— Emmène-la à Iakoutsk alors…

— Iakoutsk ?

— En Sibérie, tu ne seras pas gêné par le monde et elle devrait pas se plaindre de la chaleur.

J'ai eu envie de rire. Je me suis mordu la lèvre.

Philippe a haussé les épaules.

— C'est ça, marre-toi !

Il a retroussé la manche de sa chemise. Un sparadrap était collé dans la saignée du coude.

— Tu pourrais me l'enlever ?

— C'est quoi ?

— Une prise de sang… un bilan.

J'ai gratté avec l'ongle. Le sparadrap avait collé à la peau.

— Cholestérol ?

— Un peu…

— Du bon ou du mauvais ?

— J'en sais rien. Tu peux faire vite s'il te plaît ?!! J'ai soulevé un coin.

— Tu devrais calmer sur les croissants.

Il a grogné.

Je suis parvenue à détacher une prise suffisante. J'ai tiré, un coup sec. Le sparadrap a laissé un liseré noir sur la peau. Une marque rouge à l'endroit où j'avais gratté.

J'ai replié le pansement en quatre et je l'ai jeté dans le feu.

Le soir, je n'ai pas eu envie d'aller dîner chez Francky. J'ai préparé une salade de pommes de terre avec des morceaux de jambon et j'ai cassé deux œufs sur des champignons séchés que j'avais achetés à l'épicerie.

J'ai reçu un texto d'Yvon qui me remerciait pour la dissertation.

Mercredi 19 décembre

La serveuse à Francky est sortie sur son balcon mais elle n'était pas seule. Un homme la collait dans les reins, il l'enlaçait des deux bras noués autour du ventre, les mains sous le pull, elle riait, offrait sa gorge, n'arrivait pas à secouer le drap vert qu'elle tenait contre elle.

Elle avait accroché des guirlandes à la fenêtre. Il restait quelques feuilles dans l'arbre.

J'ai cadré.

Avec le père des filles, au début, nous aussi on collait nos cous blancs, lentement, l'un contre l'autre comme des corps de serpents.

J'ai fait la photo d'elle avec les guirlandes contre la vitre, le visage de l'homme enfoui et le drap retenu entre les mains.

En sortant, je suis passée à l'épicerie pour acheter du jus d'orange et des gâteaux au sésame. Je voulais quelques fruits aussi, et les lanières de guimauve que la Baronne avait commandées, deux pleins cartons pour le défilé, j'avais promis de lui rendre ce service et de les récupérer.

J'ai déposé les sachets de guimauve sur la table de la Baronne et je suis allée poursuivre la décoration du char. C'était le milieu d'après-midi.

Ma blouse était là où je l'avais laissée.

J'ai repris les contours en noir, les pattes, les griffes, les rides sur les fronts et aussi les plis des articulations. J'ai tout cerné.

La Baronne est venue s'asseoir sur sa caisse. Elle était vêtue d'une épaisse robe longue nouée à la taille par une bande d'étoffe, portait un collant en laine et un bonnet, on aurait dit saint François d'Assise.

— C'est du beau boulot, elle a murmuré. Et Gaby, ça va?

— Ça va.

On n'a rien dit sur Ludo ni sur la rumeur qui courait. Elle m'a parlé d'un loup qui tournait autour du refuge et faisait gueuler ses chiens.

— Un loup amoureux d'une chienne, elle a dit. Le mois dernier, il s'est glissé sous le grillage. Sûr, on va avoir des bâtards.

— Du sang de deux races, c'est possible ça?

— Possible… Comme les chevaux et les ânes. Quand ils ont des petits ensemble, ça donne des mules.

À six jours de Noël, elle n'avait toujours pas de nouvelles de son enclos.

— Je sais plus ce qu'il faut penser…

À la mairie, on lui avait assuré que sa demande était étudiée en préfecture, elle trouvait le temps long et ça commençait à l'inquiéter.

Des bouts de moquette étaient empilés dans un coin. Avec une grosse paire de ciseaux, elle a commencé à les découper, elle voulait les clouer devant les niches pour protéger les chiens du vent.

— On fait un petit réveillon mercredi soir, si tu

veux venir… Il y aura deux ou trois copains… Chacun apporte ce qu'il veut.

— Gaby sera là?

— Je ne sais pas. Elle dit qu'elle ne veut plus sortir le soir.

Deux femmes sont arrivées, les bras chargés de rouleaux de papier crépon. Des cartons qui débordaient de fleurs et de guirlandes. Elles ont tout porté sur une table à tréteaux. Elles ont entrepris de nouer des attaches de fer autour des fleurs. Leurs papotages se mêlaient aux bruits des ciseaux de la Baronne. Aux frottements de mon pinceau.

J'ai repris en noir le contour du cheval. Les pattes longues et les sabots, les ondulations de la crinière et celles de la queue. Du noir de Mars qui faisait flamboyer les couleurs.

— Ce n'est pas de la flagornerie, a dit la Baronne en levant la tête, mais il n'y a que toi qui pouvais faire ça aussi beau.

Les deux femmes ont stoppé leur causette. Elles ont tourné la tête. Ont commenté en sourdine le compliment amplifié par le mot "flagornerie".

Elles ont repris leurs fleurs et leur crépon.

La Baronne avait mal aux doigts à cause de l'épaisseur de la moquette, couper n'était pas facile, elle a frotté ses mains sur le devant de sa robe de saint François.

— Tu es une vraie baronne? j'ai demandé à voix basse.

— Une vraie.

— Mais ton père, il est baron comment?

— Baron comme tous les barons… Lucien de Meaux, chevalier de la Légion d'honneur, quatre-vingt-huit ans le 22 février. La baronne Marie-Françoise de Meaux, son épouse, quatre-vingt-trois ans le 6 mars. Leurs enfants, le baron et la baronne Michel de Meaux, Régis et Lucie de Meaux, Patrick et Catherine de Meaux, Clothilde de Meaux, votre dévouée ici, à votre service… et leurs sept petits-enfants, Victor, Annabelle, Baptiste, Alice, Loïc, Aliénor, Éloïse.

Elle a repris son souffle.

— Ils ont un caveau familial au cimetière du Père-Lachaise.

Elle a ramassé les bouts de moquette, les a serrés contre sa bure.

— Je suis héritière, à la mort du vieux, je leur ferai vendre le château.

Ce fut une conclusion énoncée sans aucun triomphalisme. Après quoi elle a quitté la place.

J'en avais presque terminé. Restait à surligner de noir les lettres en creux, *La Cour des Miracles*. Il faisait froid. Mes doigts tremblaient.

J'ai rincé les pinceaux.

— Je reviendrai finir demain.

Les deux femmes ont déroulé un drap autour du char, elles l'ont cloué pour dissimuler les roues. Juste après, on a entendu un bruit de moteur et les chiens se sont mis à aboyer.

On est sorties.

C'était Diego qui amenait le tracteur.

Gaby était sur le pas de la porte, elle avait sorti son petit chauffage d'appoint, pour éviter les odeurs elle le faisait démarrer dehors.

— Tu viens d'où avec ce froid ?

— Du chenil… On a peint le char.

Du linge séchait sur le fil, elle avait oublié de le rentrer, le drap avait gelé, le tissu avait durci, on aurait dit du carton.

Marius se balançait sur l'un des sièges du tourniquet,

donnait des petites impulsions, dans un sens et dans l'autre, sans tourner vraiment.

— Ça fait une heure qu'il est là, a dit Gaby, en le regardant. Qu'est-ce qui lui prend tout d'un coup?… Je vais le chasser à coups de pierre.

— Laisse-le, c'est qu'un gamin.

— C'est du sang de mauvais! elle a ronchonné. Et le sang des mauvais se transmet jusqu'à la septième génération.

Depuis l'incendie, elle n'en démordait pas, l'Oncle était un maudit comme tout ce qui descendait de lui et elle avait juré que de son vivant il n'y aurait pas de pardon possible.

Elle a rentré le Zibro dans le bungalow. La Môme terminait un devoir, un questionnaire sur les mers et les océans. Il restait deux jours de lycée avant les vacances d'hiver.

— Tu devrais pas te lier avec lui, a dit Gaby.

La Môme n'a pas levé les yeux.

— Je me lie pas, c'est lui qui vient.

— Tu devrais lui dire que c'est pas chez lui ici.

— On ne peut pas l'empêcher de traverser la route… et le tourniquet n'est pas à nous.

— Le tourniquet est à personne, a dit Gaby.

— Justement, a répondu la Môme.

Gaby a grommelé.

— T'auras beau dire, les chiens font pas des chats.

— Tu ne pardonneras jamais? j'ai demandé.

— Si, quand les poules pisseront.

— Pourquoi tu dis ça? Ça ne pisse pas les poules?

La Môme a souri.

Pas Gaby.

La Môme en avait presque terminé, il lui restait une dernière question.

— On me demande pourquoi il y a de l'eau dans la mer…

Gaby s'est retournée.

— S'il n'y avait pas d'eau, ce serait pas la mer.

Je ne suis pas sûre que la Môme ait noté cette réponse.

Elle a refermé son livre, son classeur, elle a rangé ses stylos. Elle a disparu derrière le rideau épais qui masquait sa chambre. Un moment après, on a entendu la musique, le groupe C2C, *FUYA*, j'ai reconnu l'air, les filles aussi écoutaient ça. Elles étaient allées voir le groupe en concert à Lyon.

Avec Gaby, on s'est assises l'une en face de l'autre. Derrière la musique, on entendait couiner le tourniquet.

— Tu sais, Gaby, Curtil, il devait forcément savoir que la maison n'était pas assurée.

Elle a baissé le front.

— Tout ce que je sais, c'est que si l'Oncle avait fait les choses dans les règles, on n'aurait jamais quitté le Val.

— Tu les fais toujours, toi, les choses dans les règles?

— Tu veux dire quoi?

— Ton bungalow, tu le loues comme Curtil louait la maison, avec des enveloppes et de la main à la main.

Elle ne voulait pas parler de ça. Elle s'est levée en traînant des pantoufles sur le lino. Elle a tendu son menton au miroir. Des poils poussaient noirs. Elle les a épilés avec une pince.

— Tu ressembles à Agnès Jaoui, elle a dit en me regardant dans le miroir. Quand t'es comme ça, avec tes grands yeux ouverts.

— J'ai les cheveux trop courts pour ressembler à Jaoui.

— C'est pas une question de cheveux.

Elle a reposé la pince sur l'étagère. Elle est revenue vers la table, m'a dévisagée par en dessous.

— C'est une question d'allure… Et puis ta bouche, c'est tout comme elle, on croit que tu vas gueuler, on attend et tu le fais pas.

Elle est retournée vers l'évier. Les assiettes de midi trempaient sous une mousse sombre comme de l'écume de mer.

— Je reprends le boulot vendredi, elle a dit.

J'ai détaillé par la fenêtre tout le désordre qui encombrait le devant du bungalow. Une vieille cuisinière, un vélo sans les roues, un transat bringuebalant, une chaise au dossier cassé…

— Ça sert à quoi que tu gardes tout ça ?

— Je vais nettoyer un jour.

Elle a plongé les mains dans la mousse, a remonté des couverts.

J'ai regardé ma montre.

— Ça aussi, elle le fait, Jaoui… Elle regarde l'heure et elle pianote des doigts, comme toi. Elle fait ça quand elle en a marre d'être quelque part. Dans les films… Elle sourit pour faire croire que tout va bien mais elle a les doigts qui disent pour elle… J'aime bien quand je la vois faire ça, ça me fait penser à toi. Et toi, tu l'aimes Jaoui ?

— Je préfère Bacri.

— Il fait toujours la gueule, Bacri.

— Ouais… C'est pour ça que je l'aime.

Elle a sorti une assiette de l'eau et une autre. Quand elle a eu fini, elle a tiré la bonde noire et les canalisations ont avalé l'écume en grondant.

Sur l'évier, il y avait un égouttoir en plastique taché de traînées sombres, c'est le calcaire qui recouvrait tout, l'eau mauvaise.

Je me suis levée, j'ai regardé la photo de Ludo aimantée contre la porte du frigo.

— Tu l'as rencontré quand, Ludo ?

— L'année qu'on a passée à Modane.

— Quand papa travaillait au textile ?

— Oui.

Elle a essuyé les contours mouillés de l'évier, s'est arrêtée, les yeux brillants.

— La nuit, l'idée qu'il est dehors, ça me réveille, j'écoute les bruits, j'imagine qu'il revient.

— Et Curtil ?

— Quoi, Curtil ?

— Tu y penses ?

— J'y pense mais moins qu'à Ludo. Et toi ?

— Moi, j'y pense… Où il est, le dessin ?

— Quel dessin ?

— Celui de la ville.

Elle a jeté un coup d'œil du côté du frigo.

— J'ai renversé de l'eau dessus.

— Et alors ?

Elle a haussé les épaules.

— De l'eau sur du papier… Il était foutu, pas récupérable, j'l'ai jeté.

— Tu aurais pu le sécher ! C'était un beau dessin…

Elle a étendu le torchon humide près de la chaleur du Zibro.

— Elle en fera d'autres.

Je suis passée finir la journée chez Francky. Philippe est arrivé en même temps que moi.

La serveuse a posé devant lui un bock de bière brune. Un lait grenadine pour moi.

Il a bu une gorgée de sa bière.

— J'ai envie d'ouvrir un site… pour sensibiliser les randonneurs à la fragilité du parc. Internet, ça touche tout le monde.

La serveuse portait un débardeur, brides légères, épaules nues. Du fin tissu alors qu'il faisait un froid polaire dehors et que nous protégions tous nos peaux par des pulls qu'on enfilait sur des chemises épaisses et parfois même, pour les plus frileux, sur d'autres pulls.

Elle débarrassait les tables, les hommes la regardaient. J'ai pensé aux photos que je faisais d'elle.

Elle a disparu dans l'arrière-salle avec un casier de bouteilles vides.

Les bûcherons quittaient la scierie. Jean était de l'autre côté de la route, avec d'autres gars. Ils avaient fini la journée, s'attardaient autour des voitures.

Philippe me parlait de son site.

Jean s'est éloigné des autres. Il s'est avancé vers sa jeep avec un gros sac en bandoulière. Il a posé le sac sur la banquette arrière. Trop loin pour que je voie son visage.

Philippe continuait.

— Il faudrait un concept simple avec différentes rubriques. On pourrait insérer des photos nouvelles toutes les semaines, choisir un jour pour les renouveler, le mercredi par exemple… C'est bien, le mercredi, hein ?… Les gens prendraient l'habitude de venir voir les dernières photos et ils feraient défiler le reste… Tout ça, plus un courrier des lecteurs. Tu ne m'écoutes pas ?

— Si, je t'écoute.

— On pourrait parler du chemin d'Hannibal… et des autres chemins, tous ceux qui ont disparu. Et de ceux qui vont disparaître si on les laisse tracer cette piste.

Ses papiers étaient étalés sur la table, il les a regroupés.

— Un site, tu ne saurais pas faire?

— Non. Il faut demander à Yvon.

— Yvon!?

Il a soupiré.

— En ce moment, il n'a le temps de rien.

Un chasseur est entré pour dire qu'on avait volé du bois sur une coupe le long de la courbe sud de la rivière, le larcin avait été vu et dénoncé par un habitant des Huches.

— Et alors? a demandé Philippe.

— Alors rien, ça s'est arrangé, le bois sera rapporté sous deux jours.

Il a hoché la tête.

Il est revenu sur son idée de site.

De l'autre côté de la route, la jeep avait démarré et roulait lentement sur le terre-plein en évitant les flaques. Je l'ai suivie des yeux jusqu'à ce qu'elle disparaisse.

Philippe a fini sa bière.

— C'est le plus bel endroit du monde ici, il faut que ça se sache.

— C'est pas le plus beau, c'est le bout… Le bout du monde.

— Le plus beau aussi.

— On le trouve beau parce qu'on y est nés. Mais si on n'y était pas nés, on passerait la route.

Un de ses collègues lui a apporté le décompte des animaux qui vivaient dans le parc : biches, cerfs, sangliers, renards, jusqu'aux insignifiants, pies, perdrix et alouettes. C'était imprécis car certaines bêtes avaient fui leur territoire à cause des tronçonneuses, on ne les reverrait plus mais il ne fallait pas pour autant les comptabiliser comme des bêtes mortes mais en tant que bêtes déplacées.

La serveuse a traversé la pièce.

Les hommes se sont tus, les plus solitaires badaient la peau laiteuse sous le coton en maille violine du débardeur. Ça leur mettait les yeux rêveurs cette fille qui passait entre les tables vêtue comme au bel été.

Elle devait les sentir sur sa peau, tous ces regards. Elle jouait l'indifférente derrière un sourire tranquille, continuait son allant de travailleuse sur sa claudicante jambe fantôme.

Un habitant du Val a dit qu'il voulait faire abattre des platanes dont les feuilles mortes obstruaient les chéneaux de sa maison. Le maire avait donné son accord. L'épicier a averti que, puisque c'était ainsi, il faudrait abattre aussi celui qui mettait de l'ombre à sa vitrine.

Après, ils ont parlé de la piste. La rumeur enflait, on allait bétonner des prés, planter des pylônes et des remonte-pentes, bâtir un premier hôtel à la place du lavoir.

Le progrès allait amener des inconnus. Un adjoint à la mairie a été pris à partie. Il fallait bien se décider, le Val devait passer le cap, se moderniser, il s'y voyait, la main sur le cœur, bombait le torse, c'en était fini du Val perdu, ce repaire d'archaïsme, on allait enfin avoir le chauffage à la salle des fêtes, le service de minibus, les repas pour les vieux et les boutiques utiles.

Et si tout va bien, un vrai docteur viendra s'installer.

— La première descente, on la fera avec des torches et on renouvellera la fête toutes les années.

Les avis restaient partagés alors l'adjoint a offert une tournée.

Un gars au zinc n'a pas voulu de son verre, il a dit que les bulls, il les ferait sauter.

La sonnerie Vivaldi… Philippe s'est éloigné pour répondre. Il faisait déjà nuit. Un oiseau bleu becquait dans une boule de graisse accrochée à la grille, il se tenait, les pattes rivées aux mailles du filet qui entourait la nourriture.

Philippe est revenu.

— C'est Emma. Elle veut que je vienne passer quelques jours avec elle à Dijon pour les fêtes à Noël.

Il a repris sa place, le combiné serré dans la main.

— Tu penses quoi ?

— Moi ?

— Ben oui, toi…

— Qu'est-ce que tu veux que je pense ?

— Tu penses que c'est plutôt bien ?

— J'en sais rien.

— Tu t'en fous ?

— Mais non, c'est pas ça… c'est ta vie…

Il m'a montré le téléphone.

— Il faut que je la rappelle… Je lui dis quoi ?

Il avait le teint un peu gris, ça devait venir de l'allumage jaune des néons anciens.

— Vas-y, j'ai dit. Ben oui, vas-y, si tu hésites tu y vas… Après tout, Dijon, c'est pas si loin.

Il m'a regardée.

— Tu me dis d'y aller mais toi, t'irais pas.

— Moi, non.

— Alors pourquoi tu me dis d'y aller ?

— Parce que toi, t'es pas moi… et puis c'est mieux… oui, je suis sûre que là, pour toi, c'est mieux… Vraiment, vas-y…

Il tenait toujours son téléphone dans le creux de la main.

Un type a surgi, une face plate, il était furieux parce qu'une bête avait massacré ses poules, il avait trouvé des traces, affirmait que c'était un renard. Philippe l'a dédommagé pour scs volaillcs, a interdit qu'il tue le renard, "on viendra mettre un piège".

Le type est parti.

— Noël, c'est dans huit jours, j'ai dit.

— Et alors?

— Si Curtil arrive quand t'es pas là, j'en fais quoi?

— Je te laisserai les clés. Sa chambre sera prête, il y aura de quoi manger dans le frigo.

Il a passé un coup de fil pour avertir un collègue de la présence du renard.

— Tu seras encore là pour Noël?

J'ai hésité.

— J'en sais rien. Oui, peut-être.

Je m'étais faite à l'idée que Curtil n'arriverait pas avant.

Le bus des tramps s'est garé devant la porte, les hommes sont descendus, ils se sont avancés, tous, ils sont entrés à *La Lanterne* avec les tronçonneuses et leurs gros godillots à crampons. Le chantier fermait et, pour certains, c'était le dernier jour.

Le gros des équipes allait reprendre la route alors ils venaient boire.

Philippe s'est levé. Il a fait deux pas. Je l'ai retenu par le bras.

— J'en ai marre de l'attendre…

— Eh bien ne l'attends pas.

— Je suis ici pour quoi si je ne l'attends pas?

Il n'a pas répondu.

Quelques flocons sont tombés derrière la vitre. C'étaient les premiers. Ils m'ont rendue brièvement heureuse.

L'oiseau bleu a levé ses yeux ronds vers le ciel.

Philippe est revenu vers moi.

— Je vais y aller, à Dijon.

— Bien sûr que tu vas y aller.

Il m'a regardée un peu plus attentivement que d'ordinaire.

— Tu as quoi de plus que moi ?

— J'ai rien de plus, Philippe… Rien… J'encaisse mieux peut-être, c'est tout.

Mon téléphone a sonné, c'était Pierre, je n'ai pas décroché, je l'ai laissé parler, après j'ai écouté le message, il voulait savoir si je travaillais et si je pouvais lui confirmer que la traduction serait finie comme prévu fin janvier.

J'avais aussi un message de Kathia. Elle se moquait de ma fugue montagnarde et de mon attachement au père, me disait des choses douces comme "Tu manques à tout le monde, ici" et "On t'attend tu sais".

Jeudi 20 décembre

Les tramps ont pris une heure pour boucler leurs affaires, une autre pour boire un dernier verre ensemble, une troisième pour se reposer. Ensuite, ils sont partis, les bras tendus aux portières, en braillant qu'ils reviendraient.

On était tous là pour les regarder s'en aller.

Leur départ annonçait le vrai début de l'hiver.

Ils ont klaxonné, des petits coups brefs et bien au-delà du panneau de sortie du Val. Ils ont disparu entre les arbres, sont passés sous le tunnel, on les a revus plus loin, la lumière du soleil semblait faire voler en éclats le pare-brise de leurs voitures.

Et puis rien.

On les a perdus.

On disait que certains se ramèneraient aux beaux jours pour finir la piste, arracher les dernières souches et laisser place nette tout le long de la grande cica-trice.

Quelques-uns sont restés. Ils avaient des contrats à l'atelier ou étaient en attente de petits boulots pour passer l'hiver. Ceux-là n'ont rien touché à l'emplace-ment de leurs caravanes, ils les ont laissées là où elles étaient avant le départ des autres, éparpillées dans les flaques, tout au bout de l'allée, avec la butte derrière.

À onze heures, la serveuse est apparue. J'ai attendu qu'elle tape une taie pour prendre la photo.

J'ai téléphoné à la concierge, elle m'a donné des nouvelles du quartier, des voisins, le clochard de la rue ne quittait plus le trottoir alors elle le nourrissait d'un repas chaud tous les soirs. Le hérisson restait sur le tapis, roulé en boule, il ne supportait pas la solitude dans laquelle nous l'avions laissé. Elle m'a proposé de le descendre chez elle dans son petit jardin. Je lui ai dit non, c'était le hérisson des filles, je ne voulais pas m'en séparer, c'était une question de jours, Curtil allait revenir, Philippe disait pour Noël, et j'allais rentrer.
Et puis je l'ai rappelée pour lui dire qu'elle pouvait.

Après, j'ai eu besoin de marcher.
À part les chasseurs, il n'y avait plus personne sur le bois de coupe. J'ai avancé en me demandant combien de temps je pourrais continuer encore avant de rencontrer quelqu'un.

Je suis allée au chenil et j'ai terminé de surligner mes dessins. J'ai fini les fonds de peinture en repassant sur les couleurs. Le char était prêt, la Baronne était heureuse.
J'ai fait un détour par le garage et j'ai récupéré le pneu de la Coccinelle.
Philippe était en train d'installer un grand baril près d'un poulailler, à quelques pas des poubelles, un piège à renard monté sur deux roues avec une herse qui tombe dès qu'une bête est à l'intérieur.

Je me suis avancée. Les flaques étaient gelées et aussi la fontaine, il y avait des plantes qui poussaient sur cette margelle et qu'on ne voyait nulle part ailleurs.

— Il ne faut pas faire de mal aux renards…, j'ai dit.

Il a tourné la tête.

— Te voilà, toi…

— Me voilà…

Il est allé chercher deux cales en bois dans le coffre de son pick-up.

— Tu sais que les renards, ça tue les poules ?

— Peut-être, mais c'est un renard qui a créé les hommes, en donnant des petits coups de patte dans la boue.

Il a glissé les cales sous le piège. Il s'est redressé.

— Ce n'est pas un renard.

— Maman disait que c'était un renard.

— Non, elle disait un coyote… un petit coyote au pelage roux.

Il a bourré de la paille tout au fond du baril. Il a sorti d'une caisse une poule vivante, l'a tenue coincée sous son bras.

— Et c'est pas avec de la boue qu'il a façonné les hommes.

— C'est avec quoi ?

Il n'a pas répondu. Il m'a tendu la poule, m'a montré le piège.

— Tu te glisses au fond, y a une grille, tu mets la poule derrière et tu refermes.

Je ne voulais pas faire ça. Il m'a assuré que la poule ne risquait rien. Je l'ai prise contre moi, elle avait le ventre chaud.

— Il a fait les hommes avec quoi, le renard ?

— Carole…

— Dis-le-moi ou je relâche la poule.

— Avec de la merde…

— Je ne te crois pas. Tu mens.

— Je ne mens pas. Maman nous racontait tout, après, à Gaby et à moi.

— Elle vous racontait quoi ?

— La vérité des histoires. Elle ne voulait pas qu'on te le répète… Elle disait : "Ne le dites pas à Carole, elle va encore être choquée."

— Je ne me choquais pas !

— Tu te choquais… Pour tout. Toujours… La poule s'il te plaît, tu la poses et tu refermes bien la grille.

J'ai fait ce qu'il m'a demandé. Je me suis baissée. Ça puait à l'intérieur. Il y avait deux mètres de fond. J'ai posé la poule sur la paille, j'ai tiré la grille qui la séparerait du renard.

Elle est restée toute seule avec ses deux yeux ronds qui brillaient dans le fond obscur du piège.

Je suis ressortie.

Philippe a vérifié la herse en la faisant tomber plusieurs fois.

— J'ai eu un chien il y a longtemps, un chasseur de goupils, il entrait dans les terriers, chopait le renard avec les dents et je les ressortais tous les deux en tirant le clebs par la queue.

Sur le tonneau, il a placardé une affiche qui mettait en garde les ivrognes des risques qu'ils prenaient à venir cuver dans le piège. Il est revenu vers son pick-up.

Je l'ai suivi.

— Il y a d'autres choses comme ça, des choses que vous savez, Gaby et toi, et que moi, je ne sais pas ?

Il a fait un geste avec la main, ça voulait dire qu'il y en avait plein.

Il a ouvert la portière, est resté le coude appuyé dessus. Son téléphone a sonné. Il a répondu. Je l'ai vu froncer les sourcils. Il m'a fait signe d'attendre.

J'ai remonté mon col, bourré mes mains dans mes poches. Un camion aux roues énormes est passé sur la route. Des voitures suivaient, les antibrouillards allumés. Un semi-remorque à bâche jaune.

— On a vu Ludo devant le relais routier du carrefour de Marnèche, il a dit après avoir raccroché.

— Ludo ! Qu'est-ce qu'il foutait là-bas ?

— J'en sais rien. C'est un collègue qui l'a croisé.

— Il est sûr que c'est lui ?

— Sûr.

Philippe a marché jusqu'au piège et il est revenu. Le relais était à vingt kilomètres de là, une étape pratique pour tous les camionneurs qui roulaient entre la France et l'Italie, on pouvait y manger pour pas cher, y dormir aussi. Il avait la réputation d'avoir une arrière-salle un peu louche.

— Ludo, c'est peut-être un voyou mais c'est pas un abruti. Et c'est pas le Carlton des enfants de chœur là-bas.

— S'il est vraiment à Marnèche, il finira par revenir ici, j'ai dit.

— Il devrait déjà être ici.

— Il doit avoir ses raisons.

— Mouais… C'est ça, le problème. Il lui restait six mois à faire.

— Gaby dit qu'il a pu avoir des remises de peine.

— Son jugement était sans remise de peine.

— Elle a peut-être payé une caution ?

— Qui ? Gaby ?

Il a ouvert des yeux aussi navrés qu'incrédules.

— C'est à peine si elle boucle ses fins de mois, comment tu veux qu'elle paye une caution ?

— Je ne sais pas.

— Non, tu ne sais pas.

Il est revenu vers la voiture.

— Je vais aller faire un tour là-bas cet après-midi.

— C'est quoi, ton idée?

— Il se planque… De qui, de quoi, j'en sais rien, mais Ludo, il n'a pas que des potes sur cette terre.

Il a ouvert la portière. Il devait partir. Des choses à faire. Marnèche à voir.

— On ne dit rien à Gaby, hein?

— Comme tu veux…

— Et puis on lui dirait quoi? On n'est même pas sûrs que c'est lui.

— Pas sûr, non.

— On lui dira après, quand on sera sûrs.

— Ça me va.

— Tu t'en fous?

— Non! Arrête de me dire que je me fous de tout!

— Quoi! C'est pas vrai peut-être?!

J'ai hésité.

— Ben non, c'est pas vrai.

Il s'est laissé tomber sur son siège. A fait démarrer le moteur.

— Tu fais quoi maintenant?

— Je vais passer au bungalow.

— Si tu veux venir dîner à la maison samedi soir. J'ouvrirai un bordeaux et je ferai un bourguignon. Tu le diras à Gaby…

Marius était assis sur un siège du tourniquet et il se faisait tourner en accrochant les mottes de terre avec les talons de ses souliers.

— Tu es encore là, toi?

Il faisait froid. Il portait une cagoule qui lui masquait la bouche. Je n'ai pas vu s'il m'a répondu ou peut-être souri.

Il avait fini sa journée, son cartable d'école était posé contre un arbre.

À l'intérieur du bungalow, tout était sombre. À cause du forfait électrique, Gaby attendait le dernier moment pour éclairer, elle se contentait ensuite de la petite lampe, et quand la Môme revenait, alors seulement elle allumait le néon complet.

— Les portes, ça fait rien que des courants d'air, elle a dit en tirant le rideau en velours qu'elle suspendait derrière.

Elle avait calfeutré les fenêtres à l'aide de découpes de carton plaquées contre les vitres.

Elle venait de changer la mèche du Zibro. Le bidon de pétrole était encore sur la table. Elle avait dû en renverser en remplissant le réservoir parce que ça puait.

— Tu ne devrais pas utiliser ça…

— Ça coûte moins cher que le courant.

— Mais ça te bouffe tout ton air pur. Tu ne sens pas l'odeur que ça dégage ?

— Y a une sécurité et je laisse jamais brûler longtemps.

C'était un petit appareil qu'elle posait au milieu de la pièce.

— Un kilo de pétrole, ça te brûle trois kilos d'oxygène, tu récupères le poids en gaz carbonique et c'est ça que tu respires. En bonus, ça te fout de l'eau contre tes murs, c'est pour ça que c'est tout pourri chez toi.

Elle a haussé les épaules.

— Ça me chauffe aussi.

— Ça te chauffe humide.

— Tu crois que je le sais pas ?!

Le ton était brutal.

Elle a retiré l'un des cartons qui obstruait la vitre. Le froid faisait briller la route.

Marius était toujours là. Je pensais à Ludo qui était quelque part, peut-être encore à Marnèche. Je me demandais ce que Gaby ferait quand elle apprendrait ça.

— Philippe nous invite pour un bourguignon samedi soir.

— Le soir, je suis fatiguée, j'irai pas.

Elle est revenue vers la table. Un écureuil avait crevé pendant la nuit, sa cage était vide.

— À mon réveil, j'ai senti qu'il y avait moins de vies alors je suis sortie du lit et je l'ai vu, raide comme une planche et le ventre trempé de diarrhée.

— T'en as fait quoi ?

— Je l'ai jeté dehors… brûlera avec le prochain feu.

Le bus est passé sur la route, Gaby a allumé le néon et a fait chauffer du lait.

Sur son tourniquet, Marius fixait l'endroit de bordure où la Môme allait surgir. Quand elle est arrivée, il n'a plus bougé. Il semblait un mendiant de glace.

La Môme s'est arrêtée quelques secondes pour le regarder. Elle ne lui a pas dit un mot. Elle est entrée dans le bungalow, a jeté son sac, ôté son bonnet, son écharpe, son blouson.

Elle ramenait du lycée des joues rouges et un ventre d'affamée.

Une peau épaisse s'était formée et recouvrait la surface du lait. Gaby a soulevé la peau avec une cuillère, la Môme a ri quand la peau s'est collée à ses dents.

Elle a bu le lait chaud assise à la table.

Elle n'a rien dit pour l'odeur du Zibro.

Gaby patientait.

— Qu'est-ce que tu as appris, aujourd'hui ? Hein ? Hein, tu sais quoi de plus ?

Ça la fascinait, Gaby, toutes ces choses que la Môme mettait dans son cerveau.

La Môme n'a pas répondu. Elle a fini le reste du lait. Gaby a laissé passer quelques minutes. Elle a rangé la bouteille. Par deux fois, elle est revenue aux questions du savoir. Par deux fois, la Môme l'a ignorée. À la troisième, elle a bâillé. Elle a fini par lâcher quelques petites choses sur Mai 68 et la poussée d'Archimède, narrant en détail et d'une voix monocorde comment elle avait passé son après-midi à étudier le mouvement de la chute d'une goutte de permanganate de potassium dans de l'huile, pour en conclure au caractère rectiligne et uniforme de ladite chute.

— C'est une question de forces extérieures et de centre d'inertie.

Elle monologuait tout cela, accompagnant son discours par un mouvement de la main, du haut vers le bas, pour imager et bien nous faire comprendre la chute de la goutte.

De l'autre main, elle répondait aux questions d'une double page d'un jeu-concours. Les bulletins tirés au sort gagneraient les services d'une femme de ménage ou des objets qui libèrent du temps comme des plaques chauffantes ou un robot aspirateur.

Gaby s'est penchée sur son épaule.

— Ça sert à quoi que tu répondes à tout ça?

— À gagner quelque chose.

— Gagner des robots qui servent à rien?

— Il faut tenter la chance sinon elle s'en va chez les autres.

Gaby a lavé le bol.

Un *Voici* traînait sur la table, la séparation de Vanessa Paradis et Johnny Depp. Ils étaient si beaux tous les deux, elle, une vraie princesse avec ses longs cheveux pleins de boucles, ses fringues à faire rêver et leur amour à l'eau de rose. J'ai tourné la page. J'ai lu tous les détails. J'y avais cru à leur histoire éternelle. C'était donc fini ? Je ne pouvais pas croire qu'ils faisaient comme les autres, vendaient le château, se partageaient la garde et pleuraient sans doute aussi quand même un peu.

La Môme avançait dans ses questions, la tête penchée sur son épaule.

— Tu as fait d'autres dessins ?

— Non, j'ai plus de craies.

Gaby a préparé son baluchon de travail pour le lendemain, la blouse et les pantoufles et des biscuits pour le dix heures. La Môme continuait son concours.

— Elle était comment, ma vraie mère ? elle a demandé sans lever le nez de sa page.

— Fais pas chier, la Môme.

— Je demande juste.

— Ça sert à rien de compliquer les choses.

— Je les complique pas.

— Tu fais quoi alors ?

La Môme n'a rien répondu.

En levant les yeux, j'ai croisé ceux de Gaby. Avec le balai, elle a ramené les miettes qui traînaient sous la table, la poussière avec, elle a tassé tout ça dans l'angle entre le mur et l'évier, là où il y avait déjà un autre tas.

— Elle était comment ? a insisté la Môme.

— Je t'ai déjà dit.

— Dis encore.

Gaby a reposé le balai.

— Elle était belle, ta mère, avec des cheveux longs et des yeux verts comme les tiens.

— Et sa voix ?

Gaby s'est avancée.

— Je te l'ai dit mille fois… Douce, et la même peau pâle, on te voit, on la voit.

— Ses habits ?

— Une robe rouge cousue de fils brillants comme de l'or.

— Tu mens.

— Et alors ? Y a des mensonges qui font du bien. Il y en a même qui sont mieux que rien. Et puis ta mère, elle avait vraiment une belle robe.

J'ai gardé les yeux fixés sur la tunique en lamé de Vanessa. Le serre-tête en perles.

La Môme est allée se blottir sur le divan, le coussin en faux satin ramené contre son ventre, elle le faisait bruire sous ses ongles, c'était désagréable.

De l'autre côté de la vitre, il faisait complètement nuit. Marius était rentré chez lui.

Gaby était devant la cage vide de l'écureuil mort. La Môme lui fixait le dos.

— Et toi, quand tu vas mourir, ça sera comment ? elle a demandé.

Gaby a haussé les épaules.

— Ça sera simple. Il faudra me laisser… Et pas pleurer.

— Tout le monde pleure les morts.

— Mais les larmes des vivants les retiennent, ça les empêche d'aller là où ils doivent. Et ça servira à rien de venir sur ma tombe, j'y serai pas.

La Môme a plongé la main dans un sac, a sorti des marshmallows. Elle en a mangé plusieurs à la suite.

— Tu seras où ?

— Ailleurs. Le jour de mourir, j'irai dans la forêt, je poserai mon cul sur une pierre et j'attendrai.

— Les loups vont te bouffer.

Gaby s'est calée contre l'évier, les bras croisés sur le ventre.

— Et alors ? C'est très beau, les loups… Je verrai la vie comme eux.

— Quand ils vont te crever, tu ne verras plus rien, a dit la Môme.

Gaby a souri.

— Les rapaces me mangeront, je volerai là où personne ne va.

La Môme s'est redressée sur un coude.

— Les rapaces se font cogner par les bagnoles et ils pourrissent dans les fossés.

— Alors je vais pourrir, a continué Gaby, je deviendrai un arbre.

— Tu as vu ce que les bûcherons font aux arbres ?

— Ils en font des bateaux.

— Non, ils les coupent et ils les brûlent.

Gaby est venue s'asseoir tout près de la Môme, elle lui a pris la main, a joué lentement en dépliant tous ses doigts.

— Alors je deviendrai de la chaleur, je rejoindrai les nuages et, du ciel, je verrai encore tes beaux yeux.

La Môme a laissé rouler sa tête contre l'épaule de Gaby.

— Tu n'as pas peur ?

— Pas plus que ça.

Philippe m'a téléphoné en fin de journée. Il était au relais routier de Marnèche.

— Ludo n'est pas là mais le patron dit qu'un type qui lui ressemble a dormi ici une nuit. Ça ne prouve pas que c'était lui…

Il y a eu un silence durant lequel je l'ai entendu

marcher, des bruits de clés, une portière qui s'ouvre. J'entendais la circulation au carrefour. La portière a claqué.

— Il y a autre chose…, il a dit une fois à l'intérieur.

— Quoi ?

— Des gars tournent, une voiture grise avec des bandes noires. Ils sont trois dedans. Ils le cherchent.

— Il y a toujours des gars qui cherchent. À Saint-Étienne…

— On n'est pas à Saint-Étienne.

J'en suis convenue.

Il a fait démarrer le moteur, a dit qu'il devait raccrocher, qu'on se verrait plus tard.

Vendredi 21 décembre

C'est l'absence de bruit qui m'a réveillée. Un silence étrange. Pas de voiture, pas de camion, tout était assourdi, on se serait cru sous la mer.

J'ai ouvert la porte.

Il neigeait. Enfin !

Des flocons partout, en rangs serrés. Tout était recouvert, le chemin, le banc, les troncs, les planches et les deux grands bulls. Les branches des sapins pliaient sous le poids de la poudreuse et il neigeait encore.

Je suis sortie. C'était beau !! Tellement lumineux ! Où étaient les trois pierres plates ? La petite pelle bleue ? Où, l'arrosoir en fer, la brique rouge ?

J'ai enfoncé mes mains, je trouvais ça merveilleux ! J'avais cru ne pas voir la neige, que Curtil reviendrait avant qu'elle ne tombe.

J'ai marché dans le Val. L'air était frais. Les flocons se posaient doucement, ils effaçaient mes traces.

À cause du mauvais temps, Gaby est montée à l'hôtel à pied, je l'ai vue grimper de son pas lourd, c'était bien avant huit heures.

Je l'ai rejointe. Je lui ai pris le bras.

— Elle a fini par tomber, j'ai dit en montrant le paysage. Tu as vu comme c'est beau ?!

— C'est rien que de la neige…

— C'est magnifique, tu ne trouves pas ?

— C'est froid surtout.

Elle s'est détachée de mon bras.

Je l'ai laissée aller.

La neige tenait sur la route.

La saleuse est passée, suivie par des voitures, les phares allumés.

J'ai continué jusqu'à la sortie du Val. Tout était très calme. Au loin, sous les arbres, le bungalow était isolé.

Quand je suis revenue, c'était l'effervescence. Malgré la neige, on préparait le défilé. La grande rue allait être envahie de monde. Il fallait monter les stands, dresser les tables et fermer le grand pré où seraient parqués les chars.

À onze heures, la serveuse à Francky est sortie sur son balcon, ça n'a duré que quelques secondes. Il restait une feuille dans l'arbre. Une unique feuille accrochée à une branche qui semblait noire.

J'ai pris la photo de la serveuse avec les guirlandes contre sa fenêtre, la rambarde blanche, les draps bariolés et les flocons.

Dans les rues, on faisait des essais de musique avec les haut-parleurs. Au programme, un spectacle donné dans la salle communale, le défilé et puis le bal.

J'ai essayé de travailler.

J'ai partagé une orange en deux. J'en ai vidé la chair en creusant à la cuillère et en prenant soin de ne pas entamer la peau.

J'ai posé les peaux zesteuses l'une à côté de l'autre sur l'étagère, à côté de la boule de verre.

En milieu de matinée, j'ai aperçu Marius, il était agenouillé près des troncs. Je me suis approchée de la fenêtre.

Il enfonçait sa main dans l'épaisseur de neige, les doigts écartés. Il observait ensuite l'empreinte laissée et il recommençait plus loin.

Ses moufles étaient posées sur la poudreuse.

L'autre main était toujours inerte.

C'était une ribambelle de plus de cinquante empreintes qui se suivaient et chacune était un puits de lumière. Il semblait que cela pourrait se poursuivre tant qu'il y aurait de la neige en épaisseur suffisante.

Pourtant, à un moment, Marius est parti après avoir laissé une dernière empreinte et quelques mots illisibles écrits dans le blanc.

J'ai remonté mon col et j'ai marché jusqu'au chenil. La grille était ouverte. L'allée centrale déneigée.

Le char était splendide ! Il y avait du monde autour, des bénévoles qui terminaient d'orner les roues du tracteur avec des guirlandes et des torsades de crépon.

Dans la cuisine, la Baronne découpait ses lanières de guimauve. Elle en faisait des cubes.

Elle avait préparé les piques.

Le bois pour son feu.

Ferait griller tout ça.

— Gaby attend son homme, elle m'a dit quand on s'est retrouvées seules.

— Je sais, oui…

On n'a rien dit de plus. Elle a ouvert une bouteille d'un vin pétillant et mousseux qu'elle appelait crémant d'Alsace. Elle a baptisé le char par quelques aspersions.

On s'est partagé le reste tous ensemble dans des gobelets en carton.

C'est un sanglier qui s'est fait prendre dans le piège du renard. Une bête de cinquante kilos, une capture de hasard et un vacarme d'enfer à l'intérieur. Philippe racontait ça quand je suis entrée chez Francky.

Il avait accroché le tonneau à l'arrière de son pick-up et il était allé relâcher la bête plus loin.

— Et la poule ?

— Morte dans le piège. C'est la terreur qui l'a tuée.

Il a déplié devant moi un document avec des cases et des flèches. Un projet de page d'accueil pour site Internet.

— Yvon est d'accord pour m'aider à l'ouvrir, on a déjà commencé. Ça sera un concept simple avec différentes rubriques, les nouvelles locales, la vie du parc, un espace météo dans lequel on donnera des infos sur l'état des routes…

Sur les pages, il y avait des idées de présentations. Il m'a montré.

— On est en train de préparer la rubrique naissances, nécros, mariages… Il a de bonnes idées. Je suis content de faire ça avec lui.

Gaby est entrée. Elle s'est avancée vers lui, elle a sorti de sa poche un papier qu'elle lui a tendu. Il a déplié le papier, il a lu. A replié le papier et le lui a rendu.

Ils ont échangé quelques mots et elle est allée se faire servir un café au comptoir.

— Y a un problème ? j'ai demandé.

— Non. C'était son nouveau contrat, elle voulait me le montrer.

Philippe s'est attardé sur mon visage.

— Qu'est-ce que tu as ?

— Rien.

— Ta bouche ouverte, c'est jamais rien.

— C'est juste qu'elle t'a montré son contrat, elle aurait pu me le montrer aussi, j'étais là…

— Son contrat ? Tu voulais voir son contrat ?

— Je ne voulais pas le voir… Elle ne me l'a pas montré, c'est tout.

— T'avais qu'à lui demander. Si tu lui avais demandé, elle te l'aurait montré.

— Tu lui as demandé, toi ? Non… Et pourtant, elle te l'a montré.

— Tu veux que je la rappelle ?

Je me suis tendue. J'ai eu envie de partir, brusquement. Retrouver Saint-Étienne, mes rues, mes cafés, mes odeurs, le roulement rassurant des poubelles au petit matin, voir du monde, me plonger dans cette familiarité particulière, refermer la porte et me nicher dans mon appartement-cage, ce creux de ville où m'attendaient toutes mes affaires, les miennes et celles qui me restaient des trois départs, celui des filles et de leur père.

Le cercle imparfait de la lampe se reflétait dans ma tasse. J'ai brassé dans le liquide noir.

J'ai regardé Philippe.

— Quand est-ce qu'il va arriver ?

— Quand tu arrêteras d'y penser.

— Ça devient ridicule…

— Il n'y a pas d'obligation à l'attendre.

— Tu ne l'attends pas, toi, peut-être ?

— Si je l'attends, Carole, mais moins fort que toi. T'es pas bien là, avec nous ? Si tu veux, tu peux t'en aller et je t'appellerai quand il sera là, tu referas la route.

J'ai senti ma colère monter. Être ici me rendait chaotique. C'était un processus. Si on doute de Curtil, on ne l'attendra plus. Et il arrivera.

Ou pas.

Je suis revenue vers Philippe. Il était si calme, lui. Trop calme peut-être. Presque détaché. Insensible. Comment faisait-il ?

Un doute m'a traversée. Fulgurant. J'ai ressenti une montée d'adrénaline. Comme une évidence soudaine.

— C'est pas toi quand même ?

Il m'a regardée par-dessus ses demi-lunes.

— Moi quoi ?

— Les boules de verre…

— Qu'est-ce que tu veux dire ?

— C'est toi qui les as envoyées ?!!

Un sourire a flotté sur ses lèvres. Quelques instants d'une imprécision insupportable.

— Pourquoi j'aurais fait ça ?

— Qu'est-ce que j'en sais ! Pour que je sois là, avec vous ! Pour nous rapprocher. Tu veux toujours que je m'entende bien avec Gaby, que j'aille la voir !

J'avais parlé fort. Des clients se sont retournés.

Philippe a ôté ses lunettes.

Il m'observait, la tête un peu penchée sur le côté, avec une bonhomie tranquille.

— Je serais un boy-scout selon toi, c'est ça ?

Il a ri.

— Je n'aimerais pas trop ce rôle…

Il a remis ses lunettes.

— Non, Carole, ce n'est pas moi. Les boules, c'est vraiment lui qui les a envoyées.

Je me suis excusée. J'avais été traversée par ça. Une idée pas si absurde. Qu'est-ce que j'aurais préféré ?

Un attroupement s'était formé sur le parking autour d'un père Noël assis sur son traîneau. Un traîneau sans ses rennes mais avec des grelots et une hotte pleine de cadeaux.

— Philippe?

— Quoi?

— Est-ce que tu crois que maman m'aimait?

— Bien sûr qu'elle t'aimait.

— Plus ou moins que toi?

— C'était pareil.

— Et Gaby?

Philippe a glissé ses lunettes dans un étui de cuir souple.

— Maman nous aimait tous les trois, elle n'a jamais fait de différence.

— Il y a toujours des différences.

Les enfants se sont regroupés autour du traîneau. La barbe cotonneuse était collée sans soin, elle pendait, rendait ce père Noël peu crédible. Les plus grands devaient bien voir que c'était un faux. Les petits écarquillaient les yeux, éblouis par le rêve rouge. Les audacieux tendaient leurs mains, les timides restaient dans les jambes des mères.

Ils portaient tous des anoraks chauds.

C'était le début des vacances.

Je les regardais par la fenêtre. Il est simple d'être heureux quand on est un enfant, il suffit de voir nos parents tranquilles et de se sentir aimé d'eux, on grandit alors dans un creux de grâce et on a une chance merveilleuse. Mais comment savoir si on est aimé vraiment? Sans ambiguïtés?

Je me souviens, les veilles de Noël, avec quelle gourmandise ma fille aînée mentait à sa cadette, avec quel soin elle reproduisait ce qu'on lui avait raconté, installant le verre de lait sur la cheminée, un dessin, un biscuit, nous lançant un regard complice, devenue grande soudain, et participant en adulte à la transmission de la légende. Elle qui était délivrée, s'efforçait de trahir sa cadette, s'acharnait avec talent, devenait plus menteuse que nous et y prenait du plaisir.

Lors d'une de ces veilles, il m'a semblé qu'elle se vengeait, mais de quoi? D'avoir cru à la trop belle histoire et d'en avoir été dépossédée?

Assis sur son traîneau, le père Noël puisait dans un carton des papillotes qu'il déposait dans les mains mitainées. Les enfants dépliaient les papiers, trouvaient à l'intérieur des boules sucrées, pâtes de fruits, caramels, chocolats.

Un peu à l'écart, Marius épiait sous le couvert des arbres, la main en visière, comme s'il cherchait à apercevoir les rennes qui devaient se reposer ou manger dans les mousses.

Salle des fêtes.

Le spectacle commençait à seize heures. Avant, il y aurait un concours de clochettes, on entendait les sons cristallins des participants qui répétaient derrière le rideau.

Pour quelques euros, on pouvait assister au spectacle, au concours et acheter des parts de gâteau. Le père Noël vu auparavant était installé sur un trône. La salle était bondée. J'ai trouvé une place au troisième rang. Yvon était là et la Môme aussi.

Marius. Ses frères, à l'écart, frondeurs.

Jean, je l'ai vu arriver, il connaissait tout le monde, il a serré des mains. Il portait son gros pull gris à torsades.

Il s'est laissé tomber près de moi.

Il a fait un signe à Marius.

— Tu sais combien de rennes avait le père Noël ?

Marius ne savait pas. Jean lui a dit qu'il y en avait neuf.

— Tu veux les voir ?

Il a fermé ses poings, Marius a dû choisir une main.

Dans le creux de sa paume, est apparu un petit renne en plastique.

— Celui-là, c'est Tornade, a dit Jean.

Il a refermé ses poings. Marius a désigné une main. À l'intérieur, un second renne, celui-là se nommait Danseur.

La Môme s'est approchée, Yvon aussi. D'autres enfants, curieux, attirés, certains regardaient de loin, osaient timidement l'émerveillement.

Calés contre le mur, les deux frères écoutaient.

Marius désignait sans toucher. Il ne souriait pas mais, pour chaque renne trouvé, il levait sur Jean un regard étrange, mêlé de gravité et de stupéfaction. Les rennes sont tous apparus, nés d'un choix de hasard et déposés sur le banc. Il y a eu Furie, Fringant, Comète, Cupidon, Tonnerre et puis Éclair.

Jean a sorti un traîneau de sa poche et il a attelé les rennes.

Marius a froncé les sourcils.

— Il en manque un, il a murmuré.

Jean a compté les rennes, un, deux trois… Il a dû se rendre à l'évidence, le neuvième était absent.

Il a regardé l'enfant, ses épaules minces sous le pull, le cou fragile. Soudain son visage s'est éclairé, il a claqué deux doigts à l'oreille de Marius, et, de ce claquement à portée de lobe, est apparu le renne perdu.

Celui-là avait le nez rouge, Jean a dit qu'il s'appelait Rudolphe et qu'il servait de guide dans les tempêtes.

— C'est grâce à lui que le père Noël trouve le chemin de toutes les maisons, grâce à lui aussi qu'il peut rentrer chez lui une fois sa tournée terminée.

Il a posé Rudolphe sur le siège à côté du père Noël.

— Il est plus petit que les autres mais c'est le plus précieux de tous.

Jean a vu la main inerte de Marius. Il m'a interrogée d'un haussement de sourcils sans que je puisse lui répondre.

Il est revenu à l'enfant.

— Tu surveilles tout ce petit monde ?

Il est parti acheter des paquets de pop-corn.

De tout le temps de l'absence de Jean, Marius n'a pas quitté l'attelage des yeux.

Le soir, c'était la fête des Lumières. La nuit la plus longue. Celle du solstice d'hiver. Les voitures, on les a vues arriver de loin, du bas de la vallée, des communes éloignées, il en est descendu aussi des hauteurs, des qui venaient d'ailleurs, de par là-haut, d'autres endroits, des hameaux isolés et des lieux-dits.

Des jours qu'on attendait ça.

Les anti-Valeuse ont barré la route, ils ont arrêté les voitures pour distribuer des prospectus et dénoncer les dégâts que causerait la piste.

Il faisait nuit. Tout le monde était dehors. Encapuchonné. Les haut-parleurs crachotaient *Douce Nuit*, *Mon beau sapin* et *Vive le vent*, les titres en boucle.

Des guirlandes électriques clignotaient dans les arbres.

Les chars étaient regroupés sur le grand pré à l'entrée du bourg. Le défilé partirait de là et parcourrait toutes les rues. Plus on s'avançait, plus c'était la cohue.

La foule déambulait, compacte. Des visages aux têtes recouvertes de bonnets.

L'épicerie était ouverte et le resterait jusqu'au bout de la fête. Tout le long de la grande rue, il y avait des tables et des tréteaux, on vendait des bols de soupe, du pain qu'on bourrait de moutarde et de saucisses grillées. On patientait devant un vendeur de gaufres. Plus loin, un étrange loueur de bouillottes. Un autre proposait des couvertures. Jamais le Val n'avait été à ce point habité, bruyant, grouillant, odorant.

C'était une nuit où on dévorait sans compter pour fêter le plus court des jours et tous ceux qui allaient venir. Je croisais des gens, hommes, femmes, familles entières qui se gavaient de sucre, engloutissaient sans retenue, comme en souvenir des faims ancestrales, des hivers aux ventres creux, yeux caves, potages trop clairs, des famines inconnues d'eux mais transmises et portées dans la mémoire.

J'ai bu lentement un vin chaud sorti d'une grande marmite. Il m'est entré dans le corps. J'aurais voulu me souvenir de ce premier vin glissé dans ma gorge alors que je n'avais que quelques heures quand Curtil avait bramé, m'avait-on dit, que c'était pour me donner le goût des fortes choses.

Le père des filles affirmait que le temps que l'on passe à se souvenir est du temps que l'on n'a plus pour vivre. Ma mère est morte ne se rappelant rien, un regard fulgurant de terreur quand elle a compris que la débâcle se profilait.

Tous les visages se sont tournés. Tambours, trompettes, cymbales. Un brouhaha confus, mêlé d'applaudissements. C'était la fanfare qui approchait ! Des êtres mi-homme mi-bête, des grosses têtes aux pommettes rouges, sortes de guignols, des ogres et des simples.

Une clameur est montée. Des idiots ont fait éclater des pétards dans des bouteilles de soda. Les chars suivaient la fanfare. Sur le premier, trônait un énorme ours en laine noire. Ensuite, celui des forestiers avec Hannibal et son éléphant de papier mâché. Philippe était sur le char.

Les gamins lançaient des confettis qui s'envolaient dans la nuit. Quand les sacs étaient vides, ils raclaient le gravier.

D'autres chars ont suivi, tirés par des voitures.

Les anciens du Val avaient osé le char funèbre des trépassés.

La Baronne avait allumé son brasier un peu plus loin, le feu à même le goudron. Elle faisait griller ses guimauves, des cubes pastel qu'elle embrochait sur des piques. Elle les vendait à l'unité ou en cornet. Ou alors le cube coincé entre deux biscuits, avec du chocolat qui fondait. Elle disait qu'un seul ne suffisait pas, qu'il en fallait toujours encore alors elle appelait ça des S'more. Les gens devaient patienter pour en avoir.

Je lui en ai acheté plusieurs.

La surface de la guimauve était chaude, caramélisée. À l'intérieur, c'était liquide.

Je me suis assise sur une botte de paille, en lisière. J'ai regardé passer les chars en mangeant les S'more. Le char de la reine, celui des écoles. Celui du curé avec des femmes déguisées en nonnes qui reprenaient le tube joyeux de sœur Sourire. Des jeunes en bande riaient fort, des couples serrés. Près de moi, un poivrot se réchauffait au rhum. Malgré le froid, un nourrisson aux joues rubicondes tétait son lait nourricier au sein découvert de sa mère.

Le chant des nonnes s'est éloigné.

Le char des bûcherons était une forêt en carton. Des serpentins de couleur pendaient aux branches.

Après, j'ai entendu aboyer les chiens. J'ai vu Diego sur le siège du tracteur, il portait une veste en daim avec des franges et un grand chapeau. *La Cour des Miracles* avec lui comme cocher. On ne distinguait presque plus rien de la couleur du tracteur tellement il était recouvert de fleurs. On voyait la tête des chiens par les hublots découpés. Les encolures. Des gueules aux mâchoires énormes. Leurs aboiements furieux résonnaient contre les façades, l'écho amplifiait, couvrait la musique, donnait l'illusion de milliers de cris enchevêtrés.

J'ai vu mes animaux peints.

Quand le char est passé à côté du feu, la Baronne a tendu les mains. Ses yeux brillaient sous le bonnet enfoncé.

J'ai aperçu Yvon.

Deux fois, j'ai vu passer Jean. Il était seul. J'ai vu l'Oncle et sa femme. Ses garçons. Marius.

Yvon encore.

Jean est revenu. Il a acheté un cornet de S'more. Il est venu les partager avec moi.

Mes quatre cousines sont passées, soudées des bras, l'une m'a vue, pas les autres.

Après le dernier char, ils ont tous marché en procession avec des lampions accrochés au bout d'un bâton. Des lampions comme des accordéons en papier multicolore, une bougie brûlait à l'intérieur. Le mouvement faisait trembler les flammes.

Avec Jean, on regardait.

Quelqu'un a jailli du flot et nous a jeté des confettis. On en avait plein les cheveux et sur le col du blouson. Ça nous a fait rire.

— Mon père dit que c'est parce que les hommes ont peur de l'obscurité qu'ils font cette fête, a dit Jean.

Des adolescents traînaient. On nous a vendu des lampions et des billets de tombola. On est restés assis avec nos lampions allumés au bout de nos bâtons. Le papier était fin, on prenait d'infinies précautions afin qu'il ne s'enflamme pas.

Plusieurs fois, Jean s'est penché pour redresser la bougie qui penchait. La flamme tremblait derrière le papier. Elle a fini par s'éteindre.

— Je déneige ce soir jusqu'au hameau de Sourdeval, après je continue jusqu'au cairn de Maldavie, la nuit sera claire en altitude…

Il a rallumé la bougie.

— J'aimerais bien que tu viennes avec moi. Ça me ferait vraiment plaisir.

— Tu vas damer la Face ?

— Oui.

On a suivi devant nous, les lumières de la longue procession.

— Tu viendras ?

Mon regard a vacillé, incertain.

— Je ne sais pas…

— Il faudrait que tu voies ça une fois dans ta vie.

Il a jeté un coup d'œil à sa montre.

— Le temps de tout vérifier, je démarre dans une heure. Tu as peur de monter dans la dameuse ?

— Non.

— C'est bien. Il ne reste plus qu'à le faire alors.

Avec ses mains, il a mimé les deux plateaux d'une balance.

— Tu veux qu'on le joue à pile ou face ?

J'ai rougi. Violemment. On avait joué à ça, déjà, un baiser. Le jour de la colère des chevaux dans le hameau de Sourdeval. "Pile, je t'embrasse !" On n'avait pas su comment oser, alors Jean avait sorti une pièce de sa

239

poche, il l'avait envoyée voler, la pièce s'était retrouvée un instant avalée par la pénombre de la grange, elle était allée chercher notre destin dans l'obscur, jusque sous les poutres il m'a semblé, dans la poussière des toiles, elle avait tournoyé et disparu pour des conciliabules secrets.

Une Semeuse de un franc qui était partie décider pour nous.

Était retombée.

Jean l'avait rattrapée dans sa main droite, l'avait plaquée sur le dos de la gauche.

Face.

Ça aurait été différent comment, ma vie, avec un retour côté pile ?

Il s'est penché, a ramassé son lampion.

— Il faut que j'y aille…

On s'est quittés comme ça. Il est parti en emportant son lampion dont la flamme vacillait au bout de son bâton. Après quelques pas et sans se retourner, il a fait un geste de la main, désinvolte, un mouvement léger des doigts qui dansent et il m'a semblé que c'était la Semeuse qui tournoyait.

J'ai repris mon lampion. La flamme avait roussi l'intérieur en papier. J'ai pensé à toutes les fois où j'avais dit non et aux autres, nombreuses, où les choses s'étaient accomplies poussées par le hasard et sans que je les décide vraiment.

Je me suis imaginé des choses.

Je me suis demandé ce qui se passerait si je partais avec lui là-haut. Il n'était pas trop tard. Je pouvais encore le rejoindre.

J'ai revu sa maison, le foulard, le sapin rapporté et les photos du bonheur paisible dans les cadres en nouilles. Qu'est-ce que je venais faire dans leur histoire ?

Les gens continuaient la fête. Le ciel semblait très noir. Les jours allaient grandir, prendre sur la nuit, quelques infimes minutes et un jour, on en aurait fini avec l'hiver.

Le bal a commencé.

Je suis rentrée au gîte. J'entendais gueuler les fêtards de l'autre côté de la route. Les flonflons assourdis du bal. Je voyais les néons bleus et verts chez Francky.

Jean avait dû franchir le hameau de Sourdeval, sans doute qu'il était loin, peut-être déjà au cairn. On raconte qu'à minuit, tous les ogres de la forêt sortent des grottes et descendent boire dans la rivière, les hommes peuvent alors entrer dans leur antre et découvrir leurs secrets. Mais il paraît qu'on ne revoit jamais les curieux qui se hasardent.

J'ai posé le lampion sur le rebord de la fenêtre. Il restait quelques centimètres de cire pour une petite flamme vacillante. On aurait dit une lanterne dans la nuit. Un fanal au bout du monde.

Je me suis sentie femme de marin qui vient de laisser partir son gars.

J'ai pensé à Jean. J'ai posé ma main sur mon ventre. Il était chaud, légèrement bombé.

J'ai fermé les yeux.

Quand le père des filles m'a quittée, je me suis interrogée sur le sens qu'allait prendre ma vie.

Ma main a frôlé mes seins. Je me suis souvenue quand ils étaient gorgés de lait. Tendus. Je me suis souvenue quand j'étais femelle pour mes filles. Des seins fermes parce que laissés libres. Je me suis souvenue des hommes qui les avaient caressés.

La fouine n'est pas venue, sans doute qu'il était trop tard, l'heure était passée.

Samedi 22 décembre

Il me fallait de l'aspirine et d'autres petites choses que je ne trouvais pas ici comme des cartouches pour mon stylo et une clé USB. Je voulais aussi faire tirer les dernières photos de la serveuse et trouver des craies grasses pour le Noël de la Môme.

Je suis sortie.

Jean était dehors, avec un contremaître, on était samedi pourtant, les ateliers étaient fermés mais depuis des jours ils avaient un problème de courroie sur une machine et ils tentaient de la démonter.

J'ai pris la voiture d'Emma.

Quand j'ai voulu démarrer, je n'ai pas pu, il avait gelé fort dans la nuit, le frein à main était bloqué. J'ai insisté. Au bout d'un moment, Jean s'est avancé.

— Si tu forces encore, ça va casser…

Il a vérifié, a dit que c'était fichu pour aujourd'hui. Il a plaqué un bout de carton contre l'avant du moteur, a enroulé un vieux plaid autour du frein et il est ressorti de la voiture.

— On va le laisser tranquille jusqu'à demain.

Il a appuyé le bout de son index contre mon front.

— Quand ça gèle, on ne tire pas le frein à main, on passe une vitesse.

— On ne peut pas le dégeler ?

— Dégeler le frein ? Avec quoi ?

— Je sais pas… En tamponnant à l'eau chaude ?

— Si tu veux bien, on va éviter ça.

— Au sèche-cheveux alors ?

Il a laissé glisser son regard loin derrière, dans le noir des sapins.

— C'est jamais au niveau du levier que ça gèle, c'est sous la voiture ou au niveau des roues. Tu allais où ?

— En ville.

— Si tu patientes un peu, je te dépose… J'ai une courroie à changer.

Il a regardé les roues en se moquant un peu.

— De toute façon, sans chaînes, tu ne serais pas allée bien loin.

J'ai eu le temps de prendre la photo de la serveuse et Jean m'a appelée.

Il a jeté la couverture du chien sur la banquette arrière.

On a pris la route.

Il conduisait d'une main, me nommait les pics, les glaciers, parlait des pentes et des cimes, des paysages magnifiques, des levers de soleil sur Valmeinier, Val-Thorens et Les Menuires, à vol d'oiseau ce n'était pas si loin ! Une fabuleuse carte géographique en grandeur réelle.

— C'était beau, le ciel, hier soir, à Maldavie ?

— Très beau.

Il m'a regardée de côté.

— Tu as regretté ?

— Un peu oui.

— Ça ne te manque pas de ne plus vivre là ?

— Pas vraiment.

— C'est le paradis pourtant…

— Au bout d'un moment, même au paradis on s'ennuie.

Ça l'a fait rire.

— Tu es devenue une vraie citadine alors ?

Je ne savais pas ce que j'étais devenue. Il m'a dit qu'il aimait prendre sa voiture, quitter le Val et avaler la route. S'éloigner lui donnait un sentiment de liberté. Il m'a lâché comme un aveu, alors que nous étions presque arrivés, que, parfois, il était tenté de partir.

Il m'a laissée sur la place de la cathédrale près d'un grand sapin illuminé.

— Je te reprends à quinze heures, ça ira ? Je vais te donner mon numéro de téléphone, on ne sait jamais.

Il s'est penché, a cherché un papier, il n'en a pas trouvé alors il a écrit sur une cigarette, le numéro griffonné sur la longueur.

On klaxonnait derrière.

— Tu m'envoies le tien en texto ?

L'instant d'après, il était parti.

J'ai remonté la rue. Partout, on préparait Noël. Les vitrines étaient toutes décorées. J'ai acheté un baume à lèvres et une chemise épaisse dans une friperie, de marque Pendleton, cent pour cent laine et *made in USA*.

Des chocolats pour Philippe. Un ballotin de douze marrons glacés pour Curtil. La vendeuse m'a vanté leur saveur incomparable, m'a assuré qu'on en trouvait seulement en décembre et en janvier.

J'ai trouvé une bande dessinée, l'histoire d'Hannibal de Johanna Johnston, les illustrations de W. T. Mars, c'était un livre ancien rangé dans un bac "Occasions". Sur la couverture, Hannibal ouvre la marche sur son éléphant, derrière lui ses troupes longent un ravin.

J'ai acheté la BD et des cartes de Nouvel An avec des paillettes d'argent collées sur le ventre des biches. Une clé USB. Des feuilles de dessin avec un beau coffret de craies grasses et fusains, pour la Môme.

J'ai fait tirer les six dernières photos de la serveuse.

Je suis entrée dans une brasserie, baies vitrées, musique. Du monde. Des visages inconnus. J'ai commandé le plat du jour. J'ai mis le numéro de Jean en mémoire, je lui ai envoyé le mien en texto.

Des gens flânaient sur les trottoirs, les bras chargés de cadeaux, un enfant encapuchonné que sa mère tirait par la main, des amoureux, une vieille femme élégante s'est arrêtée et a vérifié sa coiffure dans le reflet de la vitre.

Je regardais passer les hommes, je pensais que Curtil pourrait être l'un d'eux. Un passant esseulé que je reconnaîtrais soudain.

J'ai téléphoné aux filles, c'était déjà le soir pour elles là-bas, j'oubliais toujours ça, le décalage. Elles étaient dans un bar avec des amis, il y avait du bruit, elles sont sorties dans la rue.

Jean m'attendait à l'heure dite au soleil près de la cathédrale. Il avait pu faire changer sa courroie.

Je lui ai montré mes achats.

On a mis du temps pour remonter au Val. Il faisait froid. La route était blanche. Les chasse-neige étaient passés, il y avait des congères le long des routes.

Je ne saurais pas dire de quoi on a parlé. À un moment, on a vu une biche dans un pré, les pattes enfoncées dans la neige. Il s'est arrêté. Je lui ai dit que parfois, pour certaines choses, il me faisait penser à son père.

Il m'a répondu que je ressemblais aussi au mien.

Il m'a déposée devant le gîte en me faisant jurer de ne pas repartir sans le lui dire.

J'ai retrouvé Gaby appuyée au zinc, le dos affaissé, elle tournait sa cuillère dans son petit crème. Je me suis glissée sur le tabouret voisin.

— Ça va?

Elle a répondu par un sourire. Sans me regarder. J'ai fait un signe à Francky pour un lait fraise.

— Tu as pu aller travailler ce matin?

— Qu'est-ce qui aurait empêché?

— La neige…

Elle a haussé les épaules. Elle brassait son café d'un geste machinal. Fixait les reflets de la cuillère.

— Philippe dit que tu redescends la côte moteur coupé.

— C'est le voyant de la réserve, il clignote.

— C'est pas une raison… Ça te coupe les freins… Il gueule.

Elle a haussé les épaules.

— Il gueule toujours, il m'aime quand même.

Ça m'a fait sourire.

— Il paraît que tu as signé ton nouveau contrat?

Elle a fait oui avec la tête. Je voyais bien que quelque chose n'allait pas. J'ai bu un peu de lait fraise.

— Magnard m'a fait venir dans son bureau, elle a fini par lâcher.

— Et alors?

— Les petits savons, tout ce j'ai pris dans les chambres, les brioches, les confitures, les rouleaux de papier W.-C., il savait.

Elle a poussé un profond soupir.

— En faisant entrer la Môme dans une chambre, j'ai dépassé une ligne invisible mais qui existe quand même. Preuve qu'il y a des choses qu'on ne voit pas et qui sont bien là… Il l'a tracée en rouge, la ligne, sur une feuille, pour bien me montrer.

Elle a posé la cuillère dans la soucoupe. Ça a fait tinter la porcelaine.

— Il veut plus que j'aille dans les chambres.

— Il t'a changée de poste ?

— Ouais…

Elle a fini par me raconter comment, la veille, il l'avait accompagnée dans une pièce en sous-sol. Il y avait déjà une fille en bas, une Nicole, elle lui avait tout montré, la grande table, le fer à vapeur et le chariot avec le linge à repasser, draps, taies d'oreiller, traversins, et aussi les serviettes de bain et les serviettes de table et les nappes. Tout ce qui fait tissu dans un hôtel, tout ce qui se lave était là.

— Le fer est lourd. Je repasse pas très vite.

Elle a tourné son visage vers moi. J'ai croisé ses yeux, il y avait une immense fatigue à l'intérieur.

— Dans la pièce, y a des néons comme à la prison quand j'allais voir mon Ludo.

Elle s'est forcée à sourire.

— C'est les débuts qui sont difficiles à cause des habitudes qui changent… Avec la vapeur, il faut que je prévoie une chemise légère. La femme de Magnard est venue me voir, elle m'a causé, elle m'a apporté aussi ses habits à repasser. Pendant que je le faisais, elle a revu sa manucure.

Elle a relevé le front, décidée à avaler ça en brave.

— Repasser, je ne sais pas si j'aimerai faire ça un jour… Tu te rappelles, avant, je voulais être postière…

c'était mon rêve, vendre des timbres, peser des lettres et mettre les tampons.

— Je me rappelle.

Elle a laissé glisser deux sucres dans son café.

— Après, j'ai voulu être institutrice. Coiffeuse aussi, mais pas longtemps. Tu te souviens ?

— Oui, Gaby…

Elle a bu son café. Il devait être froid.

Elle a reposé sa tasse.

— Et puis j'ai compris que vouloir, ça servait à rien. Que je serais jamais tout ça. On devient juste ce que la vie veut. Et la vie, elle a voulu que je recouvre les lits des autres. M'occuper des chambres, moi, j'ai jamais voulu faire ça, c'est la vie qui a décidé pour moi. Et maintenant, elle veut que je repasse les draps.

Elle a gratté dans le fond de sa tasse la pâte sombre formée par le sucre fondu.

— Ça me fait trop rien, c'est juste que j'y pensais pas.

— Arrête Gaby…

Elle a léché la cuillère de tout ce sucre épais. Elle a reposé la cuillère dans sa tasse. A regardé les images qui défilaient sur l'écran.

— Moi, quand je rêve des choses tristes, je vois en noir et blanc, mais si c'est gai, je vois en couleurs. Et toi, tu rêves comment ?

— Comment ça, comment je rêve ?

— En noir et blanc ou en couleurs ?

— Je sais pas.

— Tu sais pas ?

Elle a ramassé son sac.

— Tu pars déjà ?

— Faut que je passe au bureau d'aide sociale. Tu peux venir chez moi, après, si tu veux…

Elle s'est avancée vers la porte.

— M'sicu dames…

Elle a salué tout le monde en chaloupant un peu.

— Ça va pas fort, ta frangine, aujourd'hui, a dit Francky en la regardant sortir.

J'ai rejoint Gaby un moment après, chez elle. On lui avait donné un colis de Noël. Elle m'a montré, des papillotes, une boîte de pâté, un flacon d'eau de violette et d'autres choses dissimulées en surprise sous de la paille synthétique. Elle avait également reçu un bon pour la consommation et avait fait quelques achats, des trucs qui lui faisaient envie quand elle allait à l'épicerie, des chocolats, le DVD de *La Vérité si je mens III*, un shampooing pour coloration des cheveux "cuivré acajou profond".

Et un pack de six bières.

— Tu bois ça, toi ?

Elle a souri, les yeux plissés.

— Non, c'est pour mon Ludo.

Elle a mis le pack dans le frigo. Le flacon de violette sur l'étagère.

— Il sera là à Noël.

— Comment tu le sais ?

— Je le sais. Il va arriver quand on s'y attendra pas.

— T'es pas inquiète ?

— Non. Et Curtil aussi, il sera là. Ils seront avec nous tous les deux.

— Je voudrais bien te croire.

— Je te le dis. Tous les deux. Et toi aussi tu seras là ! On ira faire la fête chez la Baronne !

Elle a dit ça en riant.

Elle était sans impatience. Confiante.

Elle a rangé les autres achats, a jeté la fausse paille dans la poubelle avec les choses inutiles.

— T'es partie avec Jean ce matin?… C'est Philippe qui m'a raconté.

Je n'ai pas répondu. Ça m'agaçait qu'ils parlent de moi quand ils étaient ensemble. Ça m'agaçait aussi qu'on ne lui dise pas pour Marnèche.

— Les mouches suspendent leur vol, elle a murmuré à cause du silence soudain.

Elle a ouvert le flacon de violette, en a tamponné son mouchoir.

— T'es en colère parce que Philippe m'a dit c'que t'avais fait?

— Je ne suis pas en colère.

— Si tu voyais ta tête.

— Elle a quoi, ma tête?

— Elle a qu'elle ferait rire une borne.

Elle a respiré l'odeur sur son mouchoir. On est sorties sur le pas de la porte. Il y avait une bonne épaisseur de neige sur le toit du bungalow et aussi sur celui de la Volvo.

— Si ça fond pas, je demanderai à Diego.

Malgré le froid, Marius était sur le tourniquet.

— Tu passes chez l'ennemi? lui a demandé Gaby.

Il a penché la tête sur le côté. La neige croûtait le bas de son pantalon.

— Tu sais quand même que c'est pas ta maison ici?

Elle a mis ses bottes et elle est allée jusqu'à la boîte aux lettres, a retiré des prospectus et un catalogue Damart.

Elle est revenue, a poussé la porte. Avant d'entrer, elle s'est retournée.

— Et je suis pas ta mère non plus… Et la Môme, c'est pas ta frangine.

Elle a posé le Damart sur la table.

Sur la grille de la gazinière était posée une casse-role avec des ailerons de poulet et quelques légumes vapeur.

— Ça fait trois jours qu'on en mange, la Môme râle…

Elle a regardé le lapin. Et puis moi. Tour à tour. Un regard insistant. J'ai compris le sous-entendu.

J'ai fait non avec la tête.

Elle a fait bouillir de l'eau, a laissé tomber trois œufs dedans. Il n'y avait pas d'autres bruits que celui de la respiration un peu forte des écureuils et de l'eau qui bouillonnait en roulant les œufs contre la paroi de la casserole.

Elle a regardé dehors, par la fissure du carton. Du côté du tourniquet. De chez l'Oncle. La route aussi.

Elle est restée là de longues minutes.

Quand elle est revenue vers la casserole, les œufs oubliés avaient éclaté, les coquilles étaient fendues, le blanc avait cuit dans l'eau, ça flottait, on aurait dit du pop-corn.

Je suis arrivée chez Philippe un peu après dix-neuf heures. J'ai posé les chocolats sur la table, la bande dessinée. Sur le guéridon, une paire de gants et du courrier. Des chaussettes traînaient sur le paillasson, à côté de deux bottes éculées.

Un feu brûlait dans la cheminée.

Philippe était aux fourneaux.

Le bourguignon était cuit. Les morceaux baignaient dans une marinade épaisse maintenus au chaud à feu tranquille.

— Ça sent bon chez toi…

— Trois heures que ça mijote, il a dit en ôtant son tablier.

Il a ramené une sauce fumante dans le creux d'une cuillère. J'ai goûté. C'était délicieux. Il a poivré de quelques tours de moulin supplémentaires.

— C'est un bonheur de faire la cuisine quand on sait qu'on va manger… Après, tout est sale, les assiettes, les casseroles, même les odeurs dégoûtent, ça prend des allures tristes. Mais avant, quel plaisir ! Regarde ce que j'ai trouvé !

Du menton, il m'a montré une bouteille sur la table, un pessac-léognan, noir, château-picque-caillou 2008.

Le vin était ouvert, je l'ai respiré.

J'ai rempli deux verres.

Le pessac avait des saveurs de mousses. De fruits noirs. La cerise peut-être.

Curtil avait une cave sous la maison, des dizaines de bouteilles, elles ont toutes explosé dans l'incendie. Il nous faisait croire que c'étaient des grands crus mais c'étaient juste des jolies étiquettes ou des beaux noms et maman n'y connaissait rien.

Philippe a reposé la cuillère en équilibre sur la marmite. Il a feuilleté la bande dessinée, le papier sentait le champignon. Il s'est arrêté sur l'une des gravures, des soldats en bivouac entre deux grandes montagnes.

— Tous les éléphants étaient morts, il n'en restait qu'un, c'est celui qui est devenu la monture d'Hannibal.

Il a vu l'emballage des chocolats. Il a renversé la boîte pour lire l'étiquette explicative.

— Tu es partie avec Jean ce matin ?

Je n'ai pas répondu.

Il m'a regardée par-dessus ses lunettes.

— La voiture d'Emma ne suffisait pas ?

— J'ai laissé geler le frein à main. Il devait changer une courroie, il m'a proposé de faire la route avec lui.

Il a respiré le vin.

— Tu sais qu'il est marié quand même ?

— Tu es lourd, Philippe…

— Je te le dis, pour le cas où.

— On se parle, c'est tout.

— C'est ça, prends-moi pour un con.

Il a goûté le vin, les yeux fermés.

— Le tanin est fort, chaleureux. Cette cuvée vient directement du paradis ! Je t'assure, ils ont des vignes au ciel…

Il a reposé son verre. Il a sorti les assiettes, les a disposées sur la table.

J'ai bu un peu de ce vin, lentement.

— Tu sais que Vanessa Paradis et Johnny Depp se séparent ?

— Tu es sérieuse ?

— Ben oui… Fait chier, hein ?

— Fait chier, ouais…

Il a soulevé le couvercle de la marmite, a donné deux tours lents de cuillère.

C'était prêt.

— Et Emma ? j'ai demandé.

— Quoi, Emma ?

— Elle va revenir après Noël ?

— Elle fait ce qu'elle a à faire, après elle revient, oui. Pourquoi ?

— Je demandais juste.

— Qu'est-ce que tu veux que je te dise, sa mère est vieille !

— T'énerve pas…

— Je m'énerve pas, c'est toi avec tes questions !

— Je disais ça comme ça… T'as un drôle d'air quand elle n'est pas là.

— Qu'est-ce qu'il a, mon air ?

— Il est inquiet…

— J'suis pas inquiet ! Qu'est-ce que tu vas penser !

Ça devenait électrique.

Il a sorti deux serviettes et le pain.

— Elle va revenir et quand elle sera là, je te dirai.

Il a posé la marmite sur la table. Il a rempli les assiettes, des parts débordantes.

— C'est facile à faire le bourguignon, mais c'est long.

On a parlé des vins de Bordeaux et d'ailleurs. Du picque-caillou. Des autres.

Le journal du jour était sur la table, "Le Val-des-Seuls entre en guerre".

On a parlé de la piste. La présence des deux bulldozers avait mis le feu aux poudres et le ton était monté d'un cran entre ceux qui voulaient exploiter le parc et les autres que l'on appelait poétiquement les défenseurs de la pâquerette.

— Ça fait un an que ça se complique entre le parc et les stations. Ils veulent exploiter leurs cimes comme ils l'entendent alors en face, forcément, ça s'organise.

Le vin était délicieux sur le bourguignon.

On n'a pas parlé de Ludo ni de Marnèche.

Philippe avait préparé une petite salade de doucette que l'on a mangée avec du fromage et du pain.

Il restait du vin.

— Tu te rappelles le gâteau que maman préparait pour les retours de Curtil ? j'ai demandé.

— Je me rappelle…

— Dans ton souvenir, il est comment ?

— Croûteux dessus et mou dedans. Ce n'était pas un gâteau très épais.

— Et le moule ?

— En fer. Elle faisait fondre le chocolat avec du beurre dans une casserole, elle me laissait lécher les parois.

— Elle le démoulait au torchon et le posait dans une assiette.

— Ça, je me rappelle pas.

— C'était un gâteau sombre, elle devait utiliser du chocolat noir. Elle en refaisait un chaque matin et elle nous interdisait d'y toucher… Elle disait que c'était le préféré de Curtil mais je ne l'ai jamais vu en manger une seule fois. Et toi?

— Je ne me souviens pas. Nous, on avait le droit de manger celui de la veille, il restait moelleux trois jours.

— Elle mettait quelque chose à l'intérieur, c'était quoi?

— Des écorces d'orange.

J'ai tourné mon verre entre mes mains. Le vin brillait dans la lumière.

— Elle ajoutait une poudre dans la pâte…

— Du sucre?

— Non, autre chose. Elle en mettait dans une cuillère, on aurait dit de l'or. Je pensais que c'était un philtre d'amour. L'odeur était vraiment particulière.

Il est allé farfouiller dans des flacons sur l'étagère. Est revenu avec une fiole d'épices.

— C'était ça?

Il m'a fait sentir.

— C'était ça! De la cannelle! Tu crois qu'on pourrait en faire un? j'ai demandé.

— Faire quoi?

— Un gâteau pareil à celui-là.

— On n'a pas la recette.

— Non, mais on a nos souvenirs, il suffirait de les réunir… On pourrait demander à Gaby.

Il a fini son verre, s'est calé dans le fond de sa chaise, m'a regardée avec un drôle de sourire.

— On ne fait pas revenir les pères avec des gâteaux, Carole.

Je me suis détournée.

Sur la table, il y avait un catalogue Spécial Fêtes. À l'intérieur, des jouets, des poupées toutes plus parfaites les unes que les autres.

Le matin de chaque Noël, notre mère nous filmait quand on descendait l'escalier. Elle faisait ça toutes les années. Elle insistait tellement. Le jour de nos dix-huit ans, elle nous a donné une compilation avec tous nos Noël.

— Tu l'as toujours, la copie ?

Philippe s'est levé, il a ouvert le petit meuble sous le téléviseur, a fouillé dedans. Il a brandi une cassette.

— On la regarde ?

Il l'a glissée dans le lecteur. Les premières secondes, on ne voit rien, seul l'écran gris avec des pixels tremblants. Et puis Philippe apparaît en haut des marches, pieds nus, en pyjama, trois ans à peine, ça nous a fait rire. Après, on passe au Noël suivant, il est encore tout seul. Après, il est un peu plus grand, et moi je suis derrière, on sort l'un après l'autre. Jusqu'à mes six ans, c'est toujours le même escalier. On entend la voix de maman, elle nous demande de nous asseoir. On s'assoit. Après, il y a Gaby. On ne voit jamais le sapin, seulement les marches. Et puis l'escalier change, c'est d'autres tapisseries, d'autres murs, d'autres maisons. Parfois, il n'y a pas d'escalier, c'est un couloir. On grandit. On perd nos joues bombées. Sur le dernier Noël, on est adolescents, nos bras sont encombrants, plus de pyjamas, maman a beau nous dire de sourire, on ne sourit pas.

Fini.

La cassette a claqué. L'écran noir. Philippe s'est levé.

— C'est court, une vie, hein ?

— Court, oui.

On a attaqué les chocolats.

— Philippe ?

— Mmm ?

— Le jour de l'incendie, quand maman nous a redescendus tous les deux, tu te souviens de quoi ?

— De quoi tu veux que je me souvienne ? J'étais dans ses bras, je regardais la porte.

— Contre le mur, il y avait un miroir, qu'est-ce que tu as vu ?

— Je te dis que je regardais la porte. Tu ne vas pas recommencer avec ça ?

Les chocolats étaient enveloppés de papier, j'ai jeté une boule dans le feu.

— Maman s'est approchée de Gaby et de moi, toutes les deux, on était contre le mur du grenier. Elle a tendu la main.

— Elle a tendu la main, oui, et alors ?

— Comment elle a choisi entre nous deux ?

— Elle n'a pas choisi.

— Elle a forcément choisi.

— C'est dans ton esprit tout ça.

Les larmes de Gaby ploquaient sur le plancher. La main de ma mère était à quelques centimètres. Depuis des années, je pense à ça.

Avant l'incendie, je croyais que nous étions indestructibles. Que le doute, c'était pour les autres. Notre famille était un bloc que rien, jamais, ne pourrait fissurer.

— Est-ce que tu as vu mes yeux ?

— Quoi, tes yeux ?

— Quand j'ai regardé maman, mes yeux, ils étaient comment ?

257

— J'en sais rien, comment ils étaient ?… C'étaient tes yeux…

Il a ajouté une bûche sur les chenets.

Il a ramené dans le centre de l'âtre les branches de fagots tombées sur les côtés.

Il est resté un long moment à fixer les tisons incandescents et les flammes nouvelles, une main appuyée sur le rebord de la cheminée, le front contre le bras.

La lumière éclairait une partie de son visage.

— Tu te souviens trop, Carole, il faut te dépolluer de tout ça.

Dimanche 23 décembre

À onze heures, la fenêtre de la serveuse ne s'est pas ouverte. J'ai attendu. J'avais décidé lors de la huitième photo que, même en cas d'absence, je prendrais un cliché.

J'ai décidé aussi que ce cliché fait en l'absence de la serveuse devrait se prendre juste avant midi. Qu'après midi, plus aucune photo ne pourrait être prise.

Les minutes passaient. Le balcon restait vide. La dernière feuille de l'arbre était tombée, il y avait de la neige sur la rambarde.

J'ai attendu.

Sur l'étagère, la boule de verre, les peaux d'orange et le ballotin de marrons glacés que j'avais rapporté pour Curtil.

Les photos de la serveuse dans une enveloppe en kraft.

Lors de la dixième photo, le balcon était resté vide mais cela était peut-être dû à mon retard. Ce jour-là, impossible de savoir si la serveuse était sortie ou pas, le cliché resterait entaché de ce doute.

Aujourd'hui, c'était différent. Je ne m'étais pas absentée, c'était donc mon premier vrai matin sans qu'elle ne sorte.

J'ai attendu encore, jusqu'à la limite de temps qui m'était imparti.

Quelques secondes avant midi, j'ai dû me résoudre à photographier le balcon et la fenêtre fermée.

J'ai bu un chocolat chaud à *La Lanterne*. Francky avait changé les cendriers, un sur deux seulement, de forme et de plastique plus modernes.

Il avait suspendu des guirlandes autour du tableau publicitaire, *Bières, Vins...* suivait un autre mot que la guirlande cachait et que j'avais lu des dizaines de fois sans que je parvienne pourtant à m'en souvenir. Je fixais le panneau, la calligraphie cachée, cherchais un indice, un morceau de lettre qui me révélerait l'ensemble du mot. Digestifs, peut-être...

J'ai fini mon chocolat.

C'est un employé communal qui avait misé sur le bon jour pour la tombée de la neige, un petit homme ni grand ni costaud, un sobre, il a gagné son tonneau, l'a laissé sur la table, une pile de verres en plastique à côté. Du vin qu'il fallait boire en partage, c'est ce qu'il a dit, j'ai dû trinquer avec eux pour ne pas passer pour une fière. J'ai mis ça en bouche avec le sourire et j'ai avalé sans broncher un verre entier de cette piquette au goût de vinaigre qui est venu broyer le bon goût du chocolat.

Philippe est entré d'un coup, il est venu droit sur moi. Il m'a pris le bras.

— Emma revient !

Il m'a entraînée loin du tonneau et du zinc.

— Je vais la chercher à Dijon, on passe Noël là-bas et on rentre ensemble.

— C'est bien, j'ai dit.

Il s'est arrêté. Stupéfait.

— Quoi c'est bien?

— Ben, c'est bien… Je suis contente pour toi.

— C'est tout ce que tu trouves à dire?

— C'est pas non plus… Sa mère va mieux alors?

— Non, pas mieux. C'est pas non plus quoi?

— Qu'est-ce que tu veux que je te dise?… Emma s'en va, Emma revient… Tu pars quand?

— Là, tout de suite.

— Et Yvon part avec toi?

— Bien sûr, oui. On revient mercredi… Tu seras encore là?

— Je pense.

J'ai trouvé ce départ un peu précipité. Autour du tonneau, les hommes nous regardaient en silence.

— Tu as prévenu Gaby?

— Je vais chez elle maintenant.

— Tu me laisses les clés de chez toi pour si Curtil revient?

Juste après son départ, on a entendu des bruits de pas et du remue-ménage sur le sentier qui rejoint la rivière.

On est tous sortis pour voir ce qui se passait. Des dizaines de femmes se suivaient, elles allaient en direction de la rivière. D'autres en revenaient, courbées sur des paquets lourds qu'elles portaient serrés dans leurs bras. Les bottes creusaient le sentier de sillons parallèles faits de neige et de boue.

Personne ne parlait. C'était très surprenant. C'est vers la ligne de chemin de fer qu'elles convergeaient toutes. Je me suis glissée à leur suite, insérée dans l'étrange procession. J'entendais le bruit de la neige écrasée, le froissement des foulards de nylon, les souffles rapides. Parfois, un juron. J'essayais de deviner ce que portaient celles qui revenaient.

Un train était bloqué sur les rails, près du vieux pont, un mur de neige tassé sous les roues de la première locomotive. Il y avait des voyageurs à l'intérieur des wagons, les visages plaqués aux fenêtres, des fillettes leur lançaient des boules de neige qui s'écrasaient contre les vitres, ils ne risquaient rien mais ça les faisait reculer.

J'ai remonté toute la longueur du train.

J'ai croisé des corps. Aucun regard.

Le dernier wagon qui servait aux marchandises était renversé dans la neige. Le choc avait ouvert les portes, l'intérieur était béant au ciel. Et c'est vers ce dedans sombre que les femmes se dirigeaient.

C'est aussi de là qu'elles revenaient. De ce qui avait été vomi sur la neige et qu'elles ramassaient et emportaient. Partout, les mêmes paquets semblables, des choses pâles enveloppées dans des sacs en plastique transparent.

À l'intérieur de chaque sac, il y avait une dinde. C'est cela que le wagon avait rendu. Une manne du ciel, sous forme de viande, juste avant Noël. La providence destinée à d'autres tables. Et échouée là. Au Val-des-Seuls.

Déversée.

C'était une rapine silencieuse pour des femmes sans rires. Sans gaieté inutile. Seulement des pas lourds qui faisaient craquer la neige.

Les mères puisaient dans le tas, chargeaient leurs enfants.

Une jeune voyageuse errait au milieu de cette foule, hébétée, c'était une fille obèse, elle se faisait bousculer avec sa valise, regardait autour sans trop savoir que faire.

Une vieille femme reprenait son souffle contre un arbre, une buée courte sortait de sa bouche, des gamines l'ont cernée, elles voulaient lui prendre son larcin, ou jouer à cela pour la tourmenter. Elle a levé la main, a brandi sa canne.

Le contrôleur a dit que le train ne repartirait pas avant plusieurs heures, un bus allait venir et descendre tout ce monde en ville, de là ils pourraient prendre un autre train et poursuivre leur voyage.

Il a conseillé d'aller à *La Lanterne* où on servirait à tous des repas chauds et des boissons.

J'ai vu Gaby, elle avançait à la suite des autres femmes, repliée, une dinde sous chaque bras, elle bougeait les lèvres, chapardait en psalmodiant cette viande providentielle.

Je suis revenue à *La Lanterne*. Malgré l'heure, Diego s'était remis en cuisine. J'ai commandé le plat du jour. Je n'avais pas de monnaie, Francky a dit que je paierais plus tard. Il était seul pour le service, sa serveuse était en congé pour quelques jours avant le coup de feu du réveillon.

La fille obèse avait gardé son manteau, sa valise était posée à côté d'elle, elle portait des mitaines à rayures. Elle était pâle et fatiguée. Des hommes au comptoir se poussaient du coude en la décrivant avec des mots obscènes. Yvon est venu lui parler. Il l'a entraînée loin d'eux, dans la deuxième salle.

Les autres voyageurs se sont regroupés à d'autres tables. Ils discutaient entre eux. Que pensaient-ils de ce Val inhospitalier où ils venaient bien involontairement d'accoster? De ses manières de sauvages?

Ils ont été bloqués une heure. Après, les bus sont arrivés et ils se sont tous levés, pressés d'en finir. La fille est partie aussi. Yvon l'a accompagnée. À la porte du bus, ils ont échangé quelques mots.

La fille est montée. Yvon a agité sa main.

Elle aussi, derrière sa vitre.

Les mains de la fille, dans les mitaines à rayures.

Sur l'évier de Gaby, il y avait une assiette avec des os rognés. Un filtre empli de marc de café. Une portion du bourguignon que Philippe avait apportée dans une boîte avant de partir à Dijon.

Gaby a glissé la boîte dans le frigidaire.

La Môme fixait l'écran en détachant les pétales d'une marguerite de serre qu'elle avait trouvée près de la poubelle du cimetière.

Gaby s'est penchée.

— Tu lances les étamines et celles qui retomberont sur le dos de ta main te diront combien tu auras d'enfants.

— J'aurai pas d'enfants, a rétorqué la Môme.

— Il faut en avoir…, a dit Gaby, sinon qui s'occupera de toi quand tu seras vieille ? Hein ? Et qui c'est qui t'apportera tes médicaments et ton pain ?

La Môme a détaché un pétale. Un autre.

— Toi, t'en as pas, d'enfants…

Gaby a hésité.

— Non, j'en ai pas.

La Môme a lancé les étamines. Elles étaient grasses et sont restées collées en paquets à ses doigts.

— Je t'avais dit que j'en aurais pas !

Gaby a considéré un instant la tige sans pétale de la fleur providentielle.

— Mais si t'en auras… Les étamines, c'est pas infaillible… Et puis ça marche seulement avec les marguerites de printemps. Celle-ci, elle est en pot et c'est celle des morts. Tu recommenceras en mai.

La Môme s'est frotté les mains. Dans le silence, on a entendu le grincement agaçant du vieux tourniquet que Marius s'évertuait de faire tourner dans un sens et puis dans l'autre.

— Il est encore là, lui! a grondé Gaby.

— Ça fait une heure, a dit la Môme.

Gaby a marmonné. Elle est venue s'asseoir à la table, a feuilleté le catalogue Damart, elle voulait commander un soutien-gorge mais d'une fois sur l'autre, elle oubliait les mesures de son corps. Sur les étiquettes des siens, l'encre s'était délavée, aucun moyen de lire, à force de lessives il ne restait que le petit tissu blanc un peu bouloché.

— Avant, y avait une boutique en ville avec une dame qui me conseillait. La boutique a fermé. J'aime pas commander sans voir.

Elle a tourné une autre page. Pour une commande avant Noël, Damart offrait une liseuse polaire et le port gratuit. Il fallait faire vite.

Entre deux mots, on entendait grincer le tourniquet.

Sans rien dire, la Môme s'est levée du divan. Lentement. Elle a enfilé ses bottes, sa veste de laine et une cape avec une capuche immense que je n'avais jamais vue auparavant.

Elle est sortie. A marché jusqu'au tourniquet. S'est campée devant Marius. Elle était bien plus grande que lui, paraissait étrange ainsi capée.

Avec Gaby, on les a observés du pas de la porte.

La Môme a pris la main de Marius. Elle l'a tournée, paume et dos, dans les deux sens. Le creux inerte.

— Ta main se souvient de l'oiseau?

Il a hoché la tête.

La Môme a regardé au loin sous le couvert des arbres, là où la brume effaçait les troncs.

— Tu veux que je te dise pourquoi les oiseaux meurent? Si je te le dis, tu bougeras à nouveau ta main?

Il a hoché la tête pour la seconde fois.

— Et après, tu me promets que tu arrêteras de faire grincer ce putain de tourniquet?

Il a dû promettre.

La Môme a plongé ses yeux lisses dans le ciel, il y avait un beau soleil mais il faisait vraiment froid. Elle a rabattu la capuche sur sa tête.

Elle s'est tournée à demi pour nous regarder. Son visage était ombré.

Elle est revenue à Marius.

Elle a commencé à raconter.

— C'était avant, il n'y avait pas cette route ni toutes ces maisons. Mais il y avait des dieux. Un jour, ils se sont réunis ici, au bord de cette rivière, là où il y a le rocher plat, tu le connais?... Le rocher qui ressemble à une table?

L'enfant a acquiescé.

La Môme a repris.

— Le dieu qui était le plus puissant de tous a dit : "Je vais jeter un os de vache dans l'eau, si l'os flotte alors les hommes et les oiseaux seront éternels. Mais si l'os coule, alors les hommes et les oiseaux mourront."

Elle a ramené les pans de la cape devant elle.

— Le dieu a pris un os de vache et l'a jeté dans l'eau et l'os a flotté. Alors la déesse qui était la plus puissante de toutes s'est avancée et elle a dit : "Nous allons recommencer mais cette fois, à la place de l'os, nous jetterons un caillou." Elle a ramassé un caillou et l'a jeté dans l'eau. Le caillou a coulé au fond de la rivière et il a disparu.

La Môme a laissé retomber un silence. Elle semblait une novice qui transmet un savoir ou une très jeune prêtresse.

— Depuis, les hommes et les oiseaux meurent. Quoi que les hommes fassent. Quoi que les oiseaux fassent. C'est la loi des dieux et c'est ainsi.

Marius se tenait devant elle, sans bouger.

— Tu ne pouvais pas changer le destin, elle a dit.

L'oracle énoncé, elle lui a repris la main. Elle a à nouveau sondé le creux.

Les doigts de Marius tremblaient un peu.

Elle a attendu quelques secondes et elle est revenue vers nous.

— Sa main est froide, elle a murmuré.

Après quoi elle est allée s'asseoir sur la balançoire, elle s'est lancée, les yeux grands ouverts, au plus haut de l'élan, la cape volait et ses bottes semblaient toucher le ciel.

Lundi 24 décembre

L'aube du lendemain fut différente de toutes les autres. La scierie tournait à effectifs réduits. Il manquait les bruits, les voix, les odeurs. Le terre-plein avait des allures de campement abandonné.

À onze heures, la fenêtre est restée fermée. J'ai attendu. J'ai pris la photo avant midi du balcon sans personne.

Mine de rien, trois semaines déjà que j'étais là.

J'ai emporté la boîte de pastels, la vendeuse l'avait enveloppée d'un beau papier cadeau.

Marius était encore devant le bungalow, à faire grincer le tourniquet. Il avait pourtant promis de ne plus le faire.

La Môme était à l'intérieur, assise à la table. Ses bottes, posées sur les journaux près de la porte. À ses pieds, des pantoufles modèle Mickey.

— Gaby n'est pas là ?

— Pas encore.

Elle confectionnait une guirlande avec des cartouches vides, perçait deux trous dans le plastique, passait une attache de laine, un nœud tous les trois centimètres, elle variait les couleurs.

Elle avait confectionné d'autres guirlandes en utilisant les étiquettes détachées des boîtes de conserve. Elle les avait scotchées contre les vitres.

Le lapin dormait sur un bout de carton aménagé pour lui.

Les écureuils étaient amorphes, c'était la saison d'hiberner mais il faisait trop chaud dans le bungalow, il y avait trop de lumière aussi, la captivité les laissait dans un état de somnolence hébétée.

La Môme restait penchée sur sa guirlande, ses cils baissés semblaient une mantille de soie.

— Je t'ai apporté un cadeau…

Elle a levé les yeux.

— Tu veux que je te le donne maintenant ou tu préfères attendre ce soir ?

— Je préfère maintenant.

J'ai posé le paquet devant elle.

Elle a déchiré le bel emballage. A découvert le coffret en bois avec les craies de pastel. Elle l'a ouvert, a retiré les bâtonnets des encoches. Tout de suite, elle a testé les couleurs. Les noirs, les bruns, les sombres. L'ocre écrasé sur quelques centimètres de surface.

Dans un compartiment à part, il y avait des fusains qui sentaient la cire.

Le tourniquet continuait de grincer, c'était désagréable, répétitif. Le bruit a fini par agacer la Môme. Elle a enfoncé son bonnet péruvien.

Elle est sortie.

Ça faisait plus de huit jours qu'il ne voulait plus bouger sa main.

Elle l'a regardée un long moment.

— Viens…, elle a fini par dire.

Elle n'a pas donné d'autre explication.

Elle a marché.

Lui aussi.

Je les ai suivis.

Ils ont fait le tour par le pont. Ils sont allés jusqu'à cet endroit de la rivière où Marius avait fait éclater le crâne de l'oiseau.

La Môme a retrouvé le filet. Le buisson. Et l'oiseau. Un petit corps aux plumes rouges, resté accroché là où elle l'avait lancé, crucifié aux branches d'une aubépine dont les ronces envahissantes ornaient son front d'une couronne.

Le froid l'avait gelé.

Je les ai rejoints au moment où la Môme retirait l'oiseau de ces attaches.

— Regarde, il est là... il n'est plus dans ta main, elle a dit en décrochant l'oiseau.

Il avait séché du dedans.

— Il n'est plus dans ta main, elle a répété.

Elle est revenue vers Marius.

— Tu te souviens ? C'est bien lui ?

Il fixait l'oiseau. Autour d'eux, la forêt bruissait, on aurait dit des voix qui murmuraient.

— Tu veux qu'on l'enterre ? Si on fait ça, tu me jures qu'après il ne sera plus dans ta main ?

Elle lui a touché l'épaule, l'a secoué fort.

Marius ne répondait pas.

— Alors on va le faire, elle a dit. Tu choisis l'endroit.

Il s'est retourné. Lentement. A désigné du doigt un arbre sur la butte, une place entre deux racines épaisses.

Elle s'est agenouillée au lieu indiqué, a posé l'oiseau sur la neige, a enlevé les brindilles. Elle a creusé un trou, une fosse d'une dizaine de centimètres dans cet endroit à la lumière.

Elle a tapissé le fond d'écorces.

— Donne-moi quelque chose de doux.

Marius lui a tendu son bonnet.

Elle a mis le bonnet au fond du trou, elle a couché l'oiseau dessus, les ailes étales.

Elle lui a demandé de regarder l'oiseau, de le regarder longtemps parce qu'après il ne pourrait plus.

L'oiseau serait seulement dans sa mémoire.

— Il est dans la terre maintenant, tu te souviendras ?

Elle lui a laissé le temps.

Elle a attendu jusqu'à ce qu'il relève la tête, murmure que oui, il se souviendrait.

Alors seulement elle a recouvert l'oiseau. Elle a fait cela avec lenteur, en effritant la terre entre ses doigts. Quand il n'y a plus eu de terre, elle a tassé avec ses paumes, elle a ramené de la neige, a planté deux branches en forme de croix. Quelques cailloux autour.

— Tu te souviens ?

Sans son bonnet, il avait le crâne ras d'un bagnard. Elle a insisté.

— Il est où, l'oiseau ? Hein, il est où ?

Elle lui a fait répéter, montrer le monticule de terre. Prononcer les mots de sa voix frêle.

— L'oiseau est dessous, avec ton bonnet, il ne faudra jamais l'oublier. Il n'est plus dans ta main.

La main était toujours immobile, comme oubliée le long de la cuisse.

— On va penser à l'oiseau très fort, a dit la Môme.

Ils sont restés silencieux l'un à côté de l'autre, à fixer le monticule.

Et puis la Môme a décidé que c'était terminé, elle a cogné ses bottes contre un rocher pour en détacher la neige et elle a marché jusqu'au bord de l'eau.

Marius s'est placé à côté d'elle. Ils étaient, dans le même alignement de chaussures, avec les pointes qui frôlaient l'eau.

Ils ne prêtaient aucune attention à ma présence.

La Môme a sorti de sa poche un paquet de cigarettes en chocolat, elle l'a ouvert, a tiré deux cigarettes. Elle a refermé le paquet, l'a remis dans sa poche.

Elle a tendu une cigarette à Marius.

Il a avancé la main.

— Avec l'autre, elle a dit, parce qu'elle voulait qu'il se serve de celle qui pendait.

Mais la main est restée morte.

— C'est comme tu veux, a dit la Môme.

Elle a croqué la première cigarette. Elle a entamé l'autre. C'était du chocolat noir entouré de papier blanc. Du chocolat sec qu'elle mâchait en regardant la rivière.

Marius fixait les lèvres et les dents et les doigts. Ça lui faisait envie. Il a fini par lever la main. La main impure, celle qui l'avait cloué à sa faute. Il l'a présentée, paume au ciel, comme on mendie.

— Trop tard, a dit la Môme en croquant le dernier bout.

Elle a froissé le papier, l'a jeté dans l'eau.

Le papier a flotté un instant et il a été emporté.

Marius n'a pas bougé.

La Môme a retiré son bonnet péruvien, le lui a enfoncé profond sur le crâne, elle lui a pris les mains et elle a dansé avec lui.

Je suis revenue déjeuner au gîte.

L'après-midi, il faisait beau. Un ciel bleu. Le soleil faisait briller la neige. Il la faisait fondre un peu aussi.

J'ai marché dans les rues du Val. Dans toutes les maisons, on préparait le réveillon. Les hommes du bourg avaient improvisé un tir à la corde sur le grand pré. Un affrontement entre les jeunes et les anciens. Ils avaient enlevé leurs blousons, ça faisait des couleurs lumineuses sur le blanc de la neige.

J'ai revu Marius, derrière chez lui avec ses frères, ils avaient fabriqué des bonshommes de neige et les deux aînés leur tiraient dans la tête avec leurs carabines. Les plombs qui les traversaient s'enfonçaient dans le talus.

Marius ne tirait pas. Il regardait les bonshommes s'étioler. L'un d'eux s'était avachi et reposait contre un autre. Plus de bouche, l'écharpe nouée pendait.

J'ai croisé Gaby à l'épicerie.

On a parlé de la rapine.

Elle m'a raconté qu'elle avait enfoui l'autre dinde dans un trou creusé plein nord au fond de la terre gelée. Elle m'a décrit l'endroit, derrière le bungalow, une fosse avec de la terre et de la neige dessus, bien tassée, plus glacial qu'un frigo. Elle avait tiré une planche sur la neige, et sur la planche, elle avait roulé des cailloux.

Elle a posé ses achats sur le tapis : un flacon de vernis à ongles, une baguette de pain, du jambon sous plastique et un père Noël en chocolat enveloppé de papier rouge très brillant.

Elle a hésité et elle est retournée dans le rayon en chercher un deuxième.

Elle a commandé un bidon de vingt litres de pétrole Zibro pour son petit poêle.

— Ça a augmenté depuis la dernière fois…, elle a dit.

— Tout augmente, Gaby.

L'épicier a glissé dans son cabas le calendrier de la nouvelle année. Il a arrondi sa note en enlevant tous les centimes.

Près de la porte, il y avait une bascule ancienne avec un grand cadran à aiguilles. Elle a fouillé dans ses poches, a trié dans les pièces.

Gaby ne parlait pas avec les autres femmes. Elle ne les regardait pas. Elle est montée sur la bascule, j'ai vu tourner la grande aiguille.

Je lui ai demandé si elle allait réveillonner chez la Baronne le soir.

— J'y vais si tu y vas, elle a dit.

Je lui ai promis d'y aller.

— Et Philippe, il revient quand déjà?

— Il a dit mercredi.

Elle guettait dehors. Ne pouvait pas s'empêcher. Elle était sûre que Ludo allait reparaître aujourd'hui. Surgir comme ça, à l'improviste.

Elle s'est dépêchée de rentrer.

J'ai acheté des gourmandises, nougats, figues, et des fruits confits dans une coupe en rotin.

Près de la caisse, les femmes chuchotaient à mon sujet.

Le soir, je suis passée les prendre avec la voiture d'Emma et on est allées au chenil. Il y avait la Baronne, deux types qui venaient s'occuper des chiens. Une fille passée par hasard. Et nous trois, Gaby, la Môme et moi.

Gaby avait teint ses cheveux, cuivre acajou profond.

Elle m'a offert un pinceau en forme de boule, du vrai poil d'écureuil.

La Môme m'a donné un dessin qu'elle avait fait avec mes craies.

Gaby lui avait acheté un iPod moderne pour écouter les chansons.

J'avais viré de l'argent sur le compte des filles.

Chacun avait apporté quelque chose pour le repas. On a bu du vin. La Baronne n'en buvait pas, seulement du Coca mais dans un verre en cristal à pied.

On a joué au scrabble. La Baronne connaissait son orthographe mais pas les deux types et il n'y avait pas de dictionnaire pour prouver quoi que ce soit. Ça a commencé à gueuler. On a arrêté le scrabble et on a joué aux petits chevaux.

La petite épagneule dormait sur sa paillasse. Elle s'était bien rétablie mais la Baronne la gardait au chaud. Elle disait que c'était la meilleure chienne au monde mais elle disait ça aussi de Poum et de tous les autres chiens.

Gaby n'a pas voulu rentrer tard. À dix heures, j'ai vu qu'elle était inquiète. Elle montrait des signes d'impatience.

On a bu le digestif.

On s'est tous quittés un peu après.

Ludo n'était pas revenu et Gaby était déçue. Je les ai déposées au bungalow, elle et la Môme.

Je n'avais pas sommeil.

J'ai continué la route.

La neige éclairait le Val, les montagnes autour. J'ai fait un détour par les hauteurs et je suis revenue par les prés de Buck. Je me suis arrêtée. La maison de Jean était juste en contrebas, d'où j'étais je voyais parfaitement l'intérieur, les pièces éclairées, la cour, la grande salle, même les chambres à l'étage.

Je suis descendue de voiture. Je me suis avancée. Le virage surplombait la pièce où on faisait la fête, une grande baie vitrée sans rideau. Depuis mon talus je voyais tout, la table de réveillon, les visages, les verres, les carafes, les bougies.

Le sapin rapporté par Jean ployait sous les guirlandes. Des enfants s'amusaient. Ça scintillait partout.

J'ai aperçu Jean, les manches de la chemise remontées au-dessus du coude, il servait du vin. Une femme en robe à bretelles près de lui.

C'était la fin du repas. Le vieux Sam trônait, vêtu comme un lord. En bras de chemise, lui aussi.

Mardi 25 décembre

Les cloches de la messe ont carillonné pour annoncer le matin de Noël. Il avait neigé pendant la nuit et le blanc un peu sali de la veille avait retrouvé tout son éclat. J'ai épelé le nom des filles. Je me suis souvenu d'elles, tellement belles, des adolescentes magnifiques.

J'ai écrit le nom de leur père dans la buée de la vitre. Il y avait eu un temps de notre vie où on avait voulu le même avenir, lui et moi. Après, j'avais continué à vouloir quand lui pensait à autre chose, choisissait une valise-cabine pour un départ plus rapide. Quand il est parti, je me suis vautrée dans mon chagrin.

M'avait-il aimée vraiment ? Ou bien l'avais-je contraint à me choisir comme j'avais obligé ma mère ? Avais-je fait cela aussi avec lui ? Avec d'autres ? La douleur revenait, régulière. Avec elle, le doute.

Il disait qu'il m'avait aimée, qu'il m'avait fait deux filles mais qu'il avait envie d'autre chose. S'était-il senti forcé ?

Est-ce pour cela qu'il m'avait quittée, parce qu'il s'était délivré de ce regard, libre enfin sur le pas de la porte ?

J'ai passé la matinée à traduire le dernier projet de Christo. Il était question de l'installation des *Gates* à New York, un parcours de sept mille panneaux couleur safran tendus à travers Central Park.

C'était en 2004.

Une galerie d'art à Paris avait exposé ses dessins préparatoires.

J'ai traduit un premier jet de l'interview que la femme de Christo a donnée le jour de l'inauguration des *Gates*. Elle dit : "La raison pour laquelle nous voulons construire ces œuvres temporaires, c'est que nous pensons que ce sera magnifique, et le seul moyen de le voir, c'est de les construire. Et une fois que l'œuvre est là, on la regarde, et c'est dix milliards de fois plus beau que tous nos rêves. Mais à ce moment-là, nous ne sommes plus des artistes, la créativité est terminée."

Est-ce que je vivrais un jour quelque chose qui serait dix milliards de fois plus beau que tout ce que j'ai rêvé ?

J'ai relu le dernier chapitre à voix haute, les deux paliers de langue se superposaient, je traduisais bien mais j'avais un foutu accent.

J'ai repoussé le livre. Il fallait que je travaille plus vite. Traduire dix pages au lieu de trois.

J'ai regardé la route. C'était fermé à *La Lanterne*.

J'ai pris la photo du balcon vide. C'était ma quatrième photo du balcon sans personne.

J'ai fouiné dans les tiroirs, j'ai trouvé un crayon à paupières, un chapelet, une Vierge en plastique. Un View-Master, le modèle rouge. Le petit boîtier ressemble à des jumelles, j'ai inséré l'une des fiches cartonnées, dix diapositives miniatures, la mer de Glace.

Une autre carte avec des paysages d'ici, cinq vues du Val-des-Seuls.

J'ai trouvé un papillon de nuit crevé. Je l'ai rapporté sur la table. Il était sec. Est-ce qu'il existe des maladies spécifiques aux papillons ? Peuvent-ils souffrir de rhumes, de tachycardie ? Mourir d'une rupture d'anévrisme ? Ou alors est-ce que leur vie est tellement courte qu'aucune maladie, jamais, ne peut les atteindre ?

Sans doute était-ce cela.

Je me suis promis d'en parler à Sam.

J'ai téléphoné aux filles.

J'ai téléphoné à la concierge aussi, je lui ai souhaité un beau Noël. Elle m'a dit qu'elle avait monté le chauffage dans l'appartement. En accord avec les autres propriétaires, elle avait permis au clochard de passer la nuit au chaud contre le radiateur dans le fond du hall. Elle m'a demandé si j'étais d'accord, parce que, même absente, je faisais partie de la copropriété.

J'ai ramassé les miettes sur la table et je les ai jetées aux bêtes, il finirait bien par en passer une, un rat, un oiseau.

À la fin de sa vie, ma mère donnait des miettes aux fleurs. Les plantes ont crevé les unes après les autres, pas à cause des miettes mais par défaut d'eau, alors elle a parlé au reflet d'elle qu'elle voyait dans son miroir. Les gens qui vivent seuls finissent un jour ou l'autre par faire des choses comme celles-là.

Ma mère causait à tout.

Un jour pourtant, il y a eu le silence.

Elle a noté des mots. Les derniers mots de ceux qui venaient la voir, ces mots dits juste avant qu'ils ne la quittent, avant de tirer la porte. Elle les écrivait sur des bouts de papier qu'elle glissait un peu partout. Mais ça, c'est quand elle allait encore bien.

Après sa mort, j'en avais retrouvé quelques-uns : *Je reviens dimanche. Si t'as besoin de quelque chose, tu fais dire par l'infirmière. Je dirai à la coiffeuse de passer. Ciao m'man.*

J'en avais trouvé un au fond d'une de ses chaussures : *Quel imbécile ce Cupidon !*

Qui avait pu prononcer ces derniers mots en la quittant ? Curtil ?

Tout à la fin, elle vivait dans une chambre blanche et elle écrivait contre les murs. Elle creusait des petits trous dans le plâtre, elle glissait des bouts de papier à l'intérieur. Elle disait qu'un jour, on retrouverait tout cela, dans longtemps. Elle appelait ça la promesse des murs.

J'avais négocié avec le directeur, elle pouvait écrire et creuser tant qu'elle voudrait, je paierais pour le coup de peinture et les réparations qu'il faudrait faire après.

J'avais dit ce mot, "après".

J'ai signé une décharge et on l'a laissée faire. Son cerveau avait perdu la forme des lettres alors elle écrivait des choses que personne ne pouvait comprendre.

Il y a eu un temps ensuite où elle déchirait ses vêtements pour recouvrir les mots. Elle faisait tenir les tissus avec du scotch. Je m'asseyais au bord du lit. Je prenais sa main. Son corps ne pesait presque rien, il avait une odeur que je n'aimais pas.

Je venais la voir une fois par mois.

Un jour, je lui ai apporté un catalogue de tapisserie, je lui ai dit que c'était du papier pour coller sur ses mots. Elle a tourné les pages en suivant les motifs avec ses doigts.

Elle a continué à déchirer ses habits.

Un matin, une infirmière l'a trouvée blottie au pied du lit.

"Parfois, les murs pleurent", elle avait prononcé cela. C'est la dernière chose que maman ait dite. Les derniers mots de la dernière voix.

Après, il y a eu un silence d'une année entière.

— Je n'aime pas Noël, ça m'assombrit les idées.

Gaby a levé la tête.

Elle découpait les derniers morceaux de dinde avec un hachoir de cuisine, les disposait côte à côte dans un plat. Elle a glissé le plat dans le four avec du beurre, du poivre et du sel. Le four était chaud.

Elle était furieuse parce que des chiens avaient déterré la dinde mise en réserve dans la terre. Elle m'a montré, par la petite fenêtre, comment ils avaient creusé par-dessous les planches. Elle fulminait contre les gens qui avaient des bêtes et les laissaient errer.

Elle a ouvert le tambour de la machine à laver. Elle l'a bourré de linge, a versé de la poudre dans le bac, a refermé le hublot. Elle a tourné le bouton des programmes, les crans ont craqué. Une lumière rouge a clignoté. L'eau a jailli et le tambour a commencé à tourner avec le linge dedans. On a tiré nos chaises. Une heure, c'était le temps du programme court, lavage sans essorage. Elle s'est calé le dos dans le creux de sa chaise. Les mains sur le gilet écossais.

— Tu te rends compte que c'est Noël aujourd'hui.

— Je me rends compte, oui.

Elle commençait à être inquiète pour Ludo et ça se sentait.

— Je comprends pas où il peut être, elle a fini par dire.

Derrière la vitre ronde, les tissus se mêlaient, les manches, les brides, tout s'entortillait dans l'eau devenue mousse, une socquette s'est collée à la vitre, elle est restée là un moment avant d'être entraînée dans les profondeurs lavantes.

— C'est quand même bizarre qu'il ne soit pas là. Si ça se trouve, c'est pas lui qui est dehors… C'est que des bruits qui courent. S'il était dehors, il serait là. On traîne pas dans la nature avec ce froid.

Elle s'est levée, est allée boire un verre d'eau.

J'ai ôté le carton qui obstruait la fenêtre. Le temps était blafard, la vue monotone sur les pylônes et les fils électriques le long de la route. Le bungalow était isolé dans la neige. Le tourniquet n'était plus qu'une forme aux ondulations souples.

— Tu as remarqué, les lampadaires s'éclairent quand la nuit tombe et c'est un peu plus tôt chaque soir.

— C'est l'hiver, a dit Gaby.

— Oui, c'est l'hiver…

Elle attendait sans bouger que le linge se lave, les mains posées sur ses cuisses, les pieds chaussés de pantoufles croisés sous la chaise.

— Magnard m'a donné un vieux drap pour faire des chiffons. Ce qui est vieux chez lui, c'est neuf chez moi… Le drap, je vais le mettre à mon lit.

La machine n'essorait toujours pas.

— C'est là sa faiblesse, elle a dit.

— Tu devrais me laisser emporter ton linge, il y a une bonne machine au gîte. Je te le ramènerai tout sec.

Ce n'était pas la première fois que je lui proposais cela. Elle avait toujours refusé, préférait étendre les habits sur le bac, disait qu'un jour elle aurait suffisamment d'économies pour payer ses dettes et qu'avec d'autres économies, elle achèterait une nouvelle machine. Elle avait déjà repéré une Faure dans un catalogue.

282

Elle a gardé le front fixe et elle a hoché la tête. Pour le linge, elle était enfin d'accord.

On a entendu un bruit dehors, un son étouffé, inhabituel, Gaby a entrebâillé la porte.

Marius était à genoux près du tourniquet, il ramenait de la neige à pleins bras, délimitait un carré dont il lissait la surface. Il parlait tout seul, ou alors il chantait.

— Qu'est-ce qu'il fabrique encore ?

— Il joue.

— Dans ce froid ! Et un jour de Noël ?

En face, dans la maison de l'Oncle, une lumière vive brillait derrière la fenêtre triste.

L'Oncle fumait sur le pas de sa porte. Il épiait ce qui se passait ici.

— Est-ce que tu crois que Curtil le déteste ?

— L'Oncle ? J'en sais rien. Mais peut-être bien, oui…

Gaby a regardé la route, loin, dans les deux directions.

— Je veux téléphoner à Varces, elle a dit.

— Maintenant ? Mais c'est Noël.

— C'est jamais Noël là-bas.

Pour téléphoner, elle avait une carte et utilisait habituellement le téléphone de la cabine.

— Ça fait plus de huit jours qu'on me dit qu'il est dehors. S'il est dans la nature, je veux le savoir.

Elle a déplié un courrier officiel avec l'en-tête de la maison d'arrêt, un numéro de standard.

Près de la fenêtre, on avait un bon réseau. J'ai composé le numéro. Une femme a décroché. J'ai passé le cellulaire à Gaby. Elle a parlé. Elle n'a pas dit beaucoup de mots. Juste qu'elle était la femme de Ludo Ballutti et qu'elle voulait savoir où était son homme.

Quand elle m'a rendu le téléphone, il était mouillé. Elle avait le front plissé comme toujours quand elle réfléchit.

— Alors?

— Il est sorti.

— On t'a dit quoi exactement?

— Une remise de peine pour bon comportement. Ça fait dix jours.

Elle est revenue s'asseoir. La lampe dessinait un rond de lumière sur la table.

— Je sais plus où il est maintenant.

Ses mains réunies étaient dans le rond de lumière. Repliées l'une sur l'autre. Elle avait tout subi, les trajets, les parloirs, les fouilles, la rumeur des femmes du Val aussi.

Ludo était sorti, il n'avait pas donné un coup de fil. Rien. Elle ruminait ça.

— Il doit avoir sa petite raison, elle a fini par lâcher.

— Je t'ai toujours entendu dire ça, qu'il avait ses petites raisons…

— C'est pas vrai des fois!

— C'est vrai mais on en a tous, des petites raisons, pour excuser nos saloperies.

Elle est restée un long moment immobile comme une cariatide.

— Tu crois que tu comprends tout… mais tu comprends pas.

Je m'en foutais qu'elle dise ça.

J'ai pris mon blouson.

Elle a levé la tête.

— Tu t'en vas?

— Oui.

— Pourquoi tu t'énerves?

— Je m'énerve pas!

— Attends au moins cinq minutes que la machine se finisse.

Elle a ouvert le placard, a plongé sa main tout en haut, derrière le grand saladier, elle a ramené un père Noël en chocolat entouré de papier rouge, je l'avais vue l'acheter à l'épicerie.

Elle est sortie.

Sur la neige tombée, Marius avait aplani en relief un carré de neige d'un mètre de côté et d'une petite épaisseur. Les bordures étaient droites. Les angles parfaits.

Gaby a marché jusqu'à lui, lui a tendu le père Noël et comme il ne le prenait pas, elle l'a lancé. Il n'y avait rien d'autre que ce carré blanc. Lisse. Avec, au centre, cette tache rouge écarlate.

Après quoi, la lessive finie, elle a retiré les vêtements de la machine. Les a déposés lourds d'eau dans une bassine. Elle a poussé la bassine vers moi, et, sans se perdre en politesses, elle m'a dit qu'elle avait mal dormi la nuit dernière et qu'elle voulait se reposer un peu.

De retour au gîte, j'ai fait essorer le linge et je l'ai mis à sécher sur l'étendage en plastique près du gros radiateur. Il y avait des chemises, des chaussettes, le jean de la Môme, un bas de pyjama serré à la taille par une cordelette, et les tricots de corps au tissu bouloché, estampillés Damart et que Gaby portait hiver comme été, à même la peau.

Il était à peine seize heures. C'était fermé chez Francky.

Les repas de fête se terminaient, on quittait les maisons pour prendre l'air en famille, on faisait quelques pas, avec les enfants devant, endimanchés.

J'ai envoyé un texto à Philippe. Je lui ai demandé si je pouvais aller chez lui pour restaurer l'herbier. Il m'a répondu tout de suite. Je pouvais.

J'ai pris le trousseau de clés.

Je pensais que si Curtil arrivait, c'est chez Philippe qu'il viendrait.

Je n'étais pas seule. Deux femmes avaient eu la même idée, la même demande et la même permission, elles restauraient des planches, l'une en face de l'autre, avec les herbiers autour de la grande table.

Le chauffage d'appoint fonctionnait avec une bouteille de gaz et diffusait une chaleur qui rendait la température agréable.

Je les ai regardées travailler. Leurs mains. Leurs gestes. La plus vieille portait une mantille, elle était penchée, absorbée tout entière par le décollement d'une plante aux feuilles dentelées. Avec l'autre en face, on aurait dit deux recluses, des nonnes dans une pièce close occupées à des tâches mystérieuses. Un jour de Noël.

Elles ne m'ont rien dit. Elles ne m'ont rien demandé. Elles ont juste poussé devant moi le paquet de biscuits qu'elles avaient entamé.

J'ai ouvert un herbier. J'ai lu les étiquettes : Feuilles découpées, duveteuses, feuilles d'un vert glauque ou plus soutenu, feuilles lisses ou farineuses, disposées en rosettes, dentées, pétales bifides… Plantes dites d'éboulis ou de graviers, de torrents, plantes de bord de chemin ou herbes de pâturages piétinés, plantes de décombres, ou protégées comme la bérardie laineuse, fleurs des pentes sèches, tiges arrondies, presque nues, corolles à lobes profonds, barbus…

J'ai pensé à Curtil.

Ça va me prendre combien de temps encore de t'attendre ? j'ai murmuré.

Les vieilles ont levé les yeux.

Je leur ai souri.

Elles ont repris leurs tâches.

C'était mon premier Noël sans les filles. Mon premier Noël sans personne. J'ai détaché une plante. Une androsace blanche. Une tige aux feuilles étroites. En glissant la lame de cutter entre la feuille et le papier. J'ai raclé légèrement.

L'androsace s'est lentement séparée de son ancien support.

À mon retour, j'ai trouvé un pot de miel devant ma porte, sur la plus haute marche, protégé du froid par un enveloppement épais de papier.

Il n'y avait personne autour.

J'ai pensé que c'était Jean qui me l'avait apporté.

J'ai posé le pot sur le bureau. Sur le couvercle, le dessin d'une abeille. J'ai goûté le miel. C'était un granuleux, avec des morceaux de cire qui s'écrasaient sous les dents, il sentait bon, il avait un goût fort, persistant, la couleur brune de l'or. J'ai eu l'impression d'avaler tous les bois d'ici avec leurs mousses, leurs fleurs et la rivière.

J'avais un message des filles.

Un texto de Kathia. *Je n'aime pas le silence trop longtemps, alors me revoilà... Pour te dire que je pense à toi. J'espère que tu vas bien. Tu te rappelles que tu as un remplacement à partir du 7? Hein? Tu te rappelles?*

Mercredi 26 décembre

Malgré les radiateurs brûlants, le froid avait pénétré dans le gîte. J'avais rêvé de Curtil, on était dans une ville, on se parlait. J'aurais voulu me souvenir de ce qu'on se disait. J'ai essayé de rattraper des bribes mais ça s'effilochait.

Je me suis mise au travail. Front à front avec le texte. À plusieurs reprises, je me suis levée et j'ai tourné le linge de Gaby pour que chaque vêtement soit tour à tour dans la chaleur du radiateur, j'ai mis un soin attentif à ce que tout sèche parfaitement.

Le froid soufflait en vent d'est. Était-ce à cause de ce vent mais j'avais mal au crâne.

J'ai relu les pages traduites la veille. Christo laisse ses œuvres achevées à la vue du public et, après quelques jours, il les démonte. L'œuvre finie n'est jamais à vendre, seuls les dessins préparatoires, les photos, les croquis, tout ce qui mène à la réalisation finale et qui semble accessoire. J'ai traduit l'idée que, chez cet artiste, c'est le travail qui importe.

L'aube s'est levée. J'ai ouvert la porte. Moins sept degrés au thermomètre cloué entre le ciment et le bois.

Le char du chenil était toujours bloqué sur le terre-plein, vide des chiens et sans le tracteur. Je voyais mes dessins de couleur.

J'ai terminé la traduction du chapitre 24.

Il y avait des jours où ce travail devenait une besogne assommante, le doute me prenait et je pensais ne jamais en venir à bout. Et puis, sur quelques pages, la traduction redevenait fluide, j'avançais à nouveau avec un bel allant.

J'ai traduit un article paru en 2005 et dans lequel Christo décrit l'emballage du Pont-Neuf et du Reichstag. "Lorsqu'on a enveloppé le Reichstag en 1995 et que les ouvriers travaillaient encore à mettre en place la toile, la foule qui était amassée autour en était séparée par une barrière. Quand tout a été fini et qu'on a enlevé la bar-rière, on a vu les gens s'approcher et venir toucher la toile et les cordes du Reichstag, palper à travers la toile, pour essayer de retrouver ce qu'il y avait derrière et que le tissu voilait. Cela a été pareil pour le Pont-Neuf."

Le vent frappait les vitres, c'était fatigant.

J'ai dormi devant l'écran, la tête entre les bras. Quand j'ai ouvert les yeux, l'ordinateur s'était mis en pause et des dizaines de poissons phosphorescents flottaient dans une mer d'algues mauves.

La serveuse était toujours en congé. J'ai pris la photo du balcon et de la fenêtre fermée.

Je suis sortie. Le Val était silencieux. Il n'y avait plus d'âmes vivantes dans les rues, seulement les ves-tiges tristes des lendemains de fête.

J'ai envoyé un texto à Jean pour le remercier du miel. Il m'a répondu qu'il était rassuré de savoir que je l'avais trouvé.

J'ai longé la rivière en direction du vieux pont. L'eau fumait entre des rives saupoudrées de neige.

J'ai aperçu trois sangliers, ils avaient pris leurs quartiers d'hiver près d'un pilier rouillé, leurs poils mouillés par le brouillard avaient gelé pendant la nuit, transformant ces masses énormes en de scintillantes sculptures de glace.

J'ai remonté la route jusqu'au panneau de sortie du bourg. La dameuse était garée sur le terre-plein, les portes fermées, la cabine noire.

Curtil arriverait en train, je pensais cela, il allait forcément venir, il téléphonerait pour donner son heure et le numéro du wagon, j'irais l'attendre sur le quai, sans doute à Modane. Je verrais son visage derrière la vitre. Les voyageurs penseraient à des retrouvailles heureuses, un père et sa fille, tout ce qu'il y a de plus naturel, on ferait des envieux. Selon l'heure, on déjeunerait quelque part. Il aurait des cadeaux pour les filles, aurait oublié leur âge, je lui montrerais leurs photos, lui dirais pour l'Australie, des cadeaux pour gamines de dix ans, il resterait étonné devant le temps qui est passé.

À moins qu'il ne revienne en voiture, à son jour et à son heure, et en nous ménageant la surprise.

Il pouvait aussi ne pas venir.

Et s'il ne venait pas ?

Il pouvait aussi être de retour sans qu'on sache comment, je pousserais la porte de chez Francky, il serait là, le coude au zinc avec les autres, à raconter une vie embellie qu'il aurait voulu vivre et qu'il ne menait pas.

Gaby n'était pas encore rentrée du travail et la Môme était seule. On a parlé ensemble sur le pas de la porte.

Une voiture grise est passée sur la route, elle s'est garée un peu plus loin. Elle est restée là quelques minutes sans que personne n'en sorte.

— Ils sont déjà venus hier, a dit la Môme. Ils se sont arrêtés chez l'Oncle.

La voiture s'est éloignée lentement.

— On pourrait se payer un fourgon et vendre des crêpes au bord de la mer…, a dit la Môme en se détournant.

— Gaby ne partira jamais d'ici.

— Moi, je partirai un jour.

J'ai continué jusqu'à la boutique du vieux Sam. Je n'étais pas retournée le voir depuis que j'avais trouvé les pinceaux de Gaby sous le présentoir.

Le coup de neige de la veille avait renversé les chaises en plastique. Un papier était punaisé sur le bois de sa porte : *Suis absent, je reviens à 17 h, si vous avez besoin de quelque chose, prenez-le et laissez l'argent dans la caisse.*

J'ai ramassé les chaises.

J'ai poussé la porte. Le battant a fait tinter les clochettes. Le vieux Sam avait laissé une lumière au-dessus de la caisse.

J'ai parcouru les travées.

J'ai pris du pain d'épice. J'ai laissé glisser mes doigts sur la vitre du présentoir.

Le chat faisait une toilette appliquée dans son fauteuil. C'était un très beau chat aux formes souples. J'ai posé ma main sur son échine et il a ronronné de satisfaction.

Une feuille de journal pliée en quatre était retenue sous un presse-papiers. Un post-it jaune : *Pour Carole.*

J'ai retiré le presse-papiers. Le temps avait jauni la page. À l'intérieur, sur un quart de la surface, il y avait la photo en noir et blanc de notre maison la nuit de l'incendie. On voyait les pompiers qui marchaient dans les décombres noirs, pliaient les lances, terminaient l'intervention.

Un article suivait, quatre colonnes étroites.

Un incendie a eu lieu en soirée, un peu avant 23 heures, dans une maison située sur la butte de Malfondière. Le feu a pris dans une pièce du rez-de-chaussée, déclenché vraisemblablement par un court-circuit dans une guirlande électrique. Il a rapidement embrasé les étages supérieurs. La mère et deux de ses enfants qui se trouvaient dans les combles ont pu sortir avant l'arrivée des secours. Les pompiers ont récupéré le troisième enfant, une petite fille, légèrement incommodée par la fumée, son état a nécessité une évacuation sur l'hôpital de Chambéry.

L'incendie a été éteint. Les pompiers sont restés sur place jusqu'au matin.

Les occupants de la maison sont tous indemnes, grâce au courage remarqué de la mère et des pompiers.

La famille sera relogée temporairement dans les locaux de la cure. Des dons, vêtements, argent, peuvent être déposés au secrétariat de la mairie.

J'ai replié le papier.

J'ai glissé un billet dans la caisse pour régler ce que je devais, j'ai emporté le pain d'épice et l'article avec la photo.

Jeudi 27 décembre

J'ai fait chauffer l'eau pour du café. Avec les fêtes,
les ateliers tournaient en effectifs réduits. Jean avait
dû damer tard, il était presque onze heures quand il
a garé sa jeep. Il a laissé son chien à l'intérieur, s'est
avancé vers la scierie.

Je me suis collé l'oreille à la cloison. Il m'a semblé l'entendre parler de l'autre côté.

Un hublot intérieur donnait sur l'atelier, une petite
ouverture à deux mètres de hauteur obstruée par un
volet en bois fermé par un cadenas. Le battant était
recouvert de tapisserie à fleurs et se confondait avec
le mur.

Je suis montée sur une chaise.

Le volet tenait par une chaîne, deux centimètres seulement d'entrouverture. J'ai forcé sur la chaîne pour
ouvrir davantage. Je suis parvenue à glisser ma main.
Le rebord intérieur était recouvert de poussière. Sous
mes doigts, j'ai senti une clé. Je l'ai ramenée. Après
deux essais, le cadenas s'est ouvert.

Derrière le volet, il y avait une vitre terne qui donnait sur l'atelier. Je l'ai frottée avec les doigts. J'ai
approché mon visage.

Les machines, les planches. Jean parlait avec trois employés. Il avait ôté sa veste. Portait, dessous, un pull en laine rouille dont j'avais vu le tricotage en cours, chez lui, avec les aiguilles dans la corbeille.

Je me suis souvenue du père des filles, la dernière nuit, il n'avait pas dormi et je l'avais retrouvé dans la cuisine. Encore présent, son corps et sa vie, il était là, avec moi, et pourtant j'étais déjà sans lui. On restera copains, hein? J'avais voulu me montrer forte alors je lui avais parlé de nous revoir, une séparation sans violence, avec les anniversaires des filles, des restaurants. Lui, il voulait une séparation sans rien, c'est ce qu'il avait dit. Il avait pourtant laissé des habits presque neufs dans la penderie.

Avant de partir, sur le palier, un long baiser, une belle étreinte : "Tu vois, je t'aime toujours." J'avais mal, je ne savais pas où, c'était partout. J'avais gardé la tête haute : "On passera encore Noël ensemble, j'ai dit, pour les filles."

Il avait souri, les yeux sur les façades en face. Je me suis sentie vidée, l'évidence brutale que ce qui m'avait été donné m'était soudain repris.

J'étais encore au hublot quand la porte s'est ouverte. Philippe est entré avec le froid. Il avait dû revenir de Dijon la veille au soir, j'avais oublié son retour.

Son regard a glissé sur moi et sur le battant.

— C'était bien, Dijon? j'ai demandé.

— C'était bien, oui.

— T'es rentré quand?

— Hier soir. Je peux te parler une minute?

J'ai refermé le volet du hublot. Je suis redescendue de ma chaise. Lentement.

— C'est Ludo, il a dit.

— Quoi, Ludo?

— Il a fait une connerie.

Il s'est assis sur le lit.

Je suis revenue vers le bureau.

Il était onze heures et quart. J'ai jeté un coup d'œil au balcon. La porte-fenêtre était encore fermée. La serveuse toujours en congé sans doute.

— Une connerie comme quoi?

— Une connerie comme celles qu'on passe sa vie à regretter. Tu me sers un café?

— Je n'ai que du soluble.

Il s'est relevé. Il est allé jusqu'à la fenêtre. J'ai fait chauffer de l'eau. Je lui ai dit que Gaby avait téléphoné à Varces.

— On lui a dit que Ludo a eu de la remise de peine pour bonne conduite.

— Pour bonne conduite, tu parles… Il a balancé, c'est pour ça qu'il est dehors. C'est aussi pour ça qu'il se planque.

J'ai posé deux tasses sur la table en poussant les papiers. Une cuillerée de café au fond. J'ai jeté un coup d'œil au balcon. Il m'a semblé voir bouger le rideau.

— Il a balancé quoi?

— Qui, plutôt! Qu'est-ce que j'en sais? Des anciens potes à lui…

La porte-fenêtre s'est ouverte en face. La serveuse est enfin réapparue! Elle a secoué un premier drap. J'ai regardé l'appareil. Je ne pouvais pas prendre la photo avec Philippe ici.

Il fallait qu'il parte. Qu'il parte vite.

J'ai versé l'eau bouillante sur les grains de café. Il y a eu un flottement durant lequel il a laissé les grains se diluer, l'eau s'assombrir. Une mousse pâle a recouvert la surface.

— Avec la Môme, on a vu des gars, j'ai dit. Dans une voiture grise. Il paraît qu'ils se sont arrêtés chez l'Oncle et ils ont parlé avec lui.

Il a hoché la tête.

— Je connais un type qui a eu des histoires avec ceux qui le cherchent.

— Et alors ?

— Alors ils lui ont brisé les deux jambes et l'ont laissé brailler sur un tas d'ordures. Pour pouvoir le récupérer, sa famille a dû payer ce qu'il devait.

— Ça a le mérite d'être efficace.

— C'est ça, marre-toi ! Pourquoi tu regardes dehors ?

— Pour rien. Tu crois vraiment qu'ils peuvent faire ça à Ludo ?

— Ça ou autre chose. Ils peuvent aussi emmerder Gaby.

Il a bu son café d'un coup. Sans sucre.

La serveuse avait sorti un deuxième drap et le faisait voler au froid. Elle le touchait à peine. Ce deuxième drap semblait le prolongement de sa main. Après, elle a tapé ses oreillers, le traversin.

Philippe a reposé sa tasse.

— C'est pas le monde des Bisounours ici. Faut toujours être quitte de tout. Même une gifle, quand tu la dois, tu la rends. Et une embrouille, tu la payes, et si tu ne peux pas la payer, c'est les autres qui la payent pour toi. C'est dans l'ordre des choses.

— Pourquoi tu me racontes tout ça ?

— Parce que Ludo, s'il a balancé, il a intérêt à bien se planquer, voilà pourquoi.

Il s'est avancé vers la fenêtre, il a regardé dehors, la serveuse avait disparu.

Il a dit qu'Emma n'aimait pas conduire l'hiver avec la Coccinelle et que je pouvais garder la voiture quelques jours encore.

S'il avait été attentif, il aurait pu voir le mouvement de la porte-fenêtre qui se refermait. Le balancement du rideau, derrière, léger.

Ce fut un jour sans photo.

— Du pain d'épice de chez Sam…

Gaby a lorgné les tranches d'un œil gourmand.

Bientôt huit jours qu'elle avait repris le travail, elle avait mal partout.

— C'est ce fer, elle a dit. Avant, je me brisais les reins à soulever les matelas, maintenant, c'est les épaules qui prennent.

Elle a fait couler quelques gouttes d'huile dans le creux rêche de sa main, un onguent spécial vendu par le pharmacien, elle a massé son bras, du coude jusqu'à la naissance de l'épaule.

— Magnard dit que certaines filles savent plier mais ne sont pas de bonnes repasseuses. Il dit que je ferai une bonne repasseuse, moi, dans quelque temps.

Elle massait les articulations en suivant le mouvement de sa main.

En plus du repassage, elle devait tout compter, les pièces de draps, les serviettes, les taies d'oreiller, quand elle en avait terminé elle rangeait le linge dans un grand placard.

Les draps tachés ou déchirés, elle les mettait de côté et Magnard décidait s'il fallait les jeter ou pas.

— La pièce où je travaille est peinte en blanc, ça fait mal aux yeux, je l'ai dit à Magnard.

— Et alors ?

— Alors rien. Quand j'arrive, il y a un chariot de linge, quand je pars, y a plus rien. Pendant que je repasse, je pense pas, je regarde le tissu et je me méfie du fer. La pliure doit être nette, Magnard vient vérifier.

Elle a massé sa nuque.

Elle s'est levée, a rangé la lotion sur l'étagère.

Elle a refermé les boutons, enfilé le gilet long qu'elle portait souvent quand elle était à l'intérieur.

J'ai goûté le thé que le vieux Sam m'avait servi. Le goût était différent de celui du premier jour. Il m'a dit de le boire en silence. Qu'il était nécessaire que nous laissions passer quelques minutes.

Il ne m'a pas parlé de mon absence mais il a dit qu'il avait eu des nouvelles de moi par Jean et qu'il savait que j'étais toujours au Val. Il m'avait vue passer aussi, sur la route, souvent.

Son ton était affable.

Je lui ai dit que j'étais venue la veille et que j'avais trouvé l'article laissé par lui sur notre maison de la Malfondière.

On n'a pas parlé des pinceaux de Gaby mais des arbres et des hivers. Des hommes qui s'égarent et que l'on retrouve charriés par les torrents, au printemps, avec le dégel. Du cimetière avec trois croix blanches sans personne, des fosses avec les cercueils vides des hommes que l'on n'a jamais retrouvés.

Il m'a dit que Jean était né un de ces rudes hivers et que, malgré ce climat, le Val était un royaume merveilleux.

Le chat s'est étiré, il a sauté du fauteuil, est venu se frotter à ses jambes. Le vieux Sam s'est penché pour le caresser.

— Ce chat est le gardien de la boutique quand je ne suis pas là.

Il s'est levé. Il a servi au chat le contenu d'un sachet de Sheba dans une assiette en émail craquelé.

— Vous avez remarqué, quand on les observe trop comme les chats détournent la tête ?… C'est à cause d'un mystérieux savoir qu'ils possèdent et qui peut se lire dans leurs prunelles. Il paraît que ce secret est une chose simple qui permettrait de comprendre toutes les autres.

J'ai pris la voiture d'Emma et j'ai roulé jusqu'au grand lac. Je me suis garée au bord de la route et j'ai continué à pied. La neige se tassait sous mes semelles. Marcher me faisait du bien. Je reprenais des forces et des couleurs. Il me semblait que le bruit de la neige sous mes semelles était le seul bruit existant et que je marchais avec lui. Que je l'accompagnais.

Je suis arrivée au lac. Le soleil brillait fort, il me brûlait les joues. Tout était étincelant. L'été, ce lac d'altitude prend la couleur du lait, on peut louer des barques et pêcher des carpes Amour.

L'hiver, il gèle.

Un arrêté municipal interdit aux voitures de rouler dessus, des gardiens patrouillent mais les interdictions n'empêchent rien. Au plus froid, on peut le traverser, il devient une voie de passage entre la France et l'Italie.

On raconte qu'un garçon du Val a regardé un arc-en-ciel au-dessus de ce lac et que les couleurs se sont retrouvées prisonnières à l'intérieur de sa tête. Impossible pour elles d'en ressortir. On dit que le crâne du garçon est plein de couleurs et qu'il pleure des larmes multicolores. Pour guérir, il faut qu'il trouve une grande et belle vérité c'est pour ça, il reste dans sa maison et il cherche.

J'ai avancé.

Le lac était recouvert d'une couche de glace brillante, on aurait dit une surface de sel. L'air saturé de lumière effaçait le contour des rives. Tout miroitait. Il y avait des herbes en lisière, des abris à ragondins. Une barque alourdie par le gel était figée dans la glace. Des roseaux. Une autre barque, sur la rive, scintillante, recouverte d'un voile translucide comme les œuvres éphémères de Christo.

Le vent qui soufflait faisait chanter la glace. J'ai osé quelques pas sur le lac. J'ai balayé la neige avec mes gants. C'était sombre dessous, un froid d'iceberg, des milliards de bulles remontaient de cette nuit liquide.

J'ai attendu que mes yeux s'habituent et j'ai pu distinguer, sous la couche de glace, des herbes et de la poussière.

Je me suis relevée.

De l'autre côté du ponton, au milieu de toute cette lumière, j'ai vu une ombre. En contre-jour, elle paraissait noire. J'ai pensé à un arbre.

L'ombre a bougé sur la surface adamantine. Un subtil mirage ? Une illusion comme en offrent les grands froids et les déserts ?

J'ai mis une main en visière. Dans la brillance minérale, j'ai discerné une silhouette humaine, posée, longiligne, pantin ou sculpture ?

L'ombre s'est retournée, a levé le bras, a fait un signe. Philippe était au bout du sentier, appuyé au capot de son pick-up. Il a répondu au signe.

Je me suis demandé ce qu'il faisait là, et puis j'ai reconnu la Môme sur le lac, elle portait un gros blouson, un pantalon qui devait être un fuseau, les jambes filiformes. Elle se mouvait avec prudence, fragile funambule sur le lac argenté.

Je ne me suis pas montrée.

La Môme a continué, comme si elle voulait s'éloigner, traverser, aller de l'autre côté. Sa silhouette est devenue floue. Elle a marché loin.

Vendredi 28 décembre

C'est cette semaine particulière entre Noël et le Premier de l'an, où les jours ressemblent tous à des dimanches.

Mon travail sur Christo était bien avancé. Les derniers chapitres avaient été faciles. Le pot de miel était sur le bureau, à côté du clavier. J'en ai sucré mon café. J'en aimais l'odeur, la texture cristallisée.

Je l'ai étalé sur du pain. Dans ma bouche, le mélange salivé était délicieux.

Avant huit heures, j'ai vu passer Gaby, elle montait à l'hôtel à pied. J'ai pensé que c'était à cause du verglas et des pneus lisses sur la Volvo.

La montée était pénible.

Elle n'avait pas l'habitude de marcher, l'effort la faisait chalouper.

Je n'ai pas toujours été l'enfant du milieu. Je le suis devenue seulement quand Gaby est née. Pendant trois années, j'avais été la petite dernière. Mes parents savaient-ils qu'ils auraient un troisième enfant ? S'ils le savaient, alors j'ai toujours été, pour eux, dans leur esprit, l'enfant du milieu, j'ai toujours eu ce rang contrairement à Philippe qui lui, quelles que soient les pensées de nos parents, a toujours été l'aîné.

Gaby a disparu de mon champ de vision.

J'ai ramassé mes clés.

Le pare-brise de la Coccinelle était recouvert de givre, j'ai dû gratter. Gaby tournait au lavoir quand je l'ai rattrapée. J'ai ouvert la porte, côté passager.

— Tu veux que je t'emmène ?

— C'est pas de refus…

Elle s'est laissé embarquer, son cabas sur ses genoux.

— Et ta Volvo ?

— Plus d'essence…

Elle a râlé contre la déveine qui s'acharnait.

— T'écoutes quoi ? elle a demandé en montrant la radio.

— Je sais pas, c'est la voiture d'Emma.

— Skyrock, c'est bien…

Dix ans que je me calais sur Inter. Elle a changé d'ondes. En voiture, le trajet était court. On est vite arrivées.

Elle a ouvert la portière.

Un pigeon grattait dans les poubelles. À Grenoble, Curtil les nourrissait, il en avait plus de vingt sur le toit de l'immeuble.

Je lui ai demandé si elle se souvenait.

Elle ne se rappelait pas.

— M'en fous de Curtil et de ses pigeons.

Elle est descendue de voiture. Elle m'avait laissé la radio en plan sur une fréquence imprécise, de la musique qui crachotait. Je l'ai suivie des yeux jusqu'à ce qu'elle arrive à la porte.

J'ai crié que je viendrais la rechercher à midi.

J'ai acheté de la nourriture et déneigé devant la porte. J'ai aperçu la Môme qui tournait autour du char, elle décrochait les guirlandes, les plus belles, celles que la neige n'avait pas abîmées, les plus brillantes aussi.

La serveuse est apparue. Elle portait une robe longue, peut-être du velours. Les draps étaient sombres comme sa robe.

J'ai réussi à prendre la photo d'elle déjà détournée, j'ai eu son dos et le mouvement du drap qu'elle avait ramené dans ses bras.

Le linge était sec. J'ai dépinglé un à un tous les vêtements et je les ai posés dans la corbeille.

La corbeille sur le siège arrière. Je suis remontée attendre Gaby à l'hôtel.

Elle avait les traits tirés. La fatigue du repassage. Elle est restée silencieuse, les mains repliées sur son baluchon.

Elle fixait la route. J'ai bien vu qu'elle pensait à Ludo. Au bout d'un moment, elle a dit :

— Tu serais où, toi, si t'étais lui ?

— Je ne suis pas lui, Gaby.

— Je préférais quand il était en prison, au moins je savais.

Je n'ai rien répondu.

On a trouvé un jerricane posé sur les marches du bungalow. C'était Diego, il avait apporté du fuel domestique, un gasoil sans taxe, pas réglementaire. C'est avec ça qu'il chauffait le réfectoire et, quand il le pouvait, en cachette de Francky, il lui en faisait passer quelques litres.

Elle a vidé le jerricane dans le réservoir de la Volvo.

J'ai rentré la corbeille de linge, je l'ai posée sur la table. La Môme n'était pas là. Elle avait accroché contre les vitres les guirlandes prises sur le char.

Le lapin dormait sur son carton. Pelotonné. Entre

ses pattes, un quignon de pain. La croûte, grattée. Il restait la mie dure et blanche.

Gaby a enlevé sa pèlerine. Sur la table, il y avait un magazine, ouvert en page recettes, "lapin à la moutarde". Une photo du plat, appétissant, prêt à être servi, la recette à côté. La page, cornée.

Gaby a suivi mon regard. Un silence a suivi.

— Ne compte pas sur moi, j'ai dit.

Elle a ouvert le placard.

Elle avait faim.

Elle a dit : "On va manger un bout."

Pour faire des guirlandes, la Môme avait détaché les étiquettes qui entouraient les boîtes de conserve. Les boîtes étaient toutes du même fer gris-blanc, indifférenciables. Gaby avait beau les tourner dans tous les sens, impossible de deviner leur contenu.

Elle en a choisi une au hasard.

— Faudrait que ce soit des raviolis…

C'étaient des oreillons d'abricots qui trempaient dans un jus qui semblait de l'eau.

Elle a mis deux bols sur la table. On a mangé les abricots à la fourchette. On a épongé le jus avec du pain.

— C'est pas grand-chose mais c'est toujours assez pour qui se contente, a dit Gaby.

Le réveil tictaquait à côté du lit. Elle a passé un doigt sur les cernes de mes yeux. J'ai reculé la tête.

— T'as encore été emmerdée par ta fouine ?… Ça se voit, t'as les valoches.

Elle a tourné les pages du magazine, une double page avec le crayon au milieu, un questionnaire de personnalité, elle l'avait commencé.

— Tu peux me lire les autres questions ?

— Tu ne peux pas les lire toute seule ?

— Si, mais je comprends mieux si c'est quelqu'un.

J'ai jeté un coup d'œil. Elle avait répondu à cinq questions. La suite, c'était une énigme.

— Les énigmes, j'aime bien, elle a dit.

Elle a tiré à elle la corbeille de linge sec, a pris un premier torchon qu'elle a commencé à défroisser avec le plat de la main.

J'ai lu.

— C'est un chasseur qui entre dans une maison où il n'y a plus personne, seulement des rêves gelés. Il fait du feu, les rêves dégèlent et font apparaître des palais en or, des pierres précieuses, etc. Le chasseur ajoute d'autres bûches pour faire dégeler tous les rêves qui restent. Plus il met de bûches et plus les rêves fondent, et plus ce qu'il voit est magnifique… et tout à la fin, il reste un rêve. Un seul. Alors il ravive un ultime feu.

— Et quoi?

— On te demande ce qu'il va trouver dans le dernier rêve.

Elle a penché la tête de côté en plissant les yeux. Elle a plié un second torchon et une serviette de table à carreaux rouges et blancs.

— Tu le sais, toi?

— Aucune idée.

Elle a noué ses mains l'une dans l'autre, les lèvres contre, elle fixait le mur.

Ça a duré un moment.

— Il y a un loup, elle a dit. Un méchant loup qui bouffe le chasseur et qui boucle l'histoire.

Elle m'a regardée.

— C'est ça?

— Je ne sais pas.

Les réponses étaient données en dernière page.

— Ils disent que c'est un ogre... mais le loup, ça le fait aussi.

Elle a opiné de la tête. Elle a repris son linge. Elle regroupait les chaussettes l'une dans l'autre. Les habits du corps, ce qu'elle superposait et qui faisait une deuxième ou une troisième peau.

Elle a défroissé une robe de nuit en coton à fleurs délavées.

J'ai lu la question suivante.

— Depuis une semaine, vous n'avez aucune énergie en vous levant :

A : Vous passez chez le pharmacien acheter des énergisants.

B : Vous laissez faire.

C : Vous ralentissez votre rythme.

— Je laisse faire, a dit Gaby. Et toi ?

— J'en sais rien.

Elle s'est marrée.

— Toi, tu prends tes p'tits énergisants.

J'ai coché sa réponse.

— On continue ?

— Oui.

— Une jeune fille va à l'enterrement de sa mère, elle rencontre un jeune homme qu'elle n'avait jamais vu auparavant, elle tombe amoureuse de lui mais il s'en va avant qu'elle n'ait eu le temps de lui parler. Quelques jours plus tard, elle tue sa propre sœur.

— La fille tue la sœur du garçon ?

— Non, elle tue sa sœur à elle. On te demande pourquoi ?

Gaby a froncé les sourcils. Elle réfléchissait tout en continuant de lisser le tissu. Elle a plié une chemise d'une façon presque parfaite, comme peut être parfaite une pliure faite à la main. Elle a repris le pliage facile d'une nuisette et celui d'une dernière chemise.

J'ai cru qu'elle avait oublié la question.

Soudain, son visage s'est éclairé.

— Je sais ! Elle espère que le gars va se repointer à l'enterrement de la frangine, comme ça elle le reverra !

Elle a éclaté de rire.

— C'est une réponse de psychopathe, j'ai dit.

Elle ne savait pas ce qu'était un psychopathe, il a fallu que je lui explique.

Il y avait une autre question après. Une dizaine d'additions très simples, sorte de calcul mental : $4 + 8$ $5 + 7$ $7 + 11$ $14 + 6$ auquel il fallait répondre très vite. Peu importait que les résultats soient justes.

Gaby a répondu à la série.

— Maintenant, tu me dis le nom d'un outil et d'une couleur. Tu ne réfléchis pas.

— Ce qui me vient ?

— Ce qui te vient, oui.

— Chignole jaune.

Ça m'a déroutée.

— C'est quoi, une chignole ?

— Une perceuse. J'ai juste ? elle a demandé, anxieuse. Elle lorgnait du côté des réponses.

Quatre-vingt-dix-huit pour cent de la population répondent marteau rouge.

Deux pour cent disent autre chose.

— Tu as juste, oui.

Moi, j'aurais dit marteau rouge.

Et c'est ça, mon problème avec Gaby.

En sortant, j'ai appelé les filles pour leur demander si tout allait bien. Je leur ai parlé de Sam. Je leur ai raconté pour les dindes. Elles ont bien ri.

Philippe m'a téléphoné. Avec Yvon, ils voulaient me montrer leur site.

Ça se voyait tout de suite qu'Emma était revenue. Dans la cuisine, tout était en ordre, rien ne traînait, les chaussures étaient rangées le long de la plinthe et ça sentait l'ammoniaque du côté de l'évier.

Emma avait rapporté de la moutarde de Dijon, plusieurs pots emballés dans du papier à l'ancienne. Les pots étaient sur la table, alignés. Elle a insisté pour m'en offrir un.

Je l'ai remerciée pour la moutarde et aussi pour la Coccinelle. Elle m'a dit que je pouvais la garder encore, elle préférait conduire le pick-up par ces durs temps d'hiver.

Je l'ai embrassée.

Excellente Emma, j'ai pensé.

Elle nous a laissés, devait descendre en ville faire des courses pour un dîner avec des amis le lendemain. Elle est partie vite.

Avec Yvon et Philippe, on est descendus dans la pièce des archives. Ils m'ont montré, en page d'accueil, une photo du Vieux-Pont dans la brume avec la rivière dessous. Les logos des entreprises du pays. Différentes rubriques sur des étiquettes en fond rouge. Un espace photos, il suffisait de cliquer dessus pour ouvrir son contenu.

L'ouverture officielle était prévue le 1er janvier.

Yvon était content. Philippe aussi.

On a parlé du chenil. Philippe était d'accord pour insérer une rubrique. Pour les photos et les annonces, il fallait que je voie avec la Baronne. Yvon a dit : "Dans le style court, du genre croisé border golden, mâle, vacciné, castré, mord les facteurs, ne connaît pas les bases de l'éducation, ne s'entend avec personne…"

Il fallait aussi trouver un nom pour cette rubrique. On a fait des propositions.

Philippe voulait mettre les cartes postales du pays autrefois.

Yvon a reçu un texto, des copains qui l'attendaient. Il a refermé le site. Il est remonté en faisant vibrer l'escalier en fer. On a écouté les bruits de ses pas qui s'éloignaient.

Philippe est resté devant l'ordinateur.

Je lui ai raconté que j'avais assisté à la rapine du train la semaine d'avant.

— C'était le dimanche où tu es parti.

— Je sais, on m'a dit.

Il a râlé parce que c'était du vol, un comportement de sauvages, anarchique. Il a maugréé en disant que ces dindes qui n'étaient plus vendables auraient dû être distribuées à des nécessiteux.

Il a ajouté que j'étais sa sœur et qu'on n'aurait pas dû me voir là-bas.

Sur l'une des tables, il y avait deux rapaces empaillés. D'autres petites bêtes dans une armoire vitrée, des rats, des mulots, des belettes, des petits oiseaux.

J'ai avancé ma main vers le plumage d'un des rapaces.

Philippe a fait pivoter son fauteuil.

— Ne le touche pas…

Il est venu repousser les deux socles au milieu de la table.

— Le dessous des ailes est infesté de vers et de puces, il faut qu'on s'en occupe.

J'ai laissé glisser un doigt contre la vitrine. Derrière, un rat à dents blanches, très pointues, il semblait encore vivant.

— Philippe ?

— Mmm…

— Je ne me suis jamais engueulée avec Curtil.

— C'est pas quelqu'un avec qui on s'engueule.

— Je crois que je vais m'engueuler cette fois.

Il a nettoyé les verres de ses lunettes.

— Tu le feras pas. T'es comme lui, tu t'engueules pas.

— Arrête de dire que je suis comme lui !

Il a vérifié la netteté de ses verres dans la lumière de la lampe.

— Et s'il reste ? j'ai demandé.

Philippe a tourné la tête.

— Quoi, s'il reste ?

— S'il revient pour toujours… Il a peut-être décidé ça ?

— On verra quand il sera là.

Peut-être qu'il ne voulait plus vivre seul. Qu'il en avait fini avec tous ses départs et qu'il attaquait son plan du grand retour.

— Il est peut-être malade ?

— On verra, je te dis. T'inquiète pas.

— Mais on en fera quoi, de lui, s'il ne repart pas ?

Il a replié ses lunettes, les a glissées dans leur étui. Il a refermé l'étui. J'ai entendu claquer la pression.

J'ai senti l'angoisse monter. J'avais besoin de savoir. Savoir maintenant, cette chose-là, tout de suite. Ce qu'on allait faire de lui s'il ne partait pas.

J'ai insisté.

— On fera quoi ?

— On le prendra ici nous, on a de la place.

— Moi, je ne pourrai pas… À Saint-Étienne, l'appartement est petit.

— Je te dis qu'on le prendra.

On a entendu marcher au-dessus, la voix d'Yvon en haut des marches, il a averti qu'il s'en allait.

Philippe l'a rappelé.

— Regarde s'il y a du courrier en partant !

Avec la neige, le facteur passait de plus en plus tard. Parfois seulement l'après-midi. La boîte aux lettres était au bout du chemin. Yvon a râlé car ça l'obligeait à aller et à revenir.

On a entendu la porte s'ouvrir et se refermer.

J'ai détaillé la carte contre le mur, les différentes hypothèses pour le chemin d'Hannibal. Philippe avait étudié tous les passages possibles, par le haut Champsaur, Dormillouse et la longue montée vers Freissinières. Il m'avait raconté cela mille fois. Avec un convoi pareil et l'arrivée de l'hiver, on ne choisit pas forcément le chemin le plus court.

La porte s'est ouverte à nouveau, les pas lourds d'Yvon au-dessus, qui revenait.

Sa voix.

— Je mets le courrier sur la table !

— Tu peux me le descendre ?

— J'ai de la boue plein les chaussures.

Philippe a râlé.

Le silence, après.

— Tu en es où de tes certitudes ? j'ai demandé en montrant la carte.

— Presque tous les historiens s'accordent à dire qu'Hannibal est arrivé jusqu'à Freissinières, c'est après que les avis divergent. J'ai tout lu mais les récits ne sont pas assez précis. Il a pu prendre par la Durance mais c'était octobre, le fleuve était en crue.

Il a marché au bout de la salle.

— Yvon va mettre une carte des différents chemins sur le site.

Sur la table, il y avait un étui et six couteaux. Il en a pris un, a visé, la lame a traversé l'espace et s'est plantée en plein sur le col de Larche.

— Il a pu franchir les Alpes en passant par là, le col le plus au sud.

C'étaient des passages extrêmes mais, entre, il y en avait d'autres.

Il a pris un deuxième couteau, l'a lancé.

— Il a pu aussi passer par le col du Grand Saint-Bernard, tout au nord.

Il semblait connaître les lames comme sa main, savoir d'instinct le nombre de rotations nécessaires à chacune pour se planter exactement là où il voulait.

Les couteaux fusaient, se fichaient. Jusqu'au dernier, le mont Genèvre.

— Pourquoi il voulait passer en Italie ?

— Une promesse faite à son père de se battre contre Rome jusqu'à sa mort.

Mon frère est fou, j'ai pensé.

Le téléphone a sonné, il est monté répondre dans sa cuisine. J'ai entendu sa voix, étouffée par le plancher. J'ai détaché les couteaux. Chaque lame retirée laissait un demi-centimètre de déchirure nette.

J'ai regardé les gravures punaisées au mur, les différentes étapes du voyage d'Hannibal, le passage des troupes dans le défilé de Dormillouse, des hommes et des éléphants qui bivouaquaient dans un grand pré.

Philippe est redescendu avec le courrier.

— Tu n'y crois pas à ce chemin, mais tu verras, un jour, des randonneurs viendront de loin pour faire la route.

Son courrier personnel était mêlé à celui, plus administratif, adressé à la maison des forestiers. Le journal du jour. Il a jeté un coup d'œil rapide.

Depuis un moment, l'un des néons clignotait. Des tremblements de lumière très rapprochés. Je ne pouvais pas m'empêcher de guetter l'instant où il allait claquer.

Philippe a trié dans les enveloppes.

— Si ça te dit de venir dîner demain… Y aura des copains d'Annecy.

— Oui, pourquoi pas… Je te dirai…

— Dis-moi maintenant.

— D'accord, oui, je viendrai.

J'ai ramassé ma veste. Je me suis avancée jusqu'au pied de l'escalier.

Il m'a suivie.

— Tu t'en vas ?

— Oui.

Il m'a retenue par le bras.

— Je l'aime bien ton pull… Si tu trouves le même en XXL, tu penses à moi ?

C'était mon pull noir, avec une empreinte de patte d'ours.

J'ai commencé à monter, un palier et un autre de cet escalier très volumineux dont les marches en fer étaient percées de trous antidérapants.

— Attends…

— Quoi ?

Il m'a rejointe alors que j'étais déjà dans la cuisine. Il tenait le courrier dans une main, dans l'autre, une enveloppe recouverte de nombreux timbres.

Le papier était sale, froissé, l'enveloppe semblait avoir passé de mains en mains. Plusieurs tampons. Il l'a tournée dans tous les sens. L'écriture noire, au feutre large. Lettres irrégulières.

314

— Ça vient de l'étranger.

On s'est rapprochés.

Il a ouvert l'enveloppe.

Il y avait une carte postale à l'intérieur, un panneau d'entrée de ville, *El Calafate*, un deuxième panneau indicateur de distances :

Patagonia Argentina	
Ushuaia	*985 km*
Tel-Aviv	*15 001 km*
Paris	*13 371 km*
S. Paulo	*5 198 km*

Philippe a tourné la carte. Au fur et à mesure qu'il lisait, son visage changeait.

— C'est Curtil… Il est en Patagonie.

— En Patagonie ! Qu'est-ce qu'il fiche là-bas ?

Il m'a tendu la carte. J'ai lu à mon tour.

Léger détour… J'arriverai avec un peu de retard. Attendez-moi.

P.-S. : Profitez-en pour passer du temps ensemble.

J'ai repris l'enveloppe, elle était oblitérée par plusieurs coups de tampons. El Calafate. Dec 7 PM. Patagonia.

La carte avait fait la route, d'El Calafate au Val-des-Seuls, dû s'égarer sans doute, se perdre peut-être pour finalement arriver dans cette contrée lointaine.

— Ça fait trois semaines, il ne doit plus y être.

— Il y est peut-être encore…

— Ou bien il est en route et il va arriver.

Trois gros timbres recouvraient une grande partie de la surface. Un de 1 dollar, un de 75 cents et un de 25 cents. Des chevreuils étaient représentés sur le timbre à 1 dollar. Sur celui à 75 cents, une flûte de Pan.

Il y avait aussi une vignette bleue avec le drapeau argentin. Un code-barres tout en largeur. Une autre vignette, adhésive, *by air*. Le cachet de la poste, un tampon en lignes noires.

Je ne savais plus ce que je devais faire, si je devais rester ou partir, là, tout de suite, me faire emmener à la gare et attraper le premier train. Il y a ce qu'on veut et il y a ce qu'on rêve. Il y a aussi ce qui vient et à quoi on n'avait pas pensé.

J'étais furieuse. Ma colère s'est réveillée, d'un coup. J'ai toujours éprouvé le sentiment que ces rages rares étaient nécessaires, qu'elles me servaient à établir un endroit physique de résistance.

— Appelle-le, j'ai dit.

Philippe n'appelait jamais Curtil, ce n'était pas l'habitude, sauf pour raison grave comme quand il y avait eu la mort de maman.

J'ai insisté.

Il a fini par prendre son téléphone.

On avait un numéro avec l'indicatif de Nantes. Ça a sonné. Quelque part. Dans le vide. Pas de messagerie et personne n'a répondu. Qu'est-ce qu'on croyait ?

Philippe a laissé sonner longtemps. Pendant tout ce temps, il a gardé les yeux sur la carte.

Curtil m'avait téléphoné, une fois, quelques jours après l'enterrement de maman, parce qu'il était pris par un chagrin insurmontable.

J'étais allée le voir alors qu'il vivait au Creusot, dans un deux-pièces sordide. Il l'avait joué bravache mais ça se voyait qu'il n'avait plus un rond. Il avait quand même tenu à m'emmener dans un grand restaurant. Il n'avait lésiné sur rien, ni sur les plats, ni sur le vin.

On était remontés chez lui, après, pour boire le café. On avait parlé de maman. Pas de sa mort. De maman en vie.

Avant de me quitter, juste dans l'entrebâillement de la porte, il m'avait dit de ne pas porter la culpabilité des autres.

Je descendais les étages, il continuait à gueuler ça. Appuyé à la rampe : "Les erreurs qu'ils font, leurs faiblesses, leurs lâchetés ! Méfie-toi, ils vont tout faire pour que tu deviennes comme eux !"

La cage d'escalier faisait écho. Je lui ai dit de se taire. J'ai dévalé le dernier étage, sa voix me déboulait dessus. "Tant qu'on trouve son compte aux choses, on les supporte !"

Un voisin est sorti sur le palier. J'ai baissé la tête. Je suis passée dans la rue. Curtil s'était penché par la petite fenêtre de la salle d'eau : "On s'invente des raisons…", il gueulait.

J'ai accéléré le pas et tout ce qu'il a crié ensuite s'est perdu dans l'air froid vif du Creusot.

Il ne m'a plus jamais téléphoné après.

J'étais revenue au Creusot quelques mois plus tard, il avait déménagé. Le couple qui vivait dans l'appartement m'a donné son courrier, quelques quittances, factures et lettres sans importance.

La Môme faisait quelques devoirs pour la rentrée avec le lapin couché sur ses pieds.

Gaby a haussé les épaules. Je lui avais apporté la carte pour qu'elle voie.

Elle l'a retournée, dans un sens, dans un autre, plusieurs fois.

— Alors, il ne vient pas ?!

— Il ne dit pas qu'il ne vient pas. Il dit juste qu'il aura du retard.

— Du retard sur quoi ? Il n'avait même pas donné de date.

Elle m'a rendu la carte.

— Et c'est où ça, El Calafate ?

— En Patagonie.

Elle a hoché la tête.

Elle a regardé le ciel, il était blanc. Il allait neiger encore.

— Si ça neige autant qu'ils disent, on va être ravitaillé par les corbeaux, elle a dit.

Une voiture est arrivée.

— V'là la Sociale…

Elle a soupiré.

Elle a voulu que je reste. Parce que j'étais la tante, la sœur, la famille. Que c'était bien pour le dossier que l'assistante me voie.

— Tant que la Môme n'a pas dix-huit ans, c'est comme ça, faut justifier.

L'assistante s'est avancée avec son cartable et son dossier. Elle s'est excusée de venir si tard dans l'année, presque le dernier jour.

Gaby a débarrassé un coin de table pour faire de la place aux papiers. Elle a rangé son grand corps entre le mur et la penderie. Pas facile de se bouger, je me suis carrée dans l'angle du divan. Gaby a dit que c'était petit mais qu'on vivait bien, qu'on ne se gênait pas. "Pas vrai, Carole ?" Tout était en ordre, le linge sec, la Môme avait ses livres ouverts, elle a montré ses notes et ses cahiers, l'ordinateur prêté par le lycée.

Elle a présenté Bunny.

Gaby a sorti le carnet, les tickets de caisse, a justifié des achats faits pour la Môme.

En la regardant, je pensais à notre mère. Derrière la lucarne, nous étions ses deux filles et, le soir de l'incendie, elle a dû en choisir une. Cette chose-là est arrivée. Choisir. Laisser. Soulever. Emporter. Je me souviens de m'être cramponnée à son cou, mes bras noués à la manière des enfants-singes. Je me souviens du goût de l'air quand nous nous sommes retrouvés dehors. Et le reste ? Où est-ce que ça va, le reste ? Tout ce que la mémoire ne nomme pas et qu'elle garde sans le dire ?

Gaby avait mis à réchauffer un bon reste de dinde cuisinée dans le four. La pièce était pleine de cette odeur. L'assistante s'est penchée pour voir les morceaux et le jus qui crépitait, salissait la vitre en éclats de coulures appétissantes.

Gaby ne lui a pas dit que c'était de la rapine.

Elle n'a pas parlé de la machine qui n'essorait plus ni de Ludo qui était quelque part.

Elle a montré son certificat de repasseuse, une place avec la garantie de l'emploi, un métier presque, pas d'un grand destin mais qui permettait de gagner de quoi.

Elle a raconté, les piles de linge parfaites, bord contre bord, les serviettes, une pile pour chaque grandeur, elle n'a rien dit sur la lourdeur du fer ni sur ses bras qui la faisaient souffrir.

L'assistante a noté. Elle a questionné la Môme en l'appelant Vera.

Elle a dit des mots gentils sur les guirlandes accrochées aux vitres et elle nous a souhaité une belle fin d'année parce que le 31, c'était dans trois jours.

Avant de partir, elle a promis qu'elle ferait débloquer une prime spéciale pour aider Gaby à passer son hiver.

— Vera, c'est un joli prénom, j'ai dit, une fois qu'elle a été partie.

Gaby a haussé les épaules, elle a ouvert le frigo, a

entamé le pack de Ludo, et elle qui d'ordinaire n'en buvait pas, a vidé une bière d'un seul trait.

La Môme a souri.

— Une prime ! T'es en sursis, Bunny, elle a dit en le remuant sur ses pantoufles.

Le lapin a bougé les oreilles.

— T'aurais pas dû faire ça…, j'ai murmuré.

— Quoi ?

— Lui donner un nom. Tu ne pourras plus le manger maintenant.

Elle a haussé les épaules.

— C'est pas un nom qui change les choses.

— Crois pas ça.

La scierie fermait pour quatre jours. Devant le premier atelier, les bûcherons fêtaient la fin de l'année. Ils avaient rangé les machines et les outils. Posé les verres sur des planches. C'était la trêve, du repos à venir, mérité. Des jours qui devaient compenser les heures passées dans le froid, les éveils à l'aube et les sorties dans la nuit.

Ça faisait plus d'une semaine que le char était dans la neige. Je m'habituais à lui.

Je ne voulais pas penser à Curtil. Pas me demander où il était, en Patagonie ou ailleurs. Pas me demander non plus pourquoi il nous faisait ça.

Je suis sortie.

Je me suis glissée à l'intérieur du char. J'ai ramené mes genoux contre mon ventre. Ça sentait le chien.

Par l'ouverture, je voyais le va-et-vient des gens qui se croisaient devant l'épicerie, on se saluait, un homme déneigeait son toit.

Un chasse-neige a déblayé la route. Je ne savais plus comment penser. Où était ma place ? Où est-ce que je devais être ?

J'allais repartir.

Je me suis récité la liste de tous les mots différents qui disent la neige :

neige sèche,

neige profonde,

neige poudreuse d'épaisseur importante,

croûte de neige (couche dont la surface présente une couche ferme),

neige humide,

neige mouillée, en partie fondue sur le sol,

neige fraîche, transformée (qui a été tassée ou a subi un cycle de gel/dégel),

précipitation de neige fondue,

abondantes chutes en gros flocons,

tempête,

givre,

buée givrée (sur les vitres par exemple),

congère,

lourde couche de neige gelée (dont lc poids menace les arbres et les toits),

tas de neige balayée par les hommes,

neige trafollée,

neige de surface,

bourrasques,

neige bleue sur la surface des lacs.

Les bûcherons ont ramassé les verres. Ils se sont quittés d'une tape amicale sur l'épaule, ils rejoignaient leurs voitures, se retournaient, plaisantaient encore. Certains s'attardaient. L'un d'eux est allé récupérer sa veste oubliée dans la grue.

Jean s'est avancé, il a allumé une cigarette et il est venu se caler contre le char.

Il regardait partir ses gars en fumant lentement.

— Il y a des bêtes qui rôdent, c'est pas très prudent de rester là-dedans. C'est confortable au moins ?

— Ça peut aller…, j'ai répondu.

— Ça doit puer ?

— Un peu.

Il a tiré une taffe, a soufflé la fumée loin devant. J'ai approché ma tête du hublot.

Je voyais son profil, ses lèvres épaisses. Il avait la voix un peu lasse.

— Il y a du monde chez moi, la famille de ma femme, ils viennent de loin. Ils repartent lundi…

Les gars s'en allaient les uns après les autres. Ils saluaient Jean, lui souhaitaient un bon réveillon et Jean leur répondait.

Ils devaient se demander ce qu'il faisait ici, à fumer tout seul au bord du char.

Il n'y avait plus de camions, plus de bruits. Les lumières des phares, des silhouettes avec des ombres. Et à l'intérieur même des ombres, il y avait d'autres ombres. D'autres lumières.

Le départ des hommes rendait ce crépuscule étrange. Le Val devenait obscur.

Jean a fouillé dans sa poche.

— Donne-moi ton bras.

J'ai passé ma main par le hublot. Il a noué un bracelet en tissu torsadé autour de mon poignet.

— C'est pour te protéger des ours.

— Y a pas d'ours ici…

Il a jeté le mégot dans la neige.

— Preuve que ça marche.

Le soir, la fouine a recommencé à gratter. J'ai été réveillée par le bruit de ses griffes vives sur le plancher sec. Elle était juste au-dessus de mon lit, elle se déplaçait par à-coups, trottait, s'immobilisait et repartait à nouveau.

J'imaginais un long corps porté par des pattes courtes.

À l'automne, les fouines changent de pelage, ça commence par le dos et ça remonte jusqu'à la tête, j'avais lu ça dans un livre. Pour finir, les oreilles et le contour des yeux. Au printemps, la mue se fait en sens inverse.

Chez le lièvre, c'est seulement la pointe des poils qui blanchit et la base reste noire.

Samedi 29 décembre

Les opposants à la piste avaient bloqué la route. Depuis le matin, ça klaxonnait. Les voitures avaient les skis sur les toits, je voyais les visages derrière les vitres. Certains avaient coupé leur moteur. Les fils de l'Oncle dansaient autour, passaient d'un capot à l'autre, cognaient de la main pour faire enrager les conducteurs.

J'ai pris la photo de la serveuse et je suis sortie.

J'ai retrouvé Philippe à *La Lanterne*.

Il a fait un signe à Francky pour avoir un peu d'eau. Il avait des soucis, les vents d'est avaient endommagé un refuge d'altitude, emporté un quart du toit et une partie des bardeaux.

— On appelle ça les degrés de séparation, j'ai dit.

— De quoi tu parles ?

Je lui ai montré un article sur un ancien numéro de *Géo*, on expliquait que cinq personnes suffisent pour nous faire rencontrer quelqu'un qui vit à l'autre bout du monde. Le principe est que chacun connaît une personne qui en connaît une autre… cela finit par faire une chaîne de connaissances et la dernière nous relie à un inconnu en plein désert.

Philippe a bougonné. Il a enlevé ses lunettes, a frotté ses yeux.

— M'en fous des inconnus.

— Il paraît qu'avec les réseaux sociaux, on est à quatre degrés seulement.

— C'est déjà assez compliqué de faire avec ceux qu'on connaît.

Il a remis ses lunettes.

— Et tu ferais quoi, toi, avec un inconnu ? Tu ne sais déjà pas garder un homme normal.

— Et toi, tu sauras toujours comment la garder, Emma peut-être !?

Je me suis excusée. Tout de suite. Trop tard.

Il a rangé ses documents dans différentes pochettes. Il a tout glissé dans une sacoche. Un vieillard attendait pour lui parler avec deux cartons sur lesquels était écrit *Fragile*.

Diego était penché à sa table, il tentait d'ajouter des pièces manquantes à son puzzle morcclé. Des gens sont entrés pour déjeuner.

Diego a laissé son puzzle.

Les fils de l'Oncle jouaient au flipper.

Philippe a soupiré.

— Tu devrais arrêter d'aller chez Gaby.

— Pourquoi ?

— Tu crèves d'ennui quand tu vas là-bas…

— Qu'est-ce que tu en sais ?

— Elle le dit.

— Gaby le dit ?

— Oui.

— Elle dit que je crève d'ennui ?

— Que tu es là mais que t'as pas envie… Et tu devrais arrêter de lui dire des trucs…

— Quoi ? Je lui dis quoi ?

— Tu lui as dit que Curtil devait forcément savoir que la maison n'était pas assurée... Qu'il ne pouvait pas l'ignorer. Me regarde pas comme ça, elle me l'a dit parce qu'elle voulait savoir si je le pensais aussi.

— Et alors ?

— Alors rien.

Sur la route, des voitures montaient en direction des stations.

Le vieux patientait toujours avec ses cartons.

— Tu vois ce type, là-bas... La chemise à carreaux rouge.

Je me suis retournée.

— C'est un pote à Ludo... Tu ne remarques rien ?

— Qu'est-ce que tu veux que je remarque ?

— Sa bouche...

Il s'est calé contre le dossier.

— Va mettre un disque.

— J'ai pas envie.

— Fais ce que je te dis.

J'ai marché jusqu'au juke-box. Quand je suis revenue, j'ai vu la bouche du gars, il y avait trois trous de chaque côté.

— Alors ? a demandé Philippe.

— On dirait la bouche d'Emmanuelle Béart.

J'ai repris ma place.

— Qu'est-ce qu'il a fait ?

— Il avait mis de l'argent dans une affaire pour l'achat de plants de cannabis. Avec trente pour cent du capital, il a voulu cinquante pour cent des bénéfices. C'était ça ou il balançait tout aux flics. Ils lui ont cousu les lèvres avec du fil de pêche et une aiguille de boucher.

Il a refermé sa sacoche, a gardé les deux mains dessus.

— C'est pas des idiots qui font ça… Les salauds, quand tu réfléchis bien, c'est rarement des idiots.

Il a adressé un signe au vieillard qui s'est avancé avec ses cartons.

Avant de partir, il m'a donné le journal pour que je le pose chez Gaby.

Il faisait très froid, Gaby était revenue du travail. Elle ne voulait plus sortir, même pour aller boire son petit café, elle restait retranchée dans son bungalow.

Elle a remercié pour le journal.

— Tu en as des blancs, elle a dit en se penchant sur mes cheveux.

— Tout le monde en a.

— Moi, j'en ai pas.

Elle a ébouriffé mes cheveux avec sa main. Je n'aimais pas qu'elle me touche. Je l'ai repoussée.

— Mais j'ai les poils du sexe qui sèchent, elle a dit. On dirait du crin. Ça te le fait pas ?

Je n'ai pas répondu.

— Du crin ou du foin… Ça te le fait pas, toi ? elle a insisté.

— Non, ça me le fait pas.

Elle a rigolé.

— Fais pas ta hautaine…

Elle s'est penchée sur moi pour me regarder bien en face. J'ai senti le souffle de son haleine chaude.

— Les cheveux blancs, ça te va bien, elle a dit, ça adoucit tes yeux.

Je n'ai pas aimé qu'elle dise ça. La Môme a souri. Elle s'est approchée de la vitre. Marius était dehors, il ne s'éloignait plus de là et semblait avoir fait du devant du bungalow son terrain de jeu.

On s'est placées à côté d'elle. On était toutes les trois, nos visages se reflétaient dans la vitre, celui de Gaby entre nous deux.

— Qu'est-ce qu'il fabrique ?

— Des tapis de neige, a répondu la Môme. Il en fait partout, mais il neige dessus et ça s'efface alors il recommence.

C'est par dizaines qu'il avait sculpté ces carrés autour du bungalow. Un immense échiquier de cases de lumière. Il venait d'en terminer un et cherchait un endroit où en dessiner un nouveau.

— Si tu le laisses encore dehors, il va finir en congère, elle a dit, Gaby.

Elle n'a rien dit d'autre.

J'ai croisé les yeux de la Môme dans le reflet de la vitre. Marius était un descendant de maudit, maudit lui-même sur sept générations, un mauvais comme son père, on avait entendu dire cela depuis toujours. Les mots de Gaby prenaient le sens d'un pardon possible, d'une rupture de malédiction.

La Môme s'est détachée de la vitre, lentement, comme si elle attendait les foudres inévitables. Elle a traîné des pieds jusqu'à la porte. Elle s'est retournée, elle a regardé Gaby encore.

Elle a entrouvert la porte et elle est venue reprendre sa place derrière la vitre.

Elle ne pouvait pas faire plus.

Seulement cela.

Gaby s'est assise à la table. Des quelques secondes suivantes, il ne s'est rien passé. Après, on a entendu un pas léger sur le béton des marches, une ombre, et le maudit est apparu.

Il est resté tout en haut de la dernière marche, immobile comme un piquet.

— Tu crois que j'ai les moyens de chauffer la lune ? a grogné Gaby.

Il a franchi le seuil, a refermé la porte derrière lui. Une fois à l'intérieur, il n'a pas osé nous regarder. Il a fureté des yeux dans cet endroit plein de mystères et qu'il connaissait seulement du dehors.

Ses yeux se sont davantage ouverts quand il a vu les écureuils.

— T'as loupé la consigne, elle a dit, Gaby, parce qu'il restait la bouche bée.

Le lapin est venu lui renifler les pieds.

— C'est Bunny, a dit la Môme.

— Dehors, dedans, tu peux pas être habillé pareil, on t'a jamais appris ça chez toi ? a demandé Gaby.

Elle avait la voix rude.

Il a ôté son blouson en le retournant par les manches. Dessous, il portait son éternel polo rouge et des bretelles pour retenir son pantalon. Un inattendu col Claudine dépassait du polo.

De l'autre côté de la route, dans la maison de l'Oncle, sa mère avait tiré le rideau. Elle avait dû le voir entrer, son dernier, dans la maison de l'autre, alors elle zieutait. Tentait sûrement d'imaginer ce qu'il faisait.

Marius ne bougeait pas. Le torse était petit, la poitrine étroite, peu d'épaules. Un pull tricoté main, mailles à l'endroit, le point mousse.

— Tu as faim ? a demandé Gaby.

Marius a dévisagé la Môme comme si c'était à elle de savoir.

Une trêve dans les sept générations, j'ai pensé.

La Môme a dit qu'il avait faim alors Gaby a sorti du placard un sachet de crêpes toutes prêtes. Du beurre et une poêle.

Marius s'est approché des guirlandes en cartouches. Il les a touchées, a respiré l'odeur de la poudre.

La Môme lui a expliqué qu'elle voulait acheter du fil électrique avec des petites ampoules qu'elle glisserait à l'intérieur pour faire une brillance de plastique.

J'ai pensé au feu. À l'incendie. Notre maison à la Malfondière avait brûlé comme ça, pour un Noël voulu trop beau, trop décoré.

J'ai eu peur pour le bungalow fragile, le divan en faux cuir, les bouts de carton, tout ce qu'il y avait de facile pour des flammes.

— Il ne faut pas mettre de guirlandes ici, j'ai dit.

La Môme n'a pas compris.

J'ai croisé les yeux de Gaby. Un instant, c'est notre passé qui est remonté.

— Elle le fera pas, a dit Gaby, c'est juste pour la conversation… Hein, la Môme ? Dis-lui à Carole que tes guirlandes en cartouches, ça suffira et que tu mettras jamais d'électrique chez nous.

La Môme a hoché la tête, lentement. Elle a montré à Marius les guirlandes récupérées au char du chenil.

Durant les minutes qui ont suivi, j'ai imaginé le bungalow en torche. Je n'en finirais donc jamais ?

Pendant qu'ils parlaient, Gaby réchauffait les crêpes une par une. Sur la table, elle avait mis le sucre en poudre, les pots de confiture, la crème Mont Blanc. Elle a glissé une crêpe chaude dans l'assiette de Marius. Elle a recommencé. Quelques secondes de chaleur de chaque côté. Elle ajoutait du beurre pour faire dorer.

Je me suis calmée.

— Tu n'aurais pas la recette du gâteau que maman faisait pour les retours de Curtil ?

Elle s'est retournée, m'a regardée.

— La recette, elle était dans sa tête.

Elle a fait sauter une crêpe.

— Ce que je sais, c'est qu'il fallait trois œufs. Quand on habitait à Grenoble, elle m'envoyait les acheter à l'épicerie de l'Arabe juste en dessous. Trois œufs du jour, elle disait. Après, avec Philippe, on se partageait les coquilles, toi tu n'en voulais pas. On les posait dans une cuvette pleine d'eau, elles flottaient, on mettait des grains de riz dedans jusqu'à ce que ça coule.

— Je ne jouais pas avec vous ?

— Non.

— Pourquoi ?

— Je ne sais pas… Maman montait les œufs en neige. Quand le chocolat était fondu, elle ajoutait du lait, ça sentait bon.

Elle s'est retournée, m'a glissé un regard doux.

— Tu veux qu'on se rappelle encore ?

— Non, ça va.

Elle a fait réchauffer d'autres crêpes.

— Tu valses chez Francky lundi soir ?

— Pour le réveillon ?… Non.

— Moi, oui… j'y vais.

Je me suis reculée au fond du lit, le dos à la cloison. Cette odeur serait un souvenir en eux et pour longtemps. Marius riait parce que les crêpes étaient élastiques et qu'il devait tirer dessus avec ses dents. Ils traversaient leur enfance, la part la meilleure. La Môme râpait du chocolat en tablette. Elle avait les pommettes rouges. Ça sentait bon. Peut-être qu'elle avait un frère, un frère qui lui manquait, un petit frère fantôme comme un membre arraché et qui ressemblait à ce gamin-là.

J'ai croisé le regard de Gaby et il m'a semblé qu'elle aussi pensait cela.

Marius était repu. Son ventre rond gonflait sous le pull. Il s'est frotté la panse et on a vu que sa main était redevenue vivante.

On était heureuses de ça.

On a ouvert la porte pour chasser l'odeur. La Môme lui a parlé d'un pays où il fait tellement chaud que les enfants vivent nus et où il n'y a pas de fenêtres, seulement des ouvertures.

— Là-bas, c'est l'été tout le temps.

— Même l'hiver ? a demandé Marius.

— Tiens, tu parles, toi ? s'est moquée Gaby.

— Même l'hiver, a dit la Môme. Dans ce pays, le mot froid existe seulement pour parler des frigos.

— Et il n'y a pas la pluie ?

— La pluie, c'est juste pour la fraîcheur.

— Et les cheminées ?

— Les cheminées, c'est pour la déco. Là-bas, on est toujours au soleil et on dort sans couverture.

La crêpe que Marius tenait dans sa main retombait molle sur le côté. La confiture coulait le long de son poignet.

— Il est où ce pays ?

La Môme a tendu le bras.

— Par là.

— Dans la forêt ?

— Après la forêt. Il faut marcher.

Il a tourné la tête en direction de l'endroit.

— Pourquoi on n'y va pas ?

— Il faut marcher longtemps.

— Et j'ai pas les bonnes chaussures ?

La Môme s'est penchée, a regardé sous la table, les bottes en plastique que portait Marius.

— Non, t'as pas les bonnes chaussures.

Le conducteur de la saleuse avait lâché un tas de gros sel près de l'entrée du chenil. C'était du sel gris, brut, il était lourd. Il fallait le charrier jusqu'aux cages.

Quand je suis arrivée, la Baronne finissait d'en remplir une brouette. Elle avait ôté son blouson. Dessous, elle portait plusieurs pulls. Elle s'est grillé un reste de cigarette. Noël était passé et elle n'avait toujours pas de réponse pour son enclos.

— Et Curtil, vous avez des nouvelles?

— Il vient… mais il est en retard.

Je ne voulais pas lui parler de son détour par la Patagonie. Je me sentais incapable d'expliquer cela. Qu'il l'avait fait et qu'il m'était possible de le supporter, de rester là et de l'attendre.

Elle ne m'a pas demandé quand j'allais partir.

— Gaby, ça va son boulot?

— Ça va. Mais repasser lui fait mal aux bras. Et elle doit compter tout le linge avant de le ranger, elle n'aime pas ça.

La Baronne a hoché la tête.

— Ça n'a jamais été son truc, les chiffres. Et la vapeur du fer?

— Elle ne se plaint pas.

Elle a saisi les brancards de la brouette mais elle ne l'a pas poussée. Elle s'est tournée à demi.

— Trois types sont venus au chenil, ils m'ont demandé si je savais où était Ludo.

— Et alors?

— Alors rien.

— Je le dirai à Philippe.

Elle a hoché la tête. Elle a poussé la brouette sur deux mètres.

— Y a toutes les gamelles à laver, si ça t'inspire…

Elle a filé plus loin, jusqu'au bout de l'allée et elle a jeté du sel autour des cages, en plein nord, là où le sol était le plus gelé.

Je suis entrée dans la maison. J'ai trouvé une éponge, du produit vaisselle, pas de gants. J'ai remonté mes manches. J'ai plongé les mains dans l'eau, les gamelles étaient grasses, l'eau coulait chaude.

Un basset était couché sur la paillasse, amené la veille, il avait marché longtemps sur le goudron glacé, ses coussinets étaient brûlés.

J'ai lavé les gamelles en regardant dehors.

Le chien Poum était à son attache.

On raconte qu'il y a longtemps une femme avait conservé tout un hiver son mari mort dans un saloir en attendant de pouvoir l'enterrer au redoux du printemps.

J'ai essuyé les gamelles.

La Baronne en avait fini avec son sel et elle est revenue dans la cuisine.

Elle s'est lavé les mains à cause du sel.

Elle avait reçu la facture du vétérinaire pour les soins apportés au basset.

Elle a fait réchauffer du café qu'elle a servi dans des gobelets en carton.

Je lui ai parlé du site de Philippe, on pouvait passer des annonces et proposer des chiens à l'adoption. Elle a voulu qu'on le fasse tout de suite alors on a commencé à réfléchir.

Elle m'a donné du papier et un crayon.

— Il y a les deux malinois, elle a dit, la mère et son chiot, ils sont très liés l'un à l'autre, il ne faudrait pas les séparer. Ils sont pucés et vaccinés. On les promène facilement ensemble, avec une laisse pour couple.

J'ai noté ce qu'elle a dit.

Elle a sélectionné quatre chiens plus les deux malinois. J'ai relu ce que j'avais écrit.

Bello, fox-terrier, joyeux et très affectueux, ressemble au Milou de Hergé.

Haïka, type setter, chien calme, sociable avec les autres. Ne tire pas en laisse. Il écoutera bien son maître.

Falva, chienne labrador, a été trouvée errante, très câline, a besoin d'amour mais n'a pas encore été testée sur les chats.

Gache, un caractère très fort, dominant, a besoin de quelqu'un qui le prenne en main, n'aime pas les enfants mais c'est un bon chien.

Pour chacun des chiens, elle m'a retrouvé l'âge. Elle m'a donné le numéro des cages pour que je vienne les prendre en photos.

— Tu sais qu'ils utilisent des chiens pour mesurer la radioactivité autour de Fukushima ? Des chiens et des singes, ils les bardent de GPS, ils les balancent dans la forêt et se servent des relevés pour faire leurs topos.

Je ne savais pas.

— Les bêtes sont meilleures que les hommes, elle a fini par lâcher.

Elle s'est levée, a jeté les gobelets dans un sac.

— Une bête, ça prend juste ce qui lui faut. T'as pas de bêtes, toi ?

— J'avais un hérisson. C'est la concierge qui s'en occupe.

Elle comprenait. Elle est allée s'asseoir à côté du basset et lui a passé de la crème sous chaque patte. Pour ne pas qu'il se lèche, elle a enfilé par-dessus des chaussons en couleur resserrés par une lanière.

Le vieux Sam m'a fait signe quand je suis passée sur la route, il m'a proposé un thé.

Il m'a pris le bras, a dit quelques mots sur ce train fabuleux qui longeait sa boutique à des heures irrégulières.

Il m'a raconté comment il avait fait l'élevage des papillons, il y a longtemps, dans une serre qu'il y avait là, juste derrière. Il m'a entraînée pour me la montrer. C'était une petite serre au toit en partie effondré. Avant de les relâcher, il leur collait une vignette spéciale sur les ailes, un adhésif qui permettait de suivre leurs migrations.

— Quand les papillons étaient tous marqués, j'ouvrais la fenêtre et ils s'envolaient. Certains restaient dans les arbres, le plus étrange c'est qu'il y en avait toujours quelques-uns qui ne voulaient pas partir.

Il a fait quelques pas dans la neige. A ramené des flocons dans ses mains.

— Mon jardin était rempli de pots dans lesquels poussaient des plants d'asclépiades. C'est une plante toxique, les papillons s'en nourrissent et leur peau devient toxique à leur tour. Seules les souris peuvent les manger.

— Elles n'en crèvent pas ?

— Non, elles recrachent la peau. Aucun autre animal n'a compris qu'il fallait faire cela.

Il m'a montré un arbre au tronc maigre dont les branches frottaient contre le toit de la boutique.

— Cet arbre est censé donner des griottes. Il a toujours été malingre. On le dirait calciné… Ma femme l'aimait beaucoup, elle l'aimait plus que tous les autres et pourtant il faisait des fruits insipides. Malgré ça, elle continuait de s'occuper de lui. Et chaque année, elle parvenait à faire deux ou trois bocaux avec ses fruits. Vous aimez les griottes ?

— Pas vraiment.

— Elle non plus, mais elle aimait cet arbre. C'est curieux, n'est-ce pas?

On a rejoint le bord de la route. Le bitume était blanc, les voitures avaient roulé sur la neige, laissé les traces de leurs pneus.

Il a voulu me raccompagner jusqu'au gîte. Il marchait lentement, appuyé sur sa canne.

L'écoulement du temps me semblait différent d'ailleurs. Il m'a raconté l'histoire de ce Chinois qui s'était endormi dans son jardin et avait rêvé qu'il était un papillon qui volait de fleur en fleur. Fatigué d'avoir tant butiné, le papillon s'est endormi et, dans son sommeil, il a rêvé qu'il était un homme.

Je me suis appuyée à son bras.

J'ai fini l'histoire.

— Quand le Chinois s'est réveillé, il ne savait plus s'il était un homme qui avait rêvé qu'il était un papillon, ou s'il était un vrai papillon qui rêvait qu'il était un homme.

Il a hoché la tête.

— Qui est réel? L'homme chinois ou le papillon?

Il a repris la marche.

— J'ai l'impression que nous en sommes tous là, que nous ne savons plus très bien qui nous sommes.

Il parlait lentement en observant la nature enneigée. Il s'est arrêté pour me montrer un oiseau au jabot rose qui mangeait des baies écarlates. Les baies ressemblaient à des grappes de groseilles, elles étaient restées accrochées aux branches du buisson malgré le froid.

— Vous avez remarqué, a-t-il dit, nous commençons tous notre vie en étant des œufs… Les oiseaux, les lézards, les insectes, on a le même départ. Pour la suite, c'est presque la même histoire, un petit espace à remplir entre la naissance et la mort. Et il faut parvenir à faire de cet espace un moment de grâce.

On a fait un détour par les ruelles du Val.

— On ne sait pas la grandeur de l'espace qui nous est imparti. Et ce n'est pas la même pour tous. La seule chose à tenter, c'est que ça se passe au mieux.

— Faire des enfants qui s'en vont, se faire lâcher par leur père, attendre le sien et passer des accommodements simples avec la vie, c'est ça le mieux, monsieur Sam?

— Ce n'est pas que cela, mais c'est cela aussi.

— La Baronne pense que l'espèce humaine n'est qu'une espèce parmi d'autres.

— La Baronne a une sensibilité animale.

On a parlé d'elle et de l'espèce humaine, de sa violence et de son inéluctable destruction.

On a parlé de Curtil et je lui ai confié le détour par la Patagonie. Je lui ai dit que Philippe cherchait des photos d'autrefois pour mettre sur son site. Il m'a répondu que cela n'avait rien à voir avec notre conversation mais il a promis de regarder dans ses boîtes et de lui trouver cela.

On est arrivés aux champs. Buck laissait encore des vaches dans les prés, elles se regroupaient pour se protéger du froid. À l'écart, un taureau impassible, cinq cents kilos de viande et l'encolure basse.

— Buck est un con…, a dit Sam. Il maltraite les bêtes. C'est très difficile d'être con comme Buck… et c'est très facile aussi.

On est revenus vers la scierie. Les ateliers étaient fermés. Le tas de sciure recouvert de neige semblait un terril blanc.

Il a ramassé une coquille d'escargot.

— Regardez… Les spirales qui dessinent les coquilles sont semblables à celles que forment les fougères quand elles sortent de la terre, on dirait des crosses de cardinal.

Le soir tombait quand je suis rentrée. Je me suis calfeutrée. Les peaux d'orange laissées sur l'étagère avaient commencé à sécher. Combien allait-il falloir de temps pour qu'elles durcissent complètement?

Je me suis couchée, la bouillotte brûlante collée au ventre. Où était Curtil? Que faisaient les filles? J'ai eu envie de les appeler. D'entendre leurs rires me traverser le corps et leur dire que je les aimais. J'ai pensé à leur père, parti dans la lancée, à la maison ça sentait trop le silence, leur départ lui avait donné des envies de soleil. De passions nouvelles sans doute aussi.

La fouine est venue gratter.

Il m'a semblé qu'il faisait jour mais c'était la lune qui éclairait la pièce par les volets que je ne fermais pas.

Dimanche 30 décembre

La veille, j'aurais dû aller dîner chez Philippe et Emma. Il avait dit cela : "Samedi, il y aura des copains d'Annecy, tu viendras ?"

Ça m'a réveillée en pleine nuit.

J'ai allumé mon portable. Philippe avait essayé de m'appeler, plusieurs fois, mon téléphone n'était pas branché. Il avait laissé un message plein de reproches avec les mots bien détachés : "Tu crois que c'est à maman que tu ressembles, mais c'est à lui !"

Point final.

Pas d'autres choses.

Il a cru que j'avais fait exprès mais j'avais vraiment oublié. Je m'en suis voulu, après.

Je me suis préparé un café. Je l'ai bu derrière la fenêtre. La neige éclairait la nuit.

Curtil disait que je ne faisais rien comme les autres, que je lui ressemblais, je tenais de son côté, à supporter sans faillir et qu'à cause de ça, on mourrait de la même façon lui et moi, les yeux grands ouverts et debout.

Les chagrins font la grandeur des hommes, il disait.

Un jour, j'avais trouvé maman à la table, elle pleurait. Je m'étais arrêtée sur le palier. D'où pouvaient venir tant de larmes? Ses pommettes brillaient. Qu'était-il arrivé? Quel malheur extraordinaire avait pu provoquer un tel déchaînement? Elle semblait se vider d'un chagrin intarissable qui coulait d'elle sans bruit. Je m'étais approchée. J'étais bouleversée. Curieuse aussi et impatiente d'entendre l'histoire fabuleuse qu'elle allait me raconter.

Elle a fini par remarquer ma présence.

J'ai attendu la merveilleuse histoire.

"C'est le chagrin des oignons", elle a fini par dire en s'essuyant les yeux avec son torchon.

Elle m'a montré. Dans le saladier, il y avait des morceaux d'oignons blancs. "Dès qu'on les pèle, on larmoie…", a expliqué ma mère.

Je ne comprenais pas alors elle m'a tendu un oignon, son couteau. J'ai tourné le bulbe dans ma main. J'ai enfoncé la lame sous la peau. J'ai tranché, prudemment. Il ne s'est rien passé alors j'ai tranché plus avant dans la chair ct, après quelques secondes, j'ai senti les larmes envahir mes yeux et gonfler et couler.

Ce grand chagrin extraordinaire, se pouvait-il que ce ne soit que cela? Qu'aucune histoire ne soit responsable de ces larmes épaisses et si nombreuses? J'ai ressenti une sensation étrange. Une pensée méconnue. Mes larmes sont restées en suspens, au bord du vide. En lisière. C'est du faux chagrin, j'ai pensé.

D'un long moment, je n'ai pas bougé pour que les larmes ne débordent pas.

J'ai fini par les ravaler et elles ont rejoint leur lieu. L'endroit de vie des vraies larmes.

"En tout être humain, il y a un lac, a dit ma mère, une tristesse liquide que les oignons aident à vider."

Le matin, je suis allée rendre la Coccinelle à Emma. Tout était encore éteint, silencieux, j'ai garé la voiture devant leur porte avec les clés dessus.

Je suis revenue à pied.

Les fils de l'Oncle se frittaient déjà sur le parking contre d'autres garçons. L'aîné était plaqué au sol, une botte sur la nuque, la joue dans le goudron.

J'ai travaillé en attendant que la serveuse sorte.

Elle avait changé ses draps, comme elle l'avait fait les deux dimanches précédents. Ceux-là étaient bleu ciel avec des grands motifs géométriques, et j'en ai conclu que c'était son habitude de changer les draps le dimanche.

La lumière était belle sur le balcon. J'ai pensé zoomer sur le visage, la chevelure rouge et les bras nus dans le froid, seulement cela, mais depuis la première photo, j'avais choisi un même cadrage, au centimètre et sans en dévier, il ne fallait rien changer, c'était mieux de poursuivre comme précédemment.

Après, je suis allée au chenil et j'ai frotté les sols. J'ai nettoyé les merdes et lavé les gamelles.

J'ai fini, il était presque quinze heures, je suis passée chez Francky. Trop tard pour un vrai repas. J'ai commandé un sandwich-soucoupe avec un verre de lait. J'ai réglé le loyer de la semaine à venir.

Francky voulait profiter de l'hiver pour repeindre le gîte, il a voulu savoir quand je partais.

Je devais être à Saint-Étienne le 7, c'est ce que je lui ai dit. J'aurais libéré le gîte avant, forcément.

Il a hésité. Il a fait trois pas, il est revenu, le front un peu rouge.

— Je l'ai commandé, il a dit.

Discrètement, il m'a montré le juke-box.

— On va me le livrer en fin de semaine… mais je le ferai mettre au gîte, hein, ça te gênera pas ?

C'était le début de la pause pour Diego. Il était penché sur son puzzle, absorbé par le dessin d'une pièce dont il examinait attentivement tous les détails. Un morceau dans les tons rouges avec une découpe en creux sur les quatre côtés.

— Cette pièce est un mystère, à croire qu'elle est en trop, il a dit quand je me suis approchée.

Les pièces étaient triées par couleur. Il en a pioché une nouvelle qui a trouvé sa place rapidement dans le ciel commencé, un fragment à dominante de jaune qui dessinait la courbe d'un immense soleil. Il a lissé la maigre surface du plat de la main pour en vérifier au toucher le bon emplacement.

Le puzzle se dévoilait lentement. Le pont se précisait, immense, il traversait un fleuve pour rejoindre de l'autre côté une ville pleine de lumières et qui semblait américaine. L'armature se découpait, noir sur le fond orange du ciel.

— Le problème, quand tu fais un puzzle, c'est la table… La table et la lumière… Il faut une bonne lumière dessus… Le plus grand puzzle existant a trente mille pièces et il mesure cinq mètres sur deux, comme deux portes de garage.

Il ne savait pas ce qu'il représentait.

L'ordinateur était libre, j'ai trouvé sur Internet ce puzzle dont il parlait : Trente tableaux côte à côte du peintre Keith Haring.

Trois cents heures de patience au bas mot. Une vidéo à Hong Kong montrait un Chinois qui l'avait presque terminé.

J'ai appelé Diego.

Il est venu voir.

— Dix fois le mien…

Il n'en revenait pas. Ses yeux ont brillé d'envie.

Deux types sont entrés, ils ont dit que le passage d'une motoneige venait de déclencher une coulée dans le parc après la Croix-Sainte-Marie. La coulée avait décroché des rochers. La route était fermée.

L'un d'eux avait capturé un coq sauvage et lui avait attaché les pattes avec de la ficelle. Il l'a posé sur le zinc. Il s'est calé le dos au bar. M'a saluée d'un mouvement de tête.

— Quand il y en aura deux, on fera un combat.

Dans le fond de la deuxième salle, des tramps avaient improvisé un bras de fer. Le type a voulu tenter sa chance, il m'a confié son coq. "Il faut juste poser la main dessus", il a dit. C'était une belle bête, avec des ergots terribles.

Sur l'écran de télé, on voyait le vélodrome de Londres avec des cyclistes qui tournaient. Ils semblaient glisser sur la piste tellement ils pédalaient vite.

Un livreur est venu déposer des cartons pour le réveillon du Jour de l'an. Il a tout laissé au milieu de la première salle.

Gaby est entrée.

Ce n'était pas son heure.

Elle traînait des pieds, le bas de son manteau était mouillé. Elle n'a dit bonjour à personne.

Elle a lorgné mon sandwich-soucoupe.

— T'en veux un?

Elle a fait oui avec la tête.

J'ai fait un signe à Francky.

On a pris une table.

344

— Tu fais quoi avec ça ? elle a demandé à cause du coq.

— Rien, c'est au type là-bas…

Francky lui a apporté son sandwich. Elle en a mangé la moitié en fixant les cyclistes sur la piste. Elle avait travaillé tout le matin.

Il faisait mauvais temps. Des bourrasques cinglantes qui traînaient la neige sur la route et venaient cogner contre les vitres.

Gaby a reposé son sandwich. Elle a bu un peu de lait.

— C'est pas possible… Il peut pas être dehors avec ce froid. Y a forcément quelqu'un qui sait où il est.

Elle s'est levée, est allée au comptoir, a pris quelques sucres.

— Ludo, plus on le cherche, moins on le trouve, elle a fini par dire.

Elle a lâché le sucre dans le verre. A brassé à la cuillère.

— Paraît qu'il a balancé… Et qu'il doit. Je pourrai pas rembourser pour lui, des sous, moi, j'en ai pas.

— Ils savent que t'en as pas.

— Ils s'en foutent de ce qu'ils savent.

Elle a levé les yeux sur moi.

— Me regarde pas comme ça. Ludo, c'est pas un salaud.

— Bien sûr que si !

Le sucre a fondu.

— Philippe dit qu'on peut survivre dans la montagne, trois heures sans feu, trois jours sans boire et trois semaines sans manger. Mais l'hiver, tout est différent, ce n'est pas la même loi.

Elle a bu le lait. Lentement.

Sur l'écran, on montrait les trois cent mille clous nécessaires pour assembler les lames du parquet, du bois qui vient de Sibérie.

— Tu y crois toi, aux promesses? elle a demandé.

— J'y crois.

— Philippe dit que les promesses, c'est rien que du vent.

Elle a reposé son verre.

— C'est à cause de toi qu'il dit ça.

— À cause de moi?

— Il dit que tes promesses, tu les tiens pas. Tu devais aller bouffer chez lui, il paraît que tu y es pas allée.

Elle a rigolé doucement. A glissé le reste de son sandwich dans sa poche avec les sucres et la petite serviette en papier.

Le type au coq est revenu.

Il a repris sa bête.

— Tu connais Wild Bill Hickok?…, il m'a demandé.

— Non.

— C'était le mec à Calamity Jane. Ils ont eu une fille ensemble.

— Calamity Jane n'a pas eu d'enfant.

— Qu'est-ce que tu en sais? C'est pas parce qu'on n'a pas retrouvé la selle du chameau d'Abraham qu'Abraham n'avait pas de chameau ni de selle. Proverbe de Rabbi Ken Spiro. À méditer…

Il est reparti avec son coq.

— Tu le connais? a demandé Gaby.

— Non.

— Il te tutoie…

Yvon est arrivé, son reportage était presque terminé. Il avait son ordinateur portable.

— Tu veux qu'on visionne ?

On a pris deux places sur une banquette.

— Tu as réduit sur six minutes ?

— Presque… ça dépasse encore un peu.

Il a branché son disque dur. En fond d'écran, il avait toute une bande de copains. Il a ouvert un dossier.

La Môme est sortie de l'épicerie. Quand il l'a vue, Yvon a tapé contre la vitre. Elle s'est avancée de sa démarche un peu timide.

Il lui a commandé un chocolat chaud.

— C'est toujours ce qu'elle boit.

Quand elle est arrivée, le chocolat était sur la table. Elle a pris la place en face de nous, sur la banquette. Elle avait des traces de pastel sur les doigts, du noir sous les ongles. Elle a bu le chocolat, la tasse entre les mains, les cils dans la vapeur.

Yvon attendait qu'elle finisse pour lancer les images.

Je suis allée mettre un disque, C. Jérôme, *Et tu danses avec lui*, une mélodie merveilleuse, je chantais les paroles en sourdine. J'ai pensé aux filles, à nos dernières vacances tous les quatre ensemble avec leur père à Saint-Malo, une maison face à la mer. On avait trouvé ce moyen pour passer encore un été avec elles, consolider ce lien avant qu'elles ne grandissent et s'en aillent.

Quand je suis revenue, la Môme avait pris ma place et Yvon lui montrait son reportage. Ils étaient ensemble, épaule contre épaule. La main lisse de la Môme autour de la tasse, les pommettes un peu hautes.

J'ai écouté la fin de la chanson et j'ai réglé leurs boissons. J'ai dit à Francky de leur servir tout ce qu'ils voudraient et qu'il mette ça sur mon compte.

À vingt heures, la fouine a commencé à s'agiter. J'ai entendu ses griffes sur le plancher. On aurait dit que c'était dans ma chambre qu'elle était. Ou bien dans mon crâne. Comment vivait-elle ? Il devait bien lui arriver de sortir ? D'aller chasser ?

J'ai pensé ouvrir la trappe, éclairer le grenier, la voir enfin, de face, mais j'avais peur qu'elle soit derrière la planche et de me trouver nez à nez avec ses griffes.

Qu'elle m'arrache les yeux.

Lundi 31 décembre

On était le dernier jour de l'année et Curtil n'était pas là.

La scierie était fermée. Les bûcherons faisaient le pont, quatre jours sans travailler.

Il était onze heures et trente et une minutes quand j'ai pris la photo de la serveuse à son balcon.

Je ne suis pas sortie. J'ai passé la journée à traduire Christo.

Le soir est tombé. Un des tramps est venu faire sa ronde pour s'assurer que tout allait bien à la scierie. Il a fait le tour des ateliers et il est reparti.

Il faisait froid. Mes lèvres avaient gercé, s'étaient fendues, avaient cicatrisé par-dessus, étaient devenues plus épaisses. Je les enduisais de baume pour les protéger.

Pierre a téléphoné. Il était à l'aéroport, s'envolait pour un voyage à Bali. Seize heures de vol avec une escale à Singapour. Je l'ai écouté en regardant dehors, le parking bondé, les lumières et les fêtards du Val qui s'engouffraient chez Francky. Tout le monde était sur son trente et un.

Avec les trois salles éclairées, *La Lanterne*, on aurait dit un paquebot de mille lumières.

— J'aurai une traduction pour toi quand t'en auras fini avec Christo. Un recueil de poèmes, ça t'intéresse ?

— La poésie, ça se lit dans la langue, ça ne se traduit pas.

— On en reparlera.

J'entendais les annonces de vol derrière lui, l'embarquement immédiat. Il m'a souhaité un beau début d'année : "Je te rapporterai du riz de là-bas."

Ceux qui venaient réveillonner continuaient à arriver chez Francky. Des couples. Des groupes. Les voitures étaient garées sur le parking, au bord de la route ou plus loin.

L'orchestre, deux guitares, une contrebasse et un accordéon. J'entendais de la musique chaque fois que la porte s'ouvrait.

J'ai entamé le sachet de fruits secs. Raisins, abricots, ananas... J'ai sorti les cure-dents et j'ai embroché les fruits. Le père des filles faisait cela quand les petites étaient tristes. Il appelait ça le bal des fruits secs.

Quelques pas de danse et il glissait le fruit entre leurs dents.

Plus les filles étaient tristes, plus il faisait danser les cure-dents. Aux grosses tristesses, il pouvait passer le sachet entier.

On a frappé à la porte. Jean a surgi du dehors, veste en tweed, il s'est engouffré avec le froid. Il s'est arrêté, m'a regardée, et puis l'ordinateur, les papiers. Le livre ouvert.

— Tu n'es pas prête ?

— Prête ?

— La fête ! On réveillonne tous chez Francky.

— J'ai du travail…

— Depuis le temps ! T'as pas encore fini ?

— Si, bientôt.

Il s'est avancé. Il a vu les cure-dents piqués de fruits. J'avais sorti les oreillers et toutes les couvertures de l'armoire, ça faisait un tas énorme sur le lit.

— Il manque l'âne et le bœuf et ça ferait la crèche.

— J'hiberne, comme les ours.

— Les ours n'hibernent pas, ils hivernent.

— C'est quoi, la différence ?

— Le degré de vigilance.

Il a pris le View-Master. Il a visionné une carte.

— Les ours passent l'hiver prostrés, sans boire, ils bouffent leurs merdes comme les lapins, ça leur fait des réserves de protéines.

Il a pris une autre carte, a fait défiler les diapos.

— Ce repli, c'est juste de la léthargie, de la somnolence… pas du grand sommeil… Les écureuils font ça aussi.

— Les écureuils de Gaby ?

— Ceux de Gaby… et les autres.

— Juste des cœurs qui se mettent au ralenti ?

— Juste ça.

Il a ressorti la bande cartonnée, a reposé l'appareil sur le bureau.

Il a ramassé mon pull, me l'a tendu.

— Tu as assez travaillé pour aujourd'hui.

Chez Francky, il faisait chaud et il y avait du bruit. Les musiciens étaient des gars d'ici, ils buvaient un verre au comptoir.

Sur les tables, étaient posés du vin dans des pichets en terre et des bières brunes, des petits sapins en plastique, des bougies dans des verres.

On s'est faufilés jusqu'au zinc pour acheter deux tickets-repas. Diego avait protégé son puzzle sous une plaque de plexiglas, une corde tendue, interdiction de toucher.

La serveuse à Francky distribuait les hors-d'œuvre, de la galantine avec des cubes de gelée, elle portait un top sans manches, un cuir lacé.

Pour la suite du repas, ce serait viande de dinde et jambon avec gratin, c'était écrit sur le ticket.

Il restait deux places à la table de Gaby. Je me suis assise à côté d'elle. Jean s'est glissé plus loin, il y avait une vieille entre nous, une femme toute seule qui ne disait rien. Jean lui a demandé si elle pouvait se décaler mais elle a refusé.

L'orchestre a commencé à jouer. Trois hommes et une fille. Gaby m'a souri. Elle s'était fardée avec du rouge sur les joues et du bleu sur les paupières.

— T'as vu, j'ai mis des boucles ! elle a dit en passant ses doigts sur les pendentifs accrochés à ses lobes.

— J'ai vu.

— Mon bleu, ça va ?

— Ça va, oui.

À la même table que nous, deux hommes pansus mangeaient avec des femmes dont les joues recouvertes de fond de teint faisaient penser aux craquelures sèches d'un désert.

La musique était forte, on ne s'entendait pas parler.

Gaby s'est levée, elle voulait aller danser. Elle portait des escarpins. Une jupe coupée aux genoux. Un sweat scintillant. Elle a chancelé un peu à cause de ses talons aiguilles. C'étaient des mauvaises chaussures, du faux cuir recouvert d'une couche de cirage blanc.

Sous sa chaise, il y avait ses bottes et un sac en plastique avec un Tupperware à l'intérieur. Elle avait récupéré des restes de galantine.

Jean s'est penché pour me parler dans le dos de la vieille, ce qu'il m'a dit a été avalé par le bruit.

On nous a servi la dinde. Une sauce blanche. Un vol-au-vent. On s'est passé les assiettes. On a bu du vin mauve et des bières recouvertes d'une mousse grise. Sur l'estrade, un garçon en tee-shirt faisait rouler une boule de verre le long de ses bras nus, la boule passait d'une main à l'autre, elle semblait ne pas le toucher, être en apesanteur.

La fille qui chantait est venue parler à Jean.

À quelques tables, il y avait Sam et les cousines, sans leur mère, étrange quatuor de femmes sans sourire.

Jean s'est levé du banc et il a sorti son harmonica. Ses mains se sont ajustées comme deux ailes. Il a collé ses lèvres au métal, m'a jeté un regard rapide. La fille a approché le micro et il a commencé à jouer, une mélodie déchirante qui a jailli d'entre les ailes. Tout le monde s'est tu. C'était de l'harmonica mais on aurait dit du saxophone.

Gaby écoutait, assise, figée. Personne ne bougeait. Même les serveurs et les jeunes dans la deuxième salle. Même les idiots. Tant qu'il a joué. Jusqu'à la dernière note.

Après la dernière note, il y a eu un temps immobile. Il ne jouait plus mais la musique résonnait en écho dans ma tête. On s'est tous levés et on a applaudi. Gaby, plus fort et plus debout que les autres, elle frappait de ses mains puissantes.

Elle m'a poussée du coude.

— C'était bien, hein ?

Elle m'a poussée encore.

— Oui, c'était bien, j'ai fini par lâcher.

Au bout de sa table, le vieux Sam souriait.

Gaby est restée debout alors que plus personne n'applaudissait et puis elle a regardé autour d'elle, gênée soudain, ne sachant plus trop quoi faire de son corps et elle s'est laissée retomber sur le banc.

Jean lui a dit quelques mots, ce devait être aimable parce que ses yeux ont brillé.

L'orchestre a repris.

Les serveurs ont apporté une tranche de tiramisu avec de la glace qui fondait. Elle a mangé. Un peu de crème a coulé sur sa lèvre, je lui ai montré, elle s'est essuyée.

Des gosses vidaient les fonds des verres qui traînaient sur les tables. On nous a apporté des gâteaux secs, des petites meringues dans une soucoupe.

Il faisait chaud. J'ai enlevé mon pull. J'avais mis dessous un Little Marcel sans manches, bretelles noires, rayures fines, le collier de perles blanches, cadeau du père des filles pour mes trente ans.

J'avais fait souder le fermoir autour de mon cou pour ne jamais le perdre.

Jean est allé danser avec la fille au micro. Je suis restée à côté de la vieille. On ne rêve jamais pour rien. La musique libère quelque chose. Du chagrin. De la douleur. Elle libère du bonheur aussi. Et d'autres choses qui n'ont pas de nom.

Un type est venu parler à Gaby, il lui a fait des avances lourdes. La Môme était dans la deuxième salle avec Yvon et la jeunesse du Val que j'avais appris à connaître de vue.

La danse finie, Jean est revenu. Il s'est faufilé derrière moi entre le banc et le mur. En passant, il a relevé la bride noire de mon Little Marcel. J'ai senti sa main sur mon épaule. Le geste était simple. Naturel.

Inattendu.

Il s'est penché.

— Tu viens?

Dans la deuxième salle, on installait les tapis et on distribuait les cartes, c'est là qu'il m'a entraînée. La belote, j'avais de lointains souvenirs. Il m'a résumé les atouts, les coupes, les mises.

— Pour les appels, tu tapes un peu de la main sur le tapis, c'est de la triche, il faut être discret.

Le tirage nous a placés contre deux frères. Jean a distribué la première jetée. Il ne mélangeait pas les cartes, disait que ça foutait le jeu en l'air. Je regardais ses yeux. Il regardait les cartes. On jouait. Sérieux. Sur les bons plis, on se souriait. J'aimais bien quand je croisais ses yeux. Des fois, ils étaient graves, gris, bleu.

Les deux frères ne disaient rien. C'est eux qui comptaient les points. On faisait ça avec des pions en plastique.

On a fini, deux mille derrière.

— Tu n'es pas assez attentive, a dit Jean.

On a continué mais contre d'autres perdants, la femme avait des problèmes d'arthrite, elle lâchait ses cartes, on voyait son jeu, on a quand même perdu.

— Si on perd la troisième, on ne pourra plus jouer, a dit Jean.

C'était le règlement.

On a perdu.

Jean n'en revenait pas qu'on ait été éliminés aussi vite.

Il n'était pas fâché d'avoir perdu. Ça avait même l'air de l'amuser beaucoup.

— Des atouts, il y en a huit, c'est pour la prochaine fois, il faudra t'en souvenir.

On est revenus vers la piste voir ceux qui dansaient. L'orchestre a entamé un air musette. L'un des musiciens a posé sa guitare, a pris un violon.

Jean m'a tendu la main.

— On peut essayer ? C'est facile… Ça peut pas être pire de toute façon, hein…

Il m'a prise contre lui. Je me suis raidie.

— C'est pas une bonne idée.

J'ai senti sa main se plaquer dans mes reins. Il m'a dit que ça allait aller.

Aux tables, les chopes s'entrechoquaient. Les bières dévalaient les gorges. Dans le fond de la salle, quelqu'un a sifflé violemment, à la manière des grands cow-boys.

— Va falloir t'accrocher…

Il a murmuré ça contre mon oreille et je me suis dit que c'était ma minute d'éternité, celle à laquelle tout le monde a droit, la part accordée par les anges, qu'on appelle ça du bonheur ou autrement n'avait pas d'importance, alors j'ai niché ma main dans la sienne, j'ai blotti l'autre sur son épaule, ma joue a frôlé sa joue, j'ai respiré à fond, entre le col et le visage, la fragrance intime de cet homme qui me troublait depuis que j'étais gamine, et j'ai décidé que le temps d'une danse j'allais être pleinement et parfaitement heureuse.

Il m'a tenue plus fort.

— Le violon est le seul instrument qui fait danser le diable et hurler les loups.

J'ai entendu des rires et puis rien, c'est devenu flou, ça a commencé. Je me suis laissé emporter sans retenue. Mon visage était dans sa chemise. Je sentais la chaleur de son torse. Je me suis agrippée, surprise que le tissu de sa chemise soit si rêche. Autour, on frappait le parquet avec les pieds. L'archet glissait sur les cordes, les faisait vibrer. J'ai effleuré son cou. Je riais. Je crois qu'il riait aussi.

J'avais son cœur sous ma main.

Se souvenir permet de ralentir la perte des êtres comme celle des choses. Quand j'aurais tout oublié, je me souviendrais de ce battement de cœur, une résonance particulière. Je ne sais pas combien de temps cette danse a duré.

Et puis la musique s'est arrêtée, la terre a ralenti, elle a stoppé. Ma main s'est attardée encore. A glissé sur le torse. Je l'ai posée sur son bras, sa peau était brûlante.

L'éternité était finie.

Dans la salle, les convives s'agitaient parce que c'était bientôt minuit.

On s'est détachés.

Ils se sont tous mis à compter en braillant le compte à rebours, parfaitement synchronisés, bien décidés à l'attaquer à bras-le-corps, ce gros paquet de jours qui se présentait. Une année nouvelle qui serait une année belle, il fallait y croire, des choses allaient venir, des bonnes et aussi les autres, il faudrait tout prendre, elles étaient encore devant, des surprises bien planquées dans les jours de l'année neuve.

À minuit, tout le monde s'est embrassé.

J'ai essayé de me mêler à la liesse. D'être légère comme ils parvenaient tous à l'être. Je faisais de mon mieux. Je n'y parvenais pas et leur bonheur m'isolait.

J'ai croisé les yeux de Jean, il m'a souri.

On s'est embrassés.

Nous aussi.

Les musiciens étaient en pause. Pour la musique, c'étaient les années 1960 et le juxe-box à Francky.

Avec Jean, on s'est collés au zinc.

357

Il a commandé deux cognacs. A dit que c'était le seul alcool dans lequel on pouvait lire l'avenir du monde.

Elle est arrivée, je ne sais pas par où. J'avais les yeux dans les coulures dorées du cognac, occupée à chercher mon destin. Quand j'ai relevé la tête, j'ai vu la frange claire, un regard et deux jolies mains avec du vernis rose.

— Belle année, mon amour…

Les lèvres se sont emparées de celles de Jean. Une fille vêtue d'un pull, arrivée à minuit, comme une fée.

Il a répondu à l'étreinte. Sa bouche s'est attardée sur le front lisse.

Je me suis écartée.

Qu'est-ce que j'avais cru ? Qu'est-ce que je m'étais imaginé ? Je me suis figée sur un sourire idiot, les joues brûlantes. Curtil le disait, il faut tenir les chocs, rester droite en toute épreuve, le nez au vent et l'œil sec, même quand les dominos s'écroulent à l'intérieur.

La fée a dit qu'elle avait fini son service à vingt-trois heures, le temps pour elle de revenir.

Jean nous a présentées : "Sandrine, Carole." Elle s'est tournée vers moi : "Jean m'a souvent parlé de vous… – En bien j'espère ?" Qu'est-ce que je peux être gourde… "En bien, oui. Philippe n'est pas là ? – Il réveillonne chez des amis à Modane."

L'orchestre jouait fort, pour s'entendre il fallait presque crier.

Jean lui a proposé un verre, elle a préféré aller danser.

Je suis restée au zinc avec les deux cognacs. Il y avait des glaçons dans une coupe, j'en ai écrasé un sous mes dents. Les autres fondaient lentement.

C'était une fille plutôt jolie. Ils allaient bien ensemble.

J'ai tenu mon sourire tant qu'ils ont dansé.

— Bonne année, ma sœur !

Gaby a surgi, elle m'a plaquée contre elle, une forte embrassade suivie d'une bonne claque dans les reins.

— Sois heureuse, elle a dit.

C'est pas gagné, j'ai pensé.

— Je vais tout faire.

Je lui ai dit pour Ludo, que j'espérais que ça s'arrangerait, et aussi qu'elle finirait par l'avoir, sa maison en dur. Avec un étage même ! Des tas d'autres choses. Tout ce qu'elle voudrait. Je lui ai dit aussi pour Curtil, mais pour lui, je n'avais pas beaucoup de mots et elle non plus.

Elle n'a rien dit pour moi. Elle n'a pas su.

Yvon est venu nous embrasser.

Gaby a voulu qu'on téléphone à Philippe et à Emma. On les a appelés. On n'entendait presque rien. On s'est quand même souhaité le meilleur.

Diego est apparu. Il avait mis une cravate sous son tablier de cuisinier. Il a enlevé son tablier pour embrasser Gaby. Il lui a souhaité une bonne année.

Il m'a embrassée aussi.

Francky était derrière son comptoir.

Sa serveuse emplissait les bocks, repoussait d'un rire tous ceux qui voulaient l'embrasser, froisser les voiles longues de sa jupe sous raison que c'était minuit du 1er janvier.

Diego est reparti en cuisine.

Gaby débordait de joie sur ses talons qui chancelaient. Elle regardait autour d'elle, tout le Val qui se pardonnait, le temps des vœux, cédait à la tentation de conjurer le mauvais sort et de s'attirer les bonnes grâces du ciel. Avec des rires, des embrassades. Des mots.

Elle s'est tournée vers moi.

— Fais pas ta différente…

— Quoi ?

— Comment tu les regardes… Comme si t'étais pas capable de rire des mêmes choses.

Elle a appuyé un doigt sur mon front.

— T'es toujours toute seule ou alors dans ton livre alors on croit que tu réfléchis, mais tu réfléchis pas. Ou alors tu gamberges trop au-dessus des choses… et c'est au ras qu'il faut.

Soudain, elle a tapé plusieurs fois avec son doigt contre mon crâne, comme s'il s'agissait de creuser un trou pour faire entrer ce qu'elle disait.

— Au ras des choses…

Faire en sorte aussi que ça ne ressorte pas.

Soudain elle a tourné la tête, un mouvement vif, parce que quelqu'un venait d'entrer, un type sans grande carrure, mêlé à d'autres. À cause de l'allure peut-être, ou de la voix ; elle avait dû croire que c'était Ludo. Elle avait dû le penser, juste le temps court d'un bref regard, elle a tangué, un peu, a vite rétabli mais sur son visage, ce n'était plus aussi joyeux.

Un type discutait avec des amis au comptoir. Un beau visage. Il portait un tee-shirt à l'effigie du Che. C'étaient des hommes de passage qui prenaient un verre, ne dînaient pas là.

Il suffirait peut-être que je lève les yeux, je pourrais le regarder comme j'avais regardé ma mère. Je l'avais fait en d'autres temps, avec quelques hommes qui étaient devenus des amants. Je pouvais le faire encore.

Prendre un verre avec lui.

Sortir.

Finir la nuit.

Il y a des choses comme ça, que les yeux font.

Je détaillais son visage et ses gestes. J'ai toujours aimé les hommes des bars.

Il a dû sentir le regard parce qu'il s'est détaché des autres.

— Vous habitez où ?

— À Saint-Étienne…

— C'est le centre de la France, ça ?

— Presque…

— Un peu près de Paris ?

— Oui, on peut situer ça comme ça.

Ses copains voulaient partir, ils sont allés jusqu'à la porte. Lui hésitait entre les rejoindre et rester.

— Vous voulez venir avec nous, on va poursuivre ailleurs ?

En d'autres temps, je l'aurais suivi. En des ères anciennes, presque préhistoriques. Avec les années, je me suis faite émotive, j'ai besoin de sentiments.

Je lui ai dit que j'attendais quelqu'un.

Gaby n'était plus là. Il n'y avait plus son manteau. Plus ses bottes. Le vieux Sam aussi était parti. Jean dansait toujours avec sa femme. Une petite fille s'était endormie à sa place, la tête entre les mains, ses cheveux traînaient dans la glace. Mon pull avait glissé du dossier, roulé en boule contre la plinthe. Je l'ai remis, poussiéreux, sur mon Little Marcel.

Je suis sortie.

La lumière bleue de l'enseigne brillait sur le parking. Des types aux gestes louches m'ont proposé des cigarettes. J'ai fait dix mètres et je suis revenue vers eux.

Je leur ai souhaité une belle année. Seulement ça.

Il y avait de la gadoue grise, mélange de terre et de neige. J'ai traversé la route.

J'ai aperçu Gaby dans la lumière d'un lampadaire, elle rentrait chez elle, cent mètres plus loin.

Elle avait remis ses bottes, tenait ses escarpins à la main.

Le sac avec la boîte en plastique qui contenait la galantine.

Mardi 1ᵉʳ janvier

Il était dix heures, je n'avais pas envie de quitter le cocon de mon lit. J'ai tiré la couverture jusqu'au menton. Il neigeait encore. Les chasse-neige sont passés, les lames ont raclé le bitume.

Une fois par hiver, ma mère nous faisait remplir une bouteille avec de la neige, c'était un rituel, elle nous disait de mettre un vœu à l'intérieur. Un vœu, sous la forme d'une pensée. On laissait la bouteille dehors, sur le rebord de la fenêtre. Quand la neige fondait, le vœu était censé se réaliser. Elle trouvait toujours une explication pour ceux qui ne se réalisaient pas.

Elle disait que, quoi qu'il en soit, nos vies seraient belles. Elle voulait que toutes les histoires qu'elle nous racontait se finissent bien alors elle changeait la fin de celles qui étaient tristes.

Je pensais à elle.

Je me sentais vide, un peu bizarre. Je me suis vue dans le miroir. Le soleil du Val avait bruni ma peau, il l'avait matifiée. Les joues et le front. Je me trouvais normale. Très normale. Cette vallée aussi, je la trouvais normale.

J'ai allumé mon téléphone. Le père des filles avait laissé un message : "Carole ?... C'est moi... Je te souhaite une belle année. J'espère que tout va bien. Les filles m'ont dit que tu étais au Val ? Tu me rappelles ?"

Il a dit ça : "Tu me rappelles ?"

Suivait un texto de Pierre : *Bien arrivé à Bali, 26 degrés, t'imagines ?*

J'ai décroché l'ancien calendrier. Je me suis demandé ce que j'avais fait de tous ces jours passés. Me suis remémoré le départ des filles, celui de leur père.

J'ai glissé le calendrier dans un tiroir, je l'ai remplacé par le nouveau. Et maintenant ?

J'ai regardé les jours.

J'ai appelé le père des filles. On a parlé un peu de cette année nouvelle et des filles. Des filles surtout. "Et Gaby ? – Ça va. – Ton frère ? – Ça va aussi." Emma, la Môme, Francky...

Je lui ai dit que ça serait bien qu'on pense à vendre l'appartement.

Je me suis entendue lui dire cela : "Ça serait bien qu'on pense à vendre l'appartement."

D'une voix tranquille et en grattant le givre collé aux vitres.

Il y a eu un silence durant lequel j'ai vu briller la lumière blanche entre les griffures du givre. Il faisait soleil dehors. L'appartement, on l'avait choisi à deux, on l'avait acheté nous deux. Il était encore à nous. Une chose que nous avions ensemble et qui nous était commune.

J'ai entendu sa voix : "Oui... si tu penses que c'est mieux."

— Je pense, oui...

Il y avait encore des affaires qui lui appartenaient dans les armoires. Les filles, qu'allaient-elles dire ? Tant que l'appartement était là, leur père pouvait revenir. La vie reprendre. On allait rendre nos clés et ce serait un point de non-retour.

Il est faux de penser que tout s'en va avec le temps. Certaines choses restent, elles s'ancrent. D'autres passent.

— Il faudra bien le faire un jour, j'ai murmuré.

Il a dit oui, que j'avais sûrement raison.

Il a dit d'autres choses que je n'ai pas retenues. J'ai pris la boule de verre et je l'ai retournée, dans l'eau les grands yeux ronds du cheval à bascule semblaient rire.

Il a raccroché.

J'ai avalé plusieurs cafés à la suite, la caféine m'a à peine secouée.

J'ai tenté de traduire quelques lignes.

J'ai téléphoné aux filles. Je leur ai souhaité d'être heureuses. Là-bas, pour elle, c'était le début de l'après-midi, elles faisaient du shopping. C'était aussi l'été, je leur ai demandé de me parler des rues, des boutiques, des bars, ceux qui donnent sur des places, les terrasses.

— Parlez-moi du soleil ! Comment êtes-vous habillées ?

— En jupes, chapeaux légers, tee-shirts sans manches et lunettes de soleil, et toi ?

— Moi, ça va. J'ai eu votre père au téléphone, on a parlé.

J'avais mon billet retour dans ma valise. Il me restait deux jours. Allais-je repartir sans voir Curtil ? Maman disait que notre père était le meilleur des pères, qu'il pouvait arriver qu'on ne le comprenne pas mais que tout ce qu'il faisait, il le faisait pour nous, et que c'était un homme infiniment bon.

Votre père a besoin d'ailleurs, disait-elle, c'est pour ça qu'il s'en va.

Onze heures. La serveuse à Francky n'a pas secoué ses draps.

Un peu avant midi, j'ai dû me résoudre à prendre la photo du balcon sans elle.

C'était ma vingt-quatrième photo.

J'ai déjeuné seule, un repas court pris devant l'écran.

L'après-midi, il faisait un grand soleil, je suis sortie marcher à grands pas, le blouson ouvert, il fallait que je me délie le corps.

La grande flaque devant le bungalow avait gelé, elle emprisonnait tout un morceau du ciel et les branches de l'arbre et la balançoire.

Accroupis l'un près de l'autre, la Môme et Marius regardaient leurs visages dans ce miroir. Ils glissaient leurs doigts gantés sur la surface en vitre.

La Môme a appuyé sur la glace, elle l'a fait plier jusqu'à ce qu'elle se brise, une boue noire est remontée à la surface et a flouté tout ce qui était reflété, le ciel, le toit, les branches et les deux visages.

Je leur ai souhaité une belle année.

Gaby dormait.

Je suis revenue sur mes pas.

La scierie était fermée.

Il y avait des planches sous cet abri couvert, j'ai entendu gratter derrière l'un des tas. J'ai pensé que c'était la fouine. Je me suis avancée.

J'ai voulu la voir, juste cela. J'ai grimpé sur ces planches qui étaient longues et étroites. Je les croyais solidement empilées, arrimées en confiance mais l'une d'elles a glissé. J'ai eu le temps de sauter mais la planche déséquilibrée a été entraînée, elle est tombée de tout son poids sur mon orteil. Ça a été rapide.

J'ai senti le choc, un éclair de douleur, violent.

Je suis sortie de là en boitant.

Le tramp qui faisait office de gardien m'a vue, il est venu ramasser la planche. Il faisait froid, des nuages de vapeur sortaient de sa bouche. Il m'a demandé si ça allait. Je lui ai dit que ce n'était rien.

Il a fini sa ronde, est reparti sur le campement.

À chaque pas, l'ongle tapait au fond de ma chaussure.

De retour au gîte, j'ai retiré ma chaussette. L'ongle était rouge. La peau enflée. Je me suis blottie dans le lit, les jambes repliées.

Mercredi 2 janvier

Pendant la nuit, le sang s'est accumulé. Le lendemain, l'orteil était gonflé. La chair creusée à l'endroit
du choc. Une douleur lancinante irradiait, du pied
jusqu'au mollet. Je me suis penchée sur l'ongle noir.
Je me suis traînée jusqu'à l'évier.

Dans le miroir, j'avais triste allure. Un teint gris
taupe. Pas un physique de princesse.

Le travail avait repris à la scierie. J'entendais les
bruits, les voix, le vacarme des scies, le va-et-vient
sous ma fenêtre après quatre matins silencieux.

Les élancements me donnaient la nausée. Je suis
revenue au lit. L'oreiller dans les reins.

Jean est arrivé.

La chambre était en désordre, mes vêtements sur
la banquette.

— Un bûcheron m'a dit que…

Il s'est avancé. J'ai caché mon pied entre mes
mains.

— Tu me laisses voir ?

— Non.

— Pourquoi ?

— C'est laid.

— Et alors?

J'ai baissé les yeux. Je ne montre mes pieds à personne. Je ne les aime pas. Je les trouve tristes et la plupart du temps ils sont froids.

— Et tu vas faire comment?

— J'irai voir un pédicure.

Il s'est assis au bord du lit.

— Un pédicure, ici, au Val?

Il a frotté fort ses mains l'une contre l'autre pour bien les réchauffer. Il a écarté les miennes.

— Ça va aller…

Avec ses pouces, il a appuyé doucement sur les côtés. Il a remonté le long de la plante et sous les autres orteils. Les pieds des filles étaient magnifiques quand elles étaient nouveau-nées, je les prenais dans mes mains, des petons blancs, tout recroquevillés, leurs creux sentaient bon le savon.

— Je ne crois pas que ce soit cassé.

Il a décroché un torchon propre sur l'étendage, l'a glissé sous mon talon.

Une pharmacie était suspendue au mur, il a fouillé dedans, a trouvé un flacon de Betadine. Il a sorti du fond de sa poche une pointe fine en acier brillant.

— Qu'est-ce que tu vas faire?

Il n'a pas répondu.

Il a allumé son briquet, a promené la flamme sur la pointe.

J'ai repoussé sa main.

— Je ne veux pas…

— Ce n'est pas très agréable mais ça ne fait pas mal. Ma femme m'a appris à ne pas rater ce genre de chose.

Il a repris mon pied. S'est penché sur l'ongle sombre. Je voyais son visage de très près, le grain de sa peau, les sillons des rides creusés d'ombre et les picots rudes de la barbe qui repoussait.

— Cale-toi aux oreillers et regarde ailleurs.

Je ne voulais pas me caler.

— Tu as mal ?

— Oui.

J'ai regardé le mur, son épaule qui faisait comme une dune.

Il a approché la pointe de mon ongle.

— Raconte-moi quelque chose...

— Quelque chose ?

— Un souvenir.

— J'en ai pas.

Il a souri.

C'est lui qui a raconté.

— J'avais un copain, il a dit, il y a longtemps, il n'avait pas de petite amie, les autres garçons lui avaient laissé Rosa Maria, pas la plus laide mais la plus triste des filles d'ici.

— Et alors ?

— Rosa Maria ils ont dit, elle est à toi et toutes les autres sont à nous...

Je ne voyais pas ce qu'il faisait. Je sentais le contact de ses mains.

— Ta femme, elle est infirmière où ?

— À Grenoble.

— Elle fait le trajet tous les jours ?

— Pas tous les jours... Voilà, c'est fini...

J'ai senti une odeur puissante de corne brûlée. Le soulagement, tout de suite après. La douleur a reflué. Immédiatement.

L'ongle, percé en deux points différents, laissait s'écouler du sang noir sur le torchon.

— C'est comme ça qu'on soigne les abcès des chevaux.

Il a fait pression pour évacuer les liquides qui restaient sous l'ongle et il a imbibé de Betadine.

— Ça va ?

— Ça va.

Il a posé le flacon de désinfectant sur la table à côté du lit.

— Il faudra en remettre régulièrement.

Il a repris la pointe qu'il a glissée dans sa poche.

— Rosa Maria, qu'est-ce qu'elle est devenue ? j'ai demandé.

— Je ne sais pas, un jour elle est partie, elle a disparu, personne n'a jamais su.

J'ai caché mon pied sous le drap. Il est revenu près de moi. Il s'est assis sur le rebord du lit, a ramené une mèche de cheveux derrière mon oreille.

— T'es un bon petit soldat.

Je ne sais pas pourquoi, j'ai eu envie de chialer.

— Tu marques, toi, hein ?

C'est à cause des cernes sous mes yeux qu'il a dit ça.

— Tâche de dormir un peu…

J'avais moins d'ambition, juste me reposer.

J'ai dormi une heure.

J'ai attendu la serveuse à son balcon. J'ai pris la photo.

Après, j'ai remis mes boots et je suis sortie. Philippe était en train de se garer devant *La Lanterne*.

— La Baronne n'aura pas son enclos, il a dit en refermant la portière. Ils ont un autre projet dessus… Un parking avec des boutiques.

Il tenait ça d'un copain qui travaillait à la mairie et qui avait vu passer le dossier.

— Elle le sait?

— Oui, elle est à la préfecture.

L'enclos perdu de la Baronne, c'était le chant du cygne pour le Val. À l'intérieur, tout le monde parlait de ça. Francky a lancé qu'on ne passerait plus pour les derniers sauvages à être toujours en dehors du progrès.

Un vieux avait laissé sa béquille contre le comptoir, il est parti en s'appuyant dessus. Il dodelinait de la tête. Un autre a suivi.

La serveuse prenait des commandes. Elle s'est approchée de moi.

— Et pour vous, ça sera quoi?

J'ai pensé aux photos.

Je lui ai dit qu'elle m'apporte ce qu'elle voulait. Elle m'a préparé un cocktail pétillant à base de fraise, sans alcool et servi dans un grand verre très épais.

Je l'ai bu en regardant par la fenêtre. J'ai essayé d'imaginer ce que ce serait, ici, plus tard.

Philippe allait s'adapter. Gaby aussi. Et moi? Un jour, j'arriverais et ce serait un autre Val.

Gaby était sur le parking. Depuis qu'elle avait téléphoné à Varces, elle questionnait les chauffeurs. Elle arrêtait les gars, leur demandait s'ils n'avaient pas vu un maigre, un pas très grand, pas très causant non plus, avec une petite moustache et une cicatrice de taulard en travers du menton. Des mains aux doigts fins, l'un d'eux ne se plie pas. Elle le décrivait comme ça, je l'avais entendue. Un coup de lame, elle expliquait, c'est un dur mon gars, il a une broche à l'intérieur. Elle donnait des détails.

— Philippe?

— Mmm?

— On a fait quoi du temps?

— Quel temps?

— Ce temps de nos vies. T'as pas l'impression qu'on a renoncé ?

— Renoncé à quoi ?

— Je ne sais pas… On avait des rêves.

— On en a tous.

— Mais nous, on en a fait quoi des nôtres ?

Il a réglé les chocolats et tout ce que Gaby avait laissé sur son ardoise. Plus un pourboire pour la serveuse. Il m'a regardée.

— Tu pars toujours demain ?

— Demain, ou vendredi…

Sur le parking, Gaby parlait avec un chauffeur.

J'ai bu lentement mon pétillant fraise.

— Tu te rappelles quand maman a ouvert la trappe ?

Il n'a pas répondu. J'ai insisté.

— Je me rappelle…, il a fini par concéder.

— Derrière, avec la fumée, c'était comme s'il n'y avait plus d'échelle.

— C'est loin tout ça…

— En revenant vers nous, elle a heurté le filet d'oranges. Des sanguines.

— Je ne me souviens pas.

— Elle t'a soulevé, toi. Après, elle nous a regardées, Gaby et moi, toutes les deux. Gaby pleurait.

— Gaby avait peur.

— Nous étions ses deux filles et elle ne pouvait en prendre qu'une.

— Ne recommence pas, Carole, s'il te plaît !

Philippe avait haussé le ton, Francky a tourné la tête. J'ai baissé la voix.

— Elle a d'abord essayé de nous emporter tous les trois… Même petits, on était trop lourds. Alors elle m'a choisie. Tu as parlé de ça à qui, toi ?

— À personne.

— À Emma ?

— À Emma, oui.

— Et à Yvon ?

— Yvon aussi.

— Moi, à personne. Jamais.

Je me souviens de m'être accrochée au corps de ma mère et de l'avoir serré très fort.

— Tu te rappelles quand elle a dû choisir ?

— Tu fais chier, Carole…

— Maman t'aimait plus que nous deux réunies.

— Elle nous aimait autant tous les trois.

— Mais c'est toi qu'elle a pris en premier. Et quand elle a dû choisir, c'est Gaby qu'elle a regardée.

— C'est toi qu'elle a emportée.

— Mais c'est Gaby qu'elle voulait.

— Carole… S'il te plaît…

— J'aime pas quand tu dis *Carole* comme ça…

— Je dis *Carole* comment ?

— Tu traînes sur les syllabes.

Il a inspiré profondément. A fait une pause. Il s'efforçait de ne pas s'énerver.

Se pouvait-il que le geste hésitant de ma mère n'ait existé que dans mon esprit ?

Et après, dans les heures qui ont suivi, dans le creux de tous les autres jours, quand la vie a repris, personne n'a jamais parlé de ce geste qu'elle avait dû faire. Ni de ce regard que j'avais planté en elle et qui l'avait forcée à me choisir.

— Arrête avec tout ça… C'est seulement dans ta tête, il a fini par lâcher.

La Baronne était partie précipitamment en laissant sa maison ouverte, les clés sur la porte.

Elle avait cloué tous les pans de moquette contre les niches pour faire barrière contre le froid.

Je me suis occupée des chiens. Le béton des cages était glacé. J'ai balayé les sols. Les chiens avaient soif. J'ai trimballé l'eau, je leur ai donné à boire.

J'ai pris les photos de ceux qu'on avait sélectionnés pour le site : Bello, Gache, Falva, Haïka et les deux malinois.

La Baronne ne revenait pas.

Je suis entrée dans sa cuisine et j'ai fait cuire les pâtes, j'ai mélangé avec de la viande et j'ai rempli les gamelles.

J'ai nourri les chiens.

Caressé Poum.

Récupéré les gamelles, je les ai lavées.

J'ai allumé le poêle pour qu'il fasse bien chaud dans la cuisine quand la Baronne arriverait. Je n'aimais pas faire cela. Je le faisais pour elle.

Je puais cette odeur particulière de chien mouillé. Je me suis lavé les mains. L'eau savonneuse coulait assombrie de crasse. Après l'incendie, j'ai eu les mains sales, un mélange de terre et de suie. À l'hôpital, j'ai réclamé un miroir, je voulais voir mes yeux, je pensais qu'eux aussi étaient devenus noirs. On m'a retrouvée en équilibre sur un lavabo, mes yeux étaient toujours bleus. Je me suis approchée de leur reflet. J'ai cherché dedans, l'autre chose, à l'intérieur, dans le fond ténèbres de mes pupilles. Je voulais savoir ce qui avait forcé ma mère à dévier sa main. Quelle chose puissante, indescriptible.

Je voulais voir mon regard.

J'avais six ans. Je n'avais pas cillé, j'avais soutenu, sans dévier. Et elle m'avait emportée. Alors qu'elle voulait autre chose.

Je possédais cela. Quelque chose qui n'était pas des mots et qui avait du pouvoir. Je le découvrais. C'était inattendu.

J'ai souvent fait des cauchemars là-dessus, après. J'ai eu peur de ce regard. Je m'en suis méfiée. Je l'ai détesté.

Aujourd'hui encore, quand on me choisit, je doute.

Toutes les fois où on m'a tendu la main, est-ce qu'on me voulait vraiment? Dans les cours d'école, quand on me prenait dans les rondes? Quand on me désignait? Qu'on m'intégrait? Le cercle s'ouvrait. Pas besoin de mots. Est-ce moi que l'on choisissait ou ce regard qui contraint? Et dans les bals, plus tard?

L'année de mes onze ans, j'ai porté des lunettes fumées, je voulais effacer mon regard. Aux professeurs qui m'interrogeaient, je répondais que j'avais une maladie aux yeux.

Je n'ai plus regardé personne en face. On me pensait fourbe, fuyante, sournoise. Avec le temps, j'ai appris à relever la tête. J'ai enlevé mes lunettes et j'ai cherché dans les yeux des autres. On me disait de ne pas regarder comme ça. Que ça ne se faisait pas. Que c'était impoli. Je bravais l'interdit, et dans certains yeux, parfois, je trouvais une lueur, je frôlais quelque chose. Une âme. C'était rare. Quand ça arrivait, c'était beau.

À seize ans, j'ai voulu être ophtalmologue pour sonder l'intérieur des pupilles, plonger des lumières vives dans ce fond noir, forer au laser, percer le mystère. On ne triche pas avec les yeux, si on est amoureux, ça se voit. Ça se voit aussi si on ne l'est pas. J'ai voulu être soigneuse de regards. Je n'avais pas le niveau pour de telles études.

J'ai pensé aux hommes que j'avais séduits. Aux années où je m'étais réconciliée avec mon regard, où je m'en étais servi.

Le temps passait. La Baronne ne revenait toujours pas. J'ai dû remettre une bûche dans le poêle. La chaleur relancée a fait trembler le tuyau. Tout était en bois autour. Plusieurs fois j'ai vérifié si la petite trappe était bien refermée.

Je me suis occupée du basset. Ses coussinets étaient en partie cicatrisés. Je les ai enduits de crème comme j'avais vu la Baronne le faire et lui ai mis des chaussons propres.

Un crissement de pneus m'a fait lever la tête, c'était la Baronne qui revenait !

— Ce n'est pas comme ça que ça aurait dû se passer…

C'est ce qu'elle a dit en ôtant son bonnet. Elle a raconté son entrevue brève chez le préfet. C'était une décision sans recours, prise dans l'intérêt public.

— Tu le savais ? elle m'a demandé.

— Oui.

— Depuis quand ?

— Aujourd'hui. C'est Philippe qui m'a dit.

Elle ne décolérait pas.

Quand elle a vu le basset, sa voix s'est adoucie. Elle s'est assise sur un coussin, le dos au mur, à côté de lui.

— Ça souffre, un chien, elle a dit, chacun à sa façon… Tous ceux qui sont là… Et on ne leur accorde même pas un lopin. Et tout ça pour des boutiques !

Elle lui caressait la tête. Le basset fermait les yeux. Elle a ramené son châle sur ses épaules, les pans qui l'enveloppaient recouvraient aussi le corps du chien.

— Ils m'apportent de l'amour, tellement d'amour. Un amour sans peur.

Elle berçait la bête et elle se berçait en même temps, à les regarder j'étais incapable de deviner quel corps consolait l'autre. Au bout d'un moment, elle a senti l'odeur de la crème qui imprégnait ses coussinets.

— Tu l'as soigné…

— Oui.

Elle a vu la grande marmite et les gamelles à l'envers sur l'évier.

— Tu leur as donné à manger ?

— Et à boire. Ils sont au propre aussi.

Elle a tourné la tête, a regardé le poêle et le feu qui brûlait derrière la vitre.

— Il y a longtemps que tu es là ?

— Un peu…

Elle a souri comme si, pour la première fois, une compagnie humaine l'apaisait.

J'ai ajouté une bûche.

Avant de partir, je me suis retournée. Dans la pénombre, tous les deux, on aurait dit un tas de vieux vêtements.

J'ai ouvert la porte et j'ai vu Gaby, dressée sur mon lit, les pieds écartés, campée comme une statue immense. Avec un fusil.

— Putain, tu m'as fait peur ! Qu'est-ce que tu fous !

— Je vais tuer ta fouine.

La trappe était béante, elle visait l'ouverture.

— Tu n'as pas à rentrer comme ça chez moi !

— C'est pas chez toi, c'est chez Francky.

— C'est chez moi aussi !

— Chez toi c'est chez moi, t'es quand même ma frangine…

Elle ne bougeait pas, dans sa grande robe épaisse, son manteau par-dessus. Le canon sur la trappe.

— Je ne veux pas que tu la tues, j'ai fini par murmurer.

— Elle t'empêche de dormir.

— Ce n'est pas une raison…

— Tu veux faire quoi?

— Rien. Elle était là avant moi. C'est peut-être moi qui la dérange.

Gaby m'a toisée, la tête penchée, comme si j'étais une énigme.

— Toi, tu déranges la fouine?

— Oui… Allez, descends maintenant.

— Faudrait savoir ce que tu veux.

— Je ne veux pas qu'on tue.

Elle a haussé les épaules, a fait sauter les deux cartouches de l'intérieur du canon.

Elle est descendue du lit.

— Je t'ai apporté du linge…

J'ai tourné la tête. La corbeille était sur la machine.

— Je me suis dit, quitte à le faire essorer, autant faire le programme complet… c'est moins lourd à trimballer. J'ai eu raison?

— T'as eu raison, oui.

Gaby est partie.

J'ai mis son linge à laver dans la machine. Je me suis préparé un lait chaud, je l'ai sucré au miel. Je suis revenue le boire sur le lit. La tasse dans une main, la cuillère dans l'autre, la soucoupe sur le drap.

Je n'avais presque plus de miel.

Les peaux d'orange avaient durci.

Mon ongle ne me faisait plus souffrir, les deux trous étaient visibles dans la corne et je les sentais en relief quand je caressais l'ongle sous mes doigts.

Je pouvais passer le restant de ma vie ici, et je verrais les saisons, les jours, les aubes, toutes les aubes nouvelles, par le seul encadrement de cette fenêtre. Ce serait une répétition sans surprise, confortable.

Et chaque année, comme une absolue nécessité, à chaque 1er janvier, ça recommencerait.

J'ai laissé un message sur le répondeur de Kathia, je lui ai dit que je ne pouvais pas assurer le remplacement du 7 au 15. Mais que je serais là le 24. Absolument. Elle pouvait compter sur moi. Je lui en ai fait la promesse, c'était la première de l'année.

Elle m'a rappelée tout de suite après. Elle a râlé. Je lui ai dit que ma sœur était malade, que la maladie ne prévenait pas et elle a fait semblant de me croire. Elle a simplement précisé que si je lui faisais faux bond le 24, elle devrait trouver quelqu'un d'autre et ce serait fichu pour moi pour cette année.

Elle a raccroché.

J'ai mis le linge de Gaby à sécher sur l'étendage.

Derrière la vitre, le ciel était noir. Une biche avait quitté la forêt et léchait prudemment le sel sur le bord de la route.

J'ai recomposé le numéro de Kathia.

— On vend l'appartement.

J'ai pu l'imaginer, ses cheveux courts, en brosse, les joues un peu creuses, attentive, le regard dans le vague.

— C'est moi qui ai décidé.

Il y a eu son silence, encore, sa respiration. Et cette indicible chose.

C'est étonnant comme on peut deviner le sourire de quelqu'un sans le voir, simplement parce qu'on est avec au téléphone.

Le soir, j'ai reçu un texto de Philippe : *Avant de partir, tu pourras m'amener les annonces ? Avec les photos ?*

Je l'ai rappelé pour lui dire que je ne partais pas. Que j'allais m'attarder encore un peu.

Il n'a fait aucune remarque.

N'a posé aucune question.

On est convenus que je passerais chez lui le lendemain, en début d'après-midi.

Jeudi 3 janvier

Le matin, j'ai fait un aller-retour à Valloire, le directeur d'une maison de retraite se débarrassait de toutes
ses couvertures et la Baronne les voulait pour ses
chiens. J'ai pris son break puisque je n'avais plus la
voiture d'Emma.

Le long de l'à-pic, il y avait une *via ferrata*. Une
falaise exposée plein sud, avec des appuis fragiles. Je
l'avais parcourue, une année, avec le père des filles.

Je me suis arrêtée.

J'ai fait quelques pas sur le sentier.

Je pensais à l'appartement. Après des mois, la chose
s'était imposée et je l'avais admise comme une évidence.

Nous allions vendre.

Et après ?

Le directeur de la maison m'a aidée à charger les
couvertures dans le coffre. Elles étaient en laine.
Pleines de poussière.

J'ai fait un détour par Saint-Jean pour faire tirer les
dix dernières photos du balcon.

J'ai acheté un cadeau à Emma, un sac avec plein
de poches trouvé dans une boutique de bagages, pour

la remercier de m'avoir prêté son auto et aussi pour m'excuser d'avoir oublié le repas du samedi.

Quand je suis revenue au Val, le ciel était très blanc, la radio annonçait de fortes tombées de neige avant le soir.

Je suis passée au gîte et j'ai pris la vingt-sixième photo de la série.

J'ai apporté les couvertures au chenil. Avec la Baronne, on les a secouées et on les a bourrées dans le fond des niches. La plupart des chiens les ont reniflées et se sont couchés dessus mais certains n'en ont pas voulu et les ont ressorties.

Le panneau *À vendre* s'était décroché, avait volé dans la neige. Je l'ai ramassé, posé sur le banc.

Le vieux Sam était cloîtré dans le fond de son échoppe. Le chat dormait sur son fauteuil.

— Je ne pensais pas vous revoir. Vous deviez partir…

Il avait appris pour l'enclos de la Baronne. Cette mauvaise nouvelle l'avait rendu triste.

Il ne voulait pas sortir.

Il m'a demandé de lui décrire ce qui se passait dehors. J'ai fait cela au mieux.

Il est passé derrière le rideau et il a préparé le thé.

— Sur chaque jour que la vie nous donne, il faudrait prendre quelques minutes et se demander quelle chose belle on a faite… Ou quelle chose juste…

Il s'est affairé un moment autour d'un placard.

— Les belles choses et les autres… Il serait peut-être utile de faire cela, ça changerait probablement le cours de la vie.

Il est revenu avec le plateau.

M'a dit que les fouines coursent les lièvres et les épuisent pour les égorger. Il m'a demandé des nouvelles de celle qui hantait mon grenier.

— Sam?

— Mmm…

— Vous étiez parmi les pompiers le soir de l'incendie.

— J'y étais.

— Vous vous souvenez de quoi?

— De tout. De vous… De votre frère. De votre mère à genoux dans la cour.

Il a posé le plateau.

— Votre mère avait les cheveux brûlés… Et il y avait cette étrange pelisse dont elle vous avait recouverts.

J'ai croisé son regard un peu trouble.

— Une pietà superbe, voilà ce qu'elle était…

Il a servi le thé.

— Elle a fait preuve de beaucoup de courage vous savez…

— Et Gaby?

— Gaby était encore là-haut. Votre mère a voulu remonter la chercher, nous avons dû l'en empêcher.

On a bu le thé avec lenteur.

Si elle n'avait pas tant pleuré, Gaby aurait vu aussi, elle aurait saisi la main et c'est elle qui aurait été emportée. Mais elle pleurait.

Comment ma mère m'a-t-elle aimée ensuite? Comment a-t-elle vécu avec cela? A-t-elle regretté? M'en a-t-elle voulu?

J'ai laissé croire que j'avais été la préférée, celle qu'on prend, qu'on sauve avant l'autre.

— Votre père n'était pas là…

— Non. Il est arrivé plus tard. À l'hôpital.

Quelqu'un l'avait prévenu. Je l'ai vu sur le pas de la porte. Une infirmière finissait de retirer les échardes fichées dans mes paumes. "J'ai cru que vous étiez tous morts…", c'est ce qu'il a dit, et j'ai eu l'impression qu'il était déçu qu'on l'ait dérangé pour si peu.

L'infirmière lui a expliqué que j'avais été courageuse parce que, malgré la douleur, je n'avais pas pleuré.

Il a regardé mes mains : "T'as plus de stigmates que Jésus-Christ."

Après, la vie a repris.

La vie reprend toujours.

Quand j'ai quitté Sam, il neigeait un peu.

Philippe a récupéré les photos sur mon numérique. Il m'a laissé taper les annonces qu'on avait écrites avec la Baronne. Il a dit qu'avec ça, on devrait pouvoir faire adopter des chiens, que ça serait facile d'en ajouter d'autres à la liste, après, si on voulait.

Yvon avait inclus un compteur et il y avait déjà eu vingt-trois visites.

Emma s'affairait dans la cuisine, au-dessus, elle faisait des petites choses et elle revenait, elle descendait les marches, nous regardait, ne disait rien, je ne sais pas ce qu'elle pensait, j'avais l'impression qu'elle se fichait de moi mais ce n'était pas si sûr.

Elle m'a juré plusieurs fois qu'elle adorait le sac.

J'ai rentré les fiches. Cinq chiens. Cinq fiches. Quand je levais la tête, je voyais la carte d'El Calafate. Je pensais à Curtil.

Quand j'en ai eu fini avec les fiches, Philippe m'a montré une rubrique : "La vie du parc."

Une carte de la région avec l'itinéraire en pointillés du chemin pris par Hannibal.

Il avait inséré des extraits de texte de Tite-Live.

J'ai lu :

— "C'étaient des brigands, plutôt que des ennemis, qui venaient fondre tantôt sur la tête, tantôt sur la queue de l'armée, selon que le terrain leur était favorable, ou qu'ils pouvaient surprendre ou les traînards ou ceux qui s'étaient trop avancés. Les éléphants dans les routes étroites, dans les pentes raides, retardaient beaucoup la marche ; mais leur voisinage était partout un rempart contre l'ennemi, qui n'osait approcher de trop près ces animaux inconnus."

— Et si un jour quelqu'un te dit que tu t'es trompé, que ton chemin n'est pas celui qu'a pris Hannibal ?

— Il faudra de bonnes preuves.

— C'est quoi, les bonnes preuves ?

— Des objets, des poteries, des traces qui prouvent qu'il est passé ailleurs.

J'ai lu la suite.

— "On fut neuf jours à atteindre le sommet des Alpes, à traverser des chemins non tracés où l'on s'égarait souvent, soit par la perfidie des guides, soit par les conjectures de la défiance même, qui engageait au hasard les troupes dans des vallons sans issue."

Suivait un tableau de Turner, *La Traversée des Alpes par Hannibal sous une tempête de neige*. Les deux tiers de la toile représentaient le ciel immense avec des hommes regroupés. Une toile qui montrait toute la force de la nature, toute sa puissance.

— J'aimerais aller à Londres un jour, rien que pour voir ce tableau.

— Tu devrais le faire... Et emmener Emma.

Il avait également créé une rubrique "Spécialités locales" avec des recettes de cuisine et autres caractéristiques propres au Val.

Il envisageait de répertorier les faits divers, tous les incidents, accidents, survenus au Val. Il avait déjà regroupé un grand nombre d'articles dans une corbeille en osier.

Quand il avait du temps, il les scannait.

Il m'a montré.

– 12 mars 2007, un homme est retrouvé la tête coincée dans un abreuvoir à vaches au hameau des Forges. Il n'avait pas voulu donner de l'argent à son fils.

– 23 janvier 2009, un homme de soixante-seize ans a heurté accidentellement sa femme en voiture dans le hameau de Frinçon.

– 3 août 1996, mort de l'instituteur, retrouvé pendu dans son grenier.

– Février 1999, une fille de vingt-trois ans prend la voiture de son père et envoie dans le fossé tous ceux qui viennent en face.

Un seul clic sur le titre ouvrait l'article complet.

Comme j'avais du temps, il m'a proposé de l'aider. Il fallait ranger les articles dans l'ordre chronologique, une organisation en colonne et scanner le texte.

Il m'a laissée devant l'ordinateur.

On annonçait une tempête de neige pour le lendemain, il est parti voir Buck et deux autres fermiers, il ne voulait plus une bête dehors.

Avant de partir, il m'a remerciée pour ce cadeau fait à Emma.

Dans la corbeille, c'était du tout-venant, des articles très anciens mêlés à des choses plus récentes.

J'ai sorti l'article que m'avait laissé le vieux Sam sur l'incendie de notre maison. Je l'ai glissé sur la vitre du scanner. Le faisceau l'a balayé lentement.

De retour au gîte, je me suis calfeutrée. Un vent froid descendait des montagnes et ébranlait ma porte. La scierie gîtait, les coups faisaient geindre la charpente.

À la radio, ils ont dit que chacun devait s'assurer que son voisin n'avait besoin de rien.

J'ai étalé les photos du balcon sur le lit. J'en avais vingt-six à présent. J'ai pris soin de les dater au verso, en bas à droite, au stylo et sans appuyer pour que ça ne fasse pas un relief, ainsi, et même si elles se mélangeaient, je parviendrais à en retrouver l'exacte chronologie.

Le soir, il a neigé fort.

Vendredi 4 janvier

La neige de la nuit avait enseveli le terre-plein devant la scierie. Le Val-des-Seuls était passé en alerte rouge et ça volait en poudreuse de l'autre côté de la vitre. J'avais mal dormi. Le mauvais sommeil me rendait hébétée.

Expérience inédite d'isolement total. De ténèbres aussi. Le vent avait formé des congères, les chasse-neige se croisaient. La route a été coupée une heure.

Jean est arrivé, il s'est garé juste devant l'une des grandes portes de la scierie. Le blizzard lui collait le manteau aux cuisses. Il a dû venir vérifier quelque chose à l'intérieur. Il n'est pas resté longtemps, deux ou trois minutes à peine, et il est ressorti, plié contre le vent.

Une guirlande de Noël s'était décrochée de quelque part et volait au ras de la route, elle s'est prise violemment dans le pare-chocs de sa jeep.

Il y a eu cela. Un peu avant midi, le vent a calé. Le soleil a brillé à nouveau. La serveuse est sortie, j'ai pris la photo d'elle dans cette grande lumière. Les bûcherons ont déblayé devant les ateliers. Les voitures avaient de la neige sur les toits.

En début d'après-midi, ils sont venus livrer le juke-box à Francky. Ils l'ont laissé près de l'entrée, contre le mur, dans un grand carton, *Fragile* écrit en travers sur un adhésif rouge collé.

Je n'arrivais pas à joindre les filles. Je voulais leur dire pour la neige et ce décor formidable. Le réseau devait être coupé, il n'y avait pas de tonalité.

J'ai pris un bain bouillant.

Un peu de miel sur du pain.

Sur l'étendage, le linge de Gaby était sec.

Il fallait que je marche, que je réactive mon corps avant qu'il ne s'ankylose. Le soleil n'a pas tenu. Le temps que je me décide à sortir, le brouillard était tombé.

— Je rapporte le linge, j'ai dit.

La Môme a fait disparaître la feuille d'un mouvement rapide.

J'ai posé la corbeille sur le lit.

Je me suis approchée de la table. Les craies avaient déjà bien servi, les papiers enroulés autour des bâtonnets étaient déchirés.

Elle n'a pas voulu me montrer son dessin.

Gaby était devant l'évier, elle faisait tourner son alliance autour de son doigt, elle essayait de l'enlever mais la chair bloquait l'anneau par un bourrelet épais.

— Pourquoi tu fais ça ?

— Elle me serre trop.

Elle a essayé encore sur peau mouillée et avec du savon. Elle a tiré avec les dents, le doigt enfoncé dans la bouche, ça nous a fait rire mais l'alliance est restée coincée.

— On y arrivera pas.

Tout le bazar entassé devant le bungalow était recouvert de neige.

— Heureusement qu'il y a les bâches, j'ai dit.

Il allait neiger encore.

Ça se voyait que Gaby pensait à Ludo, elle était soucieuse, jetait des petits coups d'œil du côté de la route.

Ludo, il pouvait être partout. Certains disaient qu'il était au Val, chez quelqu'un, dans une cave, un fenil. D'autres qu'il était dans un des hameaux plus haut, à Climette ou à Sourdeval. D'autres encore qu'il était loin. Certains disaient même que c'était des rumeurs tout ça et qu'il n'était jamais revenu.

Gaby savait qu'il était dehors, elle ne savait pas où.

— J'ai eu le temps de gamberger tous ces jours…

Elle a poursuivi pour elle seule quelques basses ruminations.

Ça grésillait au-dessus, sur le toit de tôles, c'était la neige qui se figeait. Un brouillard froid et épais stagnait derrière la vitre.

Elle est venue s'asseoir à la table, a rangé les pions sur le damier.

— Ludo, c'est pas un mauvais, faut pas le juger.

— Je ne le juge pas.

À l'intérieur de la boîte, il y avait d'autres pions avec des dés qui servaient à d'autres jeux. Des cartes aussi.

— On fait une partie?

J'ai hésité. Je n'avais pas très envie. Elle a tiré les couleurs au sort. Je suis tombée sur les blancs. On a commencé à jouer.

Quand c'était son tour, Gaby faisait glisser le pion qu'elle avait choisi de déplacer et laissait son doigt dessus pour se donner le temps de réfléchir. Elle a fait sa première dame avec un pion et un bouton.

Elle a gagné la partie.

J'ai voulu prendre ma revanche.

— Tu veux jamais jouer et après, t'es bien contente, elle a dit.

On a remis les pions en place.

Juste après, il y a eu un bruit. Un grondement hors de l'habitude, le bungalow a tremblé, Gaby s'est plaquée les yeux à la vitre, les deux mains de chaque côté.

— Qu'est-ce que tu vois ?

— Rien…

Elle s'est emmitouflée dans son manteau et on est sorties. On n'y voyait pas à dix mètres. Il y avait de la neige partout avec ces bruits sourds qui traversaient le brouillard, des voix d'hommes. Un camion s'est arrêté en klaxonnant. On s'est avancées pour voir. Des ombres sont sorties du brouillard de neige, une première vache comme un fantôme, suivie d'une autre et d'une autre encore, et c'est tout un troupeau qui a été craché par les ténèbres et qui remontait la route. Les bruits de sabots, on aurait dit une armée en marche.

— Putain, c'est les vaches à Buck, a dit Gaby.

Les bêtes aux panses larges couraient, ventre contre ventre. Des vaches qu'on aurait dit échappées de l'enfer et qui poussaient des meuglements effroyables. Les mamelles cognaient les flancs. Elles sont passées devant nous. Elles ont fini par disparaître, tout au bout de la route.

Après leur passage, le brouillard puait la bouse et l'urine.

Le silence est retombé.

Un veau égaré du troupeau titubait seul sous les arbres.

On a revu le veau un peu plus tard, quand j'ai quitté le bungalow. Une petite tache blanche. Immobile. À genoux, les deux pattes avant pliées. Ses yeux ouverts fixaient droit devant, semblaient étonnés.

— Tiens-moi ça, elle a dit, Gaby, en me tendant un torchon.

Le bas de son manteau a râpé la neige. Elle s'est baissée près du veau.

— Qu'est-ce que tu fais ?

Elle a grogné.

— Il est mort de toute façon.

Elle a enfoncé les ciseaux dans l'oreille.

— Les poils de veau, c'est du soyeux, ça va faire des bons pinceaux.

Elle a coupé les premiers poils. Les lames étaient longues et fines.

— C'est au fond qu'ils sont le plus doux.

Elle posait les poils dans le torchon que je tenais tendu entre mes mains. Un torchon comme un réceptacle d'église. Elle a coupé tout ce qu'elle a pu et elle a changé d'oreille. Il faisait très froid. J'avais le blouson fermé jusqu'au cou. J'entendais claquer les lames. J'ai revu les pinceaux inutiles dans le présentoir chez Sam, les hampes blondes sous le tissu de velours mité.

Elle coupait avec soin.

Les poils continuaient de tomber.

— Ça sert à rien ce que tu fais, j'ai dit.

Elle n'a pas répondu. Ça m'énervait.

— Arrête, Gaby !

— Pourquoi tu veux que j'arrête ?… Il est mort, il sent rien.

— C'est pas ça…

Elle m'a regardée, quelques secondes, elle a dû sentir que quelque chose lui échappait dans ce silence qu'elle devait décoder.

— C'est quoi, alors ?

Elle a attendu, la pointe des ciseaux en l'air.

— Rien, j'ai dit.

Elle a fini ce qu'elle avait à faire sans prononcer d'autres mots. Elle s'est redressée lentement, en s'appuyant des deux mains sur le sol.

— Te bile pas…

D'un ton bas, presque inaudible. Qu'est-ce qu'elle avait compris ?

Elle a récupéré le tissu, l'a plié en quatre. Elle a secoué la neige qui collait à son manteau.

Elle m'a tapé sur l'épaule.

— T'es trop sensible…

Elle a rigolé doucement et elle a repris le chemin du bungalow avec le torchon serré contre elle.

Je l'ai suivie des yeux jusqu'à sa porte.

Les larmes me floutaient la vue, je les sentais, bombées, des pleurs aux ventres lourds de mouillure qui demandaient leur dû, gonfler, sortir et couler. Les larmes, c'est de la coulure assassine, quand elles coulent, ça déborde, on ne voit rien.

Les yeux secs, ça brûle juste un peu.

J'ai ravalé ces larmes juste nées à l'intérieur, derrière mes yeux, je leur ai fait rejoindre les autres, toutes celles que j'avais gardées, que j'avais reprises au-dedans, ça devait faire un lac à l'intérieur, quelque part, depuis le temps.

Samedi 5 janvier

Au lever du jour, mes carreaux étaient blancs de givre. Il avait encore beaucoup neigé. J'ai sorti la pelle et j'ai tracé un chemin devant la porte pour rejoindre la route. Tout le monde faisait cela au Val, c'était le premier travail. Pelleter, et recommencer. La partie la plus ennuyeuse de l'hiver.

J'ai traduit Christo durant les heures qui ont suivi. Le land art, l'art de la rue. Vingt-cinq ans de réflexion pour aboutir à l'emballage du Reichstag. Des années pour imaginer les voiles de *Gates*, un tissu léger de la couleur du safran dans Central Park et des croquis nombreux que Christo vendait pour financer ses projets.

Le chapitre suivant, je l'ai traduit au fur et à mesure, un premier jet rapide.

Marius est arrivé, il a grimpé sur l'un des troncs et il a marché. Un équilibre parfait, bras tendus et les bottes dans la neige. Parvenu au bout du tronc, il a rebroussé chemin et il est revenu en posant le pied dans ses traces.

À onze heures, la fenêtre du balcon s'est ouverte et la serveuse a secoué un premier drap.

Un drap à motifs géométriques, je l'avais vu précédemment, une première fois le dimanche d'avant et tous les matins de la semaine qui a suivi.

J'ai pris la photo d'elle, dans son premier mouvement, avec le vol de ce drap bleu que je ne reverrais probablement pas, un cliché sur fond de neige, la géométrie aux courbes brisées par le mouvement du tissu qui volait, et la serveuse, tout échevelée.

Il a fallu la journée pour que les hommes de Buck se décident à venir chercher le veau. Avec le froid, la brume qui le recouvrait avait gelé et son pelage scintillait de cristaux, on aurait dit une sculpture de lumière.

Les hommes l'ont dit et répété, autour du veau et après, en fin de journée, chez Francky, des saloperies, ils en avaient vu, tous, dans leur chienne de vie, mais un veau aux yeux gelés et raide comme une planche, c'était la première fois. J'étais là, avec le livre, je les entendais. C'est ce qu'ils disaient tous. Ils disaient aussi que c'était bien fait pour Buck, il n'avait qu'à rentrer ses bêtes. Que c'était juste malheureux pour le veau.

Diego a proposé des spaghettis à la bière pour le soir. Les hommes ont fini par oublier le veau. Ils ont parlé de la piste et des congères épaisses laissées par la tempête.

Jean s'est glissé derrière moi.

— Y a pas qu'à Iakoutsk qu'il se passe des choses étonnantes.

Il est allé s'appuyer au comptoir avec les autres.

Des bruits couraient qu'ils allaient élargir la route une fois qu'il y aurait la piste et qu'il faudrait détruire des maisons. Une femme a grondé que si on touchait à la sienne, elle resterait dedans et crèverait dans ses murs.

— S'ils font la piste, ils vont rouvrir la gare, a dit Francky.

Un opposant a averti qu'ils allaient occuper les locaux de la mairie. Ça s'est mis camp contre camp, avec quelques indécis entre qui attendaient la suite pour voir.

Les tramps n'étaient pas du Val, ils jouaient aux cartes, ne prenaient pas parti.

Et moi, étais-je d'ici?

J'ai parcouru un chapitre, une page, une autre.

Jean est revenu, il s'est glissé sur le banc en face de moi.

— Ça avance? il a demandé en pointant le livre.

— Ça avance.

Je travaillais avec méthode. Comme on besogne. Je voulais en finir.

— Et ça parle de quoi, maintenant?

— De l'éphémère.

Il a hoché la tête.

Je lui ai montré une photo du Reichstag.

— Christo consacre sa vie à ce qui ne dure pas. Imaginer une œuvre lui prend des années, c'est l'essentiel de son travail. Le Reichstag emballé n'a été visible que quelques jours, après il a tout démonté comme si ça ne l'intéressait plus.

— Un peu comme Diego avec son puzzle.

— Un peu…

On a regardé dehors. Tout était blanc, recouvert.

— Christo fait comme la neige, il révèle en cachant. Et ce qu'il cache, on le regarde d'une autre façon.

— Et quand la neige fond, toutes ces choses cachées, on les voit à nouveau.

— Oui… Et à ce moment-là, on ne les regarde plus.

J'ai téléphoné aux filles, je leur ai laissé un message pour leur dire que je les aimais.

Après, je suis allée chez Gaby. J'étais arrivée près de sa boîte aux lettres quand j'ai vu passer la voiture. Elle a roulé lentement dans la neige, a stoppé devant le bungalow.

Gaby est sortie.

Il y avait trois types. Celui côté passager est descendu. Un petit avec une mâchoire qu'on aurait dite cassée, il portait un costume à rayures style dandy.

— Beau temps, hein ? il a dit à cause de toute cette neige et de la lumière qui brillait par-dessus.

Gaby n'a pas répondu.

— Tu as besoin d'aide, a insisté la Mâchoire en montrant l'épaisseur de neige qui appuyait sur le toit du bungalow.

— J'ai besoin de personne, a répondu Gaby.

L'homme a fait quelques pas, il a jeté un coup d'œil à la Volvo, aux cartons qui obstruaient les vitres et au bazar qui encombrait tout le devant.

— On cherche ton homme…

Gaby n'a pas bronché.

La Mâchoire a soulevé une bâche pour voir ce qu'il y avait dessous.

— Il nous doit de l'argent.

— J'y peux quoi ?

— Tu es sa femme.

— Ça suffit pas à tout.

Il a remis la bâche en place.

Il a montré le toit.

— Tu devrais déneiger avant que ça plie sinon tu vas être emmerdée.

— Je le suis déjà, emmerdée.

Il a hoché la tête, l'air du type qui comprend. Il a cogné du pied contre la paroi du bungalow. Le coup a fait vibrer le mur, une plaque de neige s'est détachée, a glissé, s'est écrasée sur le sol.

— Et toi, tu sais où il est Ludo ? il a demandé en se tournant vers moi.

— Tu la mêles pas à ça, a tranché Gaby.

— Ce que j'en dis… C'est juste qu'il faut vraiment qu'on le retrouve.

Il est revenu vers la voiture où l'attendaient les deux autres. Il a encore montré la neige sur le toit.

— Reste pas avec tout ça, Gaby, la tôle est usée et t'as pas les bons murs.

Après la visite, Gaby a voulu rester seule. Je suis rentrée au gîte.

J'étais mal à l'aise.

J'ai fini par allumer l'écran et j'ai relu ce que j'avais traduit chez Francky. Les dernières phrases, je repartais toujours d'elles : "Depuis deux mille cinq cents ans, les artistes utilisent de la toile. Les premières statues en terre cuite sont drapées dans du tissu. Du tissu qui est vécu comme une seconde peau. On plaçait souvent ces figurines dans les tombes, on les appelait des tanagras, elles composaient le petit peuple de l'argile."

Sur la page en vis-à-vis, il y avait une reproduction de plusieurs figurines. En quelques lignes, on expliquait que la fonction de ces sculptures de terre n'était pas définie. Elles pouvaient célébrer la beauté par leurs formes fines et gracieuses. Elles pouvaient être aussi des éphèbes ou servir de décoration dans les maisons et devenir ainsi ce que l'on appelle "des petites femmes d'étagère".

Dimanche 6 janvier

À onze heures, la serveuse à Francky est sortie. Elle avait décroché les guirlandes de sa fenêtre.

C'était mon cinquième dimanche et elle avait changé ses draps.

J'ai reconnu celui, jaune vif avec des fleurs énormes qui avait été secoué le matin de la première photo.

Elle a laissé couler le drap le long du balcon.

J'ai pris le cliché des fleurs et du balcon sans guirlande.

Sur la série, on pourrait remarquer cela : Sept jours, et le huitième, les draps étaient différents.

La Môme m'a apporté quelques vêtements de nuit à laver.

— Gaby respire mal aujourd'hui… c'est ce qu'elle a dit en posant la corbeille sur la table.

C'était le tout début d'après-midi.

J'ai lancé le programme avec essorage.

Elle a tourné autour du carton qui contenait le juke-box à Francky.

— Il paraît que t'as pas voulu qu'elle fusille ta fouine ?

— Non.

— Elle dit que t'es dingue. Qu'un jour, avec tes bons sentiments, tu vas te retrouver avec la fouine dans ton lit.

Elle a mimé les griffes violentes.

Elle a tapé sur le carton.

— Y a quoi, là-dedans ?

— J'en sais rien. Un frigo je crois.

Avec ses traits fins et ses pommettes douces, elle ressemblait à une vraie tanagra. Je lui ai dit ça. Elle a voulu que je lui explique. Je lui ai montré Athènes et la Boétie sur une carte.

Elle s'attardait.

Elle a tourné les pages du livre sur Christo, a laissé glisser ses doigts sur les touches du clavier.

— Je croyais que ton truc à toi, c'était la cuisine ?

— Pâtisserie, pièce montée, je suis spécialiste.

Elle portait des godillots énormes au bout de ses jambes fines. Elle sentait le lait, une lotion pour adolescente à peau parfaite. Elle ressemblait à mes filles. Un jour j'avais surpris le long baiser de mon aînée, Julie, dans une rue à Saint-Étienne. Quelques jours plus tard, elle s'était fait couper les cheveux, avait remplacé tous les posters de sa chambre, voulu changer le mobilier.

— Tu as dessiné ? j'ai demandé.

— Un peu.

— Et alors ?

— C'est dur.

Elle a tourné d'autres pages. S'est arrêtée sur une reproduction du *Balzac* de Rodin. Je lui ai raconté comment Rodin avait d'abord sculpté le corps de Balzac, les membres maigres, la chair fatiguée, et puis comment, ensuite, il avait trempé une vraie cape dans du plâtre liquide et recouvert ce qu'il avait ébauché, dos, épaules, ventre, il avait tout fait disparaître sous cette cape immense. On ne voyait plus rien du labeur premier. Plus rien de la réflexion originelle. J'aimais cela, l'idée d'un travail nécessaire et pourtant effacé.

— Le *Balzac* est né comme ça.

— Au lycée, on m'a fait lire Balzac et j'ai cru mourir.

Elle a retourné la boule de verre qu'avait envoyée Curtil, a regardé les flocons dans la lumière.

— Il allait où, quand il partait?

— Curtil? Je ne sais pas.

— Il ne vous disait rien.

— Il partait, il revenait.

Elle a tourné à nouveau la boule.

— Ça vous faisait quoi?

— Quand il n'était pas là, au début, c'était dur, et puis on apprenait à vivre sans lui. Je crois qu'on pensait que tous les pères étaient comme ça.

— Vous ne lui avez jamais posé de questions?

— Non. Aujourd'hui, les questions qu'on a voulu lui poser attendent. Il y en a d'autres qui se sont posées dessus.

— C'est lourd?

— Oui.

Elle a levé les yeux sur moi.

— Gaby dit que tu es comme Curtil, que tu t'en vas.

Elle me regardait dans la boule, par transparence.

— Pourquoi elle est fâchée avec l'Oncle?

— De l'histoire ancienne.

Elle a attendu que je continue.

Je lui ai raconté l'incendie et la maison qui n'était pas assurée.

— C'est pour ça qu'elle lui en veut tant?

— Pour ça, oui.

— C'est toute une vie.

— Toute une vie et davantage.

Elle a reposé la boule de verre. La neige synthétique s'est déposée sur le fond bleu du décor.

— Il vous prend quand même pour des petites femmes d'étagère, votre père.

Après, elle a dit qu'elle avait faim. Je n'avais rien d'extraordinaire dans le frigidaire, je lui ai proposé qu'on aille chez Francky, c'était ouvert encore ce dimanche.

On a traversé la route dans la neige qui volait. Il y avait quelques clients au bar. Diego balayait le sol, les chaises à la renverse, le réfectoire était rangé. Il avait enlevé toutes les décorations de Noël.

— On a faim…, a dit la Môme.

Il a pointé son doigt sur la pendule et il a montré le distributeur de boissons chaudes.

La Môme lui a souri. Cette gamine était de la lumière. Diego a dodeliné de la tête et du corps, il a râlé et puis il a cédé parce que le sourire était toujours là.

— Si tout le monde fait ça, je peux dire adieu à ma pause…

— Je dirai à Gaby que t'as été sympa…

Il a rougi et s'est engouffré dans sa cuisine. Il est revenu avec deux assiettes fumantes d'un ragoût de plusieurs viandes. Il a posé les assiettes en bout de table.

— Pour le dessert, vous irez vous servir toutes seules, y a des choses dans le frigo.

— On t'aime bien, Diego, a dit la Môme.

Il a haussé les épaules mais ça se voyait qu'il était heureux d'entendre ça.

Il a écrit sur la grande ardoise le menu du soir. Il avait une écriture ronde et appliquée, avec de belles majuscules. Mozart en sourdine. Il sifflait avec la musique. Il a accroché l'ardoise au clou. A dénoué son tablier, a éteint les lampes.

Il en a laissé une, celle qui était juste au-dessus de son puzzle. Il s'est assis à sa place et il a commencé à fouiller dans les pièces.

— Mozart, c'était quand même quelqu'un…, il a dit

On a mangé le ragoût chaud.

La Môme portait un chemisier échancré. Une chaîne avec une médaille ronde, un ange qui se tient la joue. J'ai retourné la médaille. Derrière, il y avait son prénom, Vera, sa date de naissance.

— Dix-huit ans en septembre ?

Elle a hoché la tête.

Elle est allée chercher des glaces.

Elle est partie en mangeant la sienne.

J'ai voulu me connecter mais Internet était coupé.

J'ai lu le journal de la veille.

Un type au bar lisait celui du jour.

Diego avait avancé son puzzle. Il avait assemblé en partie le pourtour d'un grand soleil et toutes les pièces qui servaient de bordure entre les toits des immeubles et le ciel. Aucun personnage. Pas une seule voiture. Un immense pont éclairé. La vue d'une ville, la nuit. Ou au petit matin.

— Je peux t'aider ?

Il a levé les yeux. A haussé les épaules.

J'ai pris une pièce au hasard. Une autre, dans les tons bleu sombre, l'eau du fleuve peut-être.

Deux routiers sont entrés, ils se sont appuyés au comptoir devant d'énormes sandwiches enroulés dans du papier. Une fille était avec eux, jeune, les cheveux

404

oxydés, elle portait une robe à franges, une croix en plastique rose autour du cou.

Il y avait un panneau sur le comptoir : *En pause jusqu'à 16 heures.*

À seize heures et brusquement, le monde est arrivé. Francky assurait le service derrière le bar. La serveuse prenait les commandes, un tramp lui faisait un gringue tranquille, il portait un bandana autour du front, une ceinture avec une grosse boucle en forme de fer à cheval. Quand elle passait près de lui, il lui promettait une chose, une autre. Elle l'écoutait, continuait ce qu'elle avait à faire, pas poseuse.

Jean était au comptoir, il les regardait. S'en amusait.

Philippe m'a fait signe pour que je vienne à sa table.

— Ça va? j'ai demandé à Jean en passant près de lui.

— Ça va oui… Je bosse trop en ce moment, mais ça va… Tu bois quelque chose?

J'ai hésité.

— Mon frère m'attend…

Il a hoché la tête.

Philippe avait sorti des documents recouverts de son écriture serrée, des sortes de petits fragments de lettres qui faisaient penser à des mots éclatés et que lui seul semblait capable de déchiffrer.

Au printemps, il allait quadriller le parc, placer des bénévoles dans des endroits précis qui resteraient à leur poste une journée et une nuit et compteraient les bêtes. Il lui manquait des personnes.

Gaby traînait sur le parking, elle regardait les voitures. Elle questionnait les chauffeurs, les mains dans le fond de ses poches, la neige lui tombait dessus. À un moment, elle s'est plantée sur le talus, en retrait de la route, on aurait dit une vigie.

Ou une potence.

Elle est entrée à *La Lanterne*.

— Un livreur de fuel a vu un type qui ressemble à Ludo dans un restaurant avant Saint-Martin.

Elle nous a dit ça. Qu'est-ce qu'on pouvait faire ? On n'allait pas aller à Saint-Martin !

Elle n'a pas voulu de café. Elle a dit qu'elle viendrait le boire tout à l'heure.

Elle est ressortie.

Les jeunes du Val s'étaient regroupés dans la deuxième salle pour des parties de baby-foot. Yvon était avec eux. Tous un peu énervés. Les vacances étaient finies, les cours reprenaient le lendemain. On entendait la balle qui tapait les montants.

Ceux qui ne jouaient pas les regardaient.

Moi je regardais la Môme, elle était un peu gauche dans ses gestes. Pas vraiment jolie, c'était autre chose.

J'ai demandé à Philippe comment Gaby avait fait.

— Qu'est-ce que tu veux dire ?

— On n'adopte pas une gosse comme ça.

— Elle ne l'a pas adoptée.

Il a refermé le registre en faisant claquer les deux grands élastiques. Il n'avait pas envie d'en parler. J'ai insisté.

— Elle s'est déclarée comment ? Famille nourricière ?

— Oui, à temps plein…

— Et après ?

— Après, elle est devenue sa tutrice légale.

— Ça s'est passé comment ?

— En ville, dans les bureaux, on a signé sur l'honneur. Ça n'a pas été simple mais on y est arrivés.

— T'as signé aussi ?

— Oui.

406

— C'est tout?

Il a poussé un long soupir.

— La directrice de la DASS de l'époque était une bonne copine, ça nous a aidés.

Les joueurs ont crié parce que la balle était entrée dans la cage et en était ressortie. Ils ont discuté pour savoir si le but était marqué. Ils ont changé de place dans l'équipe, la Môme est passée avant.

— Et si un jour sa mère revient?

— Ça fait dix-sept ans.

— Et alors?

— Alors, si elle avait eu à revenir…

— Mais il se passerait quoi?

— La Môme n'est pas sa fille, ça a toujours été clair dans la tête à Gaby.

La Môme riait sans bruit.

— Elle vient d'où? Il faut bien qu'elle vienne de quelque part? Personne ne vient de nulle part! Vous avez cherché?

— Tu trouves à redire…

— Non.

— C'est quoi? Tu aurais préféré que Gaby l'abandonne dans un orphelinat?

— Ce n'est pas ce que je veux dire… De toute façon, je m'en fous, elle fait ce qu'elle veut, Gaby.

— C'est ça…

Il a regroupé ses affaires. Trois gardes du parc l'attendaient, installés à une table derrière nous, ils avaient ouvert une carte géographique du Val et parlaient d'un chemin qu'ils appelaient celui des Dames et qui s'était raviné et dont il faudrait combler les ornières au printemps.

Philippe s'est levé pour les rejoindre.

Au même moment, une voiture s'est garée le capot au plus près de la baie en vitre. Une qu'on ne connaissait pas, avec un mec tout seul à l'intérieur. On a tourné la tête. On a pensé à Curtil, au même moment, le même coup sec au cœur.

On s'est regardés.

On n'a rien dit.

On aurait aimé que ce soit lui. Que ce soit autrement.

— T'es pas venue boire ton café…

Gaby sommeillait à la table, la tête entre les mains, un grand châle sur les épaules. Elle a entrouvert les yeux, lentement.

— On t'a attendue… T'avais dit…

— J'avais froid.

Elle s'est étirée.

— J'ai fait un drôle de rêve…

Elle n'a pas dit ce qu'était son rêve.

Elle s'est redressée en s'appuyant des deux mains sur la table.

— C'est la villa des courants d'air…, elle a dit en cognant du pied la serpillière sous la porte.

Le long de la plinthe, il y avait des chaussures aux semelles pleines de terre. Le manteau en laine suspendu. Des gants près du Zibro.

Sur la table, les trois pinceaux commencés avec les poils du veau. Tout le matériel, la colle, le cylindre, le fil.

Le lapin Bunny rongeait du pain.

La bouteille d'oxygène était dans l'angle du mur. Le masque posé à côté.

— Qu'est-ce qu'il y a ? Pourquoi tu regardes tout comme ça ?

— Rien.

— Alors regarde pas…

Elle m'a montré du menton les pinceaux commencés.

— Vont être beaux ceux-là.

Elle est allée jusqu'aux cages, a fait tomber des graines entre les barreaux.

— Sur les pantoufles de Cendrillon, y avait de la fourrure d'écureuil…

— Quand elle était princesse ou quand elle était souillon ?

— Quand elle était princesse.

Elle a allumé le petit néon au-dessus de l'évier.

— Tu m'as lavé mon linge ?

— Oui… Il sèche.

— T'as mis l'assouplissant ?

— Aussi oui…

Elle a recouvert son lit. Le matelas fin était en mousse, léger à soulever. Elle a placé le traversin et les deux oreillers, étendu par-dessus la couverture, tiré les pans pour effacer les plis.

Les vêtements de la Môme traînaient sur le divan.

— Je vais te montrer quelque chose…, elle a dit après un moment.

Elle a tiré un carton de sous son lit, l'a ramené sur la table. Elle a soulevé les battants.

Dessous, il y avait des chiffons et du papier froissé. Elle a tout enlevé. Le carton était plein de boules de verre.

— Tu te souviens ?

Ces boules, notre mère les gardait dans l'armoire de sa chambre. Un jour qu'elle était absente, j'avais ouvert la porte et je les avais trouvées.

— Qu'est-ce qu'elles font là ?

— Je les ai récupérées quand il a fallu déménager.

Elle me les a passées les unes après les autres. Je les posais sur la table. On a vidé le carton.

— Il y en a d'autres, là-haut, a dit Gaby en montrant sur le placard l'espace étroit entre le haut de la corniche et le plafond.

Je suis montée sur une chaise en formica. Les pieds s'enfonçaient dans le lino. Avant de les donner à Gaby, je les mettais dans la lumière, un ange, une rose, la Vierge de Lourdes, un brin de muguet, une décapotable, une biche et son faon, une tour Eiffel qui faisait calendrier, en tournant une molette en plastique on affichait les jours.

— Pourquoi tu as récupéré tout ça ?

— Pour toi.

— Pour moi ?

Gaby m'a décoché un sourire plein de malice.

— Elle ne fait pas que des conneries, ta petite sœur, hein ?

— Pas que…, j'ai répondu.

On s'est assises l'une en face de l'autre. Ces boules de verre, c'était notre livre d'images, notre album photos. Je les prenais. Je les tournais. Je regardais les décors. Les verres étaient tachés par les doigts et la poussière. Gaby a sorti un chiffon du placard, elle a soufflé de la buée sur une première boule et elle a commencé à frotter.

— Je les rangerai bien dans le carton, tu pourras les emporter si tu veux.

— En train, ça ne sera pas facile.

— Quand tu reviendras en voiture.

Après le passage du chiffon, le verre brillait. Elle a dit qu'elle remettrait les boules à leur place. Qu'elle enfilerait des moufles pour ne pas laisser de traces. On a parlé de Curtil.

— Ça serait bien qu'il revienne pendant que t'es encore là.

— Ça serait bien, oui.

J'ai levé les yeux sur elle.

— Je pense parfois à l'incendie… Et toi ?

— Quoi, moi ?

— Ça t'arrive d'y penser ?

— Pas plus que ça.

Elle a soufflé sur le bombé d'un nouveau verre. Elle lustrait par petits mouvements. Pour chaque boule, elle vérifiait la transparence dans la lumière.

— Tu te souviens de quoi ?

— Des pompiers.

— Et de quoi encore ?

— De l'échelle.

Elle a fini une boule, en a pris une nouvelle.

— Tu voudrais qu'on en parle ?

— Non.

— Pourquoi tu ne veux pas ?

— C'est pas la peine.

— C'est toujours la peine, Gaby…

Elle s'est penchée pour repousser le lapin qui était venu se coucher sur ses pieds. Ses cheveux ont balayé la table.

— C'est pas toi qu'elle a laissée, j'ai dit.

Elle n'a pas bougé. Comme si elle n'avait pas compris. Ou pas entendu. Elle a repris le nettoyage tranquille de cette boule nouvelle.

— C'est pas toi, Gaby.

Je me suis entendue dire cela. À ce moment-là. J'étais revenue à l'endroit d'où tout était parti. Il faut faire cela. Toujours. Revenir à l'endroit où l'erreur a été commise. Et repartir de cet endroit.

Alors que tout a changé, autour, partout, et en nous. Recommencer.

Réparer. Ou tenter de le faire.

J'étais calme.

Dans le silence qui a suivi, j'ai reconnu tout ce que j'avais tu.

— Gaby, tu as entendu ?

Son visage était lisse. Il n'exprimait pas d'émotions particulières. Je l'ai revue, contre le mur, petite fille de quatre ans, effacée dans les planches contre lesquelles elle semblait se diluer.

C'est à partir de là.

— C'est toi que maman avait choisie, toi Gaby, pas moi...

Le souvenir me reliait violemment à aujourd'hui. À ces mots que je prononçais.

— C'est toi, Gaby...

Elle a posé la dernière boule avec les autres. Elle est restée assise. A lissé longuement le plat du torchon avec sa main.

— C'est toi, Gaby, j'ai murmuré.

Elle a levé la tête. Lentement.

Les visages vieillissent, les corps s'affaissent, mais les yeux ne changent pas. J'oublierai des choses, oui, sûrement, mais jamais ce regard de limbes qu'elle a posé sur moi. Et ça parlait de moi dans ce regard. Ça parlait de nous, de l'enfance commune, de tout ce qui nous avait traversées, reliées, séparées. Soudain, c'était là. Revenu.

Une mèche de cheveux a balayé son visage, l'a fendu par le milieu.

Sa tête lourde a oscillé. Est alors apparu un sourire ineffable.

— Je sais, elle a murmuré.

Je suis restée immobile, le regard vissé sur mes godasses. Une boule de marbre dans le ventre, l'intérieur brûlant.

Je sais. C'est tout ce qu'elle a dit.

Je sais.

Elle avait toujours su. Depuis ce jour, quand elle pleurait dans sa robe d'hiver, laissée seule contre les planches du grenier, pleine d'abandon. Quand elle s'est retrouvée dans la cour, à son tour.

Je suis sortie du bungalow.

J'ai marché.

Les choses arrivent.

Elles arrivent toujours.

L'eau du lavoir avait gelé.

Pendant des années, j'ai cru que Gaby n'avait rien compris parce qu'elle avait seulement quatre ans et qu'elle pleurait. Elle pleurait tellement. La main tendue de ma mère était aussi dans sa mémoire, la main tendue vers elle et que j'avais prise.

Quel drôle de rendez-vous ! On surestime toujours son désir de vérité.

Je répétais ça en marchant. Gaby savait. Elle avait toujours su. Je butais sur les pierres. Quand nous allions à l'école, à chaque Noël, quand je jouais avec elle, à table, dans les chambres, au cours des innombrables déménagements, quand elle me regardait, elle savait. Elle avait toujours su. Et gardé cela. Est-ce qu'elle y pensait quand elle me retrouvait ? Quand elle m'écoutait ?

Il faisait nuit, je me suis arrêtée chez Philippe. Emma préparait le dîner. Elle a levé la tête. A jeté un regard à la pendule.

— Philippe n'est pas encore rentré… Il regarde un match chez un copain.

Je devais avoir le regard en vrac avec quelque chose d'égaré à l'intérieur.

— Je peux ? j'ai demandé en montrant le sous-sol.

— Fais comme chez toi.

Elle m'a passé un châle : "Il fait toujours un peu froid en bas."

Sur la table, il y avait deux hermines empaillées, l'une était soclée sur une plaque de bois. Un canard au bec orange. Un raton laveur qui sentait la naphtaline. À côté, grands ouverts, deux cartons sur lesquels était écrit *Fragile*. J'ai reconnu ceux apportés par le vieillard.

J'ai pris une première hermine et j'ai commencé à la dépoussiérer.

Emma était à mi-hauteur dans l'escalier.

— Il ne faut pas les toucher à mains nues. Philippe dit que toutes ces bêtes ont été naturalisées à l'arsenic. Même si ça fait longtemps, il assure que le poison est encore dans leur peau.

Elle a trouvé dans un tiroir des gants spéciaux.

— Si tu as besoin d'autre chose…

Elle est remontée.

Je l'ai entendue marcher au-dessus. S'affairer. Des bruits de vaisselle. La télé.

L'hermine avait son pelage blanc d'hiver, des yeux vifs et noirs. Le pinceau crissait sur ses poils rêches.

La carte postale d'El Calafate était toujours contre le mur.

Le pinceau ramenait de la poussière. J'ai brossé la fourrure. Je ne pensais à rien.

Quand je me suis levée pour prendre la deuxième hermine, le bas de mon pull s'est accroché à la pointe qui dépassait du banc.

Philippe a téléphoné pour dire qu'il serait un peu en retard. Emma n'a pas voulu que je rentre à pied, elle a insisté pour que je prenne la voiture. Elle m'a dit que je pouvais la garder le lendemain et les jours suivants, tant qu'il y aurait de la neige elle ne s'en servirait pas.

J'ai pris la route du retour. Dans les phares, j'ai vu le bungalow, il était dans la nuit. Avec les cartons et le rideau, plus aucune lumière ne filtrait à l'extérieur.

Je suis revenue au gîte.

J'ai fait chauffer du lait. Je n'avais plus de miel, seulement l'odeur dans le pot.

J'ai bu le lait sans rien.

J'ai lavé le pot, je l'ai mis à sécher sur un torchon posé sur l'évier.

La pointe avait déchiré une maille du pull, quelques centimètres s'étaient détricotés. La laine frisait sous mes doigts. J'ai tiré jusqu'à défaire un rang. J'ai enroulé la laine autour de la boule de verre de Curtil, un tour et un autre, j'ai tiré encore, le bas du pull s'est défait, j'ai enroulé jusqu'à faire disparaître la boule complètement.

J'ai laissé la boule enlainée sur le bureau à côté du clavier.

Le ciel était noir.

Maman nous parlait toujours des étoiles qui naissaient. Elle ne disait jamais rien sur celles qui meurent. Elle nous murmurait toutes les belles choses qui arriveraient et que nous n'imaginions pas. Ou que nous imaginions un peu, mais à notre façon.

J'ai écouté la nuit.

J'ai pris un bain.

Mon ventre, dans l'eau transparente. Le corps demande de l'entretien. Il faut s'occuper des poils et lutter contre le dessèchement de la peau.

J'ai limé mes ongles.

J'ai scruté mes jambes. L'épilation à la cire datait de quelques semaines, il fallait y revenir ou agir avec la pince, cela demandait du temps.

Ou renoncer. Dire que tout cela pouvait pousser, quelle importance ?

J'ai pris la pince et j'ai épilé les poils un par un. Je les ai tous retirés, méticuleusement, en tirant la lampe au plus près.

Le soir, j'ai cessé la guerre avec la fouine. J'ai ouvert la trappe. J'ai glissé pour elle du pain dur et un quartier de pomme.

J'ai refermé le battant.

Au matin, le pain et la pomme avaient disparu.

Lundi 7 janvier

Après quinze jours de vacances, le bus de l'école est à nouveau passé.

Les températures s'étaient radoucies. Les bûcherons ont profité de l'accalmie pour monter sur le bois de coupe.

Je ne savais plus comment penser à Curtil. Où était-il? En Patagonie? Sur la route du retour? Ailleurs…

J'ai pris la photo de la serveuse un peu après onze heures.

J'ai profité de la voiture d'Emma pour descendre à Saint-Jean, j'ai fait tirer les photos 26, 27, 28 et 29 de la série.

De retour, j'ai punaisé toutes les photos, la première prise le cinquième jour, la serveuse portait alors une robe bleue et secouait des draps à fleurs, les suivantes, jusqu'à la dixième dont mon retard avait cassé la perfection de la série.

Sur la photo 12, on voit la serveuse avec un homme. Les guirlandes à la fenêtre. Sur la quatorzième, il y a la neige, c'est la première fois. Tissu bariolé sur la 15.

La serveuse n'apparaît pas sur les photos suivantes, elle était en vacances, le balcon est photographié les portes-fenêtres fermées.

Il n'y avait pas de photo du 27 décembre, c'est le matin où Philippe était passé au gîte pour me dire que Ludo avait fait une connerie. J'ai donc laissé un blanc entre la photo 19 et la photo 20, un espace de dimension semblable qui marquait l'emplacement de celle que je n'avais pas prise.

Cette absence de photo serait un vide dans la série. Un vide qui ne serait pas rien.

L'espace sur le mur rendrait compte de cela.

La vingt-troisième photo était celle prise le 31 décembre.

Le 1er janvier, elle n'est pas apparue, ou alors trop tard, la photo montre le balcon seul.

La vingt-huitième, les dessins géométriques.

La vingt-neuvième, les draps jaune vif à fleurs énormes.

Le vieux Sam m'a servi le thé sans me le proposer. Comme une évidence naturelle. Étions-nous amis ? J'aimais en lui ses vieilles manières civiles et courtoises, un peu désuètes.

Je le lui ai dit.

Il a souri.

La vapeur qui montait du thé était amère. J'ai avalé à petites gorgées, une herbe s'est collée à mes dents, elle avait le goût de poivre.

— J'en ai bientôt fini avec ma traduction.

Il a hoché la tête.

Les biscuits s'émiettaient dans le thé, prenaient la consistance molle de la brioche, se détachaient, j'en ramenais des morceaux odorants dans ma cuillère.

Il a tiré d'un présentoir une carte postale qui représentait le cairn de Maldavie. Un tas de cailloux plats avec des montagnes autour. Il a fait glisser la carte devant moi.

— Êtes-vous déjà montée là-haut ?

— Jamais.

Il s'est reculé dans le fond de son siège.

Son corps filiforme se confondait avec l'ombre, les cuisses maigres se dessinaient sous le tissu.

— On n'imagine pas, la nuit… C'est un endroit magnifique, un désert… On ne voit aucune lumière humaine, seulement les étoiles et la lune. C'est un autre monde. Vous devriez y aller, vraiment, avant de partir. Il faut demander à Jean, il devrait pouvoir vous montrer cela avant votre départ.

— Il me l'a proposé.

— Et alors ?… Ne me dites pas que vous avez refusé ?

Il m'observait avec les yeux vitreux des cataractes fortes, les jambes longues croisées devant lui. Le dos droit, comme se tiennent parfois les vieux messieurs.

— Personne refuse d'aller à Maldavie.

Il a repris du thé.

— Ma femme a failli mourir là-haut avec Jean, c'était il y a longtemps… Est-ce que cette histoire vous intéresse ?

— Je crois, oui.

Il a reposé la tasse.

— En mars, la neige avait fondu un peu plus tôt que les autres années. Ils avaient ouvert le col et le bus avait fait sa première traversée d'ici à Val-d'Isère. Jean avait deux mois et ma femme voulait le présenter à sa famille. À mi-chemin, ils se sont fait bloquer par une tempête. La neige a stoppé le bus. Il y avait dix-sept personnes à l'intérieur. Huit ont décidé de poursuivre à pied. Huit autres ont choisi d'attendre les secours… Ma femme a pris Jean dans ses bras et elle est revenue chez nous. Elle a marché pendant des heures. Elle tenait Jean sous son manteau, contre sa peau. Quand elle est arrivée au cairn de Maldavie, elle était à bout de forces, tellement épuisée qu'elle s'est assise sur un rocher. Une dameuse tournait par là, le chauffeur l'a vue dans ses phares, il a cru à un mirage des altitudes. Plus tard il a dit qu'il n'aurait jamais dû venir damer jusque-là, que c'était un hasard mais qu'il avait aperçu un renard et avait voulu le voir de près. Leur vie a tenu à la présence de cette bête. Le lendemain, le soleil brillait, c'était à nouveau le printemps.

Sa voix avait traîné sur cette chose qu'il venait de dire.

— Et les autres ?

— Les autres…

Il a glissé sa main sur la table. A lissé la nappe aux carreaux rouges.

— Ils sont morts, tous.

Il a dit cela, une phrase courte qui n'exigeait pas davantage, et il a regardé par la fenêtre, la cour du devant.

— Ce jour-là, j'ai compris que la mort existait vraiment et qu'il ne servait à rien de s'en plaindre, qu'il fallait simplement profiter de ce qui était donné. Et j'ai passé ma vie à les chérir parce que je savais que je pouvais les perdre à tout moment.

Il a sorti une photo de son portefeuille, m'a montré un portrait lisse en noir et blanc.

— Ma femme… Je l'ai aimée à chaque seconde de sa vie, et pourtant je m'en veux encore de ne pas l'avoir aimée davantage. Nous vivons toujours d'un cœur trop léger, avec bien trop de hâte… Avez-vous remarqué comme chaque ami, chaque parent qui meurt nous laisse un peu plus désemparé ?

Il faisait froid dans la boutique. Il a tiré un plaid sur ses épaules.

Il m'a parlé d'un refuge qu'il avait construit là-haut, à côté du cairn, à l'endroit même où sa femme s'était assise.

Un abri construit de ses mains pour sauver ceux qui s'égarent.

— Je voudrais qu'à ma mort, mes cendres soient déposées là-haut… Bien sûr, ce ne sera pas très commode pour monter et Jean va protester…

Il a reposé sa cuillère sur le bord de sa soucoupe.

— Je ne lui ai pas encore confié cela mais je l'ai écrit sur un papier. Il faudra lui dire, le moment venu, si vous êtes ici et pour le cas où le papier se perdrait.

On parlait du silence à Maldavie quand mes cousines sont entrées, elles ont tourné entre les étals, ont acheté deux petites lampes et un paquet d'ampoules, des bougies et une pierre noire pour aiguiser les couteaux.

Elles nous ont salués de la tête. M'ont demandé des nouvelles de Curtil.

— Ce sont des filles sans manières, a remarqué le vieux Sam.

Après leur départ, il a ajouté, qu'à bien les regarder, elles étaient aussi fabuleuses.

On a fini le thé en parlant de Jean et de cet air d'harmonica qu'il avait joué le soir du Nouvel An, un hymne dédié aux prisonniers de l'apartheid.

— Ça lui a pris dix ans pour pouvoir le jouer à peu près correctement. Certains soirs, il est empêché de le faire tellement c'est triste.

— Ce qui est triste, je le trouve beau, c'est un automatisme.

Il a semblé comprendre.

Avant de rentrer au gîte, je suis passée à l'épicerie, j'ai acheté du jambon, des pâtes, du lait, des œufs.

Des kiwis. Les kiwis se mangent seulement quand ils ont gelé, comme les baies bleues qui poussent dans les buissons.

C'était la fin de la journée.

Des femmes discutaient entre elles dans la travée. Quand je suis passée, elles se sont tues. Je m'habituais à leurs regards, à leurs paroles basses, il me semblait cependant qu'elles ne m'observaient plus aussi fort que les premiers jours. Certaines ne faisaient pas attention à moi.

J'ai rapporté mes achats au gîte.

Sur le terre-plein, un camion chargeait les trois grands chênes. Marius est arrivé en courant, avec ses frères, ils avaient leurs cartables, sortaient de l'école.

Ils se sont mis à l'écart.

Le camion a manœuvré.

Jean était là aussi, avec les gars de la scierie, tous, sur le pas des portes.

Je suis entrée dans le gîte.

J'ai branché mon téléphone, j'avais un message du proviseur, il fallait que je le rappelle.

Le pot de miel était sur l'évier, le couvercle à côté. Je l'ai enlainé comme j'avais enlainé la boule de verre, avec une pelote bleue trouvée dans l'armoire et que j'ai déroulée lentement.

Je me suis remise au travail. Après un moment, j'ai vu deux mains appuyées contre la vitre. Le visage de Gaby, son front écrasé.

Le manteau fermé jusqu'au cou.

Elle venait récupérer son linge qui avait fini de sécher.

— Ça fait deux fois que je viens…

— J'étais chez Sam.

Elle a vu mon pull. Le bas de côtes défait.

— Il s'est détricoté, faut bloquer le fil… T'as des aiguilles?

Je n'en avais pas.

— Tu viendras, j'ai ce qu'il faut chez moi.

Elle a détaché ses vêtements des pinces, les a déposés dans la corbeille.

Je ne l'avais pas revue depuis la veille quand elle m'avait avoué qu'elle savait. Je la regardais, je scrutais, cherchais à voir si quelque chose avait changé en elle. Si elle regrettait cette confidence.

Mais elle était semblable.

Comme si elle avait oublié ce qu'elle m'avait dit ou comme si cela n'avait aucune importance.

Comme si elle n'avait rien dit.

Elle a regroupé le linge.

A détaillé mes affaires sur le bureau, la boule de verre et le pot de miel enlainés.

Elle a ouvert le ballotin qui contenait les marrons glacés.

— C'est ceux de Curtil, j'ai dit.

Après une hésitation, elle a reposé le ballotin.

Elle s'est approchée des photos punaisées contre le mur. Elle les a regardées, toutes, dans leur ensemble, et elle est venue se replacer devant la première.

— C'est le balcon d'en face?…

Elle est passée de l'une à l'autre, en les observant de très près. Intriguée.

— Y a pas grand-chose qui change… mais y a des choses quand même… En fait, on croit que c'est les mêmes photos, mais c'est pas les mêmes. Quand on regarde bien… Dans l'arbre, au début, on voit des feuilles… Y a toujours la serveuse! Non, là elle n'y est pas. Là, c'est la couleur des draps qui change.

Elle s'est arrêtée devant l'espace vide, cet endroit particulier dans la série où il y avait la photo d'avant et la photo suivante, et entre les deux, l'espace parfait d'une photo absente.

Elle s'est reculée jusqu'au lit, s'est assise sur le rebord, les mains à plat sur les cuisses.

Elle est restée un long moment songeuse, curieuse de cet emplacement vide.

— T'en prends une par jour?

— Oui.

Elle a penché la tête. A balayé à nouveau du regard l'ensemble de la série.

— Il en manque une.

Ce n'était pas une question, plutôt un constat.

— Tu aimes faire ça?

— Oui.

Elle réfléchissait. Se donnait du temps.

— Comment on sait qu'on aime faire les choses? Je veux dire, avant de commencer, comment tu as su que tu allais aimer faire ça?

— J'ai pris une photo, un jour, et j'en ai pris une autre, j'ai trouvé que c'était bien et j'ai continué.

Elle s'est levée du lit, s'est avancée vers le mur. Du bout des doigts, elle a effleuré la tapisserie qui marquait l'emplacement vide entre les deux photos.

Cet emplacement-là seulement.

Elle s'est retournée. M'a dévisagée.

— Tu es une intellectuelle, toi… Fais attention quand même, avec tes choses, de pas finir comme la mère.

Je me suis troublée. Violemment.

Maman est devenue étrange le jour où des ombres se sont glissées entre elle et la vie. Les médecins ont dit "dépression passagère" et puis "dépression légère".

Ils n'ont jamais dit folle, ni folie. Ils ont dit que ça allait s'arranger, même à la fin quand elle entendait pleurer les murs !

— Je ne deviens pas comme elle.

— Ben si, quand même… un peu.

"Les tanagras sont des statuettes simples, loin du marbre et des grandeurs." Je traduisais ces mots quand mon téléphone a sonné. C'était Pierre. Revenu de Bali.

Il m'appelait d'un bar.

— Tu en es où ?

Je lui ai dit que j'en avais bientôt fini. Ça l'a fait rire parce que sa question ne portait pas sur le livre mais sur ma vie.

— C'est de toi que je voulais parler.

Je lui ai dit que j'étais encore au Val. Je lui ai décrit les tanagras. Il m'a confié qu'il en possédait une sur une étagère dans son bureau.

Il avait rapporté du riz acheté directement à l'habitant. Il m'a décrit des villages, des paysages. Je lui ai promis de venir goûter son riz s'il me montrait sa sculpture tanagra.

Il était étonné que je sois encore au Val.

— Qu'est-ce que tu fais, ce soir ? il a demandé.

Il y avait cinquante centimètres de neige partout, des congères avaient coupé la route, ça réduisait l'animation.

Lui se faisait un ciné, le dernier film d'Alain Resnais. Après, il irait dans un restaurant indien avec des amis.

— C'est quoi, le film ?

— *Vous n'avez encore rien vu.*

Le titre m'a amusée. Un bref instant, j'ai pensé à Curtil et à cette attente insensée.

— Dans quel bar tu es ?

— Le pub irlandais, tu sais… Rue des Martyrs.

Je lui ai demandé de me faire écouter les bruits. Il a bougé son téléphone et j'ai entendu des voix, des gens qui marchaient sur le trottoir. Des rires de filles. Talons aiguilles. Il y a eu de la musique, une sirène de police et après, la voix de Pierre.

— Tu es encore là ?

Devant moi, la route était nue. Les lumières se reflétaient sur le bitume.

Pierre était un grand voyageur, deux fois par an, il partait quelque part.

— La Patagonie, tu connais ?

— La Patagonie ?… Non. Mais je sais qu'il y a des endroits là-bas où on pêche le requin.

— El Calafate, ça ne te dit rien ?

— Non. Pourquoi ?

— Pour rien.

Je lui ai promis sa traduction avant le 30.

Avec le remplacement de Kathia, ça faisait deux promesses et c'était énorme.

J'ai rappelé le proviseur. Bien sûr, il n'était pas content. Il m'a quand même souhaité un bon rétablissement pour ma sœur.

Mardi 8 janvier

L'aube s'est levée dans un ciel de glace. Il me restait encore quelques longs chapitres, ensuite un travail de relecture, éclaircir quelques points.

J'ai lu à haute voix. "L'essentiel pour moi, dit Christo, est que quand le moment est venu de la réalisation, quand l'œuvre est enfin devenue réelle et bien présente, il y ait aussi son absence. Qu'on sente l'absence au sein de sa présence. Parce que, quand l'œuvre est réalisée, ça ne nous appartient plus."

Il fallait que je fasse une pause. J'étais mal installée, l'écran trop bas, mes cervicales brûlaient. Je me suis étirée au linteau d'acier au-dessus de la porte.

"Qu'on sente l'absence au sein de la présence", j'ai répété cela en me tenant comme une pendue.

Couchée à l'équerre ensuite, les jambes au mur, dix minutes.

Après, il était l'heure de la photo au balcon.

J'ai traversé la route. Je voulais déjeuner chez Francky avant qu'il ne soit trop tard et que Diego refuse de me servir.

J'avais un message de la concierge, qui s'inquiétait de ne pas me voir revenir. Je l'ai rappelée. Je lui ai dit que tout allait bien, qu'il ne fallait pas s'inquiéter. Que les réseaux, ici, ne fonctionnaient pas aussi bien qu'à Saint-Étienne.

Elle m'a raconté que le clochard ne quittait plus la chaleur du couloir. Le soir, elle lui donnait à manger. Elle lui avait permis d'utiliser sa salle de bains et le rasoir de son défunt mari. Grâce à elle, il avait repris belle allure.

Je suis remontée à pied jusqu'au chenil. La Baronne était dans sa cuisine. Elle découpait des bouts de blanc de poulet dans lesquels elle a dissimulé quatre cachets bleus.

Elle a levé les yeux sur moi quand je suis entrée.

Sur une couverture, une chienne malade de la race des cockers.

La Baronne s'est approchée, lui a parlé à voix douce. Elle lui a présenté sa main avec les morceaux de viande.

Elle lui a parlé encore. La chienne sans force a pris les morceaux dans sa gueule, elle a mâché lentement. A tout avalé, la viande avec les cachets bleus.

Elle a léché la main de sa langue molle.

— Ça va aller maintenant…, a dit la Baronne.

Elle est restée près de la chienne jusqu'à ce que la bête somnole.

Après quoi, elle s'est relevée.

— On ne pouvait plus rien faire, a dit la Baronne.

Elle s'est lavé les mains.

— Des fois, le cœur s'arrête, on n'a pas besoin du vétérinaire.

Elle a enfilé son blouson, son bonnet, ses gants.

— C'est la femme de Jean qui va venir… Quand il faut, je lui demande, elle fait ça bien, pas comme ce salaud de Jamard. Jamard, il n'aime pas les chiens.

On a laissé la chienne s'endormir tranquille.

On est allées s'occuper des autres.

Quand la femme de Jean est arrivée, la chienne dormait. Elle a piqué dans le haut de la patte, le liquide blanc a coulé par une aiguille fine.

Je suis passée chez Gaby pour faire bloquer le fil de laine de mon pull. Des dizaines de stalactites pendaient au toit du bungalow, des flèches de glace qui dessinaient des rideaux de lumière.

La Môme était revenue du lycée. Elle prenait l'air dehors, sur la marche.

Marius est arrivé, elle a décroché deux stalactites et elle a joué à l'épouvanter avec des dents de Dracula.

Il faisait chaud dans le bungalow. Le chauffage d'appoint ronflait en brûlant. Gaby avait un problème avec l'appareil. Elle avait monté son thermostat à 4, si elle le baissait ça ne chauffait plus.

— Cette nuit, il a fait plus froid dans mon bungalow qu'à l'intérieur du frigo.

Elle portait un très long sweat à manches roulottées. Les bobines de fil étaient rangées dans une boîte en fer, au milieu des boutons et d'un ruban jaune qui servait aux mesures. Elle a fouillé là-dedans à la recherche d'une aiguille. A ramené un bout de laine dans les tons bleus.

Il restait quelques boules de verre sur la table. Les autres étaient remisées dans leur carton.

Elle a bloqué le fil en le cousant à petits points serrés. Elle a vérifié que ça tenait bien, a coupé le fil de laine avec ses dents.

Je lui ai demandé si la Mâchoire était revenue, elle m'a dit non. Je lui ai raconté ce qui s'était passé pour la chienne malade de la Baronne.

Dehors, la Môme décrochait les stalactites, elle les passait à Marius qui les regroupait dans ses mains en un grand bouquet.

Le lapin faisait sa toilette à la manière des chats. Il semblait avoir pris ses habitudes.

— Il va bien falloir qu'il y passe un jour…, a dit Gaby en remettant l'aiguille dans la boîte.

J'ai calé ma tête entre mes mains. Les yeux au ras de la table. Philippe dit que les pattes de certains lapins sauvages ont grandi de plusieurs centimètres en quelques portées, ils se sont mis à courir plus vite, ils ont agrandi leur territoire et leur espèce, devenue plus forte, a fait disparaître toutes les autres.

Gaby a frotté le bas du pull avec sa main.

— Ça va se voir un peu, elle a dit en refermant la boîte.

Des assiettes séchaient sur l'égouttoir en plastique.

La Môme et Marius ont surgi en riant. Ils avaient trouvé un vase et mis les stalactites à l'intérieur. Ils avaient couru, leurs joues étaient cramoisies par le froid.

Ils se sont arrêtés à la porte pour reprendre leur souffle. La Môme a posé sur l'évier le vase avec l'étonnant bouquet.

Elle a ouvert le congélateur, a sorti deux bâtonnets glacés, elle en a donné un à Marius.

Gaby était fatiguée, elle s'était levée tôt le matin.

— Vous m'excusez cinq minutes, elle a dit.

Elle s'est blottie sur le divan.

Marius est reparti chez lui.

La Môme a fini sa glace contre le frigo. Le lapin est venu se coller à ses jambes. Elle lui a tendu le bâtonnet en bois pour qu'il s'use les dents.

— Tu crois que vous allez pouvoir le manger un jour ? j'ai demandé.

— Pourquoi on le mangerait pas ?

Gaby s'était endormie.

Sur l'évier, les fleurs de glace fondaient doucement.

La Môme s'est assise à la table, les pieds ramenés sur le barreau de la chaise. Elle a glissé sa main sur le bombé des boules.

— Ma préférée, c'est celle-là, elle a dit en montrant Paris qui scintille.

Je préférais le paysage avec chalet et sapins. Elle s'est moquée parce que c'était banal ici, alors que Paris…

Elle a fini sa glace.

Elle a voulu jouer aux cartes. A sorti un paquet. Une bataille. Elle a distribué. Elle jouait vite, trichait un peu. C'était un jeu de hasard qui ne laissait place à aucune réflexion.

On chuchotait pour ne pas réveiller Gaby.

À un moment, elle a levé les yeux du jeu, une carte en suspens.

— Si ça se trouve, tu as des tas de frères et sœurs ailleurs ?

— Si ça se trouve, oui.

— Tu aimerais ?

— Quoi ? Avoir d'autres frères et sœurs ? Non… C'est déjà compliqué avec Philippe et Gaby.

Elle a abattu sa carte, a ramassé le tas.

— Eux aussi, ils disent ça.

— Ils disent quoi ?

— Que c'est compliqué avec toi.

Gaby ronflait.

On a continué la partie. J'ai gagné. La Môme a regroupé les cartes.

— Yvon va partir au Bangladesh, il veut filmer les orphelinats.

— Il faut qu'il ait son bac d'abord.

— Tu parles comme son père.

— Son père, c'est mon frère.

Avec son ongle, elle a écrasé une miette.

— Il dit que je peux venir avec lui.

— Au Bangladesh?

— Il me faudrait de l'argent pour le billet mais Gaby ne veut pas que je travaille.

Elle a chuchoté ça, avec des mots précipités. Elle a levé ses yeux sur moi, des yeux luisants, merveilleux, enchantés.

— Tu es bien partie, toi…

Je ne crois pas ça, qu'on puisse avoir d'autres frères et sœurs. Curtil ne nous laissait pas pour une autre femme. Il nous laissait pour ne pas s'ennuyer. Pour nous surprendre. Avoir des choses à nous raconter, toujours. Pour avoir des retours à la maison, nous accorder des rendez-vous et nous étonner.

Je l'ai imaginé très loin, à El Calafate. Et puis pas si loin, dans un hôtel miteux, à laisser passer les jours simplement pour qu'on l'attende.

J'ai revu Gaby en début de soirée, appuyée au comptoir chez Francky.

Elle jetait un coup d'œil dans la cuisine. Il y avait des gars dans le réfectoire, déjà installés, qui attendaient.

Après des jours sans Internet, la connexion était de nouveau possible, j'ai pu nettoyer ma messagerie.

Gaby s'est arrêtée près de moi. Elle est revenue devant le puzzle. A glissé sa main sur les pièces assemblées. Elle a tiré une pièce du tas, un morceau minuscule qu'elle a cherché à caser quelque part. Elle a tenté quelques placements de hasard dans le bleu sombre du fleuve.

— Diego dit que c'est des fenêtres de grands immeubles avec des lumières.

Elle tenait la pièce entre ses doigts. La faisait glisser. Elle a fini par renoncer, a reposé la pièce. En a repris une autre. Elle parlait des probabilités de trouver le bon emplacement. "Une pièce sur trois mille, tu te rends comptes ?!!" Elle a dit que Diego était fou, qu'il n'arriverait jamais au bout ! Trois mille pièces à ranger sans modèle…

Elle ne portait plus son alliance. Juste la marque fine et blanche.

— Tu as réussi à l'enlever ?

— C'est Jean…

— Jean a retiré ton alliance ?

— Je lui ai demandé. Il avait des pinces dans son coffre, il a coupé.

— Il a fait ça ?

— Je te le dis. Pourquoi tu répètes ?

Elle a changé la pièce pour une autre avec quelques nuances orange, pas plus de détails mais une découpe différente.

— L'Oncle en face, il achète tout, il achèterait la mort s'il pouvait.

Elle s'est penchée, pensait pouvoir emboîter sa pièce parmi celles déjà placées au tablier du pont.

— T'aurais pas dû faire ça…

— Ah ouais ?

— Une alliance, c'est sacré.

Elle a haussé les épaules.

— Ludo, ils le cherchent, ils sont venus, ils reviendront. L'argent qu'il doit, il va bien falloir le rendre. C'est mon homme… Un salaud peut-être… Mais mon homme quand même. J'ai caché les sous dans une boîte de médicaments sous l'évier. Quand elle a vu où je planquais la boîte, la Môme a dit que c'était le premier endroit où les voleurs allaient regarder. Alors j'ai décousu une cravate à Ludo et j'ai glissé les billets dedans, bien à plat. Tu viendras voir.

Elle me parlait, penchée sur le puzzle.

Sur l'écran de télé, Chazal présentait son JT dans un petit chemisier blanc. Le son, en sourdine.

— Ce que tu ne veux pas qu'on te prenne, il faut le laisser en vue, elle dit la Môme. J'ai laissé la cravate sur le dossier.

Elle s'est redressée.

Brusquement.

La dernière pièce choisie s'était imbriquée ! Bonne encoche. Emboîtement juste. La pièce comblait un trou et terminait la représentation d'un immeuble orangé par la lumière du lever de soleil. Elle a lissé la surface avec la main. Elle s'est mise à rire ! Elle jubilait.

Elle a voulu que je vérifie.

Après, elle a appelé Diego, elle a gueulé son nom plusieurs fois jusqu'à ce qu'il sorte enfin de sa cuisine et qu'il s'avance, s'approche, se penche. Vérifie à son tour.

On est sorties ensemble de *La Lanterne* et on a traversé le parking jusqu'à la route. Elle parlait encore de cette pièce qu'elle avait réussi à placer. Elle n'en revenait pas !

On s'est arrêtées pour laisser passer quelques voitures. La scierie était plongée dans la nuit. Un semi-remorque garé devant, prêt pour le chargement du lendemain.

Il faisait froid. La neige était recouverte d'une croûte de glace.

Elle m'a regardée brusquement. Toute joie effacée.

— Où c'est qu'il peut être ?

— Je sais pas, Gaby.

— Y a bien quelqu'un qui sait !!! Forcément ! Hein ???

Les types qui fumaient sur le parking ont tourné la tête.

— Forcément, oui…

On a traversé la route.

Quand elle a entendu les tramps, elle n'a plus rien dit. Ils avaient allumé un feu sur leur campement, on voyait la lueur des flammes dans la nuit, tout au bout du chemin. Sur le rond-point de l'Échafaud.

On entendait leurs voix.

Gaby a réfléchi.

— Si Ludo est par là, ils doivent le savoir… Ils savent tout… On va aller leur demander.

— Il fait nuit, Gaby.

— Et alors ?

— On ira demain.

Elle a haussé les épaules.

Elle s'est avancée seule. Les mains dans les poches. Je ne la voyais plus, j'entendais le bruit de ses bottes qui râpaient sur le gravier.

Les tramps n'étaient pas des mauvais bougres mais il y avait parmi ceux qui étaient restés quelques imprévisibles que le manque de femmes rendait hargneux. Le manque ou la bière. Ou l'ennui. Ils se bastonnaient parfois, je les avais entendus, des rivalités, après la journée de travail, certains avaient des comptes à régler, de l'honneur à défendre.

Je l'ai rattrapée.

— C'est pas un bon plan…, j'ai dit.

— C'est quoi, un bon plan?

— Gaby…

— Ces gars, c'est des cheulards, pas des méchants.

Elle a continué à avancer sous les arbres. Deux cents mètres sans lumière.

J'ai voulu la retenir.

— N'y va pas.

Elle m'a repoussée.

— Laisse-moi… Et arrête de faire ta piaffe!

C'était sec.

Je l'ai lâchée.

Elle a repris sa marche.

J'ai hésité et puis j'ai avancé à côté d'elle.

Les pluies avaient raviné la terre, creusé des ornières, la neige masquait les trous d'un sol irrégulier et mes pieds butaient contre les pierres.

La première baraque était vide. Un homme hirsute fumait devant la suivante. Deux parpaings en guise de banc, le dos à la porte.

— T'aurais pas vu un type tout seul, un peu maigre…, a dit Gaby. Il a une cicatrice.

— Maigre comment? a demandé l'autre.

— Comme un couteau.

— Pas vu.

Elle a hoché la tête et elle est allée répéter ça plus loin, un rougeaud tout seul devant une assiette sous une ampoule jaune. Lui non plus n'avait rien vu.

Plus loin, deux frères presque identiques. Un rouquin solide avec un gaillard au ventre énorme.

Elle a remonté le campement. Une poignée de bûcherons étaient regroupés sur des chaises autour d'un feu. Des hommes en gros blousons. Silhouettes massives.

Ils faisaient cuire de la viande. Quand ils nous ont entendues, ils ont tourné les têtes. Des yeux de troupeau. Le feu faisait luire leurs visages. L'un d'eux grattait dans les braises avec un bâton.

Je les connaissais, tous, ils avaient leurs habitudes chez Francky. Ils devaient nous connaître aussi.

Ils ont libéré deux chaises. Gaby a approché ses mains, elle portait des mitaines. Elle a répété sa question.

— Tu nous as déjà demandé ça, a dit l'un d'eux en ricanant.

— Ton homme, on l'a pas vu. Mais tu peux profiter du feu.

Un chauve lui a fait passer un filet de viande embroché sur un pic. Il y avait des pommes de terre mises à cuire dans la cendre.

Gaby s'est assise sur la chaise qu'on lui avait libérée. Elle a pris la viande et elle a mangé.

Les hommes la regardaient.

— Faut partir…, j'ai dit.

Elle n'a pas répondu. C'est comme si je n'étais plus là. Elle détachait les morceaux de viande en tirant dessus avec les dents. Elle mâchait lentement.

Je lui ai touché l'épaule.

— Allez, viens, Gaby…

Elle a grogné.

— T'as pas compris ?

— Quoi ?

— Je veux rester.

— Tu vois bien qu'il n'est pas là, Ludo.

Elle continuait de mâcher.

J'ai appuyé sur son épaule.

Soudain, elle m'a agrafé le bras, un geste rapide, une prise violente.

— Me tiens pas !

Ses doigts se sont refermés et j'ai eu l'impression qu'elle me brisait l'os. Elle a fini par relâcher sa poigne.

— Toujours à tout craindre, elle a dit.

Un rouquin s'est placé entre elle et moi.

— Minute, papillon…

Gaby a essuyé sa bouche d'un revers de manche. Elle a souri au rouquin.

— Minute, papillon, elle a répété.

Elle riait alors les hommes se sont mis à rire avec elle, un rire comme de la mauvaise poussière. Leurs visages hilares brillaient dans la lumière des flammes.

C'était une liesse commune qui me laissait étrangère.

Et les reliait, eux, avec Gaby.

— Minute, papillon ! elle a répété, en se frappant la cuisse.

Elle m'a montré le feu, la viande.

— T'en veux ?

J'ai reculé. Un pas. Un autre.

Elle riait encore.

Et puis elle a baissé la tête. Le rouquin a repris sa place. Une silhouette se découpait dans le fond du chemin. Immobile. C'était Philippe. Les tramps l'ont reconnu avant moi.

Ils ont ravalé leurs moqueries et ils ont repris une conversation tranquille.

J'ai rejoint Philippe.

Gaby est restée autour du feu.

— Qu'est-ce qu'on fait ? j'ai demandé.

— Rien.

— On la laisse ?

— Ça va aller… Ils l'emmerderont pas maintenant.

Je tremblais jusqu'au bout des ongles, j'avais l'impression que ça ne s'arrêterait jamais.

De retour au gîte, je me suis enroulée dans une couverture et j'ai attendu que Gaby passe.

Elle est restée tard avec eux. À un moment, j'ai ouvert la porte et je les ai entendus qui chantaient.

Mercredi 9 janvier

La serveuse terminait son service du matin.

Philippe avait passé une partie de la nuit à surveiller la braconne, il prenait son petit-déjeuner.

— La Baronne est inquiète, je lui ai dit.

— Inquiète de quoi ?

— Elle a peur qu'on la déloge avec ce projet de piste.

— On ne la délogera pas.

— C'est pas ce qu'elle pense. Elle dit que si on fait ça, elle tuera les chiens, tous, un par un, et qu'elle se tuera après.

Il a pris un croissant dans la corbeille.

— Elle en est capable.

La serveuse est venue nettoyer les tables derrière nous. Elle portait un caraco à dentelles. On voyait ses bras nus jusqu'aux aisselles.

— L'une des chiennes est morte hier.

— Elle devrait arrêter d'en prendre.

— Elle les aime. Un chien qui meurt, c'est un morceau d'elle qui s'en va, elle dit qu'elle est morte déjà des centaines de fois à cause d'eux.

— Un chien, ça vit quinze ans, certains même plus

longtemps, il se passera quoi pour eux quand elle ne sera plus là ?

Je n'ai pas répondu.

Il a terminé son croissant. A plongé la main dans la corbeille, en a ramené un autre.

— T'es pas censé avoir du cholestérol ?

Il a grimacé. Hésité. Il a dit que ça le fatiguait tous ces conseils qu'on donnait aux gens pour les maintenir en bonne santé.

Il a quand même reposé le croissant.

— Gaby avait laissé de l'eau dans une casserole, elle a gelé pendant la nuit de mercredi.

— L'eau a gelé dans le bungalow ?

— C'est ce qu'elle dit.

Il a hoché la tête.

— T'as fait du beau travail avec l'hermine, l'autre soir.

On a parlé du site. Sa thèse sur le chemin d'Hannibal avançait, un maire était favorable à ce qu'il balise en passant sur sa commune. C'était une bonne nouvelle. Ce serait un des plus beaux chemins de randonnée de la région.

— Un sentier est vivant seulement si des gens lui marchent dessus. Des gens ou des bêtes. C'est comme la lune, tu as remarqué ?

— Quoi, la lune ?

— La lune, on ne la voit plus pareil depuis que Neil Armstrong a marché dessus.

Je l'ai regardé sans vraiment comprendre alors il m'a tirée par le bras pour me montrer, dans le carreau droit supérieur, le contour de lune qui se dessinait encore.

— De savoir qu'un homme est monté là-haut et qu'il a marché dessus, on dirait que ce n'est plus la même… Je sais pas toi, mais moi ça change tout dans ma façon de la regarder.

— Tu sais comment tu regardais la lune avant Armstrong, toi ?

Il a ignoré ma question.

— Pour le site, on va mettre des vidéos… Des petits films de deux minutes maximum. Yvon est d'accord pour que je prenne ses images.

— Tu vas piquer dans son reportage ?

— Pas dans son reportage, dans ses rushes. Il a des heures de bobines qu'il ne peut pas utiliser. Il m'a montré, il y a de très bonnes choses dedans, il filme bien, il faut juste qu'on trie.

— Il filme bien mais sa caméra est trop lourde.

— On mettra des séquences très courtes, d'un clic on accédera à la vidéo, ça sera moderne.

— Il faudra lui offrir une caméra moins lourde, j'ai insisté.

Il m'a parlé des cartes qu'il allait faire imprimer, des dépliants, affiches… Les offices du tourisme serviraient de relais.

Il fallait imaginer, Hannibal sur nos chemins avec ses 10 000 cavaliers, 50 000 fantassins et 37 éléphants. Hannibal à Voiron, dans la vallée du Drac, pillant la ville de La Mure, volant des bêtes et de la nourriture, Hannibal à Trièves, dans le bas Champsaur, au col de Manse…

Il a récité de mémoire, théâtral :

— "C'était le temps du coucher des Pléiades, et déjà la neige avait couvert le sommet des montagnes. […] La première pensée qui vint à Hannibal fut de contourner cet endroit difficile, mais, la neige rendant tout autre passage impraticable, il fut obligé d'y renoncer. Ce qui arrivait était en effet une chose très rare et très singulière, sur la neige de l'hiver précédent il en était tombé de nouvelles."

Sur la neige de l'hiver précédent il en était tombé de nouvelles… J'aimais cette phrase.

Il avait déclamé trop fort. Autour, tout le monde a tourné la tête.

Même Francky.

Philippe a continué.

— "Quand les soldats étaient tombés et qu'ils voulaient s'aider de leurs genoux ou s'accrocher à quelque chose pour se relever, ils entraînaient avec eux tout ce qu'ils avaient pris pour se retenir. Pour les bêtes de charge, après avoir cassé la glace en se relevant, elles restaient comme glacées elles-mêmes dans les trous qu'elles avaient creusés […]."

Philippe a ri de lui, a dit qu'il avait mérité un autre café.

La serveuse était partie.

Francky faisait la plonge derrière le comptoir. Je suis allée près de lui.

— Je peux?

Il m'a laissé sa place.

J'ai glissé une tasse sous la machine à expressos. Du café, la tasse pleine. J'ai dessiné avec le piston à vapeur dans la mousse épaisse de la crème de lait. Une fleur de lotus parfaite qui flottait sur le fond noir du café.

— Merci, Francky…

— De rien, ma belle.

J'ai posé la tasse devant Philippe.

— J'aurais préféré te dessiner un éléphant d'Hannibal mais je ne suis pas encore au point.

Il a regardé, étonné, sur le café, la fleur de lotus qui flottait, se diluait lentement.

La serveuse a secoué ses draps avant onze heures. La série ne comprenait que des photos prises entre onze heures et midi. Que fallait-il faire ? Changer les règles en cours de série ? J'ai réfléchi à cela le temps qu'elle secoue les deux draps.

Elle a tapé les taies et le traversin, du plat de la main.

Je me suis conformée à ce qui avait été décidé depuis le premier jour.

La porte-fenêtre s'est refermée.

À onze heures, j'ai pris la photo du balcon sans la serveuse.

J'ai travaillé tout l'après-midi.

Je suis ressortie à la tombée du soir. La dameuse était garée avec les deux chasse-neige à côté, les moteurs vrombissaient et les phares éclairaient les grandes portes. On aurait dit des monstres tournés vers les pentes, prêts à prendre les cimes.

Trois gars s'affairaient, les chauffeurs, et deux autres qui restaient au contrôle dans un local qui servait de bureau et de cantine.

Je me suis avancée.

Jean vérifiait la dameuse. Il damait sur le premier créneau, celui de dix-huit heures à minuit. Une bonne longueur de filet s'était prise dans les mailles de la chenille et il tirait dessus pour l'arracher.

Il m'a regardée, un court instant. Il a souri. Il a montré la cabine.

— Faudra enlever ton blouson, il fait chaud dedans.

Je me suis hissée.

Faire une passe, c'est comme ça qu'ils appelaient le damage de nuit.

J'ai ôté mon blouson. Il y avait un carton, de l'eau, de la nourriture et deux couvertures de survie. Les phares trouaient la nuit, éclairaient la neige. Je voyais les hommes, les engins, la montagne. Les lumières du Val derrière les arbres et la route qui filait.

Un chasse-neige a manœuvré et s'est éloigné. L'autre a suivi.

— On s'attache, a dit Jean en grimpant à son tour.

Il a glissé cinq bûches sous son siège, reliées entre elles par une corde. Une boîte en plastique.

Il a refermé la porte.

J'ai bouclé ma ceinture. Il y avait tout le confort à l'intérieur. Chauffage, sono.

Il a vérifié la radio.

— On va grimper par Sourdeval, il n'y a personne là-haut mais ça randonne en raquettes, on a des marcheurs et des skieurs de fond… après, on continuera jusqu'au cairn.

La dameuse s'est ébranlée sur quelques mètres, elle a stoppé au pied de la pente. Un mur, presque.

Il fallait se pencher au pare-brise.

— C'est là-haut qu'on va. Un vrai *road movie*… Six heures de fuel, logiquement c'est suffisant.

L'engin était taillé pour gravir les pentes les plus escarpées. Les chenilles ont accroché au sol. On a grimpé raide, dans l'épaisseur de neige, une montée lente vers les cimes.

La radio a crachoté.

Jean a répondu.

Il a dit quelques mots en riant.

— Ils se fichent de moi parce que tu es là.

La lame repoussait des paquets de neige. Les bourrelets blancs se tordaient contre la lame et s'effondraient sur les bas-côtés.

Ça traçait derrière nous une route lisse et blanche.

— Ce n'est jamais la même neige…

On a laissé les maisons et on est passés en altitude. Jean guidait l'engin à l'aide d'une manette et de quelques boutons.

— Ma femme déteste cette machine… Elle n'aime pas me savoir accroché si haut et tout seul… Aujourd'hui, je ne suis pas tout seul.

Les phares étaient puissants. On montait dans la nuit, c'était étrange comme sensation. Il m'a dit qu'il aimait ça, depuis toujours, partir et se retrouver dans le silence. Certaines nuits, il amenait son chien.

— Quand j'étais môme, je venais voir partir les dameuses, je les regardais tourner dans la montagne, ça me faisait rêver, je me disais que j'en conduirais une quand je serais grand.

La dameuse grimpait en suivant des chemins, en traversant des prés. On a poursuivi en longeant une forêt, une masse noire, des arbres indissociables de la nuit.

On est arrivés au hameau de Sourdeval.

La lame déblayait devant nous le passe étroit de l'unique ruelle, entre les maisons éteintes. On aurait dit un village fantôme. Avec nous, dans cette machine.

Autrefois, il y avait eu des familles nombreuses, une école, un curé. Une ferme et personne pour la reprendre. Les jeunes étaient partis. Les vieux ensuite, d'une autre façon.

On est passés devant la grange dans laquelle nous nous étions cachés. Un arbre avait pris racine à l'intérieur, les branches dépassaient des vieux murs, ressortaient par le toit. Les chevaux étaient arrivés par les hauteurs, on les avait regardés par les fissures. L'étalon fou et les autres. Dans la grange, ça sentait la paille. Les chevaux ruaient contre les portes. Jean avait voulu jouer notre destin, il avait lancé une Semeuse. "Pile, je t'embrasse !"

Est-ce qu'il s'en souvenait ?

La dameuse a poussé un paquet de neige, l'a entassé plus loin.

J'ai regardé son profil, ses yeux qui fixaient droit devant.

On a quitté le village. La lune était à sa moitié descendante, très lumineuse.

On est arrivés sur un plateau. Plus d'arbres. Plus rien. Le silence.

Atmosphère d'un autre monde.

On a grimpé encore, un long moment sans rien dire. La pente raide nous plaquait le dos au siège. Jean cherchait la route. On a débouché tout en haut, près des crêtes.

C'était un désert. Un immense désert blanc.

Sur la gauche, un pylône. Plus loin, le terminus de la remontée des télésièges.

Il a stoppé la dameuse.

— C'est maintenant que ça va se compliquer.

Quand il a ouvert la portière, un courant d'air a pénétré dans la cabine. Il faisait nuit. Les glaciers scintillaient, à perte de vue. Des plaques verglacées, luisantes de froid. L'étoile du berger. La lune aux trois quarts dans un ciel étonnamment bleu. On se serait crus en plein jour.

Jean a tiré un câble du treuil et l'a accroché au poteau. Il est revenu dans la cabine.

Quand il a bougé la dameuse, le câble s'est tendu. Un coup sec qui a fait gicler la neige.

C'était violent.

— On appelle ça la ligne de vie…, il a dit.

Les phares éclairaient loin devant la lame.

— Le câble ne sert à rien quand on descend… C'est quand on remonte, il nous tire.

Il a poussé une manette et l'engin s'est avancé sur le plat en direction du vide.

— Ça va ?

— Ça va, oui…

Il a immobilisé la machine.

De l'autre côté du pare-brise, il y avait un gouffre.

Je me suis approchée de la vitre et je l'ai vue. La Face. Une des pistes les plus raides.

On allait plonger dans ce trou noir. Un à-pic vertigineux. Damer pour que tout soit net au matin.

Il a tiré lentement sur la manette.

— On va y aller.

La lame, sur le vide. L'horloge affichait dix heures. Une température extérieure de moins dix-sept.

J'ai ressenti un instant de vraie panique.

Jean a tourné la tête vers moi.

— Tu as peur ?

— Non.

Il a eu un drôle de sourire.

— Ça ne va pas durer.

Son sourire a disparu. Mes mains se sont accrochées au siège. Je me suis retournée. La ligne de vie était tendue, noire sur le fond neigeux.

— Ça va tenir ?

— J'espère…

À partir de là, il n'a plus rien dit.

Il a tiré la manette encore un peu.

Le sol s'est dérobé.

Et on a basculé. Le choc, soudain, un vertige, plus de centre. J'ai pressenti la mort. Il y a eu quelques secondes d'une terreur à couper le souffle. On était dans le vide. Dans la trouée. Un autre espace. À la verticale. La ceinture me retenait au siège, m'évitait d'être écrasée contre le pare-brise. Je n'ai pas fermé les yeux. Je n'ai pas crié. J'ai eu la sensation de n'être plus reliée à rien, j'ai fixé le vide, le sang gorgé d'adrénaline, je n'ai plus respiré. Plus pensé. Plus su qui j'étais. Ma vie entière dépendait de cette machine et de l'homme qui la guidait et il me semblait impossible que l'on ne meure pas.

Et puis j'ai senti le sol, les chenilles se sont reliées à la pente, la lame a raclé la neige.

J'ai aperçu, tout en bas, très loin dans la vallée, les lumières regroupées des maisons. On a commencé la descente. La lame a repoussé la neige, des boules bondissaient dans la lumière des phares.

— Ça va toujours ?

— Oui…

— Alors tu peux le lâcher, il a dit en montrant le siège et mes doigts crispés.

Après, c'est devenu plus simple, on descendait la pente et on la remontait. Mon corps s'habituait au vertige. À chaque plongée, Jean me demandait si j'avais peur et chaque fois je répondais non. Il damait sur toute la largeur, laissait un peu de poudreuse exprès dans les virages, pour les skis, ça les faisait chuinter, il appelait ça faire du *puff*.

Plusieurs fois, il a dû s'interrompre et descendre décrocher le treuil. Les marches arrière étaient brutales, ça puait le fuel dans la cabine.

— Tu es pâle…

— C'est l'odeur.

Il a sorti de la boîte à gants deux cachets qu'il m'a dit d'avaler avec un peu d'eau. Il a damé le haut de la piste. Il m'a montré, dans la puissance des phares, la Face était nette comme une route blanche.

— Ça, c'est une belle trace… propre, lisse… ce n'est pas si facile à réussir, mais quand c'est réussi, c'est beau.

Quand il a eu fini, il s'est garé près du poteau.

— On va faire une pause.

Sur les versants en face, on voyait les phares isolés d'une autre dameuse. Un homme dans sa machine qui poursuivait en solitaire sa passe de nuit. Un gars que Jean connaissait.

— Moi, ce soir, j'ai de la chance, je ne suis pas seul.

Il a déplacé la dameuse sur quelques mètres encore. Il a coupé le moteur pour me faire entendre le silence. Dans la lumière des phares, il y avait le cairn de Maldavie.

Un tas de pierres semblable à une stèle, la neige brillait autour, elle vibrait. Dans la lumière de la lune, on aurait dit des diamants.

On est sortis de la cabine. On s'est avancés. C'était comme si on était les derniers humains, aux portes de l'univers. Sur le toit d'un autre monde.

— C'est ici que les dieux se rencontrent pour décider du destin des hommes.

C'était vaste et ça donnait le vertige. On est restés, les yeux dans les étoiles. Des milliards d'étoiles.

— C'est parce qu'ils ont eu peur de l'espace que les hommes ont inventé les dieux, ils ont mis du vivant dans les nuages.

Le ciel était devenu plus sombre, d'un bleu mat, couleur de l'ardoise.

À côté du cairn, enseveli sous la neige, il y avait le refuge que le vieux Sam avait bâti.

On a parlé de sa mère qui avait marché jusque-là et s'était assise et de l'homme qui les avait trouvés parce qu'il avait suivi un renard.

Jean a sorti les bûches de la dameuse et les a portées à l'intérieur. La porte était maintenue fermée par une corde. Il l'a dénouée. Derrière, il y avait une petite

pièce basse de plafond. Une table, un banc. Une cheminée.

Il a posé les bûches sur la table.

— Mon père veut qu'il y ait toujours du bois dans ce
refuge pour le cas où quelqu'un viendrait à se perdre.

Il a sorti de sa poche une boîte d'allumettes dans un
sac hermétique. L'a laissée avec les bûches.

— Il veut aussi que ses cendres soient répandues
ici, au Maldavie.

Il m'a regardée.

— J'ai trouvé un papier chez lui, dans un tiroir.

— Et alors?

— Je trouve ça loin. Bien, mais loin. Un peu compliqué peut-être pour les chrysanthèmes à la Toussaint...

— Mais... tu vas le faire?

— Bien sûr que je vais le faire.

Nos yeux se sont croisés. Ils se sont gardés, quelques
secondes.

On est ressortis du refuge.

Dans la boîte en plastique, il y avait de la viande,
il a jeté les morceaux sur la neige.

— Pour s'il vient à passer un renard... Il y en a ici
malgré l'altitude.

Le brouillard tombait doucement et gelait au sol.
L'humidité s'était resserrée, avait estompé les cimes.

— Alors c'est ça, la vie d'un dameur?

— C'est ça, oui...

Il a regardé sa montre. Il était presque minuit.

— On est un peu à la bourre.

J'avais du brouillard dans les yeux, de la neige
plein les bottes. Nos vêtements étaient mouillés et
aussi nos cheveux.

On voyait nos souffles.

— Des passes, j'en fais depuis longtemps, mais celle-là, je m'en souviendrai, a dit Jean.

Il a posé sa main sur ma joue et il a essuyé le brouillard.

— C'est bien que tu sois venue… Qu'on soit là tous les deux.

J'ai glissé ma main sur la sienne. J'ai baisé doucement l'intérieur chaud de sa paume.

Il a pris mon visage entre ses mains.

Nous étions loin de tout. Peut-être les seuls vivants. Au-dessus de nous, des étoiles explosaient, d'autres naissaient, mouraient, des planètes, des comètes, un mélange flamboyant de gaz et de poussières, fragments d'astéroïdes et d'innombrables autres soleils, ça se passait juste là, c'était à portée.

La radio a grésillé. Une voix à peine audible, qui parlait, insistait. Jean a détourné la tête.

Il s'est détaché. Lentement.

— En altitude, on est obligés de répondre sinon, au sol, ils s'inquiètent et ils nous balancent les secours.

Il est remonté dans la dameuse, il a décroché l'émetteur radio et je l'ai entendu indiquer notre position, dire qu'il avait terminé, que tout s'était bien passé et qu'on redescendait.

Jeudi 10 janvier

C'est un chasseur qui a trouvé la voiture, elle était abandonnée sur un chemin de forestiers, en plein bois avec de la neige à mi-jantes. Un lieu-dit sur la commune qu'on appelle les Bas-Fonds à une demi-heure de marche du Val. La roue avant avait heurté un rocher, elle était voilée.

Philippe était venu m'avertir en fin de matinée.

Une besace sur le siège. À l'intérieur, des affaires à Ludo. Les chemises de la prison avec l'étiquette au col, le nom écrit au stylo et le matricule.

Le chasseur avait redescendu la besace.

C'est comme ça qu'on a su.

Philippe d'abord.

— Il s'est foutu dedans tout seul, Ludo, maintenant, il est mouillé jusqu'à l'os, c'est ce qu'il a dit pour m'expliquer.

Gaby faisait les cent pas dehors, les mains dans le dos. Elle allait jusqu'à la balançoire et elle revenait, arpentait cet espace. Touchait la besace. L'ouvrait. La refermait.

— C'est la sienne, il la trimballait partout.

Ça faisait dix fois qu'elle répétait.

— Qu'est-ce qu'il foutait dans le bois?

On ne savait pas.

Ludo, il était passé par le Val, maintenant on était sûr. Mais ça ne disait pas où il avait été avant. Avant qu'il ait laissé la voiture. Non, ça ne le disait pas. Ni où il était maintenant.

Ça disait juste qu'il était passé par là.

Elle a fait quelques pas encore.

— Ça fait combien de nuits qu'il est dehors?

On a compté les nuits.

— Un homme, c'est pas du rêve, faut que ça trouve une planque sinon ça crève vite avec ce froid.

Il y a des jours où la montagne hurle, d'autres où elle geint et puis il y a ceux où elle prend. On raconte que celui qui résiste à la forêt un an et un jour obtient la clémence des dieux.

Obtient-il aussi, par juste retour, celle des hommes?

Elle savait tout ça, Gaby.

— La forêt, parfois elle rend ce qu'elle prend, parfois elle le rend pas.

Elle a ramassé la besace.

— Jusqu'à quand je vais lui devoir, hein, jusqu'à quand?

Je n'ai pas compris pourquoi elle a dit cela.

C'était une colère à l'intérieur d'elle qui sourdait des pensées imprécises.

— Jusqu'à quand? elle a répété.

Elle a jeté la besace à l'intérieur.

Philippe devait rentrer chez lui, il avait promis à Emma d'être à l'heure pour le déjeuner. La Môme était au lycée, il ne voulait pas laisser Gaby seule.

— Tu peux rester?

— Chacun est fait d'un mélange d'or et de boue, a grogné Gaby. S'ils le trouvent, ils le mettront vivant dans un trou.

Elle a plissé le front. Elle réfléchissait à des choses. Le lapin était couché sur son bout de carton. Sur la table, il y avait le sac avec la blouse de nylon.

Elle a fait préchauffer le four. A sorti une pizza d'un emballage gondolé.

— Parfois, y a aussi des promesses qui font croire à des vérités.

La pizza était entourée par une enveloppe en plastique. Elle ne parvenait pas à la déchirer. Je l'ai aidée.

Elle a rangé la blouse.

— Et des erreurs, hein, Carole, des erreurs on peut en faire combien dans une vie ?

— Je sais pas…

— Mais si tu devais dire ?

— Je dirais des milliers…

J'ai enfourné la pizza.

— Des milliers ? Tant que ça ?

— Peut-être même plus.

J'ai tourné le thermostat. Gaby s'est assise à la table.

— Et des lâchetés… des lâchetés, tu crois qu'on peut en faire beaucoup ?

— Ça dépend… Les petites lâchetés ne comptent pas vraimenr.

— Mais les petites finissent par faire une grande…

— Sûrement.

— Et des grandes, on peut en faire beaucoup ?

— Des grandes, pas tant que ça…

— Pas tant que ça, c'est combien ?

— Je ne sais pas, Gaby, je ne sais pas… Ça doit dépendre des gens.

Le thermostat chauffait fort, ça sentait le roussi à cause d'un gratin ancien qui avait dû gonfler, déborder du plat et couler sa crème sur les résistances.

Elle s'est relevée, elle a ouvert le four, a gratté les parois avec la lame d'un couteau. Elle a détaché un morceau calciné, une croûte noire qu'elle a ramenée.

Elle a tourné la tête.

— Et les lâchetés, tu crois qu'on les paye un jour ?

— On paye tout Gaby.

Elle a refermé la porte du four, s'est relevée lentement.

— Moi je crois pas qu'on paye tout. Ce qu'on paye toujours, c'est les sales coups, elle a dit. Mais les bontés, les gestes, s'ils sont vraiment beaux, ça doit pouvoir les racheter.

Ça la tourmentait, cette histoire.

Elle est revenue vers la besace, elle l'a ramassée, a cherché un endroit où la glisser. Elle a ouvert la penderie en plastique, il n'y avait plus de place à l'intérieur alors elle l'a mise au-dessus, entre le haut de la penderie et le plafond du bungalow. Elle l'a poussée là, avec d'autres sacs et quelques cartons.

Elle est allée voir les écureuils, ils n'étaient pas très vaillants, elle leur a donné de l'eau.

La pizza chauffait, ça sentait le gruyère fondu.

— La voiture, on sait à qui elle est ?

— Je ne sais pas.

— Et Philippe, il a dit quoi ?

— Il n'a rien dit.

Le sac de Ludo avait mis en déséquilibre une boîte qui contenait de la laine. La boîte s'est renversée. Les pelotes rondes ont roulé sur le lino. Quelques chiffons aussi, découpés dans des vieux pyjamas en coton rose.

Je me suis baissée. J'ai tout ramassé. Rangé dans la boîte. La boîte sur la penderie.

Gaby continuait de parler de cette voiture qui était là-haut.

Une feuille de papier avait glissé entre le mur et la penderie. J'ai passé ma main, le bras, j'ai tendu le bras, les doigts. La feuille était loin mais j'ai fini par la toucher.

Gaby me tournait le dos, elle était toujours vers ses cages. J'ai retiré la feuille. Du Canson. Un format A4.

Je l'ai retournée.

C'était le dessin de la Môme, l'immeuble à la craie noire que j'avais vu punaisé contre la porte du frigo. Gaby m'avait assuré que ce dessin avait pris l'eau et qu'elle l'avait jeté, mais la feuille était sèche. Si elle avait été mouillée comme Gaby l'avait affirmé, le papier aurait bu, il aurait gardé la trace, aurait été sale ou gondolé.

Elle avait ouvert une cage, récupérait à l'intérieur les coquilles de noix cassées.

Pourquoi m'avait-elle dit qu'elle l'avait jeté? Avait-elle menti ou peut-être avait-elle cru l'avoir jeté? Peut-être était-ce seulement quelques gouttes d'eau.

Je n'ai pas voulu la questionner sur cela.

J'ai remis le dessin à sa place, tout en haut de la penderie, avec la boîte pleine de laines et les chiffons des pyjamas.

— Je vais y aller.

— Où ça?

— Là-haut.

Elle a enfilé son manteau.

Maintenant, elle allait chercher Ludo, c'était ça son idée. De la même manière qu'elle l'avait cherché en bas, dans le Val. Sans savoir s'il était encore là.

— Faut que je voie la voiture.

Elle est sortie.

Je l'ai suivie. Jusqu'à la scierie. Pas davantage. Je l'ai laissée contourner seule les ateliers, la tête un peu basse, elle a pris derrière, par le sentier sinueux qui grimpe les prés et elle a monté la pente en se frayant son passage dans la neige.

À mi-chemin, elle s'est arrêtée, j'ai cru qu'elle avait renoncé, qu'elle allait redescendre, mais elle devait juste reprendre son souffle. Elle a repris sa marche sur le raidillon. Une silhouette sombre. Comme une bête lourde qui s'en allait.

Elle a disparu plus haut entre les prés d'altitude et le bois.

À la radio, on parlait d'une fille de seize ans retrouvée morte en plein Paris. J'ai changé d'ondes. Je suis revenue vers la fenêtre. Sur le terre-plein, un homme ponçait des planches larges avec un rabot à moteur.

Il avait neigé la dernière nuit, la couche était propre, l'air plus brillant.

J'ai essayé de travailler.

Les secondes du réveil claquaient, un mouvement fracturé. C'était bizarre, dans le silence, ce temps qui avançait par secousses. Ce bruit m'a rappelé une grande horloge que nous avions dans notre maison de la Malfondière. Quand maman s'absentait, elle me laissait devant et je fixais le balancier. Je savais que ce mouvement rassurant me ramènerait ma mère. J'avais une confiance absolue en cela.

Un jour que j'étais ainsi assise, le balancier s'est arrêté, j'ai eu beau le fixer, le prier par mes lèvres closes, il ne bougeait plus. Au-dessus, les aiguilles étaient immobiles. En le regardant si fort, sans doute avais-je brisé quelque chose à l'intérieur, quelques ressorts internes dans le fragile mécanisme? La pendule arrêtée, ma mère ne reviendrait pas. Et c'était à cause de moi. Je me suis sentie perdue. Je me souviens d'être restée une éternité, statufiée sur la chaise en formica, à supplier le cadran et le balancier immobile. Des milliers d'heures il m'a semblé. Je pensais pouvoir réparer ce qui avait été cassé.

Ma mère a fini par revenir, elle a posé son panier sur la table, a ôté son manteau, et sans rien comprendre de mon chagrin, sans m'interroger davantage, elle a remonté le mécanisme et a fait repartir le balancier.

Ça faisait plus d'une heure que Gaby était partie et je commençais à m'inquiéter quand je l'ai vue ressortir, tout en haut, à l'orée du bois.

Je l'ai attendue.

— J'ai trouvé la voiture, elle a dit.

L'effort lui avait rougi les joues.

Elle avait soulevé le tapis de sol, côté passager : "C'est toujours là que Ludo planque ce qu'il ne veut pas qu'on lui prenne." Elle avait déniché une grande enveloppe, à l'intérieur le bon de sortie avec le tampon de la prison, un peu d'argent et les quelques lettres qu'elle lui avait envoyées.

— Les clés étaient dans la boîte à gants. J'ai pu faire démarrer le moteur. J'ai laissé tourner un moment.

Elle avait dégoté une écharpe sur le siège et une veste de matelot en laine épaisse. Des boutons en forme d'ancre. Rien dans les poches ni dans la doublure.

Elle était allée voir dans la cabane des chasseurs un peu plus haut.

— Vide. Pas de trace. Pas de feu.

— À deux heures de marche, c'est l'Italie.

— Avec cette neige, c'est l'Italie nulle part.

— T'as tort de te biler, s'il est là-haut, le froid le fera redescendre.

En fin de journée, chez Francky, tout le monde disait que Ludo était là quelque part au milieu des bois et qu'il avait dû se mettre dans de sacrées embrouilles pour ne pas rentrer au chaud chez lui.

Le soir, j'ai donné du pain et de la pomme à la fouine. J'ai refermé la trappe. Je l'ai entendue grignoter. Le léger crissement de ses griffes sur le plancher, après, quand elle s'est éloignée.

Je m'habituais à elle, à sa présence. Elle ne me gênait plus la nuit. Il me semblait que ses bruits de vie se mêlaient à mes rêves.

Philippe dit qu'il faut nommer ce qu'on veut voir exister alors je lui ai donné un nom, je l'appelais "la Petite Douce".

Il me semblait que, porteuse de ce nom, curieusement, cette fouine sauvage s'apprivoisait un peu.

Vendredi 11 janvier

Gaby est allée travailler comme à l'ordinaire, et en
début d'après-midi elle est remontée dans le bois.

Elle avait découpé deux semelles épaisses dans ce
qu'il m'a semblé être du pneu de voiture, elle les avait
collées sous ses bottes. En passant, elle m'a montré. Avec
ça, c'était plus lourd mais elle ne sentait plus le froid.

J'ai terminé la traduction du chapitre en cours.

Il faisait beau, j'ai eu envie de sortie, j'ai marché
dans ses traces. Mon séjour au Val m'avait redonné
des forces et j'allais d'un bon pas. J'ai dû ralentir après
la Croix, le sentier devenait abrupt, la neige profonde,
mes chaussures s'enfonçaient dans la poudreuse.

Gaby, je l'ai entendue avant de la voir. Elle avait
trouvé une pelle dans le coffre et elle retournait la
neige à partir de la voiture. La pelle fendait l'air, j'en
voyais les éclats brillants chaque fois que la lumière
heurtait le tranchant.

Je me suis avancée.

La voiture était ensevelie jusqu'aux essieux.

Sur la banquette arrière, il y avait un carton qui
contenait deux boîtes de corned-beef et des portions
de fromage à tartiner. Dans un sac en plastique, une

boule froissée de papier d'aluminium, des miettes de pain, un reste de sandwich.

Gaby s'est retournée.

— Te v'là, toi…

— Qu'est-ce que tu fais ?

— J'en sais trop rien…

Elle a ramené en arrière ses cheveux qui battaient son visage. Elle m'a montré une grosse chaussure en cuir posée sur le capot. Elle l'avait trouvée en creusant, à dix mètres de la portière et du dessous de la neige.

— Une godasse toute seule et sans l'autre.

— Rien ne prouve que ce soit la sienne.

Elle a retourné la languette, l'étiquette, le nom de Ludo à l'intérieur.

— On ne marche pas longtemps dans ce froid avec un pied sans chaussure.

Elle a scruté autour d'elle, les yeux plissés sur toute la surface de neige.

— Faut que je retrouve l'autre.

— Ça te fera quoi ?

— Ça fera rien… Ça prouvera qu'il était là.

J'ai haussé les épaules.

— Une godasse, même avec un nom, ça ne prouvera rien.

— C'est quoi qui prouve alors ?

— C'est lui. Si un jour il revient.

Elle a fait une grimace.

— Si ça prouve pas, alors ça mettra un peu d'ordre.

— De l'ordre ?…

— Pour comprendre les choses. Je peux pas rester les bras ballants. Il doit bien y avoir une explication sous cette putain de neige !

— Et si tu attendais plutôt qu'elle fonde ?

Elle n'a pas répondu.

Un air froid soufflait des hauteurs. Elle a repris la pelle, est repartie plus loin. Elle portait une robe et des collants épais, chaque pas accrochait de la neige à l'ourlet de son manteau.

J'entendais les bruits mêlés de la pelle et de ses efforts.

J'ai retrouvé Philippe chez lui, en pantoufles, dans son grand pull devant la cheminée. Il avait fini sa journée de travail, était crevé.

Moi aussi.

Je me suis laissée tomber dans le fauteuil à côté de lui.

— T'es tout seul ?

— Emma a une réunion, elle milite pour la piste.

— Emma est pour la piste !

— Oui.

— Je suis désolée…

— Désolée de quoi ? Tu sais quoi pour être désolée ?

— Je sais pas.

— Alors tu dis rien.

J'ai fait sauter mes chaussures et je me suis chauffé les pieds devant son feu.

— C'est quoi, ses raisons, pour être pour ?

— Me faire chier…

Ça m'a fait sourire.

— Sérieux ?

— Elle veut voir du monde, ouvrir la vallée. Trouver un boulot.

— Elle sait faire quoi, Emma ?

Il n'a pas répondu.

Avec une balayette, il a ramené les cendres vers le feu. Il a jeté dans les flammes des écorces d'orange et des coquilles de noix.

— Qu'est-ce que vous foutez là-haut, toutes les deux ?

— C'est Gaby… Elle cherche autour de la voiture.

— Elle cherche quoi ?

— Des traces de Ludo. Elle a déjà trouvé une chaussure.

Il a remis la balayette à sa place.

— Ludo, il se montrera quand il l'aura décidé, ça ne sert à rien de le chercher.

— Elle veut redescendre la voiture quand le chemin sera dégagé.

Il s'est passé les deux mains sur le visage.

Sur la table, il y avait une maquette, un projet de plaquette publicitaire pour son chemin d'Hannibal. Il envisageait de baliser un premier tronçon au printemps.

— On va avoir besoin de bénévoles… Tu pourras nous aider ?

— Je ne serai plus là au printemps.

— Tu devais déjà plus être là à Noël.

Yvon est arrivé avant que je ne puisse répondre. Il revenait du lycée. Un bonjour rapide, il a attrapé des biscuits dans le placard, s'est enfermé dans sa chambre.

Philippe l'a suivi des yeux.

Il a fouillé dans ses poches, a sorti un paquet de tabac, un oiseau dessiné sur le rabat, du Kentucky Bird. De la même poche, un sachet d'herbe.

Il a effrité l'herbe sur une feuille, a mélangé avec des brins de tabac. Il a tout enroulé dans un cône.

— T'achètes ça, toi ?

— J'achète pas… C'est à Ludo… Il cultivait… Il en tirait plus d'un kilo par récolte, il faisait trois récoltes par an.

— Si Yvon te voit ?

— Il sait. C'est pas son truc, il s'en fout.

Il a léché le bord du papier.

— Trois récoltes, c'est pas énorme… Il avait un studio en ville, une pièce avec des lampes chaleur sous des tentes et des filtres pour masquer l'odeur.

Il a cherché son briquet dans sa poche.

Il a allumé sa cigarette.

— Tu veux goûter ? C'est rien de méchant, juste de l'herbe… Il faut juste éviter de prendre le volant après.

J'ai tiré une taffe. C'était doux, légèrement sucré. Ça m'a râpé la gorge.

— Tu fumes souvent ?

— Seulement quand on m'énerve.

On s'est passé la cigarette. Le papier était sec, rêche.

On s'est enfoncés dans nos fauteuils, le lampadaire éteint, il restait seulement la lumière du feu et la petite lampe basse près de la fenêtre.

On s'est partagé les taffes. C'était bon de fumer à deux, avec le froid dehors. Il a tiré une bouffée profonde qu'il a laissée descendre dans ses poumons.

— Philippe ?

— Oui ?

— Qui tu préfères, Gaby ou moi ?

Il a soufflé la fumée loin, en direction du plafond.

— Tu fais chier, Carole.

— Si tu dis ça, c'est que tu préfères Gaby…

Il m'a tendu la cigarette.

— Elle est moins prévisible.

— Je suis prévisible, moi ?

— Un peu oui…

J'ai repris la cigarette. Le joint allégeait mes pensées. Je me sentais bizarre, légèrement ivre.

— Une piaffe, c'est quoi ?

— Une piaffe ?… Une fière. Une poseuse. Pourquoi ? Quelqu'un t'a dit que t'étais une piaffe ?

— Oui.

— Qui?

— Gaby.

— Gaby t'a dit ça?

Il s'est marré.

— Sacrée Gaby…

Ma tête a roulé contre le dossier. J'avais les paupières lourdes. Un besoin de dormir.

On a ajouté quelques mots sur Curtil et la Patagonie. Et puis rien. Que pouvions-nous en dire? Pour dire il faut savoir. Ou alors imaginer. La teneur de mon attente avait changé. Ce n'était pas du renoncement, plutôt le passage d'un temps plus apaisé dans lequel j'avais admis ce que Curtil était.

— Elle était belle, notre enfance…

— Elle était belle, oui.

— J'ai l'impression parfois qu'on n'a pas tant grandi que ça.

— On pourra en reparler plus tard…

Philippe regardait la fenêtre.

— L'été, on entend les grillons… Les poules viennent les manger. Il y a des libellules aussi… c'est la mare qui les attire. Les oiseaux les bouffent.

— Les oiseaux bouffent les libellules?

— Ouais… Tu sais que les têtards sont cannibales entre eux?… C'est pour ça, des fois, t'as des têtards dans les mares et jamais de grenouilles.

Il s'est levé pour remettre des bûches.

J'ai regardé dehors comme si cette fenêtre opaque murmurait des choses. Il y avait du givre contre les carreaux, on ne voyait plus la nuit.

— Tu crois que ça reviendra, l'été?

— Ça devrait.

Samedi 12 janvier

Je me suis réveillée tôt à cause des chasse-neige qui sont venus tourner devant la scierie.

J'ai travaillé.

À huit heures, Gaby est passée au volant de sa Volvo.

Je suis allée boire un lait chaud à *La Lanterne*. À l'épicerie, j'ai acheté des brioches et un thermos. J'ai saisi des regards et des conversations à voix basse, il m'a semblé qu'on faisait des commentaires désobligeants sur moi.

À onze heures, j'ai pris la photo de la serveuse.

Marius est venu marcher sur l'emplacement vide des trois grands chênes. Bras écartés, en équilibre comme si les troncs étaient encore sous ses pieds.

Des corbeaux se battaient pour conserver leur place sur un poteau.

Le vent avait poussé la neige, formant des ondulations souples sur le grand pré, on aurait dit un océan.

L'après-midi, Gaby est montée au bois. Elle voulait chercher encore avant qu'une neige nouvelle ne tombe et recouvre celle déjà remuée.

J'ai préparé du café dans le thermos, je l'ai glissé dans mon sac et j'ai longé la rive jusqu'au vieux pont. L'eau de la rivière, plus chaude que l'air ambiant, s'évaporait. L'humidité s'était déposée sur les armatures en fer, elle avait gelé transformant le pont en une sculpture féerique.

Les gamins du Val s'étaient regroupés et disputaient une course de luges dans l'un des grands prés à vaches de Buck. Ils dévalaient la pente, passaient le virage sur un patin et finissaient en ligne dans une grande flaque de soleil.

J'ai pris le sentier en direction du bois.

Gaby s'était éloignée de la voiture, elle pelletait dans une combe là où la forêt était plus claire et où un homme pouvait choisir de passer.

Quand elle m'a vue, elle s'est redressée, les bras écartés, le manteau ouvert comme deux gigantesques ailes. Les bottes dans l'épaisseur.

Sous les arbres, il faisait humide.

Je lui ai montré le thermos. Elle a planté la pelle dans la neige.

J'ai versé du café dans le bouchon qui faisait aussi office de tasse.

— T'as du lait ? elle a demandé en tapant ses gants l'un contre l'autre.

— Non…

— Je bois pas le café sans lait.

Elle a remis ses gants. Elle est retournée à la neige. Il y en avait plein le bois.

J'ai bu le café au soleil. Le thermos neuf avait donné au breuvage un goût de métal et de renfermé.

Gaby gueulait.

— C'est pas possible qu'on ne retrouve pas l'autre chaussure… Pas possible.

La neige, en gelant, avait formé une croûte que j'entendais craquer. Cela, et son souffle rauque.

— Une chaussure toute seule, ça n'a pas de sens… Elle est bien quelque part ! À son pied, ou alors perdue ?

Le café était chaud. La chaleur traversait mes gants. J'ai revissé la tasse au thermos.

— Ça peut disparaître où, un homme, hein, tu le sais toi ?

Un homme, ça ne disparaît pas, j'ai pensé. Un homme, ça s'en va.

Quand tu as mal, cours ! Quand tu as trop mal, ne bouge pas. C'est Curtil qui disait ça.

Des pensées moins belles sont venues après. Et puis tout s'est dilué.

Gaby était exténuée. Elle s'était enfoncée plus loin dans le monde confus des arbres. Je l'ai laissée faire un moment et je l'ai rejointe.

Je lui ai pris la pelle des mains.

— Va te mettre au soleil.

La première pelletée m'a arraché les reins. Il fallait que je trouve le geste, le rythme. J'ai pelleté le long de la pente. Jusqu'à l'herbe. Ça soulevait les mottes.

Des traces de pattes étaient visibles là où la neige n'était pas encore retournée. L'effort m'a fait suer. J'ai enlevé mon blouson, je l'ai accroché à une branche. Qu'est-ce que je cherchais ? Une chaussure ou un homme ? Ou autre chose ?

Et si c'est le corps de Ludo qu'on retrouvait ? La pelle butait contre des pierres, contre du bois, des racines. Elle pouvait buter contre un homme.

Si ça se trouve, il était loin, Ludo. Ou alors là, tout près, étendu sous l'épaisseur. Les corps contiennent du sel. À l'endroit où ils se trouvent, la neige fond plus vite. Je pelletais moins fort, j'avais peur de heurter la tête.

Je me suis retournée et j'ai vu Gaby, elle avait relevé les pans de sa robe et pissait près d'un buisson.

J'ai pelleté encore.

Elle m'a appelée.

Elle avait fait un sandwich avec le corned-beef trouvé dans le sac. Elle l'a partagé en deux. Entre le pain, les tranches couleur rose vif suintaient l'eau.

On s'est calées l'une à côté de l'autre. On a mangé. En plein soleil. Les yeux fermés. Les cous tendus. Les visages.

— Si ça se trouve, il est en Italie, j'ai dit.

— Il ferait quoi, en Italie ?

— La même chose qu'ici…

— Il parle pas la langue.

— La langue, ça s'apprend.

— Mon Ludo, c'est un petit voleur, pas un grand cerveau.

Elle a mâché une bouchée.

J'avais le dessous des paupières plein de taches rouges.

— À Saint-Étienne, j'habite la rue Girouette…

Gaby a attendu que je continue.

Je lui ai raconté comment, au Moyen Âge, on y ligotait les brigands à un poteau, les gars restaient attachés toute la journée et les passants venaient leur cracher dessus. Parfois, en fonction de leur larcin, on les exposait encore le lendemain.

— Pourquoi tu me dis ça ?

— Je sais pas…

— Tu penses que Ludo devrait être accroché à un poteau?

— C'est pas ce que j'ai voulu dire.

Elle a fini son sandwich, a froissé le papier, l'a jeté sur la neige. Il a rebondi. Blanc sur blanc.

Elle a tapé du plat de la main sur le capot.

— Quand la neige aura fondu, il faudra la redescendre avant qu'on nous pique le moteur... Pour la roue, on demandera à Diego.

Elle a repris la pelle.

J'ai ramassé le papier qu'elle avait lancé, je l'ai glissé dans ma poche.

Elle s'est marrée doucement. À peine. Juste un filet de lumière dans le fond de ses yeux.

— T'es un peu écolo, toi?

— Pas plus que ça...

Elle a hoché la tête.

J'ai remis mon blouson.

On a pelleté encore, à tour de rôle, dans des épaisseurs de neige pas possibles. On en a soulevé des tonnes.

À un moment, et sans que rien ne soit dit, celle qui se reposait venait relayer l'autre. On a fait comme ça plusieurs fois, se passer la pelle pour que l'autre se repose.

Parfois aussi, celle qui pelletait levait la tête et regardait l'autre. On pouvait trouver de la semelle comme du lacet, du vivant comme du mort. Quelque chose, comme rien. On pouvait aussi sortir une chose à laquelle on ne s'attendait pas.

— Si quelqu'un nous voit, il doit se demander ce qu'on fait ou ce qu'on a pu perdre de si important.

— Qui tu veux qui nous voie?

Elle a fait un geste avec la main. Autour, c'était la forêt sans personne.

— Faut arrêter, j'ai dit.

Elle a baissé le front.

— Rien faire, c'est pire. Ils le veulent, je le trouve, après tout redevient comme avant.

— Jamais rien ne redevient comme avant, Gaby.

Pour calmer sa soif, elle a ramassé de la neige, a soufflé sur la première couche, a mangé le reste.

— Tu devrais pas bouffer ça.

— J'ai la gorge sèche.

Elle a repris la pelle, est allée creuser plus loin. Les arbres échevelés semblaient monter jusqu'au ciel. À un moment, elle s'est arrêtée sur une butée haute qui semblait un talus.

Elle m'a montré, plus à l'est, de la fumée sortait de la forêt, se fondait dans les nuages.

— Faudrait aller demander à la Veuve, elle sait peut-être quelque chose.

Elle a réajusté les pans de sa robe.

— Tu pourrais y aller, toi, tu marches vite. En prenant le raccourci par l'ancienne glacière, on y est en pas longtemps. Et tu demandes à la Veuve parce que les filles, c'est des garces, même si elles savent, elles te diront pas.

J'ai frotté mes mains, elles étaient glacées. Gaby aussi avait froid.

— Et toi, tu fais quoi ?

— Je vais chercher encore un peu.

Pour arriver chez la Veuve, il fallait traverser un bout de forêt et longer des prés. Une ferme loin de toutes les autres maisons. Un ancien bassin faisait office de limite. Après, c'était son territoire. Deux cents mètres d'un chemin à découvert et qui se finissait dans sa cour.

Un chien était attaché à une chaîne. Une parabole au mur. Des cageots, des bûches en tas, des blocs de chaux.

Je me suis avancée.

Mes cousines étaient là, devant les portes de la grange. Entre elles, une biche écorchée qui pendait, attachée par les pattes, le museau à quelques centimètres du sol.

Le chien a gueulé.

Elles ont levé la tête. Les quatre ensemble, des sœurs comme des Gorgones. L'aînée portait un tablier, elle dépeçait l'intérieur de la bête avec une lame. La lumière filtrait entre les arbres, éclairait la carcasse ouverte. Au-dessus, sur une poutre, des peaux séchaient.

C'étaient des braconnières, elles tuaient sans permis. Tout le monde le savait. La plus jeune, celle qu'on appelait la Mouillée, avait les mains blanches d'un prêtre. J'ai fait quelques pas vers elles. Les intestins de la biche se sont décrochés et sont tombés, fumants, dans une bassine. J'étais arrivée au Pandémonium, la capitale des enfers.

J'ai salué les cousines.

— Tout va bien ?

— Ça va, elles ont dit.

Le chien gueulait toujours, elles ne le faisaient pas taire. J'ai dit qu'il faisait beau, que ça faisait du bien, ce soleil d'hiver. Qu'avec Gaby, on était dans le bois.

Elles savaient.

Elles attendaient.

Elles avaient les bouches closes.

— On cherche Ludo. Il aurait pu passer sur le chemin…

— Possible.

— S'il était passé, vous l'auriez vu?

— Sauf s'il est passé de nuit.

— S'il est passé la nuit, le chien aurait gueulé et vous seriez sorties?

Celle qui grattait les entrailles a essuyé la lame sur son tablier.

— La nuit, on dort.

Les trois autres ont eu un ricanement mauvais. Le vent envoyait buter la porte du hangar, des coups brefs à intervalles réguliers. L'œil de la biche était plein de larmes. Dans la pupille, il y avait le reflet du couteau.

Je leur ai demandé si elles avaient entendu dire quelque chose, si elles avaient une idée pour Ludo. Elles ont répondu qu'elles ne savaient rien.

Soudain, le chien s'est tu. La porte de la maison s'est ouverte. La Veuve est apparue, un châle sur les épaules. Des années que je ne l'avais pas vue. Elle avait le crâne court, la même mâchoire carrée que Curtil. Elle m'a lancé un regard brutal.

Le chien a gémi, il s'est couché au pied de l'arbre comme s'il avait pris un coup.

Elle était l'unique sœur de mon père. On disait d'elle qu'elle était plus fourbe que le diable. On disait aussi qu'elle était juste.

Une des filles m'a désignée de la tête.

— Elle cherche Ludo.

Les autres s'étaient regroupées contre la biche.

— On a retrouvé sa voiture, j'ai dit, sur le sentier après les quatre chemins.

— Je sais, a dit la Veuve.

Son regard était lisse.

— Il n'a pas pu aller bien loin, j'ai continué. On voudrait savoir où… Si tu le vois?

— Si je le vois?

Derrière elle, la façade de la maison était en pierres. Six fenêtres. Des rideaux sombres. Des pièces sans lumière. Un étage noir sous les toits.

— Et mon frère, il devient quoi ?

— On l'attend.

— Quand il sera là, dis-lui de passer me voir, ça me ferait plaisir.

— Je lui dirai.

— Ça fait longtemps…

— Nous aussi.

La Veuve a fait un geste et celle qui tenait le couteau s'est tournée vers la biche. Elle a tranché dans la cuisse, un morceau coupé fin et qui pendait mollement sur la lame.

— Faut pas trop de cuisson, elle a dit.

Je fixais les yeux de cette cousine. J'ai pris le bout de viande qu'elle me tendait, entre deux doigts et avec le sourire, la chair était tiède, je l'ai repliée dans ma main.

Une plainte brève est sortie de la gorge du chien.

J'ai remercié la Veuve et j'ai refait le chemin à l'envers. Arrivée au portail, je me suis retournée. Les cousines n'avaient pas bougé. La Veuve non plus.

Il m'a semblé voir remuer un rideau dans l'une des pièces à l'étage mais c'était sans doute le vent du soir qui filtrait par un carreau cassé.

J'ai attendu d'être hors de vue et j'ai ouvert les doigts. La viande morte s'était collée à ma paume. Je l'ai jetée loin. Me suis lavé la main avec de la neige. J'ai reniflé ma peau, je pensais que l'odeur ne partirait jamais et je geignais comme le chien.

J'ai fait dix mètres et j'ai éternué. J'ai entendu un crépitement et des milliards d'étoiles de glace ont tournoyé devant ma bouche, sont restées en suspens et sont retombées lentement sur la neige.

Le deuxième éternuement a eu le même effet, un bruit de cristaux, le souffle transformé en glace et qui a claqué.

Le brouillard est remonté de la vallée, brusquement, alors que j'étais encore là-haut.

J'ai buté contre un mur blanc en redescendant, les ténèbres dès la sortie du bois. Je ne voyais plus le chemin. C'était très angoissant, peut-être plus encore que la nuit. Je me suis guidée en suivant la barrière, d'un piquet à l'autre, une ligne de fil de fer barbelé, ça me râpait les gants.

Quand je perdais le fil, j'avançais à l'instinct. Sous mes semelles, les cailloux roulaient. Le brouillard s'échappait par plaques sur la neige, tout était blanc, confondu.

J'ai vu une ombre sur le chemin, une bête perdue. J'ai entendu courir et puis rien. Impossible de distinguer. Une biche peut-être. Ou un sanglier apeuré.

Entre les arbres, j'ai aperçu des lumières, le pré de Buck et sa grange. J'ai distingué l'embranchement, la petite croix en fer qui marque le chemin de sa ferme un peu plus bas.

J'ai dévalé le reste de la pente en pestant contre Gaby.

J'ai aperçu d'autres lumières. La ligne des lampadaires. J'ai retrouvé avec soulagement les bruits du Val. La route. Un grillage. Le chenil.

La Baronne était dans sa cuisine. Elle a toisé mes cheveux trempés.

— On dirait que t'as fait dix bornes sous la pluie.

Je claquais des dents. Elle m'a prêté une serviette, j'ai séché mes cheveux. Elle a voulu que j'avale de l'eau-de-vie, un alcool revigorant qui m'a arraché le souffle. Le coup m'a chauffée comme une vague et je me suis sentie mieux.

Elle m'a dit que des gens étaient venus dans l'après-midi, spécialement de Chambéry, pour adopter les deux malinois suite à l'annonce parue sur le site.

C'était sa première adoption moderne et elle était heureuse.

J'ai fait un détour par le bungalow pour voir si Gaby était bien rentrée. Une fine lumière filtrait par le carton qui obstruait la fenêtre du bungalow.

Marius était là, dans le brouillard, à califourchon sur l'un des sièges du tourniquet. Je me suis approchée sans faire de bruit. Avec des brindilles et de la neige, il façonnait des petits êtres qui ressemblaient à un bataillon de trolls. Ces gnomes scintillants étaient plantés dans une butte.

Il m'a souri doucement et m'a tendu sa main, des doigts maigres dans une moufle mouillée.

J'ai pris sa main dans la mienne et je l'ai serrée.

Gaby était revenue. Assise sur une chaise, elle avait les deux pieds dans l'eau fumante d'une cuvette en plastique rouge.

La godasse à Ludo était posée dans l'entrée, rapportée de la forêt et rangée avec les autres chaussures, les bottes et les escarpins hauts.

Gaby avait redescendu aussi la veste de matelot trouvée dans la voiture. Cette veste était sur le dossier de la chaise avec la cravate et les billets de l'alliance cousus à l'intérieur.

— Tu l'as vue ?

— Ouais…

— Et alors ?

— Alors rien… Elle dit qu'elle ne sait pas.

Il y avait mille solutions possibles pour Ludo, difficile de savoir laquelle il avait choisie. Il avait pu aller n'importe où, continuer par le chemin ou remonter par le bois, redescendre et revenir sur ses pas. Se faire surprendre, ensevelir, ou parvenir à avaler la distance et rejoindre une route. La forêt était immense mais pas sans fin.

Je me suis assise.

Il n'y avait plus qu'une seule boule de verre sur la table, la dernière envoyée par Curtil, Gaby avait fait disparaître les autres.

— Tu devrais pas le laisser monter sur ton lit, j'ai dit à cause du lapin couché entre les deux oreillers.

Elle a haussé les épaules. Elle s'est essuyé les pieds avec soin. A remis ses chaussettes, ses pantoufles.

Elle avait une croûte sur le mollet.

Dans leurs cages, les écureuils ne bougeaient pas. Ils mangeaient peu.

— Ils ont besoin de nuit, elle a dit en recouvrant leurs cages avec les grands sacs de toile.

J'avais mal aux bras à cause de toute cette neige que j'avais soulevée.

Elle m'a tendu le flacon d'huile qui lui servait à apaiser ses douleurs dues au repassage. J'ai fait couler quelques gouttes dans ma main.

J'ai massé ma nuque et mes épaules.

Elle me regardait faire.

— Faudrait qu'on soit récompensé pour tout ça après…

— Faudrait, j'ai dit.

Ma peau était sèche. J'ai enlevé mon pull et j'ai massé mes bras.

Gaby réfléchissait.

— J'y crois pas que la Veuve sait rien.

— C'est ce qu'elle m'a dit.

— C'qu'on dit c'est pas toujours ce qui est.

J'ai dû admettre ça.

Je venais juste de rentrer au gîte quand Kathia m'a téléphoné. Elle allait se marier, c'est ce qu'elle m'a dit : "Je me marie !"

Après, le reste a suivi, marre d'être seule, des matins vides, des vacances, marre des dimanches, des restos entre filles, du lit sans personne. "Je vais pouvoir faire des plans…" Elle a dit ça plusieurs fois, "Faire des plans, tu comprends ? Partager des choses, voyager, avoir une maison, un jardin avec un banc… Dix ans que je veux un chat !" Elle a marqué une pause. Kathia mariée, je ne pouvais pas l'imaginer. "Tu pourras venir chez nous, on continuera comme avant."

Deux mois qu'elle l'avait rencontré.

— Putain, Kathia, tu as bien réfléchi ?

Elle m'a donné une date en juin.

— De toute façon, on se voit bientôt… Tu rentres quand ?

— Je ne sais pas… En fin de semaine…

— Tu seras là, Carole, hein ? Le 24 !?

J'ai senti sa voix se tendre.

— Carole ! Tu t'es engagée !?

— Je serai là.

Elle m'a fait promettre. Jurer. Elle m'a parlé de ce remplacement, un emploi du temps facile, des gamins très bien : "Tu verras ! Les collègues aussi, cette année, ils sont sympas."

— Je t'inscris pour la cantine du jeudi ?

— Si tu veux.

— Et pour l'appartement, tu es toujours décidée ?

— Toujours.

J'entendais sa voix comme à l'autre bout du monde. Derrière la fenêtre, je voyais filer des plaques de brouillard.

On a raccroché.

Après, j'ai vu que le carton qui contenait le juke-box n'était plus là.

J'ai posé le ballotin de marrons sur la table. J'ai déclipé les deux battants en carton qui le maintenaient fermé. Les marrons étaient enveloppés dans un papier doré.

J'en ai pris un. J'ai enlevé le papier. Les marrons étaient enrobés dans un glaçage fin, une pellicule de sucre gris.

J'ai fendu le premier avec les dents, c'était moelleux à l'intérieur, sucré, fondant.

J'en ai pris un deuxième.

La vendeuse m'avait expliqué que ce glaçage particulier permettait de garder les arômes précieux de la châtaigne. Elle avait dit cela en les déposant un à un dans le ballotin.

Je suis allée dîner chez Francky, ma table, seule, j'y avais mes habitudes. Le carton qui contenait le juke-box neuf était dissimulé dans le couloir.

Le brouillard collait aux grandes vitres, on ne voyait personne dehors. Presque rien du parking. Seulement les phares des voitures. En face, la scierie avait disparu. Les bulls. Les planches.

Un camion s'est garé sur le terre-plein devant les ateliers. Quelques instants après, une ombre fantomatique a traversé la route, elle a surgi et s'est engouffrée. C'était le chauffeur, un Italien, il a dîné vite. Il filait sur Milan avec ce temps de chien. Il a englouti son repas avec deux cafés pour se tenir éveillé et il est reparti.

Yvon est venu filmer quelques dernières images de ce brouillard épais et de cette visibilité courte qui estompaient les maisons. Rendaient spectral tout mouvement.

Dimanche 13 janvier

C'était un jour de congé pour Gaby alors elle est montée au bois le matin, je l'ai vue passer un peu avant dix heures. J'étais fatiguée, je n'avais pas récupéré du temps passé la veille à pelleter et de ce retour ensuite, dans le brouillard. Je pensais aussi qu'elle faisait quelque chose qui ne concernait qu'elle et je l'ai laissée filer.

Je me suis remise au travail. Je voulais finir ma traduction avant de reprendre mes cours au lycée. J'ai vérifié le dernier chapitre.

J'étais décidée à repartir par le train du dimanche suivant, cela me laissait huit jours tranquilles au Val, Curtil serait peut-être revenu d'ici là.

À onze heures, la serveuse est sortie. Elle avait changé ses draps, comme le dimanche précédent et encore le dimanche d'avant. Ceux-là étaient rouges à fleurs, des coquelicots immenses et d'autres plus petits, on aurait dit un tableau de Monet qui pendait au balcon.

Marius traînait devant la scierie. Lui aussi a regardé les draps. Et puis il a regardé le ciel comme s'il s'attendait à voir se détacher les fleurs rouges et s'envoler les coquelicots.

J'ai trouvé Gaby là-haut, comme la veille. Elle avait pelleté dans les trous de combe, dans tout ce qui pouvait faire fosse, partout où un homme pouvait glisser, se cacher, mourir. On aurait dit qu'elle avait livré une guerre, disputé au bois son droit à la vérité.

J'avais pris du café dans le thermos et du lait dans une bouteille.

Je lui ai servi son café. Avec le lait. Elle tremblait de froid. À peine si elle pouvait tenir la tasse.

— La neige est lourde, aujourd'hui, elle a dit.

— Elle est lourde tous les jours, Gaby.

— Elle n'est pas lourde tous les jours de la même façon.

Le ciel était très blanc. Quelques flocons virevoltaient, légers. Ça allait tomber dru, sans doute avant le soir.

— Faudrait qu'on ait deux pelles, elle a dit.

— Faudrait, oui…

Elle était épuisée. J'ai pelleté à sa place. Je ne sentais plus mes orteils. Il n'y avait pas de soleil. On s'est relayées. À un moment, on s'est réfugiées dans la voiture, on a fait tourner le moteur, dix minutes, pas plus à cause du monoxyde.

— Il doit bien être quelque part, elle a dit. J'y crois pas qu'il soit loin…

Elle serrait la tasse entre ses doigts. Buvait à petits bruits. On a parlé du brouillard de la veille et de cette humidité qu'il fallait respirer.

— Et toi, ton homme, pourquoi il t'a plaquée?

— Qui t'a dit ça?

— Philippe, comme ça, on parlait…

— Vous n'avez pas à parler de moi.

Elle a haussé les épaules.

On est restées sans rien dire, à regarder de l'autre côté du pare-brise. La chaleur recouvrait les vitres de buée.

Gaby a fini son café.

— Tu sais où c'est, toi, la Patagonie?

— En Argentine.

Elle a hoché la tête. Elle m'a rendu la tasse.

— Et c'est où, l'Argentine?

J'ai dessiné l'Amérique avec mon doigt dans la buée de la vitre. L'Argentine et la Patagonie tout en bas. Ushuaia, elle connaissait à cause des reportages de Nicolas Hulot.

Elle a regardé la drôle de carte sur le pare-brise. La brillance du dessin tracé avec mon doigt.

— Et y a quoi, à voir, là-bas?

— Des paysages.

— La mer, elle est où?

— Là.

J'ai ajouté les vagues de la mer. Un bateau dessus et un phare. On a rêvé en silence jusqu'à ce que nos respirations chaudes effacent le dessin.

J'ai ouvert la portière.

— J'y retourne...

Elle m'a retenue par la manche.

— Pourquoi tu fais ça?... Tu sais bien qu'on trouvera rien.

Je me suis détachée et j'ai pelleté encore dans ce vallon que l'on savait sans issue.

Gaby était restée dans la voiture, elle avait coupé le moteur.

L'effort me réchauffait, j'ai dénoué mon écharpe, un geste un peu trop brusque. Mon collier s'est pris dans les mailles, le fil s'est rompu, les perles ont volé comme des lucioles et sont retombées. Se sont enfoncées en trouant la neige et elles ont disparu dans les petites galeries sombres que leur poids avait creusées. Des trous de mitraille avec les billes de nacre au fond.

Je les ai recherchées, à genoux dans cette neige. J'en ai retrouvé une dizaine seulement sur les trente qui composaient le collier. Je les ai glissées dans ma poche, avec le fil et le fermoir.

Ce collier, le père des filles me l'avait offert pour mes trente ans. Une perle par année. On avait ri parce que si j'avais été plus vieille, il aurait été plus long. Un double tour peut-être ? "Tu m'aimeras encore quand je serai laide ?" Il avait noué le collier autour de mon cou.

Gaby est ressortie de la voiture, elle a regardé le ciel entre les branches des arbres noirs. Il allait neiger. Bientôt, on ne verrait plus nos coups de pelle. Tout serait enseveli. Elle m'a repris la pelle des mains. La fatigue la faisait loucher. Elle a continué comme une condamnée.

Quand elle avait soif, elle bouffait de la neige. Je ne lui disais plus rien. J'avais tellement froid aux doigts que j'avais l'impression qu'ils étaient morts.

Elle a toussé. Une première quinte sèche et courte.

— Il faut redescendre.

Elle ne voulait pas.

— On va y aller, j'ai dit.

— Cinq minutes encore…

— Cinq minutes, c'est long Gaby.

Le renard, je l'ai vu juste après, juché sur un monticule, il nous observait de ses yeux vifs. Prêt à fuir. Curieux cependant. Son poil était épais et roux avec une touffe blanche sur le ventre.

Gaby n'avait plus de forces. Elle a levé la tête comme si c'était en haut qu'elle devait chercher désormais. Son homme, un envolé ou un pendu.

Elle a planté la pelle.

— On est allées partout, ça sert à rien.

Derrière la combe, se trouvait une grotte. Cinq cents mètres de dénivelé. Elle a voulu aller voir dedans.

— T'es trop crevée, j'ai dit.

— C'est la dernière chose…

Elle a repris la pelle.

Une cascade coulait près de la grotte, la source débordait sur les mousses et l'eau se transformait en glace, des sculptures épaisses que le calcaire rendait opaques.

À dix mètres, il y avait un arbre, un fagot de brindilles pendait à l'une des branches. Au pied de cet arbre, la surface de neige était bombée. Gaby a frôlé la courbure avec la pelle, a enfoncé le manche et j'ai entendu claquer.

C'était un piège avec des dents en fer.

— Tu marches dessus, ça te mord jusqu'à l'os…

Elle a dit qu'elle rapporterait le piège au bungalow pour que ceux qui posent ça ne le retrouvent pas.

L'entrée de la grotte était une gueule sombre avec quelques maigres buissons. Elle a disparu à l'intérieur.

— Tu viens?

Ça sentait la roche dedans, des bêtes devaient y dormir ou s'abriter.

— Faut pas avoir peur des ombres, a dit Gaby, les ombres c'est rien.

Elle s'est avancée au fond. Je ne la voyais plus. Juste le bruit des semelles. Une odeur nauséabonde me prenait à la gorge au fur et à mesure que j'avançais. Il y avait une vingtaine de mètres, je les ai franchis voûtée.

— Je n'y vois rien.

— Lâche pas le mur!

— Je ne sais pas où il est, le mur!

— Il faut parler… Si tu parles, il va te renvoyer ta voix et tu sauras où il est.

J'ai parlé. Et j'ai entendu ma voix. Un écho. J'ai senti où était le mur. J'ai tendu la main. J'ai touché la roche.

Derrière moi, il y avait la lumière du jour, l'entrée de la grotte.

Dès que j'ai pu, j'ai ferré le bras à Gaby.

— Tu vois bien que Ludo n'est pas là.

— Je sais…

— Alors quoi?

— Chut…

Au-dessus de nos têtes, le plafond de la grotte a frémi.

— C'est quoi ça?

— Des chauves-souris.

— Déconne pas…

Elle ne déconnait pas. Ça bougeait au-dessus, à quelques centimètres. Mes yeux se sont habitués à la pénombre et j'ai distingué les ombres suspendues, une masse vivante, grouillante.

— On s'en va!

— Pas tout de suite.

— On n'a rien à faire là.

— Chut… Faut pas les réveiller.

— On s'en fout!

— Non, on s'en fout pas. Regarde-les… Elles sont timides, elles ont peur de tout. Elles ne savent pas vivre.

J'entendais des frottements, des grattements, quelques battements d'ailes. Gaby parlait à voix très basse, c'est à peine si je la comprenais.

— Elles sont repliées, leurs ailes, ça leur fait comme une cape, elles s'enveloppent dedans et elles dorment.

— On ne les voit pas…

— Mais si on les voit.

J'ai fixé le plafond. Ça poissait gras sous mes semelles.

Gaby a ôté ma main de son bras.

— Elles vont te chier dans les yeux si tu les ouvres aussi grands…

Il y en avait partout, contre la paroi du mur, dans les fissures, des chauves-souris par grappes soudées à la roche.

— Ces bêtes sont la peau du démon, des créatures maudites, condamnées à l'opprobre pour avoir mangé l'hostie de l'Eucharistie !

Elle s'est marrée.

J'ai pensé aux hommes de la préhistoire qui vivaient là, dans le froid, avec les orages et les bêtes. C'est peut-être parce qu'ils avaient peur qu'ils dessinaient sur les murs ? C'est peut-être comme ça que la civilisation a commencé, avec des hommes dans des grottes qui se racontaient des histoires ? Mais comment ils faisaient, avant les mots ? Après, ils ont su parler, mais avant ?

— Gaby, Ludo il n'est pas là…

— Je sais qu'il n'est pas là mais ça n'empêche pas de regarder.

On a revu le renard un peu plus bas, sur le chemin du retour, il nous a suivies un moment, à bonne distance. Gaby avait un Nuts dans sa poche. Elle l'a déplié de son papier, lui en a jeté un morceau qui est tombé sur la neige. Le renard s'est éloigné, prudent, il a fait dix mètres et il est revenu. Il s'en est emparé et il est allé manger un peu plus loin.

Il est revenu.

Elle lui a lancé un deuxième et un troisième morceau.

— Il préférerait sûrement de la viande mais j'ai
que ça…

Le bout qui restait, elle me l'a tendu.

On a continué à descendre. Des flocons tombaient,
on aurait dit des bouts de coton. Ce n'était encore rien
qu'un peu de neige.

Gaby ne parlait plus. Elle marchait les yeux presque
clos comme si elle dormait debout. Elle portait le piège
en fer qui cliquetait à chacun de ses pas.

— Ça ne va pas ?

— Mal à la gorge.

— Je t'avais dit de pas bouffer la neige…

— J'avais soif.

Marius avait planté des rangées de petites brindilles
tout autour du tourniquet, sur la neige ça faisait une
sorte de grand labyrinthe.

Il nous a regardées venir.

— Sa mère pourrait s'occuper de lui, elle a dit,
Gaby.

— Elle s'en occupe.

Elle a laissé le piège dehors, parmi toutes les autres
choses. On est entrées dans le bungalow. On a continué à observer Marius. Il était à genoux, disposait
des feuilles et des cailloux à intervalles irréguliers et
selon une logique qui lui semblait toute personnelle.

Au bout d'un moment, Gaby a empoigné la veste
matelot de Ludo, elle est sortie de la pièce, s'est ruée
vers le tourniquet.

Marius n'a pas bougé alors elle lui a plaqué la veste
dans les bras. Elle lui a refermé les mains dessus.

— Une veste de marin, ça se refuse pas, c'est ce qu'elle a dit.

Marius s'est relevé.

Il portait déjà un blouson.

Gaby a repris la veste, l'a enfilée par-dessus le blouson. L'habit était taillé pour un adulte. Elle s'est reculée de deux pas. A jugé de l'effet. La veste tombait à mi-mollets. Elle a arrangé le col derrière la nuque.

— Des vrais boutons de capitaine !

Elle a ajusté aux épaules en le brusquant un peu.

— Quand elle sera à ta taille, tu seras un homme. En attendant, il faut mettre une ceinture.

Elle a fait tenir le col en nouant l'écharpe, un double tour avec un gros nœud sur le devant, il a dû relever haut le menton et après, rester comme ça sans bouger.

— Des ceintures, moi, j'en ai pas, ton père t'en donnera une.

Elle est revenue au bungalow.

Elle a refermé la porte.

L'air lui brûlait les poumons. Pas besoin de docteur, elle a dit que ça allait passer. Que ça passait toujours. Elle a sorti une boîte de médicaments qui restait d'un dernier rhume.

Je lui ai proposé de venir dormir au gîte. Il faisait plus chaud. Plus sec. La Môme pouvait venir aussi, il y avait une chambre avec deux lits superposés, un gros radiateur en fonte.

Elle a dit qu'elle n'aimait pas changer ses habitudes.

Philippe est arrivé un peu après. Il apportait un gâteau.

— Celui de Curtil. C'est Emma qui l'a fait ! Avec les souvenirs qu'on en avait.

On s'est regroupés autour de la table.

Je me suis penchée pour en sentir l'odeur.

Philippe a regardé Gaby. Elle avait les joues rouges, les yeux fiévreux. Elle respirait mal.

— Ça va pas ?

— Si, ça va.

— On dirait pas.

Il a coupé trois parts. On a goûté. On a donné chacun notre avis, le dessus croûteux, l'odeur, l'épaisseur, il y avait tout, tout ce qu'on avait dit, le chocolat un peu fort avec le parfum lointain, la cannelle et le fondant au milieu. Tout ce qu'on avait remonté de notre mémoire, le goût et les odeurs.

On en a coupé trois autres parts.

Gaby n'avait pas faim, elle s'est forcée à en manger pour nous faire plaisir. Elle a toussé. Plusieurs fois. Sa respiration, on aurait dit une rivière qui charriait du gravier.

— T'es sûre que ça va ? a demandé Philippe.

— Une bonne nuit de sommeil, ça ira mieux demain.

On a fini nos parts.

Emma avait tout fait au mieux. Même le moelleux coulant du dedans. Tout était pareil. Tout. Mais ce n'était pas notre gâteau. Il manquait quelque chose. Dans le goût ou dans l'odeur. On a goûté encore en mâchant lentement comme pour déloger sous la langue le secret qui nous échappait.

C'était ailleurs.

On cherchait.

Gaby a avalé ce qu'elle avait en bouche. Elle a relevé la tête, lentement.

— C'est l'enfance… c'est ça qui manque.

On l'a regardée.

L'enfance merveilleuse, ces années qui donnent aux choses un goût si différent. C'était ça, exactement.

Cette part précieuse et que le temps nous gratte jusqu'à l'os.

La Môme a déboulé brusquement. Venue de chez Francky.

Elle a posé son sac sur le divan. Quand elle a vu le gâteau, elle a avancé la main, a ramassé la dernière part.

— Au fait, Francky a changé son juke-box !

— Et alors ?

— Alors rien… C'est mieux, le son est bon…

Elle a fouillé dans son sac.

— Il m'a donné ça pour toi.

Un disque vinyle. *Le Sud*. Sur la pochette, Nino Ferrer avec un chapeau et un foulard jaune, il pose près d'une fille des îles qui semble nue.

La soirée qui a suivi a été de laque, sans vent et sans bruit.

Les chasse-neige ont déblayé la route et le devant de la scierie. La lumière des phares a traversé mes vitres, elle glissait sur le mur de ma chambre, éclairait mon lit.

J'ai nourri la fouine.

J'ai ouvert le ballotin, j'ai mangé un marron glacé et puis un second.

Lundi 14 janvier

C'était ma dernière semaine. Un groupe de collégiens attendaient sous l'abribus.

Jean est arrivé sur le terre-plein de la scierie comme l'angélus sonnait. J'ai pensé l'appeler. Lui proposer un café et qu'on parle de Maldavie.

Philippe m'a téléphoné, je venais juste de prendre la photo de la serveuse. Gaby était allée travailler mais elle avait flanché devant le tas de linge. Le directeur avait averti Philippe pour qu'il vienne la chercher. Elle n'arrivait plus à tenir le fer, la sueur lui avait trempé le dos.

Philippe a gueulé, il a dit que c'était de ma faute si elle toussait. Que je l'avais entraînée. Ce n'était pas vrai. Il le savait mais il fallait qu'il crie.

— T'es plus folle qu'elle ! il a tonné.

Assise à la table, Gaby respirait l'oxygène, la bouche sous le masque.

Philippe faisait les cent pas, son poids faisait vibrer les parois et aussi les cages dans lesquelles dormaient les écureuils. Il avait apporté un radiateur électrique de chez lui, l'avait installé à côté du lit. Il a refusé de brancher le chauffage à pétrole.

Quand il a vu la godasse à Ludo, il l'a jetée dehors.

— Comme ça, vous arrêterez peut-être vos conneries !

Il était en colère contre Gaby aussi.

— On court pas la neige quand on n'a pas de poumons.

Il était presque midi. Dans le frigo, il a trouvé des tranches de salami avec de la peau en plastique qu'il a décollée avec les dents. Il a mangé ça avec du pain et en regardant dehors, les congères sales qui muraient le bord de la route.

— Tu as besoin d'elle plus qu'elle n'a besoin de toi, il a fini par me lâcher.

Il a dit qu'il repasserait en fin de journée, qu'il apporterait de la nourriture, un plat préparé par Emma. Il fallait que je monte à l'hôtel récupérer la Volvo.

Gaby s'est traînée jusqu'à son lit. Un bras nu sortait de sa chemise sans manches. Sa respiration soulevait son ventre, se bloquait et puis reprenait.

— J'ai dû prendre la crève, elle a murmuré.

Elle avait froid. Je lui ai préparé une bouillotte.

Elle a glissé la poche chaude sous la couverture. A refermé ses bras autour. Elle a souri doucement. Ses lèvres étaient sèches, craquelées de fièvre.

— Il gueule ?

— Un peu.

Elle a fermé les yeux.

Sa bouche lasse se finissait en deux plis.

Une odeur d'eau graisseuse stagnait dans l'évier. Sous la surface de mousse, il y avait des assiettes, un plat, les bols du petit-déjeuner, j'ai cherché des gants, il n'y en avait pas. J'ai lavé à cru.

Après, j'ai feuilleté les magazines. Le programme télé. Gaby dormait.

J'ai donné des graines de courgettes aux écureuils. Sur la table, il y avait des gélules et du sirop, la boule de verre avec la baie des Anges. J'ai ouvert le tiroir. À l'intérieur, des jeux de cartes et des pions, tout un fourbi, piles, enveloppes, quelques boîtes de médicaments, un avion en plastique relié à un moulinet de fil de nylon.

J'ai refermé le tiroir.

Gaby dormait toujours.

J'ai mis du lait dans un verre, à côté de la lampe. Un mot sur la table : *Je reviens vers 17 heures*.

J'ai pris les clés dans la poche de la pèlerine et je suis montée chercher la Volvo.

Je suis rentrée au gîte où j'ai poursuivi mon travail.

Quand je suis revenue, Gaby dormait encore.

J'ai allumé la télé. Je l'ai arrêtée.

Un rideau séparait la pièce de la chambre de la Môme. Je l'ai entrouvert. Derrière, un lit défait, le matelas posé à même le sol, le traversin à l'équerre, la couette en boule.

Je me suis avancée.

Il y avait des vêtements par terre, des chemises en laine épaisse, propres mais jetées pêle-mêle, froissées. Des rayonnages dissimulés par du tissu léopard.

Les parois disparaissaient sous les posters, Indochine, Bruce Springsteen, Scorpions.

Des citations écrites à la main sur des papiers scotchés : "Le passé est un prologue" – "La vérité a un cœur tranquille" – "Le temps n'a pas la même allure pour tout le monde" – *"Wake me up when september ends"*.

Pas de chaise. Une petite fenêtre. Un radiateur. Les manuels d'école étaient sur le plancher. Il y avait peu d'espace.

Un coffre plat au milieu de la chambre faisait office de bureau.

Sur le coffre, les craies de couleur, la boîte grande ouverte. La Môme s'était servie de l'intérieur du couvercle pour faire des essais de nuances. Certaines craies étaient déjà bien usées.

La pochette de feuilles Canson. Un dictionnaire. J'ai retiré le dictionnaire. Dessous, il y avait des dessins. Des rues de ville, un jardin public avec des bancs. Une place. Des immeubles. Sur certains, on voyait des gens, sur d'autres une fontaine. Un portrait de femme, les cheveux raides, un visage particulier.

Sur une double page, la Môme avait représenté une digue au bord de l'eau avec la sculpture géante d'un homme qui portait un enfant sur son épaule et lui montrait l'horizon. Par endroits, la craie avait été écrasée, il restait un empâtement noir. La feuille avait gardé la trace de la pliure centrale et aussi les trous laissés par les agrafes.

Je les ai tous regardés, jusqu'au dernier. Ceux-là devaient être plus anciens, la Môme les avait réalisés sur du papier différent, de moins belle qualité, des feuilles détachées d'un grand cahier. Ils ressemblaient au dessin mouillé sur la porte du réfrigérateur et que Gaby avait relégué en haut de la penderie.

J'ai entendu des bruits de pas dehors.

J'ai remis les dessins en ordre, le dictionnaire, la pochette de feuilles par-dessus.

J'ai refermé le rideau.

Gaby ne s'était pas réveillée.

J'ai repris ma place à la table devant le magazine ouvert. Je me suis promis d'acheter à la Môme d'autres craies afin qu'elle puisse dessiner tant qu'elle voudrait.

La Môme est entrée. Elle m'a jeté un regard rapide. Un autre regard au rideau.

Elle a enlevé sa veste. Ses bottes étaient talochées de neige, elle les a laissées sur les journaux.

Elle a posé son sac sur la table avec l'ordinateur portable prêté par le lycée.

Elle s'est approchée de Gaby.

— Comment elle va?

— Pas fort.

J'ai voulu lui faire chauffer du lait mais il n'y en avait plus. Elle s'est vautrée dans le creux du divan. Elle a entamé un paquet de gaufrettes, du biscuit blanc et fade, aspect papier.

— Ça va, toi? Ta journée? je lui ai demandé.

Elle a dit que ça allait.

Elle a allumé la télé. Elle a laissé défiler un programme sans s'y intéresser. Elle a ouvert un magazine, a découpé une multitude de petites vignettes sur lesquelles on voyait un chaton qui courait après une libellule. Dix tampons, presque semblables. Elle a agrafé les vignettes les unes à la suite des autres. Elle a fait tourner les pages, vite, à la manière d'une bande dessinée. Elle m'a montré : la vitesse donnait l'illusion du mouvement et le chat du dessin semblait courser la libellule.

Elle a repris les gaufrettes.

Sur chaque biscuit était gravée une phrase. Des mots en relief.

Elle a lu à haute voix.

— *Le mal d'autrui n'est qu'un songe.*

Elle m'a regardée.

— Ça veut dire quoi?

— Que celui qui a mal est tout seul.

Je suis venue m'asseoir à côté d'elle.

— On a beau faire, s'apitoyer, compatir, essayer de

comprendre, on ne peut jamais vraiment ressentir la douleur qu'éprouve l'autre, ni dans sa tête ni dans son corps… Et sans doute que c'est mieux ainsi.

— Pourquoi ?

— Parce qu'on ne pourrait pas supporter de vivre si c'était autrement.

— Si on ressentait la douleur des autres ?

— Si on la ressentait pour de bon, non, ce serait trop violent.

Elle tournait la gaufrette entre ses doigts.

— Mais on la ressent un peu quand même…

— Un peu seulement. Comme la nuit quand on dort.

— Je ne comprends pas…

— Dans les rêves, quand tu te fais mal, tu ressens mais ce n'est pas la vraie douleur. Et pourtant, c'est une douleur…

Gaby a toussé. On s'est retournées.

Le lapin est venu renifler nos pieds alors la Môme lui a donné un bout de gaufrette.

— On ne pourra jamais le manger, hein ?

— Je ne crois pas.

— Le tuer, peut-être qu'on pourrait ?

— Le tuer, peut-être, oui…

— Mais le manger, non ?

— Le manger, non.

Elle a soupiré.

— De toute façon, moi, quand je serai grande je serai végétarienne.

J'ai mâché une gaufrette, lentement. C'était un drôle de biscuit, friable comme du sable avec au milieu une sorte de crème à l'amande qui n'avait rien de naturel.

— Plus tard, a dit la Môme, j'étudierai les étoiles, toutes celles que l'on ne voit pas, j'en trouverai des nouvelles, des inconnues et je leur donnerai des noms.

— Donner des noms, c'est compliqué.

— Philippe dit qu'il faut donner des noms aux choses sinon elles n'existent pas.

On a parlé de l'univers et des planètes inhabitées. On a fini les gaufrettes. On s'est partagé la dernière et aussi les miettes au fond du paquet.

— Je ne peux pas croire qu'on soit si seuls…, elle a murmuré d'un ton de voix qui m'a laissée désarçonnée.

Je me suis demandé si elle parlait de l'univers ou plus simplement de nous. Peut-être aussi qu'elle faisait référence aux deux, à l'univers et aux hommes, la solitude commune.

On a entendu bouger le loquet.

La porte a grincé.

Marius a passé sa tête.

Il est entré, a refermé derrière lui.

Il portait la veste bien trop grande que lui avait donnée Gaby. Sans le blouson dessous. Il n'avait pas de ceinture.

— C'est une veste avec des boutons de roi, a dit la Môme.

Il a souri. S'est approché du lit. L'une des poches bombait, il avait la main repliée dessus.

Gaby avait les yeux fermés, le crâne dans l'oreiller. Il l'a considérée un long moment.

— Elle va mourir parce qu'elle est malade ?

La Môme s'est redressée.

— Non, elle va mourir parce que la vie est courte.

— Elle ne va pas mourir, j'ai dit, elle a une angine c'est tout !

La Môme a ramené ses jambes contre elle.

— Tu caches quoi dans ta poche ?

Marius a remonté deux œufs.

— Ils sont frais ?

Il a opiné de la tête.

La Môme en a pris un.

— L'autre sera pour Gaby.

Elle a cassé la coquille, a jeté le blanc. Elle a mis le jaune dans un bol, l'a saupoudré de sucre, elle a brassé longtemps et elle a mangé ça les reins calés à l'évier.

Le soir tombait. Il y avait encore de la lumière alors je me suis arrêtée à la boutique de Sam.

Il a semblé heureux de me voir.

— Nos échanges amicaux me manquaient…

Il m'a observée dans la lumière.

— Vous avez mauvaise mine, vos joues sont creuses, vous vous nourrissez mal. Vous avez le temps ?

— Oui.

— Alors je vais vous préparer des pâtes.

— Du thé, ça ira…

Il a ignoré ma remarque.

Il est passé dans l'arrière-salle. Je l'ai entendu remuer dans les casseroles.

— Je suis appareillé depuis trois jours, il a dit en parlant de l'appareil auditif fixé à ses oreilles. Je vous entends parfaitement. Avez-vous des nouvelles de votre père ?

— Toujours pas.

Il a passé la tête entre les lanières.

— Puis-je vous dire que c'est un sacré salaud ?

— Vous pouvez, Sam…

Le chat roux dormait dans son fauteuil, les pattes repliées devant lui.

— Et votre sœur ? Le bruit court qu'elle est malade.

— Une angine…, elle a bouffé de la neige.

— Et alors ?

— Rien. Elle a de la fièvre. Il faut que le docteur monte.

Je me suis avancée entre les rayons. Il restait des boules de Noël dans un carton, du verre, comme de la coquille. L'une des boules était plus fine que les autres, plus transparente, on aurait dit une bulle de savon. Je l'ai posée dans ma paume, elle ne pesait rien.

Sam s'est approché en s'essuyant les mains à un torchon.

— Elles sont belles, n'est-ce pas?

— Très belles… mais fragiles. Quand elles se cassent, elles éclatent, ça en met partout.

— C'est bien, vous me semblez très positive aujourd'hui. Quand repartez-vous?

— Sans doute dimanche.

Il a reposé la boule dans le carton.

Il a posé le carton sur une chaise.

— Je vous les donne… Vous les emporterez chez vous, à Saint-Étienne ou ailleurs… De toute façon, plus personne ne les achètera à présent que Noël est passé.

— Il viendra un autre Noël, Sam…

— Oui, mais d'ici là, la boutique sera vendue. Enfin, j'espère…

Il m'était impossible d'emporter le carton par le train, je lui ai demandé de me le garder pour une prochaine fois.

Il m'a pris le bras, m'a entraînée dans la petite cuisine.

— Savez-vous qu'autrefois, on décorait les sapins en accrochant de vrais fruits à leurs branches? Une année, à cause du froid, les récoltes de fruits ont été mauvaises, un souffleur de verre a eu l'idée de les remplacer par des boules en verre. C'était tellement joli que l'année suivante tout le monde en a voulu.

Il a jeté des spaghettis dans l'eau bouillante de la casserole. Il a disposé deux assiettes sur la petite table.

— Je n'ai pas de pain mais il doit y avoir des biscottes quelque part dans le haut de ce placard, un petit paquet carré, si vous pouviez regarder…

J'ai ouvert le battant. Sur l'étagère, au milieu d'un hétéroclite fourbi, j'ai trouvé les biscottes. J'allais refermer le battant quand mon regard a été attiré par un éclat de lumière.

Il y avait là un crâne recouvert d'une peinture argentée.

— C'est une Vanité, a dit le vieux Sam en brassant les pâtes.

Il a éteint le feu. A laissé finir la cuisson à couvert. Il a pris le crâne entre ses mains.

C'était un crâne humain avec trois papillons synthétiques collés dessus et des ailes bleues déployées.

Je me suis approchée et, par un curieux phénomène, la brillance a disparu, la peinture a soudain fait office de miroir et c'est mon visage qui s'est reflété sur le crâne. Je me suis reculée et il a disparu, laissant de nouveau place à cet éclat aveuglant.

À chaque mouvement, les teintes roses viraient au mauve.

Je me reflétais dans ce crâne comme dans un miroir. Et redevenais lumière éblouissante dès que je m'en écartais. L'un cédant la place à l'autre.

— C'est un vrai crâne?

— Un vrai. De l'os putrescible… et c'est notre arrogance que ces papillons viennent butiner. Il paraît qu'ils sont vrais aussi, naturalisés. Je vis avec depuis longtemps.

— Vous l'avez trouvé où?

— Chez un cousin brocanteur à Lyon. Je ne le montre à personne, ça effraie les gens. Vous ne trouvez pas cela horrible?

— Non.

Il a hoché la tête et, du plat de la main, il a caressé le crâne-miroir.

— Moi non plus. Parfois, j'éprouve même le besoin de le sortir. J'y vois un aide-mémoire précieux afin de ne jamais oublier ce que nous sommes et ce que nous allons devenir.

Sur ces mots, il a dit que les spaghettis étaient cuits. Il a ajouté du beurre. Il a découpé des lambeaux de parmesan, m'a invitée du regard à goûter le morceau accroché à son couteau.

— Ce parmesan vient d'Italie, de la province de Modène, un véritable parmigiano reggiano, c'est un routier qui me l'apporte.

Il a posé le plat sur la table, à côté de la Vanité.

J'étais fascinée par ce crâne qui, tour à tour me renvoyait une image dérangeante de mort et aussi de scintillement.

— La mort ne me convient pas…, a dit le vieux Sam, mais l'immortalité non plus.

Il a pris mon assiette.

— Vous imaginez ce que serait une vie sans fin? Quel goût prendrait ce parmesan pourtant exceptionnel? Cette nécessité alors de supporter cela? L'éternité… Essayez seulement d'entrevoir cette idée quelques secondes, le temps que je serve les pâtes, vous verrez… Et après, vous me raconterez ce que vous avez fait cette semaine.

— Si j'avais à choisir, je crois que je m'accommoderais plus volontiers d'une parcelle d'éternité.

— L'éternité ne se donne pas en parcelle. C'est un tout. Comme Dieu.

Il nous a servis.

Je me suis éloignée du crâne et mon reflet s'est fondu, il s'est dilué en lumière.

— Vous croyez en Dieu ?

— Le Dieu des églises ? Non… Je ne sais pas… Dieu est une expression… il faut bien donner un nom à ce sentiment étrange, l'idée qu'il puisse y avoir quelque chose après… Je crois plutôt à des forces. Et vous ?

— Je m'interroge.

— On dit que celui qui ne fait ni le Bien ni le Mal est condamné à errer dans les limbes, chassé par des centaines et des milliers d'abeilles ?

— Sans doute que Dieu n'aime pas les comportements intermédiaires.

Il a souri. A sorti deux bières de sa glacière. Il a regretté que, pour une conversation pareille, il n'ait pas prévu un vin de grande qualité.

— Goûtez-moi cette bière… Lentement. On ne décide pas du nombre de jours que nous avons à vivre mais on peut faire en sorte que ces jours soient beaux.

J'ai bu.

Il m'a observée attentivement.

— Mon fils a raison, il dit que vous avez tout à apprendre. Alors, comment trouvez-vous cette bière ?

— Très bonne.

— Meilleure que le thé ?

— Meilleure…, j'ai dit en rougissant. Mais je m'habitue aussi à votre thé.

— Très bien ! Parfait ! Alors, tout au long de cette semaine, qu'avez-vous fait ? Votre traduction avance-t-elle ? On m'a rapporté que vous couriez le bois avec votre sœur ?

Je lui ai dit que la traduction était bientôt terminée. Je lui ai parlé de Ludo et du lycée.

Il a enroulé les spaghettis autour de sa fourchette.

— Jean m'a dit que vous étiez montée avec lui au cairn de Maldavie. Il s'est bien comporté j'espère ?

J'ai rougi encore.

— Pardonnez-moi, je suis un vieil imbécile… J'essaie de vous confier des choses, je m'y prends mal. Mangez à présent avant que ce soit froid.

— Jean sait pour vos cendres… Il a trouvé le papier.

Le vieux Sam est resté avec la fourchette en suspens. Il m'a considérée un moment, muet. Les yeux peut-être, d'un éclat plus bleu qu'à l'habitude.

— Et alors ?

— Il est d'accord. Il a juste dit que ça fera loin pour vous monter des chrysanthèmes à la Toussaint.

J'ai appelé les filles, elles revenaient passer juillet en France, Julie voulait me présenter celui qu'elle appelait gentiment son petit fiancé.

Zoé s'ennuyait un peu là-bas.

J'avais un message de Pierre, il venait aux nouvelles. Tout de suite après, la sonnerie a vibré. J'ai décroché mais il n'y avait personne. J'ai refait le numéro, sur la lancée, en rappel automatique.

Après, j'ai composé le seul numéro que j'avais de Curtil et j'ai laissé sonner. Et puis je suis passée en face pour voir le nouveau juke-box à Francky.

Mardi 15 janvier

J'ai attendu que la serveuse sorte. J'ai pris la photo et je suis vite partie.

Gaby était toujours mal fichue. Quand je suis arrivée, elle était couchée, venait de respirer de l'oxygène, elle avait encore le masque à la main, la grande bouteille était tirée près du lit.

La tête lui tournait. Elle voyait flou.

— Le docteur est passé, c'est l'oxygène qui fait ça.

Elle ne pouvait rien avaler. Déjà deux jours qu'elle avait de la fièvre. Son ventre était lourd sous la chemise, la mâchoire relâchée. Ses poumons sifflaient et son front était trempé.

Après l'incendie, elle avait craché. Ils ont dit qu'elle avait trop respiré de cette fumée noire, qu'elle aurait beau tousser toute sa vie, il en resterait toujours.

Sa tête a roulé sur l'oreiller. Les draps étaient ramenés sur elle comme des langes.

— J'ai déjà moins mal à la gorge…

Elle a pris ses médicaments.

Philippe avait apporté un peu de nourriture. J'ai préparé un flan en mélangeant de la poudre de vanille avec du lait. Trois minutes à feu moyen, c'était écrit sur le paquet.

La Môme est entrée, Gaby sommeillait. Il était midi passé.

— Tu n'as pas cours ce matin ? j'ai demandé.

Elle n'a pas répondu.

Elle portait le baluchon en plastique dans lequel Gaby mettait sa blouse et ses pantoufles. Elle l'a accroché derrière la porte.

— Tu es allée repasser à la place de Gaby ?

Elle s'était brûlée avec le fer, une marque rouge sur l'avant-bras.

— Magnard t'a laissée faire ça…

— Que ce soit Gaby ou moi, il s'en fout.

— Tu dois aller au lycée, la Môme…

Elle a monté le son de la télé.

Elle a ouvert un paquet de chips.

— Les chips, ça ne peut pas faire ton repas.

— Ça va le faire aujourd'hui.

— Emma a apporté du gratin… Si tu veux, on peut aller déjeuner chez Francky ?

Elle a tourné la tête parce qu'une voiture venait d'arriver. On a entendu un bruit de portière. J'ai regardé par la fenêtre, c'était la voiture grise avec les bandes noires.

Gaby a ouvert les yeux.

La Môme n'a pas bougé alors Gaby l'a fixée et elle a prononcé son vrai nom, Vera, c'est la première fois qu'elle la nommait ainsi devant moi.

Elle n'a rien dit d'autre, juste cela, Vera.

La Môme s'est levée à contrecœur, elle a décroché la cravate, a décousu l'ouverture, en a retiré les billets qui étaient cachés à l'intérieur.

Elle a enfilé son blouson et, sans un regard pour Gaby, elle est sortie.

Je l'ai vue dehors quand elle a remis l'argent au gars qui attendait. Elle ne lui a rien dit.

Après, elle a pris la route en direction de chez Francky.

Je suis revenue près de Gaby. La peau de son front était délavée par la fièvre. Une sueur acide suintait à son cou, mouillait la taie de l'oreiller.

— Je vais laver tes draps… Et puis je vais te laver toi.

J'ai trouvé une bassine sous l'évier. J'ai fait couler de l'eau chaude. Un gant, du savon. J'ai posé la bassine sur la chaise près de son lit. Avec le gant mouillé, j'ai rafraîchi son front. J'ai soulevé ses bras, j'ai lavé les aisselles, les paumes calleuses. Autour de son doigt, l'alliance ôtée avait laissé une trace blanche, on aurait dit un anneau de silence.

J'ai rincé le gant.

J'ai ouvert les boutons de la chemise. J'ai savonné le cou. Les seins lourds tombaient sous le tissu et glissaient sur le ventre. Un ventre vulnérable. Étalé.

J'ai lavé ce corps qui était celui de ma sœur, une chair semblable et pourtant étrangère.

Je n'avais jamais fait cela pour personne.

Même pour ma mère.

J'ai rincé encore le gant.

— Je suis moche…

— Mais non t'es pas moche.

— Pourquoi tu me regardes alors ?

— Je te lave, il faut bien que je te regarde.

J'ai glissé le gant sous la chair flasque des seins. Dans les poils noirs qui poussaient en touffe sous les bras.

— Ça se voit dans tes yeux que je suis moche.

J'ai rincé encore.

Elle a fini par s'apaiser.

Elle a fermé les yeux.

Quand elle a été propre, j'ai tamponné le gant avec un peu d'eau de Cologne qu'elle avait reçue en cadeau pour son Noël et j'ai passé ce gant parfumé sur sa nuque.

Je l'ai aidée à se lever. Après, j'ai changé les draps, la taie d'oreiller et le traversin. J'ai tendu le drap sur le matelas. Fait pouffer les oreillers.

Elle s'était assise à la table, m'observait avec un sourire tranquille.

— T'es gentille, elle a murmuré.

— Non, je ne suis pas gentille.

Elle a hoché la tête.

— Si, t'es gentille.

Philippe m'a téléphoné pour avoir des nouvelles, il pourrait passer seulement en fin d'après-midi.

La Baronne est arrivée, Gaby dormait. Elle a dit qu'elle reviendrait.

J'ai rempli une grille de mots croisés.

J'ai entrouvert le rideau qui donnait sur la chambre de la Môme. Derrière, c'était toujours le même désordre. Les vêtements épars. Le lit défait. L'ordinateur du lycée était sur l'orciller.

Sur le coffre, il y avait le dictionnaire, la boîte de craies mais les dessins avaient disparu.

J'ai soulevé le couvercle plat. Les dessins étaient là, à l'intérieur du coffre avec des objets divers, colliers de pacotille, une peluche, des carnets.

Je n'ai rien touché.

J'allais refermer le couvercle quand j'ai vu un petit album.

Je l'ai pris.

Je l'ai feuilleté.

Une trentaine de photos glissées dans des pochettes en plastique. Une ville. L'entrée d'un immeuble, le porche et le numéro 12 sur la porte. Suivait une rue large et grise avec des gens en manteaux sur des trottoirs. Un quartier sombre et pauvre. J'ai tourné les pages. Un monument qui ressemblait à une cathédrale avec des arcades. Le même bâtiment, plus loin. Une cage d'escalier avec un palier et trois portes. Deux vieillards figés l'un à côté de l'autre.

— Tu fouilles ?

Je me suis retournée.

Gaby était derrière moi, dans l'encadrement du rideau, le corps sous le tissu de sa lourde chemise.

— Tu fais quoi ?

— Je regardais juste.

Elle s'est avancée, m'a repris l'album des mains, l'a remis à sa place, à l'intérieur du coffre. Elle a refermé le coffre. Le dictionnaire et les craies dessus.

— Ces photos, c'est à Ludo, t'as pas à y toucher.

Elle a marché jusqu'à l'évier, a avalé ses médicaments avec un peu d'eau.

Elle s'était assoupie, pelotonnée dans le creux mou de son matelas quand on a frappé. Je n'avais entendu aucun pas. Aucun bruit.

J'ai pensé à Philippe. J'ai ouvert.

La femme de l'Oncle se tenait debout au bas des marches. C'était la première fois que je la voyais de si près. Au point d'en découvrir les paupières.

— Faut qu'elle mange chaud, elle a dit en me tendant un bol.

Le contenu était protégé par un essuie-mains orné de fleurs. Ça sentait la soupe.

Elle a voulu ajouter autre chose mais ses paupières se sont refermées. Pour les relever, elle a dû faire un effort, une contraction de tout son visage, les paupières ont tremblé, les muscles ont tiré et c'est au prix de cette grimace qu'elle est parvenue à les relever.

— Gaby dort, j'ai dit.

Ses paupières se sont refermées. Elle a eu beau tordre son visage, les paupières sont restées closes, ne filtrait seulement qu'une fente de globe blanc.

C'était fascinant.

Ça a duré quelques secondes encore, ce moment de lutte, et les yeux se sont à nouveau ouverts.

L'étrangeté de ces paupières rendait impossible de regarder l'ensemble du visage et j'aurais été incapable de dire à quoi cette femme ressemblait, si elle était laide ou pas, et quel était son âge.

De ses yeux, je n'aurais pu donner la couleur.

J'ai pris le bol qu'elle me tendait. L'essuie-main était replié, la soupe brûlante chauffait la faïence du bol.

— On vous rendra le bol et le torchon…

Elle s'est détournée.

Je suis revenue dans la pièce.

Gaby s'cst redressée sur ses oreillers.

— J'ai dormi?

— Un peu.

Elle a respiré l'odeur chaude de la soupe.

— C'est toi qui l'as faite?

— Non.

— C'est Emma?

— Non plus.

— C'est qui alors?

Je n'ai pas répondu. Je ne voulais pas mentir. Je savais aussi qu'elle refuserait cette soupe si elle en connaissait la provenance.

— C'est Diego...

Elle a souri doucement et elle a sorti ses jambes du lit, s'est avancée jusqu'à la table en disant qu'elle avait faim.

— Faudrait que tu montes dans le bois faire tourner le moteur.

— Aujourd'hui?

— Ou demain. Mais aujourd'hui, ça serait bien.

Le temps était incertain mais il faisait encore grand jour. J'ai pris par le sentier de raccourci. Au fond de mes poches, il y avait les perles de mon collier, je les faisais rouler sous mes doigts tout en marchant.

La dernière neige avait fait disparaître les traces de nos coups de pelle. Impossible de savoir que nous étions venues. Que nous avions fait cela.

Tout était effacé.

La voiture a démarré au troisième essai, j'ai laissé tourner le moteur quelques minutes. Après, je suis allée faire un tour vers la grotte, je pensais revoir le renard. Trouver une trace de Ludo peut-être.

Le brouillard tombait, je ne me suis pas attardée.

Je suis rentrée au gîte par le chemin le plus court et en suivant la ligne de chemin de fer.

Un train sortait de la courbe, il avançait au ralenti dans l'épaisseur de brume. S'acheminait vers la gare. Un passage lent, sans arrêt. Quand on habitait à Grenoble avec Curtil, on venait voir passer les trains de marchandises, on pariait sur le nombre de wagons.

Les fils de l'Oncle attendaient le long des rails. L'aîné a pris la veste de matelot de Marius et il l'a brandie au-devant de la locomotive. Comme une cape de torero. Il n'a pas reculé quand le train est passé, il a retiré la veste au dernier moment, l'a ramenée sur le côté, une cambrure élégante, le mouvement parfait du tissu qui frôle la carlingue sans la toucher.

Le train a sifflé et il a filé en emportant le dernier wagon. Le garçon m'a défiée, il devait s'attendre à ce que je l'engueule.

— Avec un courage pareil, tu devrais pouvoir faire quelque chose de bien dans ta vie…, j'ai dit.

J'ai croisé ses yeux et j'ai vu quand ça a frémi, il y a eu un temps bref où, sous son crâne de piaf, quelque chose qui s'était perdu s'est enfin réjoui.

J'ai retrouvé des vêtements secs, une allure présentable et je suis allée boire un chocolat chaud chez Francky.

Assis à une table, un gars en fauteuil roulant racontait à qui voulait l'entendre qu'il avait perdu ses jambes en Afghanistan. Il m'a cramponnée par le bras, m'a montré les médailles alignées.

— Deux jambes de soldat, restées là-bas, dans les gravats !

Je n'avais pas envie d'entendre l'histoire de sa guerre. Philippe était là. Je l'ai rejoint.

— Ce type n'a fait aucune guerre, il a dit. Il a eu la goutte, la maladie des ivrognes, ça lui a bouffé les rotules et on lui a coupé les jambes.

— Et les médailles ?

— Achetées.

Il sortait de chez Gaby, il ne l'avait pas trouvée très bien. Si ça n'allait pas mieux demain, il ferait revenir le docteur.

— Tu repars quand ?

— J'aimerais bien dimanche.

Il a hoché la tête.

On n'a rien dit sur Curtil.

La porte s'est ouverte et deux gars sont entrés, ils livraient une pompe à bière. Une "un bec", flambant neuve, pour des bières à la qualité incomparable, c'est ce qu'il a dit, Francky, en installant la machine derrière le comptoir.

Philippe a centré son verre sur le sous-bock.

— Cette pompe, c'est le sas à Francky… Maintenant qu'il l'a, tu verras, il finira par les changer, ses banquettes… et tout le décor qui va avec. Il fait juste un détour… Pas vrai Francky ?

Francky a tourné la tête.

— Pas vrai, quoi ?

— Que t'es un délicat ? T'avances à tout petits pas mais t'es bien présent sur la ligne.

Francky s'est marré.

Il a vérifié l'installation et le fonctionnement de la machine, et il a fait couler la première bière.

De l'autre côté de la route, les lumières de la scierie se sont éteintes, les hommes ont quitté les ateliers. On les distinguait à peine, juste des ombres grises qui s'éloignaient.

Mercredi 16 janvier

Le matin, j'étais en train de travailler quand j'ai vu passer la Volvo et la Môme au volant qui conduisait sans permis.

Le temps de sortir, elle était loin. J'ai éteint l'ordinateur, j'ai pris la voiture d'Emma et je l'ai rattrapée sur le parking de l'hôtel.

— Tu m'as bien dit que le directeur s'en fichait que ce soit toi ou Gaby ?

— Il s'en fout, oui…

— Alors il s'en foutra que ce soit toi ou moi.

Je lui ai pris le baluchon en plastique des mains, la blouse rose et les chaussons à l'intérieur.

— Toi, tu files au lycée.

— Le bus est déjà passé.

Qu'est-ce que je pouvais dire !

— Eh bien tu rentres chez toi et tu révises.

Au dernier moment, je lui ai repris les clés de la Volvo.

— Trois kilomètres à pied, ce n'est pas le bout du monde.

Je l'ai regardée partir.

Derrière la porte, il y avait un long couloir. La salle de repassage était en sous-sol.

Avant, je repassais les vêtements des filles, les chemises de leur père, je devais bien pouvoir lisser quelques draps.

— Je vais voir défiler toute la sainte Famille, a dit Magnard en me croisant dans l'escalier.

J'ai repassé toute la matinée. Le fer était lourd. Pour les avant-bras, c'était l'enfer.

En fin de matinée, la femme de Magnard m'a apporté ses fringues, elle est restée dos au mur pendant que je les repassais, elle m'a saoulée avec ses programmes télé, *The Voice*, *Louis la Brocante*, elle connaissait par cœur tous les épisodes du temps où Lanoux avait encore sa voix.

Elle ne voulait aucun pli sur son linge.

Je suis arrivée trop tard pour la photo.

La petite épicerie était encore ouverte, j'ai acheté du pain et du jambon pour Gaby. Des œufs et du lait. Quelques yaourts et des fruits. Des blancs de dinde cuits.

Il fallait que je remonte chercher la Volvo.

Dans le bungalow, il faisait sombre. Gaby n'a pas voulu que j'éclaire. La lumière lui faisait mal aux yeux. Son visage était plein d'ombres et les cernes mauves ne s'étaient pas estompés. J'ai découpé le jambon dans une assiette. Le rose semblait noir.

Pendant qu'elle mangeait, j'ai refait son lit et j'ai enlevé les cartons qui obstruaient les fenêtres. J'ai vérifié que les écureuils avaient des graines et de l'eau.

Le bol qui avait contenu la soupe était encore sur l'évier. Il n'y avait pas de bruit, seule la respiration rauque de Gaby. Et les rires de la Môme et de Marius qui se battaient dehors à coups de boules de neige.

Je suis remontée à pied à l'hôtel et j'ai récupéré la Volvo.

La Môme est arrivée avec Marius, ils sont entrés en se bousculant, ils riaient, avaient de la neige dans les capuches. Marius a laissé ses gants près du chauffage. Il a gardé sa veste de matelot, ses mains étaient perdues dans les manches.

Gaby a entrouvert les yeux.

— Qu'est-ce qu'ils font là tous les deux ? Ils sont pas à l'école ?

— On est mercredi après-midi…

Elle a hoché la tête. Semblait un peu déboussolée par la fièvre.

J'ai battu les œufs dans une assiette et je leur ai fait du pain perdu. J'ai entrebâillé la fenêtre pour chasser les odeurs.

Marius a regardé Gaby et il a voulu savoir à quel âge on devenait vieux et si les lapins aussi attrapaient des caries.

Je lui ai dit que Gaby n'était pas vieille, seulement malade. Pour les lapins, je ne savais pas.

La Môme a sorti les assiettes. Elle portait un pull à rayures de toutes les couleurs, très long, le genre de pull improbable. Ça manquait de place sur la table, elle a relégué la boule de Curtil dans le placard avec la moutarde et le sel et tous les vieux magazines.

— Tu rendras ça à ta mère et tu lui diras merci, j'ai dit à Marius en posant le bol et le torchon près de ses gants.

Il a plissé les yeux.

Ils ont mangé le pain chaud en le saupoudrant de sucre. Marius était joyeux. Je leur ai promis de leur faire une pièce montée un jour.

— Une pièce d'au moins trente choux bourrés de crème avec du caramel, il faudra m'aider.

Je leur ai dessiné le modèle sur un coin du journal, une tour en forme de pyramide.

On a fixé ça pour le samedi qui venait, un jour sans école. Après, j'ai regretté parce que c'était beaucoup de travail et aussi parce que je repartais le dimanche.

Philippe est arrivé, lui aussi apportait du jambon et des yaourts, une boîte en plastique avec de la nourriture à réchauffer.

— Tu gagnes du territoire, toi, il a dit en ébouriffant les cheveux de Marius.

Il est allé vers le lit, il a posé sa main sur le front de Gaby. Elle a ouvert les yeux.

A dit que ça allait mieux. Qu'elle supportait la lumière.

Il a pris une bière dans le pack à Ludo. C'était une bière de forêt très brune, presque noire.

Gaby l'a regardé faire. Elle n'a rien dit. Pourtant c'étaient les bières pour le retour de son homme.

Avec tout ça, l'odeur du pain perdu, les bruits, les rires, la lumière et la chaleur, elle semblait redevenue plus forte.

Philippe a vu la veste de Marius bien trop grande. Il a dénoué sa ceinture.

— Viens là, toi…

C'était une vraie ceinture en cuir avec une boucle en tête de cheval. Il l'a nouée autour de la taille de Marius en faisant remonter les pans.

— Je ne te la donne pas… Tu me la rendras quand tu en auras trouvé une autre.

Gaby est sortie de son lit. Elle est restée un moment assise au bord.

— Tu vas grandir, et un jour, tu seras tellement grand que c'est la veste qui sera petite.

Elle a glissé ses pieds dans ses pantoufles. Elle est allée vers ses écureuils, elle les a observés, les uns après les autres.

— Je vais les relâcher au printemps.

Elle semblait immense soudain.

Marius l'a regardée venir, immobile.

— Fais attention, tu vas gober une mouche, elle a lâché à cause de sa bouche grande ouverte.

Elle a vu le dessus de la table et son visage s'est assombri, elle a froncé les sourcils, a cherché autour d'elle, sur l'étagère, elle a ouvert le placard. Elle a trouvé la boule. L'a reposée à sa place, avec Nice à l'intérieur et la neige qui tombait.

Le soir, je n'arrivais plus à penser tellement j'étais lasse. J'ai dîné au gîte, une boîte de thon avec de la mayonnaise en tube. Du pain sous cellophane.

J'ai mangé quelques marrons glacés. Le ballotin était un peu trop grand à présent pour les marrons restants.

Jeudi 17 janvier

J'allais remplacer Gaby pour le deuxième matin. Je démarrais la Coccinelle quand j'ai vu passer l'auto-bus rouge du lycée. La Môme à l'intérieur.

Je me suis souvenue du bus de l'institut, le mercredi quand il faisait beau ils emmenaient les patients en promenade dans la Chartreuse. Les gens l'appelaient le bus des dingues. Jusqu'à la fin, ma mère a refusé de monter dedans. On ne l'obligeait pas, elle restait dans le parc, regardait partir les autres.

Le tas de linge m'attendait. J'ai repassé vite. Plus vite que la veille.

Magnard est venu vérifier. Il a pris des nouvelles de Gaby.

C'était fichu aujourd'hui encore pour la photo.

J'ai fait des courses à l'épicerie, acheté ce qu'il me fallait pour finir le séjour et aussi les ingrédients pour les choux et le caramel. Les clientes ont zieuté le tapis. L'épicier a tout mis dans un carton et il m'a souhaité une bonne journée.

On ne me demandait plus des nouvelles de Curtil.

Je suis revenue au gîte.

Sur la table, il restait encore le ballotin ouvert la veille avec la boîte de thon vide, l'assiette avec les traces d'huile sur les motifs à fleurs et la serviette froissée.

Je suis allée chez Gaby, elle était encore au lit mais n'avait plus de fièvre.

De retour, je me suis arrêtée chez le vieux Sam. Il n'était pas là et son échoppe était fermée.

J'ai vu sa voiture devant chez Philippe.

Je l'ai trouvé tout seul, dans la salle des herbiers.

Quand je suis entrée, il a souri.

— Chère Carole…

Il portait une veste de laine, une chemise à carreaux avec un gilet par-dessus et un drôle de chapeau. Les néons étaient allumés et aussi la lampe de bureau près de lui.

— Votre frère traque les braconniers, Emma manifeste à la préfecture, quant à Yvon… Ces gens ont toute confiance, ils me laissent prendre leur clé derrière le pot de géranium.

J'étais heureuse de le voir.

J'ai ôté ma veste.

Le canard au bec rouge avait été rangé dans le fond d'une armoire en vitre. On avait sorti un microscope sur la table. Personne n'avait touché aux hermines.

J'ai fait le tour de la grande table.

— Vous m'excuserez, il n'y a pas de thé ici, a dit Sam.

Avec un cutter, il terminait de détacher une plante à multiples feuilles sombres et dentelées avec une lame du cutter passée entre la tige et le papier. Il a disposé l'ensemble sur un nouveau support.

— Il faudra la classer dans l'herbier des toxiques, avec le colchique, la tueuse belladone, les baies de la morelle noire, le gui, le houx, le troène…

Les noms étaient écrits à l'encre violette. Aubépine, aneth, millepertuis, génépi. La vendangeuse jaune, le sumac hérissé, l'ail à trois angles…

D'autres herbiers étaient ouverts sur la table, ceux des plantes gourmandes et des aromatiques. Un herbier de médicinales.

— Je m'entends bien avec ces vieux cahiers, a dit Sam.

La plante détachée, il a tourné des pages.

— Celle-ci est un dompte-venin. Je les aime aussi pour la beauté et la brutalité de leurs noms. Celle-ci, une criste-marine et là, nous avons le narcisse douteux. Des espèces très menacées.

Il m'a montré celle qu'il s'apprêtait à restaurer, une tige aux fleurs sèches, m'en a donné le nom en français, le muscari à grappes, et en latin, *Muscari neglectum*.

— Vous ne trouvez pas cela merveilleux?!

Tout en décollant la fleur, il m'a raconté un film vu la veille, Vincent Lindon y joue un homme marié amoureux de l'institutrice de son fils et qui envisage de tout quitter pour vivre cet amour.

— J'étais bouleversé… J'ai pleuré, vous savez à la fin, quand il renonce. Dans toutes les vies, il n'est question que de cela, l'amour, le manque, les interdits. Si tout se passe bien, on finit la conscience tranquille. Mais il est rare que tout se passe bien.

Il a collé la plante, une feuille et puis une autre.

— Serions-nous d'accord pour vivre un tel amour? Tout sacrifier pour une grande passion? On en rêve, tout le monde le veut, mais qui serait capable?

La position penchée sur la table lui était inconfortable, il s'est relevé pour faire quelques pas.

— Je me souviens quand Jean est né, il avait seulement quelques heures, j'ai entendu battre son cœur sous ma main. Je n'ai jamais rien entendu d'aussi émouvant que ce cœur d'enfant… Après, je n'ai plus jamais été seul.

Je me suis rappelé la naissance de Julie, la première fois que je l'ai prise contre moi, elle s'était collée à ma peau, elle avait su que j'étais sa mère. D'instinct, elle avait rampé sur moi jusqu'à mes seins.

Il a soulevé une nouvelle page de papier sulfurisé. Dessous, des pétales friables tombaient en lambeaux. Il les a recueillis sous une bande de scotch.

— C'est une occupation de grande patience, mais quand j'ai terminé, j'ai l'impression d'avoir sauvé un peu d'humanité.

Il a souri.

— Dit ainsi, je dois paraître prétentieux.

Il a fait glisser un herbier devant moi.

— Une lavande des Maures, si vous voulez vous en charger…

Un cutter. Un Canson neuf. Il a poursuivi son travail. Ça sentait la colle.

Les racines, la tige, les feuilles, la fleur. Les plantes étaient fragiles, il fallait les manipuler avec précaution. Pour certaines, les étiquettes étaient incomplètes, délavées ou disparues.

— La plus grande des solitudes, a dit Sam, c'est quand plus personne ne partage vos souvenirs… Quand plus personne ne vous a connu enfant, que plus personne ne sait votre passé, votre jeunesse. Vous ne pouvez plus parler de vous alors vous vous repliez et vous vous taisez.

Un sourire bref a éclairé son visage.

— J'aime infiniment la vie… Et j'ai aussi affreusement peur de la perdre. Je ne connais personne qui n'ait pas peur.

— Moi, c'est vieillir qui me fait peur. On perd le goût des choses.

— Il faudrait choisir la mort volontaire comme Didon qui s'est jetée dans les flammes…

— Ou Eurydice, le ventre fendu par le glaive…

— Jocaste s'est pendue quand elle a compris qu'elle avait épousé son propre fils et la belle Ophélie s'est noyée de désespoir en se croyant abandonnée par son amant.

— Curtil dit que l'ennui est pire que la mort, qu'un jour il vous mouche le désir comme des doigts mouillés sur la flamme d'une bougie.

Il n'a pas répondu. Il n'avait pas envie de parler de Curtil.

Il s'est arrêté pour réajuster la plante dont il s'occupait. Ses mains vieilles et sèches apportaient des soins délicats et précis.

— Des enfants naissent. Des hommes meurent, les vivants s'agenouillent et les pleurent. Et ceux qui pleurent sont pleurés à leur tour, un peu plus tard, et cela infiniment.

Il a pointé son doigt sur la lavande des Maures. J'ai glissé la lame sous la tige. Lentement, j'ai détaché la plante comme je l'avais vu faire. Par petits coups secs. Le cutter crissait sur le papier qui était comme de la peau momifiée.

— À ma naissance, ma mère a creusé un trou dans la forêt et elle a enterré mon cordon de vie. Ensuite, elle a ramassé une poignée de terre et elle me l'a donnée quand j'ai été en âge de la recevoir.

Sam a levé la tête.

— Qu'en avez-vous fait ?

— Je l'ai gardé.

— Pourquoi ?

— C'est un lieu. Je viens de ce lieu.

Il a repris son ouvrage.

— Dans un pays, j'ai oublié lequel, il n'y a pas assez de sols pour enterrer les morts alors on abandonne les cadavres aux rapaces, on récupère les os et on les pile à grands coups dans un sac pour les réduire en poussière. On jette ensuite tout cela au vent.

— Vous avez peur de la mort?

— C'est juste que parfois, j'imagine des choses. Il ne faut peut-être pas trop appréhender…

Il a scotché la feuille supérieure de la plante. J'ai collé la lavande sur son nouveau support. On a poursuivi notre tâche un long moment sans parler. Sans doute que dans cette pièce sans vraie fenêtre, entourés de tous ces herbiers de plantes sèches, nous ressemblions à deux fous.

— Je n'arrive pas à lire cela, j'ai dit en montrant l'étiquette.

— Reine-des-prés… suivi du nom latin, indéchiffrable. On retrouvera plus tard.

Il poursuivait avec les ombelles fragiles d'une ciguë.

Il s'est arrêté pour m'observer.

— Allez plus lentement… Une page et puis une autre. Il ne faut pas vouloir finir trop vite… Un jour, on peut imaginer que quelqu'un sera ici, à notre place, et qu'il collera la dernière plante du dernier herbier, mais je ne suis pas certain que celui qui accomplira ce geste sera plus heureux que nous qui avons encore tant à faire.

Sa ciguë terminée, il s'est levé pour ouvrir le petit vasistas qui donnait sur le pré. C'était la fin du jour.

— Nous devrions partir.

Il a ramené au bout de son doigt quelques flocons, les a glissés sur la lamelle du microscope.

— Venez voir…

J'ai collé mon œil à la lentille. Sur la lamelle, on aurait dit des étoiles ou des fleurs. J'ai tourné la molette pour grossir encore.

Le vieux Sam a ramassé son manteau.

— Pas deux flocons ne sont pareils. Et ils fondent si on les touche. Si vous restez, vous remarquerez, les gens d'ici sont comme ces flocons…

— D'une beauté inouïe ?

— Oui… et aussi d'un alliage complexe.

Gaby s'est habillée.

— Je vais mieux. Je ne tousse plus.

Elle a refermé le dernier bouton de sa chemise.

— Philippe dit que si on place tous les animaux de la terre sur le plateau d'une balance et si on met tous les vers de terre sur l'autre, c'est les vers qui pèsent plus lourd. Même avec les éléphants et les baleines !

— Pourquoi tu me dis ça ?

— Parce que je ne sais pas si je peux le croire.

On a ri.

Elle avait faim.

Je les ai invitées à dîner chez Francky, elle et la Môme. J'ai téléphoné à Philippe, s'il voulait venir avec Emma. Gaby s'est emmitouflée dans son manteau.

Au menu, paella avec du vrai mouton, les odeurs se répandaient sur le parking. Le réfectoire était presque complet. On a trouvé une table pour quatre, on a mis cinq chaises autour.

Quand Gaby a vu la pompe à bière, elle s'est marrée.

— Il finira par les changer, ses banquettes, elle a dit.

L'homme aux fausses médailles m'a fait un signe. Il y avait aussi le type à la rouleuse.

Philippe est arrivé avec Yvon. Emma était encore en réunion. La Môme et Yvon se sont regroupés en bout de table avec une copine qui a pris son assiette et qui les a rejoints.

Francky nous a servi la paella dans des assiettes qui ressemblaient à des plats. Il était content de sa pompe et du juke-box. Il lui restait à virer la tête empaillée du cerf qui trônait au mur, c'était sa prochaine étape.

Gaby mâchait lentement. Entre deux bouchées, elle relevait la tête et elle regardait le trophée. Elle n'avait pas si faim que ça mais je voyais que ça lui faisait du bien de voir du monde.

Elle a pris des nouvelles de la Baronne. A voulu savoir si le vieux Sam avait vendu son échoppe.

Elle a dit : "Demain, je vais travailler."

Elle a abandonné cette paella trop copieuse et elle s'est levée parce que Diego était sorti des cuisines et elle voulait lui montrer qu'elle était guérie.

Elle a traversé la salle jusqu'à lui.

Yvon, la Môme et l'autre fille parlaient des musiques qu'ils téléchargeaient sur leurs iPhone.

On est restés tous les deux avec Philippe.

Diego nous a salués de la tête. Avec Gaby, ils se parlaient. Dans le brouhaha, on ne pouvait pas entendre ce qu'ils se disaient mais, à un moment, on a vu que Gaby riait.

— Qu'est-ce qui se serait passé si c'était moi qui étais restée dans le grenier ?

Philippe n'avait pas envie de parler de ça. J'ai insisté.

— Si maman avait emporté Gaby et si elle m'avait laissée, moi ? Les choses de nos vies auraient été sûrement différentes ?

— Pas forcément.

Gaby expliquait quelque chose à Diego en s'aidant de ses mains.

— Elle a dû se sentir terriblement abandonnée quand elle nous a vus descendre?

Philippe n'a pas répondu.

Gaby est revenue avec six tranches de glace pliées dans du papier. Elle les a posées dans nos assiettes. Sous l'emballage doré, deux bandes de vanille-fraise.

Yvon, la Môme et la fille sont allés manger leur dessert autour du baby-foot.

Gaby a repris sa place. Elle a déplié le papier.

— Vous disiez quoi?

— Rien…, a dit Philippe.

— On ne disait pas rien!

Elle m'a interrogée du regard. Il y a eu un petit malaise.

— Je demandais à Philippe ce qui aurait changé dans ma vie si c'était toi que maman avait sauvée en premier… C'est pas rien ça! On peut quand même se poser cette question?

Gaby a étalé le papier bien à plat dans le fond de son assiette.

— C'est toi qui aurais l'oxygène, elle a dit.

Avec le bout de sa cuillère, elle a tracé des lignes sur la glace. Elle m'a regardée, la tête penchée sur le côté.

— Autre chose?

— Oui…

— Quoi?

— Qu'est-ce que tu as pensé quand tu nous as vus tous les trois en bas, dans la cour?

— Et que moi, j'étais là-haut derrière la lucarne?

— Oui.

Le bombé de la cuillère s'est immobilisé sur la

glace, le poids l'enfonçait lentement dans la vanille qui mollissait.

Gaby a plissé les yeux. Elle a traîné la cuillère, un sillon s'est creusé.

Sur son visage est monté un sourire délicat de presque bienheureuse.

— Ma p'tite sœur est sauvée, c'est ça que j'ai pensé.

La douceur de son sourire m'a fait une boule dans la gorge et j'ai été presque empêchée de respirer.

J'ai dit que je voulais fumer. J'ai fait un signe à Francky, je lui ai réglé les repas. Philippe et Gaby sont restés pour finir leur dessert et prendre un café.

Je suis sortie. Du parking, je les voyais, leurs profils éclairés derrière la grande vitre. Ils parlaient ensemble. Parlaient-ils de moi ? Et si oui, que disaient-ils ?

Je me suis sentie à la marge. Qu'est-ce qui s'était passé ? Est-ce qu'on a tant changé depuis nos six ans ? Non, on ne change pas, ou si peu. À peine. J'ai pensé à Curtil, à ma mère. Les autres, cette source ancienne d'où je venais. Tous les autres, ceux-là mêmes que j'avais aimés, qui m'avaient aimée et qui faisaient mon histoire. J'ai pensé au père des filles. Je n'ai jamais haï. J'ai eu des coups de colère comme des coups de tonnerre, des rages qui emportaient tout, ne duraient pas.

Au bout du compte, j'ai fait quoi ?

Je relie les filles à leur passé par les souvenirs que j'ai d'elles, de leur enfance, par toutes ces choses que je sais et qu'elles pourront me demander un jour.

Ces infimes choses.

J'ai de la mémoire pour elles.

La mémoire d'elles.

J'ai tout gardé.

Derrière la fenêtre, Gaby buvait son café. Philippe lui parlait. Elle l'écoutait. J'ai pensé les rejoindre. Ce lieu était rude, j'y avais cependant de puissantes racines. Comment aurais-je vécu si j'étais revenue vivre au Val? Je ne voulais pas penser à cela. On idéalise toujours les retours.

J'ai traversé la route.

Les deux bulldozers se détachaient dans la pénombre. À côté, la tractopelle, les banderoles et les tags de couleur.

Malgré l'heure tardive, il passait encore quelques camions.

J'allais partir. Retourner à Saint-Étienne. Qu'est-ce que j'allais faire après? Pierre m'avait proposé d'autres traductions. L'été prochain, je pourrais louer une maison au bord de la mer et travailler les yeux sur les vagues, apprendre à jouer du piano aussi, depuis le temps que j'en rêvais.

La scierie était plongée dans l'obscurité. Les ateliers sombres, une loupiote rouge brillait tout en haut. Une lumière tremblante que le gardien éteignait seulement le matin.

— Fatiguée?

J'ai sursauté.

Jean était là, contre le mur, le dos aux planches. Tout seul, quand tous les autres étaient déjà partis.

— Tu ne fais pas ça d'habitude, il a dit de sa voix lente.

— Je ne fais pas quoi?

— Tu ne traînes pas autour des bulls.

Mes yeux se sont habitués à la pénombre et j'ai vu son visage. Sa jeep était garée un peu plus loin.

— Viens… D'ici, on voit la lune entre les toits, et la Polaire juste à côté.

Il a tendu la main. Il y avait deux pas. Peut-être trois. Je l'entendais respirer. Je me suis avancée.

Je pouvais presque le toucher. J'ai eu envie de le faire.

La Polaire était brillante.

J'ai regardé là où il me montrait, la lune entre les toits.

— On appelle ce moment du soir l'heure bleue à cause de ce ciel étonnant.

J'étais près de lui. J'ai fixé le ciel et toutes les étoiles qu'il y avait dedans.

— Quand est-ce que tu pars?

— Je devrais déjà être partie.

— J'ai de la chance alors…

Il a souri. J'ai senti l'odeur de son pull. J'étais revenue à avant. À mes quinze ans à Sourdeval. Tout se mêlait. J'ai eu envie de me blottir. Me glisser tout entière, des cuisses, des joues et du ventre.

— Tu trembles?

— C'est le froid.

Il a tourné la tête, son regard s'est posé loin du côté des planches, le bout de l'entrepôt, un toit sans mur qui servait d'abri aux machines.

— Tu ne m'as pas répondu… Quand est-ce que tu pars?

— Dimanche.

— Dans trois jours?

— Oui.

— Et après?

— Après, je ne sais pas.

— On se reverra un jour?

— Peut-être.

— Peut-être seulement?… Va falloir s'accrocher aux branches alors…

S'accrocher aux branches, ça ne voulait pas dire grand-chose.

— On va y croire, il a murmuré. Parce que sinon…

Croire à quoi? Et sinon, quoi? C'est pas les lignes droites qui sont intéressantes, j'ai pensé, c'est les détours.

On se dira tout cela une autre fois.

Un autre jour.

Il a tourné la tête et il a encore plongé son regard dans cet endroit de nuit. Il m'a semblé voir quelqu'un. Une silhouette. Rien de certain.

C'était la vie, cette drôle de vie qui continuait.

Je lui ai tendu la main. Une main tendue. Avec un gant. Ça manquait d'élégance. De présence.

De tenue.

Il a hésité.

Je connaissais son visage, sa manière de sourire, comment il fumait. Je portais tout dans ma mémoire.

Il ne savait pas à quel point je le connaissais.

Il a regardé encore au bout du chemin et il m'a tirée à lui. Brusquement. Il a refermé ses bras comme un étau. Sa parka ouverte, à l'intérieur, une doublure en laine et un gilet à zip. Les doublures, les gilets, ma mémoire retient des choses comme ça. Ma joue a heurté la fermeture éclair froide. J'ai décalé ma tête pour avoir seulement la laine et je suis restée enfouie, à respirer l'odeur chaude dans les torsades. Les battements de son cœur, la chaleur, j'ai tout absorbé, tout laissé glisser au-dedans de moi, dans mon ultime mémoire, pour plus tard et pour longtemps.

J'ai pensé que si je le regardais, il m'embrasserait. Il partirait avec moi. Laisserait l'autre. Pouvais-je utiliser ce regard encore une fois? Celui qui avait obligé ma mère? Pouvais-je forcer Jean à me choisir? Ce serait peut-être la chose la plus belle et la plus juste de ma vie.

Mais serait-ce vraiment un choix pour lui?

Comment être certaine après? Comment savoir?

Ou si c'est seulement un instant, une faiblesse.

J'ai écarté mes doigts dans ce dos. Un autre dos que celui du père des filles. J'étais capable d'aimer encore. D'aimer à nouveau.

Je n'étais pas morte à l'intérieur.

Un instant, j'ai été tentée.

Tentée de faire cela.

Lever les yeux sur lui, grands ouverts.

Et puis j'ai revu la maison, le sapin qu'il avait coupé, le divan pour deux, le foulard, le gilet à fleurs et aussi les photos du bonheur dans les cadres un peu trop kitch.

J'ai gardé mes yeux dans les étoiles.

Il s'est écarté, a pris mon visage entre ses mains. J'ai senti son souffle.

J'ai fixé la lune et la Polaire.

Ses lèvres hésitantes se sont attardées sur mon front, un baiser doux et chaud qui s'en est allé, tranquille, faire l'amour à mon âme.

Vendredi 18 janvier

La nuit a été courte, j'ai terminé la traduction du livre. Le dernier chapitre à relire peut-être. Quelques doutes notés en marge par des astérisques.

J'ai envoyé un texto à Pierre : *J'ai fini, je crois que ça va mais je la garde encore un peu.*

Il m'a répondu, sur la lancée : *T'as fait le job, j'ai d'autres choses pour toi.*

J'ai bu un café à la fenêtre.

Le jour se levait, éclairait doucement les cimes.

Je me sentais bien.

À huit heures, Gaby est passée, elle conduisait appuyée au volant, le regard fixé sur la route, comme à son habitude.

La serveuse à Francky est sortie avant midi, elle portait une robe tellement verte qu'elle en paraissait presque jaune. Avec ses cheveux orange, toutes ces couleurs, on aurait dit une symphonie. Elle est restée appuyée à la balustrade, à regarder en face, du côté de la scierie.

Il m'a semblé qu'elle regardait aussi vers ma fenêtre.

Je suis descendue en ville pour faire développer les dix dernières photos du balcon. La série serait imparfaite sur cette période puisqu'il me manquait les deux photos de ces matins où j'avais remplacé Gaby à l'hôtel.

Au retour, j'ai rapporté la voiture à Emma, je n'en aurais plus besoin, Gaby était guérie.

Après, j'ai marché d'un bon pas jusqu'au pont. Le froid avait ralenti le cours de la rivière et les truites étaient encore prisonnières sous la glace. La vapeur d'eau se transformait en éclats de givre qui recouvraient le sol d'une fine pellicule transparente.

Il faisait glacial dans les ombres.

J'ai revu les loutres.

Encore quelques semaines et la neige allait fondre, on verrait de nouveau les herbes folles et les couleurs des fleurs. La terre allait dégeler, on retrouverait les odeurs.

Je ne serais plus là.

L'après-midi, je suis allée au chenil. Sept chiots étaient nés, tous vivants, le mélange d'un loup et d'une chienne. "Soixante-trois jours de gestation exactement!" c'est ce que m'a dit la Baronne en m'entraînant vers la cage.

Je suis passée chez Francky pour lui régler le solde de ce que je lui devais pour la location du gîte. En plus des peintures, cette location inespérée allait lui permettre de faire insonoriser la cloison qui donnait sur les ateliers. Il allait aussi profiter des travaux pour condamner le hublot.

Je lui ai promis de revenir.

Je suis allée lire les nouveaux titres dans le juke neuf.

Diego était en train de placer quelques pièces nouvelles à son immense puzzle. Il était heureux parce qu'il était parvenu à assembler un peu du fleuve, en bleu-gris, ton sur ton pourtant.

Il pensait que ce puzzle représentait une ville aux États-Unis, Manhattan ou Boston... Chicago peut-être. Il ne savait pas vraiment.

Quand il aurait fini, il le laisserait à la vue de tous pendant quelques jours, le temps qu'il aille en ville et en achète un autre.

Après quoi et sans ménagement, il remballerait celui-là. Il suffirait de quelques secondes pour que toutes les pièces assemblées se retrouvent soulevées et retournées par ses mains, détachées les unes des autres, en vrac, mêlées, éparses. Il ferait cela sans tristesse, glisserait les pièces dans leur sac, un puzzle fini ne l'intéressait plus.

Je me suis connectée à Internet. J'ai tapé "Puzzle Ravensburger" sur le moteur de recherche et j'ai vu s'afficher toutes les représentations des modèles proposés par la marque.

Parmi les puzzles trois mille pièces présentés, le pont de San Francisco la nuit, celui que réalisait Diego.

J'ai branché mon téléphone en sortant de *La Lanterne*. Philippe avait laissé plusieurs messages, il fallait que je le rappelle.

Ou que je vienne.

Dans la salle des archives, il y avait Emma, Philippe et Yvon, la Môme aussi, tous les quatre devant l'ordinateur.

— Qu'est-ce qui se passe ?

Philippe s'est levé. Il était tendu.

— T'étais où ?

— Au chenil.

— Ça fait une heure ! Je t'ai cherchée partout ! Et ton téléphone, tu ne peux pas le brancher ? Et répondre quand ça sonne !

— Curtil est là ?

— Non.

— Alors quoi ? C'est la fin du monde ?

Yvon m'a montré l'écran.

— On triait des images pour le site... En visionnant les brouillons de rushes, on a trouvé quelque chose.

Il a fait défiler les images, des bouts de plans sans intérêt, des scènes de brouillard, trop longues, des silhouettes, un train qui passe au ras de la caméra.

— Pourquoi tu me montres ça ?

Il a tapé du doigt sur l'écran.

— Regarde.

Des plans suivaient, pénombre et brume. La scierie. Un plan d'ensemble de la route à la tombée du jour. La caméra a balayé l'espace, s'est arrêtée sur un long camion garé sur le terre-plein. Yvon l'avait zoomé, cadré, avait glissé ensuite sur le bâtiment. Des bancs de brouillard couraient, ne s'accrochaient à rien.

Les doigts d'Yvon se sont immobilisés sur le clavier.

— Tu n'as rien remarqué ?

— Quoi ?

— Le camion...

Il a fait un retour en arrière.

C'était un long camion bâché. Yvon a pointé son doigt sur la droite de l'écran. À la fin du rush, à peine visible, une silhouette est sortie du brouillard, un homme longeait les baraques d'un pas prudent, il a hésité, inquiet, s'est arrêté, il regardait de droite à gauche, a couru vers l'arrière du camion.

Yvon a bloqué l'image. Il a zoomé. Pendant quelques secondes, tout a été flou, et puis l'image s'est précisée.

Il a cadré.

Une silhouette de maigre un peu chaloupée, le visage, quelques secondes dans la lumière des phares.

C'était Ludo.

Yvon a fait repartir l'image et on a vu Ludo soulever la bâche, jeter un dernier regard autour de lui avant de se glisser à l'intérieur du camion.

On s'est regardés. Tous.

Yvon a affirmé qu'il avait filmé ces images samedi dernier. C'était le jour où j'étais redescendue du bois par chez la Veuve.

J'ai redemandé à voir les images.

Je me suis souvenue du chauffeur italien, les deux cafés bus à la fin de son repas pour ne pas s'endormir au volant. Le camion, c'était le sien.

— Gaby… C'est moi… Carole…

J'ai prononcé son nom doucement, Gaby… Plusieurs fois… Gaby, c'est moi… C'est Carole…

Je me suis avancée.

Elle se balançait d'avant en arrière sur sa marche de béton. Silencieuse. Lointaine. Désorientée.

Elle avait reconnu Ludo sur les images qu'Yvon était venu lui montrer. Le choc l'avait assise là, les bras serrés autour du ventre, les épaules basses et le regard à deux mètres, planté dans la terre.

Elle portait la petite robe blanche donnée par la femme de Magnard, une Chanel bien trop étroite et qu'elle était pourtant parvenue à enfiler mais sans pouvoir la refermer, on l'aurait dite déchirée dans le dos. La bride du soutien-gorge barrait la chair. Le ventre tirait le tissu. Les bras sortaient. Épais.

— Gaby, putain…

Elle a levé la tête. J'ai touché sa main. Elle s'est dégagée. Ses cheveux pendaient sur sa figure de naufragée.

— Ça fait longtemps que tu es là?

— Je sais pas…

— Tu vas prendre froid.

— … faut que je réfléchisse…

— Tu peux réfléchir à l'intérieur.

Elle remuait les lèvres. Ça rengainait en rond. Je me suis assise à côté. Ses cuisses larges sortaient de la robe. Fourreau ou camisole. Elle se balançait, le corps replié dans la terrible posture. Les mains sur le ventre. Égarée. On aurait pu la croire morte ou captive d'un linceul.

— Il s'est carapaté…, elle a murmuré.

La chair de son dos était grise. J'aurais voulu qu'elle se redresse. Qu'elle se rhabille.

— Carapaté…, elle a répété d'une voix fêlée.

Les mots se maçonnaient avec lenteur.

— C'est un camion qui allait où?

— En Italie.

— Il est pas resté planqué bien longtemps…

Elle a continué, des bribes de mots, certains inaudibles.

— C'est chacun pour soi maintenant alors…

J'ai enlevé mon blouson et je l'ai posé sur ses épaules. Sa tête a dodeliné.

— On a tout fait ça pour rien alors?

— Pas pour rien, Gaby.

Une larme a coulé sur sa joue. Une lente. Une bombée.

— Tu veux que je te dise? Je m'en fous qu'il soit parti…

D'autres larmes ont suivi, qui gonflaient, roulaient, tombaient dans la terre sans qu'elle ne les écrase. Le regard est apparu dedans.

— Je me suis toujours débrouillée toute seule, ça va bien continuer.

J'aurais voulu faire quelque chose pour elle, trouver les mots et lui dire sa belle humanité ! Et la bêtise des autres, ceux qui font du mal et qui blessent. Ceux qui ont des regards acérés comme des couteaux. Ceux des mots en lame de rasoir. Ceux-là plantent en nous des blessures bien singulières, de ces douleurs éternelles qui sont différentes d'un être à l'autre. Et qui sont présentes d'un être à l'autre. Et qui nous rapprochent.

Et cette nécessité, toujours, de continuer.

Je n'avais pas prononcé à voix haute un seul de ces mots et pourtant Gaby ne pleurait plus. Je voyais bien que ça se bousculait encore au fond de sa tête mais elle s'est remonté un sourire, doucement, du dedans de son âme.

— Ma sœur…, elle a dit.

Une fissure de lumière qui a vibré dans son immense carcasse.

Elle s'est redressée. Elle avait les yeux mouillés, autant que la voix.

— On va pas se faire avoir par la tristesse, hein ?

— On va pas se faire avoir, non…

Elle a soupiré en regardant, loin au bout de la route, les pylônes et les longs fils noirs. Et le bois au-dessus, où elle avait tant cherché.

— Va falloir que je m'habitue au bungalow…

Samedi 19 janvier

La pièce dans laquelle je vivais depuis quelques semaines avait pris mes odeurs et mes habitudes. J'ai mis un peu d'ordre dans mes affaires.

À onze heures, j'ai attendu que la serveuse sorte sur le balcon. Devais-je continuer la série? J'avais quarante photos, cela faisait un compte rond. Sur un mur, quatre rangées de dix, huit rangées de cinq ou deux de vingt.

Je pouvais aussi en prendre une dernière? Mais ainsi, ce serait quarante photos plus une. Et de cette une, que faire? Elle serait isolée des autres. Rendrait la série bancale.

J'ai décidé d'arrêter.

Quand la serveuse est sortie, je n'ai pas bougé. Je l'ai simplement regardée comme on regarde quelqu'un à sa fenêtre dans un geste quotidien.

Après, j'ai détaché toutes les photos.

Je suis passée chez le vieux Sam en tout début d'après-midi. Dès qu'il m'a vue, il a sorti un bocal de griottes, il avait promis de me les faire goûter avant mon départ.

Je me suis assise à la table, comme le premier jour quand nous avions pris le thé.

J'avais peu de temps, la Môme et Marius allaient m'attendre car c'était le jour que nous avions choisi pour faire la pièce montée.

Je lui ai proposé de venir en fin de journée manger quelques choux avec nous.

Il a fait semblant de ne pas m'entendre. Le couvercle du bocal était maintenu fermé par un élastique large, il a tiré fort sur la languette et l'élastique a claqué.

— Ces griottes proviennent de l'arbre chétif qui survit derrière la boutique et que je vous ai montré. Vous vous souvenez ?

— Je me souviens.

— Alors asseyez-vous.

Il a servi les griottes dans des tasses. C'étaient des petits fruits sombres à la peau épaisse, l'alcool avait détrempé leur chair. Le jus était fort.

— Je pars demain.

Il a levé les yeux, la cuillère en suspens.

— Je ne sais que vous dire…

Il a mangé quelques griottes.

— Et votre père, vous ne l'attendez plus ?… Vous devriez aller le chercher.

— Je ne sais pas où il est.

— Ne pas savoir ne fait pas une raison.

Il a reposé sa tasse brusquement.

— Je ne comprends pas que vous puissiez rester ainsi immobile ! Partez, fouillez partout, toutes les villes, toutes les rues, tous les bordels… Que sais-je ? Il est forcément quelque part ! Ne vous arrêtez pas de chercher tant que vous ne l'aurez pas trouvé. Et de grâce, demandez-lui quelques explications !

Il a levé son visage, j'ai croisé ses yeux, il m'a semblé voir ceux de Jean.

— Ce n'est pas ce qu'il voudrait.

— Qu'est-ce qu'il voudrait ?

— Qu'on l'attende.

— On dirait que ce qu'il veut surtout, c'est vous fatiguer.

— Vous ne l'aimez pas ?

Il s'est excusé. Il a fait diversion avec des choses vagues sur la forêt, les arbres forts qui font mourir les faibles, ceux qui se disputent la lumière et ceux qui gagnent en étouffant les autres.

— Je m'habituais à vous voir ici et je crois que vous allez nous manquer.

Je n'ai su que dire. Au fond de ma tasse, il restait un peu de jus et quelques noyaux.

Il s'est levé.

— Comment avez-vous trouvé ces griottes ?

— Un peu molles…

— Un peu molles, oui… C'était le dernier bocal.

Il m'a demandé de choisir un noyau.

— Je vais le planter, nous verrons bien.

La Môme et Marius m'attendaient devant la porte.

Sur la table, il y avait tout, farine, beurre, sucre, les œufs et le lait pour la crème.

Casser les œufs, brasser quatre minutes entre chaque œuf. Quatre minutes, pas plus, pas moins. Surveiller les minutes. Préchauffer le four. Marius a lu la recette, sa lecture était encore hésitante, il butait sur certains mots.

On a roulé les boules de pâte avec une grosse cuillère et on les a posées sur la plaque beurrée.

Pendant que les choux cuisaient, on a préparé la crème. On a fait bouillir le lait avec la vanille, la Môme surveillait. Marius brassait. On a mélangé le sucre et les jaunes. Il fallait un batteur, on n'en avait pas. On a fait ça à la fourchette. Je les ai prévenus, ça ne sera peut-être pas aussi bien. Après, on s'est mis autour de la table et on a bourré les choux. La crème était jaune, épaisse, il aurait fallu une douille, on avait seulement des cuillères.

Pendant qu'ils finissaient de bourrer les choux, j'ai préparé le caramel. La Môme a fouillé dans le placard, elle a trouvé un grand plat, a disposé neuf choux en rond qui feraient la base de la pyramide.

Je surveillais le caramel en regardant par la fenêtre.

Marius posait des questions : comment se forment les flocons ? Comment poussent les champignons ? Jusqu'où peut grandir un arbre ?

La Môme répondait.

La serveuse à Francky sortait des cageots qu'elle empilait sous un abri sur le devant de la taverne. Elle a fait plusieurs va-et-vient. Après, elle a pris une pause dans la petite impasse des poubelles pour fumer une cigarette. Tout en surveillant le caramel, je la regardais. Elle portait une robe rose, un gilet ouvert. Elle se pensait à l'abri des regards, se tenait nonchalamment appuyée au mur, les cuisses un peu écartées.

La Môme a suivi mon regard.

— Tiens, v'là la gigolette à Jean.

— Pourquoi tu dis ça ?

— C'est Gaby, elle l'appelle comme ça…

Elle a posé le chou bourré de crème près des autres.

— Ils se retrouvent chez Sam, il y a une porte derrière, ils entrent par là.

Je me suis sentie vaciller. Dans son impasse à poubelles, la serveuse n'avait pas bougé.

— Tu ragotes, ce n'est pas bien.

— Je ne ragote pas…

— Alors tu répètes les ragots, c'est pire.

— Je les ai vus. Ils sortaient du *Formule 1* à l'entrée de Modane… J'étais dans un bus, on revenait du ski avec l'école.

J'ai croisé ses yeux.

Elle ne mentait pas.

Le caramel avait tourné sa couleur, je l'ai retiré du feu. Je l'ai versé sur la première rangée de choux. Il s'agissait de coller la deuxième rangée par-dessus, en décalant, un cercle plus petit que le premier, et ainsi de suite pour que ça s'accroche en pyramide. Il fallait faire vite avant que le caramel ne refroidisse. Dans le pire des cas, la pyramide mal faite ploie et s'effondre.

Marius a collé un chou.

J'ai jeté un coup d'œil vers la fenêtre.

Il a serré trop fort, le chou s'est écrasé entre ses doigts, ils ont ri, ils n'arrêtaient pas.

Je me sentais bizarre, un peu ébranlée. J'avais envie de rire avec eux.

La serveuse a fait quelques pas. Je les ai revus, elle et Jean. Me suis souvenue de regards échangés chez Francky. Une douceur particulière dans son sourire à lui, un amusement quand elle se faisait draguer d'une manière un peu lourde.

Ainsi donc…

— On n'a plus de caramel !

Je me suis retournée. Ils avaient bourré la série de choux suivante et ils attendaient.

Je me sentais en décalage.

J'ai refait du caramel.

Ils ont collé la troisième rangée.

Et on a continué.

C'est Marius qui a placé le dernier chou, un plus petit que les autres posé tout en haut de la pyramide parfaite. Le reste du caramel a durci en stalactites translucides que la lumière a traversées. On aurait dit de l'ambre.

Gaby a franchi le seuil la première.

Philippe est arrivé après. Yvon est venu aussi, avec sa caméra, il nous a tous filmés. On avait sorti la pièce montée sur les marches pour que la crème soit bien fraîche.

Gaby m'a demandé si ça allait, j'avais mauvaise mine. Je lui ai dit que ça allait, oui, bien sûr, qu'est-ce qu'elle allait imaginer !

On a mis un chou de côté pour la Baronne. Cinq pour la famille de Marius. Un pour Emma.

On a mangé le reste.

Quand Diego est arrivé, il n'y avait plus de choux, il a décollé le caramel du plat, il s'en fichait des choux, il était content d'être là, avec nous, et Yvon a repris sa caméra pour qu'il soit filmé lui aussi.

Gaby a écarté Marius pour être sur le film avec Diego.

— Pousse tes os, cervelle d'oiseau, elle a dit.

Son sourire était en faille, on voyait qu'il était forcé.

Marius a ri, de cette façon timide, un peu gêné.

Après, ils sont tous partis, Yvon, la Môme, Philippe et Marius. Même Diego.

Sauf Gaby.

Gaby est restée. Elle m'a aidée à tout ranger. Elle a balayé sous la table la terre laissée par les chaussures. Elle a gratté le caramel qui avait collé au fond de la casserole.

Je me suis plaqué le front à la fenêtre. Le jour tombait et tout s'est éclairé chez Francky. La serveuse était en salle, occupée au service.

La neige avait fondu sur le bord de la route. La boue giclait sous les pneus et sous les bottes. La jeep de Jean était garée devant les ateliers. La sonnerie de fin de journée a retenti dans la scierie et les bûcherons sont partis.

Jean est sorti le dernier. Pas pressé. Il a éteint les lumières, fermé les portes. Je l'ai suivi des yeux. Je le regardais différemment comme si cette chose que j'avais apprise de lui en avait changé le visage, la physionomie.

Il s'est grillé une cigarette appuyé au capot de sa voiture. Il regardait du côté de ma porte. J'ai eu envie de rire de moi. De ma naïveté. Un peu sonnée aussi. J'avais la sensation d'avoir pris une gifle, je me remettais du coup en fixant la jeep et aussi mon reflet dans la vitre.

La serveuse n'était plus dehors, il y avait seulement Francky derrière le comptoir.

Jean a fini sa cigarette et il a écrasé son mégot. Il est monté dans sa voiture. Il n'a pas démarré tout de suite.

Ça a duré de longues minutes. La saleuse est passée avec des voitures qui suivaient. Un camion cherchait à doubler et klaxonnait violemment. Des clientes s'attardaient devant l'épicerie.

Jean ne partait pas. Qu'est-ce qu'il voulait? Qu'est-ce qu'il attendait?

Mon téléphone a vibré. C'était lui. Son prénom inscrit sur le fond d'écran. Je n'ai pas répondu. Je le devinais derrière la vitre noire de sa portière. Il fallait que ça s'arrête. Ça ne s'arrêtait pas.

La jeep ne bougeait pas.

Plus de vibreur. Le prénom, effacé. L'écran gris et puis noir.

— Va-t'en maintenant…

Il s'est passé du temps encore. J'avais la peau des joues en feu.

Il a fini par démarrer. Une marche arrière lente, il a roulé jusqu'au bout du terre-plein, il a fait demi-tour et il est revenu. En passant, la lumière des phares de la jeep a éclairé ma fenêtre. J'ai vu son visage, il m'a semblé qu'il regardait du côté de ce coin de fenêtre où j'étais dissimulée.

La voiture a roulé sur quelques mètres, elle s'est immobilisée à nouveau. J'ai serré les poings, fort, j'ai appuyé contre le mur.

La jeep est revenue.

Il était probable que l'on se reverrait mais ce ne serait plus pareil.

Il suffirait peut-être que je sorte, je pourrais faire cela, le rejoindre dans sa voiture, banquette côté passager, comme dans les beaux films.

Je n'ai pas bougé.

Il me laissait le temps.

Je frottais mes phalanges contre le mur. Je me faisais mal pour avoir un endroit de blessure. Mon souffle laissait des ronds de buée qui s'effaçaient doucement. On voudrait en rire ! Se dire qu'on en a vu d'autres ! Que douleur de cœur n'est pas plaie de chair ! Mais on ne sait pas. On ne s'habitue pas. Même si on l'a connue mille fois.

Sa voiture a roulé sur quelques mètres. On se disait adieu comme ça.

Qu'est-ce que j'aurais voulu ? La douleur folle est celle des sentiments. J'ai appuyé ma main contre la vitre. Je me suis efforcée de respirer calmement.

La jeep est passée une dernière fois devant le gîte et elle s'est éloignée jusqu'au panneau de sortie sur la route. Une voiture remontait à vive allure, suivie d'une autre, un semi-remorque.

La voie était libre, il a attendu encore.

— Va-t'en, s'il te plaît…

Ses feux arrière se sont allumés, éteints, allumés encore et puis éteints, un ultime signe, quelques secondes et la jeep s'est engagée. Elle s'est mêlée au flot, je l'ai suivie des yeux, tant que j'ai pu.

Elle s'est confondue.

Je suis restée seule, après, à fixer ce bord de route où il avait disparu.

Gaby s'est avancée près de moi. J'avais oublié sa présence. Elle avait tout nettoyé dans la cuisine. Tout récuré sur l'évier. Je n'arrivais pas à ouvrir mes doigts. J'avais les phalanges à vif. Seuls les pouces, repliés, avaient été épargnés.

Elle a pris mes mains. Elle a déplié mes doigts un par un, sans rien demander. Elle est allée chercher le désinfectant. La peau s'était arrachée, soulevée, des particules de plâtre s'étaient glissées dans les chairs.

Elle a nettoyé.

— Tu ne pleures jamais, toi ? elle a demandé.

— Si, comme tout le monde.

— Pas souvent.

— Pourquoi tu veux que je pleure ?

Sur le carreau de la fenêtre, il restait un rond de buée qui disparaissait lentement.

Quand je suis émue, je respire à l'envers, plus d'expiration que d'inspiration, ça fait entendre les failles. Gaby a posé un doigt sur chacune de mes paupières. Une pression légère. J'ai senti sa chaleur traverser la peau fine et chauffer derrière. Mes larmes ont gonflé. Ça lâchait prise.

— Tu fais chier Gaby…

— Je sais ma sœur…

Gaby a pris un sac en plastique pour ramasser de la sciure.

— Je t'emmènerai à la gare, demain.

— Je peux y aller à pied…

— Je t'emmène.

Elle est sortie.

Je l'ai regardée, par la fenêtre, les bottes enfoncées dans le tas, elle remplissait le sac de sciure, penchée, les doigts en râteau, la main comme une pelle.

Quand le sac a été plein, elle s'est redressée. Le vent a plaqué son manteau contre son ventre, ses cheveux sur son visage, des tourbillons de sciure se sont rabattus sur elle, ça semblait de la poussière d'or tellement ça scintillait. Dans le contre-jour de la lumière, on aurait dit un arbre dément.

Le gîte était redevenu silencieux. J'ai vidé les pots de glace qui restaient dans le freezer. J'ai attaqué les cookies. Le sachet de raisins secs.

Il restait quelques marrons glacés.

J'ai sorti les photos de la serveuse de leur enveloppe et je les ai regardées.

J'ai fini les marrons.

Avant de sortir, j'ai jeté les photos.

Philippe était dans le fauteuil, devant la télé. Un feu brûlait dans la cheminée. Emma préparait le repas.

— On dirait Bambi perdu dans la forêt…

Quand il a vu mes mains écorchées, il est descendu à la cave.

Emma m'a proposé de dormir chez eux pour ma dernière nuit.

Sur la table, le journal du jour avec une photo des manifestants devant la préfecture, "La piste partage le Val".

Emma a profité de l'absence de Philippe pour me montrer l'article, elle a voulu que je signe leur pétition. Elle voulait me rallier à sa cause. Elle a insisté, il lui fallait des signatures. Elle voulait ouvrir une boutique en bord de route, un endroit où on pourrait consommer des pâtisseries et des chocolats chauds, un lieu pour écouter de la musique et faire du tricot, un concept formidable ! Elle avait vu ça à Dijon et à Chambéry.

Je n'ai pas signé. Je ne savais pas ce que je souhaitais pour le Val.

— Ils parlent de rouvrir la gare, de faire arrêter plus de trains…

Sur le placard, il y avait des dépliants pour Venise.

— Vous partez ?

— En avril.

Philippe est remonté de la cave. Il a sorti des verres. Le vin dans la lumière.

— Un Château La Garde 2003 !

Dimanche 20 janvier

Ma valise était prête. Le gîte rangé. Le lit remis à sa place, contre le mur. Les couvertures, les oreillers.

La boule de verre était sur l'étagère. Je pensais la laisser au Val. Toutes ces choses que l'on vit. Toute cette masse de choses…

J'ai tourné la boule. La neige a tourbillonné autour du cheval à bascule. Un cheval qui semblait me dire des choses, adoucir mon dedans pierreux. Un flocon s'est déposé sur l'un de ses yeux, transformant le regard en un clin d'œil.

J'avais promis au vieux Sam de faire des jours à venir de purs moments de grâce.

J'ai jeté le ballotin vide dans la poubelle. J'ai récupéré les photos de la serveuse, je les ai remises dans l'enveloppe.

J'ai écrit le prénom de Jean dessus.

J'ai laissé l'enveloppe bien en vue sur la table.

La boule de verre dans ma valise, protégée entre les tissus des chemises.

J'ai barré le nom de Jean sur l'enveloppe et j'ai glissé l'enveloppe dans la pochette intérieure de ma valise.

Mon train partirait quelques minutes après quinze heures. Francky m'avait dit de faire comme ça, tu fermes le gîte et tu laisses la clé sur la porte.

Je suis allée chez Gaby à pied en tirant ma valise, l'ordinateur posé dessus. Mon sac en bandoulière. Les roulettes faisaient un bruit d'enfer sur le dur du goudron.

Il restait du temps avant le départ. Je pensais déposer ma valise dans le coffre et faire une dernière promenade jusqu'au pont.

Quand je suis arrivée au bungalow, Marius était sur la balançoire, la tête en bas, les mains lâchées, la planche coincée dans le pli des genoux, ses cheveux balayaient la terre et il me regardait avancer à l'envers.

J'ai placé la valise dans le coffre de la Volvo avec mon sac et la sacoche qui contenait l'ordinateur.

Marius s'est avancé vers moi d'une démarche un peu dégingandée. Il tenait une boule de verre dans la main. À l'intérieur, un décor de *La Petite Maison dans la prairie* avec Charles Ingalls, sa femme et ses filles.

— Si Gaby sait que tu lui as pris une boule, elle te tue.

— Je ne l'ai pas prise.

— C'est elle qui te l'a donnée?

Il a fait non avec la tête.

— Elle est tombée du ciel alors?

Il m'a montré le tourniquet.

Sur l'un des sièges, il y avait une boîte en carton, une protection en polystyrène. Pas d'adresse sur la boîte. Pas de tampons.

— Tu l'as trouvée là?

— Oui.

— Tu es sûr?

Il a opiné, très sérieux.

Je lui ai demandé s'il avait vu quelqu'un. Un homme. Une voiture.

Il n'avait rien vu.

Le carton était trempé d'humidité, la boîte déformée devait être sous la neige depuis plusieurs jours.

— Je vais en parler à Gaby.

Je me suis avancée jusqu'à la porte. Le givre faisait une couronne de lumière autour du bungalow.

Je me suis retournée.

— Si tu n'as pas dit la vérité, je te conseille de rentrer chez toi et de bien te planquer.

Je lui ai laissé quelques secondes. Il n'a pas bougé.

J'ai poussé la porte.

À l'intérieur, Gaby s'occupait des écureuils. Avec une balayette, elle ramassait les copeaux tombés sur le lino, elle les rassemblait dans une pelle en plastique et jetait tout dans la poubelle.

— Ils ne dorment plus, elle a ronchonné.

Elle a vu la boule de verre dans ma main.

— Marius dit qu'il l'a trouvée sur l'un des sièges du tourniquet. Tu la connais ?

Elle s'est approchée. A découvert le décor, les cinq Ingalls.

— Jamais vue.

— Tu es sûre ?

— Sûre.

— J'ai pensé que tu aurais pu la lui donner…

Elle a pris la boule entre ses mains, l'a secouée. Les flocons se sont accrochés au chapeau de Charles Ingalls.

— Il dit qu'il l'a trouvée dehors ?

— Dans une boîte en carton.

— Et la boîte ?

— Sur un siège.

554

— Je ne comprends pas…

— Moi non plus.

Elle tournait et retournait la boule.

— Tu crois que c'est Curtil ?

— Je ne vois pas pourquoi il aurait fait ça.

— Ça peut être que lui…

— Il n'avait aucune raison. Et puis les boules, Curtil les envoie par la poste, il ne les dépose pas. C'est peut-être la Môme…

— Quoi, la Môme ?

— Elle l'aurait donnée à Marius.

— Je te dis que je l'avais jamais vue avant.

— Il y en a beaucoup, tu as pu oublier…

— Je les connais toutes et celle-là, je la connais pas. La famille Ingalls, tu parles ! si je l'avais vue même qu'une seule fois, je m'en souviendrais et pour longtemps.

Elle a commencé à réfléchir.

La Môme est sortie de sa chambre, tout ébouriffée, elle avait dormi et semblait dormir encore.

— T'as donné une boule de neige au gamin ? a quand même demandé Gaby.

La Môme a haussé les épaules.

C'est tout.

Elle a rempli un verre de lait, est retournée dans sa chambre.

Gaby a continué à réfléchir. Je la voyais penser, lutter, toutes les idées sous son crâne qui défilaient.

— Ça pourrait être Ludo, elle a fini par dire.

— Quoi, Ludo ?

— Il serait venu la poser là avant de se carapater.

— Pourquoi il aurait fait ça ?

— Pour me dire qu'il ne m'avait pas oubliée. Qu'il allait revenir.

Son regard m'a traversée. Des pupilles qui montraient un dedans plein d'espoirs.

— Je ne vois pas Ludo faire ça, j'ai dit. C'est pas un romantique. S'il avait voulu te dire quelque chose, il serait venu cogner à ta fenêtre à trois heures du matin… Et puis il l'aurait achetée où? On fait du négoce de boules dans le bois?

— On en vend à Modane.

— L'emballage était trempé, si ça se trouve, ça fait des semaines qu'elle était là…

— Je ne vois pas qui ça peut être d'autre…

— C'est peut-être le hasard, simplement ça, un mystère qu'on ne s'explique pas.

Elle a souri, les yeux dans la vague.

— Moi, j'y crois que c'est lui.

Elle a ouvert la porte et elle a regardé la route.

— Toi, je vois bien que tu n'y crois pas, elle a murmuré.

Elle a descendu les marches.

— Mais je te demande pas d'y croire.

Elle a marché jusqu'au tourniquet et elle a récupéré la boîte. Je l'ai revue dans sa robe blanche. J'ai pensé qu'elle allait attendre, pendant des mois, des années. Tout le temps nécessaire et bien davantage. Je ne sais pas jusqu'où j'ai été injuste dans mes pensées.

Elle est revenue vers la porte.

J'ai pensé que ça pouvait être Diego. Diego qui préférait qu'elle soit heureuse plutôt que triste, qu'elle attende un autre plutôt que rien.

Diego qui voulait pour elle un peu d'espoir, parce que Gaby était sa part de ciel.

J'ai laissé flotter un peu.

— Ça peut être Ludo mais ça peut aussi être n'importe qui…

556

On avait du temps avant mon départ et il faisait soleil. Un ciel très bleu. Gaby a pris les clés de la Volvo.

— On va pas rester là à se regarder et à piétiner d'un pied sur l'autre. Tu veux qu'on fasse un détour par le lac? Hein, avant de partir? Plutôt que d'attendre sur le quai, on pourrait faire ça?

C'est ce qu'elle a dit.

J'ai regardé la pendule.

— J'ai mon train à prendre. Si je le rate, il n'y en aura pas d'autres, il faudra reporter à demain ou alors m'emmener à la gare de Modane.

— Tu ne le rateras pas.

Elle a appelé la Môme.

La Môme a sifflé Marius, il est venu vers nous en lançant une jambe loin devant, comme un soldat sans arme. Arrivé près de la Volvo, il s'est retourné, il a fait un signe de la main. Sa mère était planquée derrière sa vitre. Son visage, entouré de rideaux.

Il s'est engouffré dans la voiture, banquette arrière, à côté de la Môme. Il a sorti des biscuits de sa poche, des barquettes qui ressemblaient à des bateaux. Il nous en a tendu un à chacune. Les creux fourrés de confiture avaient pris la poussière de ses poches.

Gaby a pris la montée de la Croix, une longue route tout en virages. Sur les bas-côtés, la neige était tassée en épaisseur.

On a mis vingt minutes pour arriver au lac. Gaby s'est garée plein sud.

Autour, les montagnes paraissaient bleues.

— Une vue de princes…, j'ai dit en laissant mes yeux courir jusqu'à la frontière.

La Môme et Marius sont allés courir au bout du ponton, ils ont abandonné leurs blousons sur la neige, ça faisait des taches vives sur le blanc.

Le soleil cognait derrière le pare-brise. On est sorties marcher. Le sentier qui permettait de faire le tour du lac avait disparu sous la dernière neige. Les herbes et les roseaux étaient pris dans la glace. Il y avait des barques renversées.

Gaby a tiré de sa poche un petit paquet.

— Pour toi…

— Qu'est-ce que c'est ?

— Ouvre.

Du papier fin comme on en trouve dans les boîtes de chaussures.

Je l'ai déplié.

À l'intérieur, il y avait mon collier. Trente perles, il n'en manquait pas une.

— Tu les as retrouvées ! Mais comment…

— Pendant que tu regardais le renard. J'ai fouillé dans tes poches aussi, tu m'excuses.

J'ai glissé ma main dans ma poche, j'ai vérifié, au fond il n'y avait plus de perles, ni de fil, ni de fermoir. J'ai retrouvé le dragon en papier que Philippe avait plié devant moi chez Francky.

J'ai gardé le collier dans ma main.

— Avec toi, c'est facile, tu te rends compte de rien, elle a dit, Gaby. Tu veux que je te l'attache ?

— Non…

La Môme traînait Marius sur la glace.

Des corbeaux sont passés. Deux cygnes patauds tentaient de marcher sur le lac, ils avaient perdu toute grâce.

Il n'y avait personne d'autre.

Gaby a tourné la tête.

— Je vais te dire la vérité…

Elle s'est arrêtée de marcher. Elle a gratté dans la neige avec sa chaussure.

— La vérité, c'est que je serai toujours avec Ludo, toujours, quoi qu'il fasse, je changerai jamais d'idée.

Je n'ai pas compris pourquoi elle m'avait dit cela.

Marius cognait sur la glace avec une pierre, il s'en servait comme d'un pic. La Môme était près de lui.

— Quand ce lac est bien gelé, ça fait une route d'hiver, les voitures traversent, il faut conduire vite et ne pas s'arrêter… Si on s'arrête, on ne repart pas.

Gaby a marché jusqu'au bord.

J'ai mis le collier dans ma poche. Avec l'origami. J'ai jeté un coup d'œil à ma montre.

— Arrête de regarder l'heure, on a le temps.

— Je la regarde pas.

— Si, tu la regardes.

Elle a fait quelques pas et elle est remontée se caler les reins au capot, le visage au soleil.

Je me suis calée à côté d'elle.

À un moment, Marius a cogné plus fort, la glace s'est fendue, l'eau a jailli et ils se sont reculés en criant.

Gaby a resserré les pans de son manteau.

— Ça s'est passé quelques jours après Noël, elle a murmuré.

Elle fixait loin, les eaux figées qui brillaient comme un miroir.

— Ce lac, c'était un bon raccourci. Ludo, il conduisait la première voiture. Moi, j'étais à côté. On s'était dit qu'avec les fêtes, les flics ne viendraient pas patrouiller jusque-là.

Elle a hésité quelques secondes avant de continuer.

— On passait deux vieux sur la banquette arrière…
et une fille… Les deux vieux ne disaient rien, ils se
tenaient la main, je crois qu'ils étaient serbes… Ils
devaient être partis depuis des jours, je sais pas où ils
allaient après…

Elle a baissé les yeux. Devant son pied, une flaque
avait gelé en formant des plaques géométriques com-
plexes. Un pan de ciel kaléidoscopique se reflétait. Elle
a appuyé sur la glace avec sa chaussure.

— La fille n'était pas seule… Elle avait un homme
et deux enfants, ils étaient dans la DS qui suivait,
c'est pour ça, elle se retournait tout le temps, elle les
lâchait pas des yeux, elle murmurait des mots que je
comprenais pas. C'était la règle, il fallait séparer les
familles, c'est Ludo qui disait ça. Avant de s'enga-
ger sur le lac, il est descendu pour vérifier l'épaisseur
de glace. Quand il est revenu, il a dit que c'était gelé
sur un mètre et qu'on pouvait traverser. Les roues
ont patiné au début mais ça a vite accroché, il a roulé
en suivant les traces d'une voiture qui était déjà passée avant nous. On est partis en premier et la DS a
attendu. Quand on traverse, il faut laisser cinquante
mètres entre deux voitures. On avait deux kilomètres
à faire. Sur un lac, il ne faut pas rouler trop vite sinon
ça fait des vagues dessous et la glace se fend. Il ne
faut pas rouler trop doucement non plus. "Et une fois
qu'on est parti, on ne recule pas", ça aussi il le disait,
Ludo… C'était mon premier passage, il voulait m'apprendre, c'était son idée, pour que je me débrouille
toute seule après.

Gaby s'est tue.

J'ai frissonné. Que voulait-elle me raconter ?

Les cygnes ne bougeaient plus, ils avaient l'air
d'avoir froid. La Môme et Marius se lançaient de la

poudreuse, des boules qui éclataient avant de les toucher, retombaient en poussière dans la brillance de l'air au-dessus d'eux.

— Je n'avais pas idée du poids que la glace pouvait supporter. Ludo, il devait savoir. On est arrivés au milieu du lac… Dessous, y avait vingt mètres d'eau glacée mais il ne fallait pas y penser. La deuxième voiture s'est engagée, la fille a commencé à gémir vu qu'il y avait ses gosses à l'intérieur. Ludo lui a dit de la fermer. La fermer, elle ne pouvait pas alors Ludo ça l'a énervé et il a cogné de la main contre le tableau de bord… La vieille a sursauté et elle s'est mise à prier. Moi, j'ai baissé la vitre pour écouter le lac. C'est Ludo qui m'a dit de faire ça : "Écoute le lac !" Le lac, il était plein de bruits, on aurait dit qu'il était vivant. Tout allait encore bien. Ludo, il gardait l'allure. La DS suivait. La fille avait fini par se taire. Il nous restait cinq cents mètres avant la rive. Je lui ai dit que c'était bientôt fini mais elle n'a pas compris alors je lui ai souri et elle a souri aussi, et c'est à ce moment-là qu'on a entendu la glace. On aurait dit un coup de fusil qui serait allé zipper à l'autre bout. Un bruit comme une claque qui court.

Gaby est restée silencieuse, perdue dans ses pensées. Elle a tapé ses mains l'une contre l'autre à cause du froid. On est entrées dans la voiture, les nuques à l'appuie-tête. Marius et la Môme couraient loin sur la neige.

Le temps s'écoulait.

— Gaby ?

— Mmm…

— Il s'est passé quoi, après ?

Ses mains se sont posées sur le volant, doigts écartés.

— Après, la DS s'est arrêtée. Je l'ai vue au milieu du lac, en passant la tête par la vitre ouverte. Fallait pas s'arrêter, jamais, Ludo, il a redit ça : "Quand tu conduis, si tu t'arrêtes, tu ne repars pas !" Il m'avait fait répéter, des dizaines de fois ! La fille, derrière, elle claquait des dents et il a gueulé pour qu'elle arrête. Une terreur pareille, ça ne se raisonne pas. Je lui ai passé mon mouchoir pour qu'elle se le mette entre les dents. Ludo, il avait entendu le bruit de la glace, ça lui a crispé le visage, il n'a pas ralenti… La fille s'était retournée et elle fixait le milieu du lac par le pare-brise arrière. Elle ne devait rien y connaître aux bruits de la glace mais elle a dû sentir que quelque chose de grave s'était passé. Elle a voulu descendre. Ludo a bloqué les portières. Les deux vieux étaient tellement silencieux, on aurait dit des momies… Ludo, il voulait finir la traversée, c'est pour ça qu'il était payé, pour ramener tout ce petit monde sur la terre, deux vieux et une fille, un rendez-vous à la guérite à trois kilomètres de là. Il prenait son enveloppe, la suite il s'en foutait. On a fini par remonter sur la rive, avec les branches des sapins qui ont raclé le toit. C'est drôle comme il y a des bruits qu'on n'oublie pas. Ludo a dit qu'on était en France, il a répété : "France !!!" et les deux vieux ont souri… Ils avaient compris au son de la voix que c'était une bonne nouvelle. La fille, elle est sortie. La DS était toujours au milieu du lac, avec le moteur et les roues qui patinaient. Ça a duré un moment. Qu'est-ce qu'on pouvait faire ? On ne s'arrête pas quand on est sur un lac. Le moteur a fini par caler, les feux se sont éteints, les portières ont claqué, il y a eu des voix, ils étaient loin. Les voix, c'est le vent qui les amenait. Ludo a dit qu'il fallait partir. La fille n'a pas voulu remonter, elle restait sur le bord à regarder au milieu et à gueuler des mots. Ludo est allé la chercher, il a voulu la ramener mais on a bien vu qu'elle ne reviendrait pas… Que son idée, c'était de retrouver les trois autres qui étaient un peu elle et qui étaient là-bas. C'était ça qu'elle voulait.

Gaby s'est tue.

La Môme avait grimpé sur la coque renversée d'une barque et elle tendait la main à Marius. La coque devait être givrée, Marius glissait, il tentait de s'accrocher, chaque fois il retombait. On n'entendait pas leurs rires mais on voyait leurs visages heureux.

Nos respirations d'enfermées mettaient de la buée sur le pare-brise.

Gaby a repris.

— On ne devait pas s'attendre. Quoi qu'il arrive. C'était la règle.

Sa voix fatiguée était un souffle rauque que je craignais de ne plus entendre.

— La fille s'est avancée sur la glace. Elle a marché. Je lui ai gueulé de ne pas faire ça. Elle ne m'a pas répondu alors je suis sortie de la voiture et je l'ai retenue par le bras. Elle portait un grand manteau dans les tons rouges, très large, les manches aussi étaient larges, du tissu épais avec une ceinture. Elle criait, elle appelait, ça devait être des noms d'enfants qu'elle prononçait. Je l'ai laissée. Elle est partie là-bas, je ne l'ai pas suivie. Ludo, il faisait ronfler le moteur. Il était nerveux. Il avait commencé à rouler. Je suis revenue vers la voiture. Quand je me suis retournée, j'ai vu la fille, elle avançait toujours vers le milieu du lac. C'est à ce moment-là que j'ai entendu claquer la glace pour la deuxième fois. Ce claquement était différent de l'autre, plus court, un déchirement comme le coup d'une lanière de fouet qui serait allé mourir en face et sans retour.

La Môme avait sorti un appareil à bulles de sa poche et elle soufflait des bulles de savon qui s'envolaient dans l'air glacé et que Marius cherchait à attraper.

Gaby a tiré à elle la couverture qui était sur la banquette arrière et elle s'en est recouvert les cuisses.

— Ludo, il a fait ce qu'il fallait, il a continué la route. À cause de la fille, on avait pris du retard et quand on est arrivés à la guérite, il n'y avait plus personne. Ludo a quand même laissé les deux vieux, l'un à côté de l'autre, avec leurs sacs devant leurs pieds, il leur a dit d'attendre, qu'on allait venir les chercher, pas sûr qu'ils aient compris, pas sûr non plus qu'ils y aient cru. Dans le rétroviseur, on aurait dit deux fantômes. Après, on est rentrés au Val. Ludo conduisait en fixant la route. On n'a rien dit, pas un mot, ni sur les vieux ni sur la fille, pas un mot non plus sur la voiture qui était restée au milieu du lac.

Ses deux mains ont lissé les pans repliés de la couverture.

— On roulait depuis un moment quand j'ai senti que quelque chose n'était pas comme d'habitude. Je me suis retournée et j'ai regardé derrière, j'ai vu le sac noir sur le plancher, là où y avait les souliers de la fille. C'était ça, la chose différente. Un sac qui devait être à elle, c'est ce que je me suis dit, parce que les deux vieux, ils en avaient un chacun, on n'avait pas le droit à plus. Et je me suis souvenue de la fille qui marchait sur le lac sans rien. Je me suis penchée, j'ai essayé de ramener le sac en tirant sur les lanières. "Qu'est-ce que tu fous?" il a râlé, Ludo, parce que je le gênais pour conduire. "C'est la fille, elle a oublié son sac…" Il a essayé de voir. J'ai tiré sur la fermeture éclair, elle était coincée, je me suis dit qu'il devait y avoir des sous à l'intérieur, ou des bijoux, des choses de valeur, même si j'y croyais pas trop j'ai quand même pensé à ça et j'ai tiré plus fort. La fermeture a fini par lâcher.

Gaby a fermé les yeux un instant, puis les a rouverts.

— Parfois, tout va bien et puis les choses ne prennent pas la direction qu'on a choisie. Elles tournent autrement...

J'ai eu la sensation fugace de ce qui lui restait à me dire. J'ai jeté un regard à la pendule, on avait encore un peu de temps.

La Môme et Marius glissaient sur les flaques, les bras tendus, on aurait dit qu'ils voulaient attraper le ciel avec leurs mains. Autour d'eux, la lumière était vive, étincelante.

— Dans le sac, y avait un bébé, a dit Gaby. J'ai cru qu'il était mort parce qu'il bougeait pas, je l'ai touché, il était chaud. Je l'ai fait bouger avec ma main. Ils avaient dû lui donner un calmant parce qu'il était vraiment sonné. Il ne s'est pas réveillé même quand j'ai soulevé le sac et que je l'ai fait passer en forçant entre les deux sièges. Ils l'avaient planqué là-dedans pour pas payer son passage... Ludo, il avait pas vu encore, il m'a demandé ce que je fichais encore. "Nom de Dieu", il a dit quand je lui ai montré. Le bébé, je l'ai pas sorti du sac, j'ai juste laissé ouvert pour qu'il ait de l'air à respirer. Ludo a fait un demi-tour brusque et on est retournés au lac. On pensait que la fille serait encore là-bas, qu'on lui rendrait le bébé, mais quand on est arrivés, il n'y avait plus personne ni au bord ni dessus, c'était le grand silence partout. Ludo, il a mis pleins phares et on a vu le grand trou noir au milieu du lac.

La fin, les derniers mots, Gaby les avait presque chuchotés.

— Je n'aurais jamais bougé de là si Ludo ne m'avait pas secouée. Il a roulé, j'avais le sac sur les genoux, je ne savais pas où il allait, c'est quand on est arrivés à la guérite que j'ai compris, mais la fille, elle était pas là non plus. Il n'y avait personne. Personne… Même les vieux étaient partis… Ludo, il a cogné de la main sur le volant. Moi, j'ai sorti le bébé du sac, j'ai fouillé dans la doublure, je pensais qu'il y aurait des papiers, j'ai déplié la couverture… C'est comme ça que j'ai vu que c'était une petite fille, à cause de la robe. Elle avait aussi une médaille autour du cou, Vera, c'était écrit. Il n'y avait rien d'autre. Juste cette môme qui vivait sur la terre sans plus personne. C'est Ludo qui l'a sauvée parce que moi je voulais qu'on la laisse dans le sac, là-bas, devant la guérite, il se passera ce qui se passera, c'est ce que je lui ai dit. Je savais que si on nous trouvait avec une petite qui était pas à nous, ça serait très mauvais pour la suite. On s'est engueulés à cause de ça, mais Ludo, il a pas cédé, et on est rentrés au Val avec la Môme.

Elle a fait une pause.

La Môme et Marius étaient revenus près du ponton. Ils lançaient des cailloux qui ricochaient, glissaient et se perdaient sur la plaque de glace.

Gaby a regardé sa montre.

— Faut qu'on y aille, elle a dit.

Elle a klaxonné et la Môme et Marius ont ramassé leurs blousons, ils sont revenus en courant.

De tout le temps du trajet, j'ai pensé à ce que Gaby venait de me confier. Cette histoire qu'elle m'avait racontée sans faiblir. Je voulais comprendre ce qu'elle ressentait. Je pensais que si je comprenais alors je parviendrais aussi à comprendre la teneur de ce trou béant qui avait fait nos différences.

Sur la banquette arrière, la Môme récitait avec Marius une comptine en tapant des paumes, mains contre mains.

On est arrivés à la gare un quart d'heure avant le train. Marius et la Môme ont voulu rester dans la voiture. On s'est dit au revoir aux portières.

Gaby a porté mon ordinateur, la sacoche en bandoulière, elle avançait de son pas lourd.

J'ai tiré ma valise.

On est passées par le petit portillon côté gauche de la gare. Sur le quai en face, il y avait une dame toute seule.

On s'est assises sur le banc, comme le premier jour quand j'étais arrivée et qu'on avait regardé les poules picorer sur les voies.

Gaby fixait l'endroit du quai d'où allait venir le train.

— C'est comme ça que les choses se sont faites. Après, pendant des semaines, on est revenus au lac, on pensait retrouver sa mère, qu'elle serait encore là, à tourner à la recherche de sa petite. Mais au fond de nous, on savait bien qu'on la reverrait pas. Ni elle, ni ceux de la deuxième voiture. On ne reverrait plus personne. On ne savait même pas de quel pays ils venaient, ces gens. Avec Ludo, on est allés à Modane, on regardait tout le monde, on pensait retrouver les deux vieux, des fois qu'ils pourraient nous dire quelque chose sur le pays des autres.

— Et après ?

— Après, on s'est habitués à avoir la Môme chez nous. On se disait que si quelqu'un la recherchait, ça viendrait au Val, pas loin du lac.

— Et vous avez gardé la Môme…

— Tu voulais qu'on fasse quoi ? On s'était juré que si on nous la demandait, on la rendrait.

Elle a glissé la main dans sa poche.

— Y avait ça aussi dans le sac.

Elle a sorti le petit album que j'avais feuilleté dans la chambre de la Môme. Gaby a tourné quelques pages, elle a fait défiler les photos. S'est arrêtée sur celle d'un immeuble sombre, une façade, j'ai reconnu le dessin reproduit contre la porte du frigo. La croix sur le dessin, ce n'était pas un balcon mais une vraie croix, tracée à la pointe d'un stylo bleu, creusée dans le papier glacé.

— Elle les a toutes dessinées. Toutes les photos qui sont dans l'album. Elle pense que c'est chez elle. Que c'est de là qu'elle vient.

— Et toi, qu'est-ce que tu penses ? j'ai demandé.

— Je pense qu'elle doit venir de là. Sûrement. Mais là, c'est où, hein ?

Elle a levé la tête, ses cheveux autour comme un mauvais rideau.

— Voilà ton train…

La locomotive sortait lentement de la courbe, approchait entre les arbres. Gaby a refermé l'album.

Le train est entré en gare. Je me suis retournée. La Volvo était sur le parking, la Môme avait baissé la vitre et regardait à l'extérieur.

— Elle sait ?

— Oui.

— C'est pour ça qu'elle plonge dans le lac ?… Pour ça qu'elle marche sur la glace et qu'elle regarde dessous ?

— Elle veut retrouver la voiture… Mais moi je lui dis, des voitures, il y en a des dizaines au fond… et c'est même pas sûr que ses parents soient dedans.

Je me suis souvenue d'elle avançant sur le lac gelé et Philippe qui l'attendait.

— Philippe le sait ?

— Oui.

Le train a ralenti encore dans un grand bruit de freins, il est venu s'immobiliser le long du quai. Les portes se sont ouvertes.

J'ai posé ma valise sur le marchepied. La sacoche à côté. Tout ce que Gaby venait de me confier se bousculait en images dans ma tête. Et tout se recomposait.

Un train est arrivé dans l'autre sens, celui de Modane, il s'est arrêté sur le quai en face. Dans les wagons, des voyageurs debout s'apprêtaient à descendre.

Je suis revenue vers Gaby.

— Pourquoi tu me racontes tout ça maintenant ?

— Avant, tu ne pouvais pas comprendre.

— Et maintenant, je peux ?

Elle a penché la tête de côté, m'a regardée avec un sourire doux comme une étreinte. Une caresse qui s'est gravée sur les parois de mon âme.

— Maintenant, oui, tu peux.

J'ai glissé ma valise à l'endroit prévu pour les gros bagages. Une place contre la fenêtre. Ma sacoche et mon sac sur le siège à côté.

L'autre train est reparti après avoir déposé une poignée de voyageurs.

J'ai ôté mon blouson et je me suis calée derrière la vitre. Gaby n'était plus là. La Volvo avait disparu.

Les portes ont chuinté. Elles se sont refermées.

J'allais reprendre le fil de ma vie. Des jours qui seraient semblables aux ciels d'ici, avec des matins qui commencent noirs et tout de suite après, le soleil les éclaire et ils deviennent beaux.

J'allais revenir.

Je ne savais pas quand.

Le train s'est ébranlé, quelques secousses. J'ai regardé par la vitre. Le vent faisait s'envoler la poudreuse au-dessus du toit. Les voyageurs déposés sur le quai en face se dispersaient. Je me suis demandé si les poules allaient revenir picorer l'herbe entre les rails une fois mon train parti. J'ai cherché à les apercevoir.

Au bout du quai, assez loin, un dernier passager avançait vers la sortie avec un sac de voyage. Cette silhouette me semblait familière. Je me suis collée à la fenêtre, les deux mains appuyées.

Le train a pris de la vitesse. La silhouette s'est éloignée à travers la vitre.

On aurait dit Curtil.

On aurait vraiment dit que c'était lui.

J'ai essayé de voir encore mais la silhouette est sortie de mon champ de vision, elle a fini par disparaître. Je me suis calée dans le creux de mon siège.

Lui, peut-être.

Ou peut-être pas.

RÉFÉRENCES DES CITATIONS

P. 386 : Tite-Live, *Histoire de Rome depuis sa fondation*, partie 4, chapitre XXI, 35.

P. 442-443 : Polybe, *Histoires*, livre troisième, chapitre X, "Hannibal dans les Alpes".

Les citations concernant Christo sont extraites de l'article "Entretien avec Christo et Jeanne-Claude", *L'En-Je laca-nien*, 2005/1 (n° 4), p. 159-185.

BABEL

Extrait du catalogue

1233. HÉLÈNE GAUDY
Si rien ne bouge

1234. RÉGINE DETAMBEL
Opéra sérieux

1235. ÉRIC VUILLARD
La Bataille d'Occident

1236. ANNE DELAFLOTTE MEHDEVI
Fugue

1237. ALEX CAPUS
Léon et Louise

1238. CLAUDIA PIÑEIRO
Les Veuves du jeudi

1239. MIEKO KAWAKAMI
Seins et Œufs

1240. HENRY BAUCHAU
L'Enfant rieur

1241. CLAUDE PUJADE-RENAUD
Dans l'ombre de la lumière

1242. LYNDA RUTLEDGE
Le Dernier Vide-Grenier de Faith Bass Darling

1243. FABIENNE JUHEL
La Verticale de la lune

1244. W. G. SEBALD
De la destruction

1245. HENRI, JEAN-LOUIS ET PASCAL PUJOL
Question(s) cancer

1246. JOËL POMMERAT
Le Petit Chaperon rouge

1247. JÉRÔME FERRARI
Où j'ai laissé mon âme

1248. LOLA LAFON
Nous sommes les oiseaux de la tempête
qui s'annonce

1249. JEANNE BENAMEUR
Profanes

1250. PATRICK deWITT
Les Frères Sisters

1251. ALAN DUFF
Un père pour mes rêves

1252. JAN GUILLOU
Les Ingénieurs du bout du monde

1253. METIN ARDITI
Prince d'orchestre

1254. DON DELILLO
Great Jones Street

1255. ROOPA FAROOKI
Le Choix de Goldie

1256. MARIA ERNESTAM
Toujours avec toi

1257. JEAN-YVES LOUDE
Lisbonne, dans la ville noire

1258. PRALINE GAY-PARA
Contes très merveilleux

1259. MATHIAS ÉNARD
Rue des Voleurs

1260. LAURENT GAUDÉ
Pour seul cortège

1261. WAJDI MOUAWAD
Anima

1262. ÉRIC VUILLARD
Congo

1263. CÉLINE CURIOL
L'Ardeur des pierres

1264. ANNE PERCIN
Le Premier Été

1265. LAURENCE VILAINE
Le silence ne sera qu'un souvenir

1266. CÉCILE LADJALI
Louis et la Jeune Fille

1267. PHILIPPE DE LA GENARDIÈRE
Le Roman de la communauté

1268. YÔKO OGAWA
Les Tendres Plaintes

1269. HANAN EL-CHEIKH
Toute une histoire

1270. HERBJØRG WASSMO
Un verre de lait, s'il vous plaît

1271. JAUME CABRÉ
L'Ombre de l'eunuque

1272. JEAN-CLAUDE GRUMBERG
45 ça va

1273. ANDRÉ BRINK
Mes bifurcations

1274. PAUL AUSTER
Chronique d'hiver

1275. JÉRÔME FERRARI
Variétés de la mort

1276. ALICE FERNEY
Cherchez la femme

Ouvrage réalisé
par l'Atelier graphique Actes Sud.
Achevé d'imprimer
en décembre 2014
par Normandie Roto Impression s.a.s.
61250 Lonrai
pour le compte
des éditions Actes Sud
Le Méjan
Place Nina-Berberova
13200 Arles.

Dépôt légal
1re édition : octobre 2014
N° impr. : 1404989
(Imprimé en France)